D0308830

CONGO REQUIEM

JEAN-CHRISTOPHE
GRANGÉ

CONGO REQUIEM

ROMAN

ALBIN MICHEL

I
LE CŒUR ROUGE DE LA TERRE

1

AÉROPORT DE LUBUMBASHI, Congo-Kinshasa. L'embarquement avait des allures de foire d'empoigne. L'avion avait été peint à la va-vite. L'odeur de kérosène empoisonnait l'air. Au pied de l'appareil, une pagaille d'hommes noirs et de ballots blancs. Des cris. Des gesticulations. Des boubous. Des cartons. Devait-on voir dans cette lutte une simple tradition locale ? Ou un stupéfiant exemple de régression sociale ?

Depuis longtemps, Grégoire Morvan ne se posait plus la question. Il savait qu'on vendait en bout de piste des morceaux de viande humaine à déguster en famille. Que le pilote recevait son féticheur dans le cockpit avant le décollage. Que la plupart des pièces de rechange avaient déjà été fourguées afin d'être adaptées sur des moteurs rafistolés. Quant aux passagers…

Morvan ne prendrait pas ce vol. Il était venu effectuer les dernières vérifications en vue de son propre départ le lendemain – un Antonov spécialement affrété pour l'occasion, entièrement financé de sa poche. Il avait arrosé les officiers des douanes, les agents de l'immigration, les responsables militaires, sans oublier les « protocoles », innombrables parasites rôdant dans l'aéroport et se nourrissant exclusivement de bakchichs. Il avait fourni les documents nécessaires : plan de vol, immatriculation, contrats d'assurance, brevets, autorisations… Tout était faux. Ça ne dérangeait personne : au Congo il n'y a pas de modèle, seulement des copies.

Avec son fils Erwan, ils avaient atterri à Lubumbashi deux jours plus tôt après un bref transfert à Kinshasa. Neuf heures de vol pour atteindre la capitale de la République démocratique du Congo, quatre de plus pour gagner celle du Katanga, la province la plus riche de la RDC, toujours menacée par la guerre. Rien à signaler.

Ils voyageaient ensemble mais pas pour les mêmes raisons. Erwan voulait tisonner les cendres du passé. Remonter, dans le détail, l'enquête que Morvan lui-même avait menée quarante ans auparavant sur un tueur en série qui s'attaquait aux filles blanches de Lontano, une ville minière du Nord-Katanga. Selon lui, Grégoire avait commis une erreur : la septième victime présumée de l'Homme-Clou, Catherine Fontana, avait été tuée par quelqu'un d'autre. *Mais qu'en sais-tu, nom de dieu ?*

Il avait tout fait pour l'empêcher de se lancer dans cette vaine croisade mais quand il l'avait vu prendre un congé sans solde au 36 et acheter son billet d'avion, il avait compris que rien ne l'arrêterait. Il avait alors décidé de l'accompagner : après tout, lui aussi avait quelque chose à faire au Katanga…

– On y va, patron ?

Il se retourna. Michel se tenait au bord du tarmac, un gros trousseau de clés à la main, comme si l'aéroport dans son ensemble était sa propriété. C'était un petit Noir malingre au cou de girafe. Surnommé la Touffe, en raison de son énorme tignasse crépue, il portait un pantalon de tergal et une chemise aux motifs criards. Michel était l'homme de confiance de Morvan – ce qui demeurait à Lubumbashi une notion relative.

Il suivit le Black sous le soleil accablant. On n'éprouvait plus rien ici sinon une asphyxie de lumière, une blancheur écrasante qui figeait toute pensée, tout espoir.

Le matériel était remisé dans un hangar fermé à double tour, surveillé par des soldats. La Touffe déverrouilla la porte et la fit glisser sur son rail.

– Et voilà !

La lumière révéla deux camions à benne Renault, trois 4 x 4 Toyota vidés de leurs sièges passagers – le tout racheté le mois précédent à d'autres groupes miniers. Morvan avait fait voter ce budget à l'assemblée générale de Coltano, compagnie minière qu'il avait lui-même fondée dans les années 90, prétextant une nécessaire remise à niveau des installations autour de Kolwezi. En réalité, il avait dans l'idée d'exploiter en douce de nouveaux filons découverts par ses experts géologues. Une vraie manne.

Il s'approcha et vérifia que les roues, les volants et les moteurs étaient toujours en place.

– Le carburant ?

– Là-bas.

Il n'alla pas jusqu'à vérifier les barils : il y avait plus important.

– Le reste ?

Michel prit une mine de conspirateur pour désigner des cantines militaires alignées dans l'ombre. Il choisit avec soin une clé dans son trousseau et en ouvrit une. Apparurent une quarantaine de fusils d'assaut, des chargeurs et des armes de poing. Les Noirs de la brousse ne savaient pas se servir de tels engins mais Cross leur apprendrait.

– Où t'as trouvé ça ?

– MONUSCO.

Mission de l'Organisation des Nations unies pour la stabilité en République démocratique du Congo. Des milliers de Casques Bleus qui se débattaient dans le merdier depuis près de quinze années. Troupes majeures pour un résultat mineur. Dans la confusion, armes et munitions s'égaraient de temps à autre pour se retrouver dans ce genre de cantines, au fond de ce genre de hangars…

Grégoire empoigna un FAMAS et actionna la culasse d'un coup sec. Ce simple geste lui fit remonter la bile des souvenirs. Années de combats, de conquêtes, de violence au fond de cette Afrique à la fois chérie et détestée.

Il choisit un Glock 9 mm qu'il glissa dans son dos et fourra plusieurs chargeurs dans ses poches de pantalon – cadeau pour Erwan. Il voulait l'empêcher d'avancer, pas le laisser tout nu. *Surtout pas.*

– Y a aussi un stock de 7,62 mm M43.

Les cartouches utilisées pour les AK-47. Pas question d'oublier ses classiques : la bonne vieille Kalach de l'Africain moderne.

– Parfait. Combien de gars on emmène ?

– Huit.

– T'es sûr d'eux ?

– Comme de moi-même.

– Tu commences à m'inquiéter.

Michel gloussa mais Morvan ne plaisantait pas. Alors que la seconde précédente il s'était brièvement revu en combattant de vingt-cinq ans, pionnier d'un nouveau monde, il se sentait maintenant proche du cimetière. En tout cas épuisé d'avance à l'idée de diriger à travers la brousse une bande de pieds nickelés en quête de filons cachés.

– Patron, les gars que j'ai choisis, ce sont des anciens des FARDC et...

Il n'écoutait plus. Si tout s'était passé comme prévu – ce qui était impossible en Afrique –, les mines à mille kilomètres au nord étaient creusées et une route défrichée jusqu'à la piste d'atterrissage à quelque vingt kilomètres des gisements. Les camions permettraient de transporter les premières tonnes de coltan jusqu'à l'avion, ce qui donnerait le coup d'envoi à une exploitation éclair. Il trafiquerait plusieurs mois avec le Rwanda puis, les poches pleines, préviendrait enfin ses partenaires : autorités katangaises, actionnaires congolais, associés européens... Alors seulement, il partagerait le pactole restant.

Ça, c'était la théorie. Les dernières nouvelles – des mails laconiques qui promettaient que tout allait bien – n'engageaient pas à l'optimisme.

– Beau boulot, Michel.

Il considéra le matériel et changea encore d'humeur. Il se dit qu'il y avait là de quoi jouer, même à soixante-sept ans, les Fitzcarraldo africains. Finalement, les velléités de justicier de son fils l'avaient poussé au cul. Espérons qu'il ferait ainsi d'une pierre deux coups… S'enrichir et tenir la bride au gamin.

– Démerde-toi pour qu'on puisse décoller demain matin avant midi.

– Pas de problème, patron.

Morvan repartit dans la brûlure du soleil. Il portait une simple chemise de lin bleue, flottant sur son pantalon de toile beige – une concession au climat, lui qui arborait en toutes circonstances un costume noir aux plis impeccables.

Au loin, les hélices de l'avion vrombissaient alors que des grappes d'hommes s'accrochaient encore à l'escalier mobile qu'on éloignait. Bagarre générale. Il gratta sa tignasse crépue de nègre blanc et chassa d'un geste des gamins mendiants qui venaient de l'apercevoir.

Ce voyage serait son dernier mensonge.

2

ERWAN était déjà installé sur la terrasse de l'hôtel quand son père le rejoignit pour le dîner. Peu avant 19 heures, la nuit était tombée comme une pierre.

– On décolle demain matin ! annonça le Vieux d'un ton triomphant.

– On en a déjà parlé cent fois, répondit-il sans lever les yeux du menu. Je ne pars pas avec toi.

Morvan s'assit lourdement sur sa chaise en plastique. D'après ce qu'Erwan avait pu remarquer, le Padre était aux normes congolaises : cent kilos pour un mètre quatre-vingt-dix.

– On va dans la même direction : profite de mon vol.

– Non. Je veux rester autonome.

Grégoire s'esclaffa :

– Tu vas pas m'accuser de corruption de fonctionnaire, j'espère !

Erwan observa son interlocuteur dont la carrure se découpait sur la piscine illuminée. Une nuée de moustiques voletaient au-dessus de l'eau turquoise, lui dessinant une sorte d'auréole vibrionnante.

– Je ne veux pas t'avoir dans les pattes, asséna-t-il. Je dois obtenir mes infos seul. Être indépendant. Objectif.

– Tu parles comme un journaliste.

– Exhumer une affaire vieille de quarante ans, c'est plutôt un boulot d'historien.

Il était parti pour le Katanga sans savoir ce qui l'attendait. Parfois, il soupçonnait son père d'avoir couvert le véritable assassin de Catherine Fontana. D'autres fois, il pensait que le Vieux était de bonne foi et qu'il avait cru, comme tout le monde, à la culpabilité de Thierry Pharabot. En vérité, il avait du mal à imaginer ce qu'avait pu être cette enquête sans équipe ni soutien technique, sans indice ni témoin.

Le serveur arriva. Dans la pénombre (la terrasse n'était éclairée que par la piscine et les lampes antimoustiques à ultraviolet), on ne voyait que sa chemise blanche, son nœud pap et l'encolure en V de son gilet. Il avait une manière de vaciller qui lui donnait l'air d'un somnambule sans tête.

– Deux capitaines, deux ! cria d'autorité Morvan.

– Encore ?

– Y a que ça ici. Le meilleur poisson du fleuve. Avec du riz, tu seras calé jusqu'à après-demain. Ça te fera une journée de chiasse en moins !

Il lui avait déjà fait le coup la veille et l'avant-veille. À ce rythme, Erwan allait être constipé pour un mois.

– Je veux découvrir la vérité, reprit-il d'un ton sentencieux. C'est légitime, non ?

– Bien sûr. Mais quel est l'objet au juste de ton enquête ? Un crime vieux de plus de quarante ans ? Une fille disparue sur laquelle tu ne sais rien ? Dans une ville qui n'existe plus ? Comment tu peux être sûr que l'Homme-Clou ne l'a pas tuée ?

– Au moment du meurtre, il était à quatre-vingts kilomètres de Lontano.

– Qu'est-ce que t'en sais ? insista le Vieux en plantant ses coudes sur la table. Tu crois qu'on peut se fier aux dates en Afrique ? Aux distances ? Aux témoignages ? Je te trouve gonflé de vouloir revoir ma propre copie, sur des évènements qui se sont déroulés avant ta naissance.

Erwan avait décidé de la jouer cool : l'affrontement entre père et fils, dont c'était la énième manche, ne menait à rien. Il fallait chercher l'apaisement.

– Justement, concéda-t-il. Tu avais le nez dessus. Tu étais pris dans la tourmente. Peut-être qu'aujourd'hui, avec le recul…

Morvan ouvrit la bouche pour hurler puis se ravisa. Il se recula sur sa chaise, sourire aux lèvres.

– Tu es flic. Tu sais comme moi que les faits ne collent pas toujours avec la logique ni la chronologie. Malgré ces incohérences, n'y a-t-il pas de fortes chances pour que cette gamine ait été tuée par le meurtrier qui avait déjà frappé six fois selon la même technique ?

Erwan prit une poignée de cacahuètes : chaque soir, les capitaines étaient si longs à arriver qu'on aurait pu croire qu'ils remontaient le fleuve à contre-courant avant d'atterrir dans leurs assiettes.

– Si c'est le cas, je découvrirai des indices concordants et ma vérification sera réglée en quelques jours.

– Mais où tu vas les dénicher, tes indices ?

– Dans les archives complètes du procès de Pharabot.

– Elles n'existent plus.

– Si. Je les ai retrouvées.

Son père se raidit :

– Où ?

– À deux pas d'ici. Au collège Saint-François-de-Sales.

– Tu les as vues ?

– J'y vais demain matin. On m'a assuré qu'elles étaient stockées là-bas.

– On s'est foutu de ta gueule.

Erwan ouvrit les mains d'un air fataliste. Son flegme exaspérait son père, il le sentait, et il en rajoutait.

– On verra bien, répondit-il d'une voix posée.

Morvan frappa la table. Le cliquetis des couverts fut amorti par les nappes en papier.

– On est au Congo, putain ! Les traces disparaissent en deux heures, les rapports en deux jours, les archives le mois suivant. Y a que trois choses qui perdurent ici : la pluie, la boue et la brousse. Pour le reste, oublie.

Il ne pouvait qu'acquiescer. La veille, il avait arpenté la ville en quête de journaux anciens. Rien. Il avait cherché des instances judiciaires, des structures administratives. Double zéro. Aujourd'hui, il s'était rendu à la mairie, à l'archidiocèse de Lubumbashi, dans les bureaux des sociétés minières. En vain. Ne restait plus que Saint-François-de-Sales.

– Je suppose que tu vas te mettre en quête des témoins de l'époque ? relança son père.

– Je vais essayer.

– Tu connais l'espérance de vie en Afrique ?

Erwan ne répondit pas. Finalement, de guerre lasse, le géant aux cheveux crépus leva son verre – un cocktail de fruits exotiques : il ne buvait jamais d'alcool.

– En tout cas, je te souhaite bonne chance !

Ils trinquèrent comme on enterre la hache de guerre.

– Blague à part, reprit le Vieux sur un ton bienveillant, comment comptes-tu te rendre à Lontano ?

– Y a un vol régulier pour Ankoro, à l'ouest du lac Tanganyika.

– Il a pas décollé depuis des mois. La piste d'atterrissage n'existe même plus.

– C'est pas ce que m'ont dit les gars de l'aéroport.

– Pour un bakchich, on te promettrait d'y aller à dos d'hippopotame !

Erwan haussa les épaules. Nouvelles cacahuètes.

– Admettons que tu y parviennes, concéda Morvan. Lontano est encore à plus de cent kilomètres au nord.

– Je prendrai une barge sur le fleuve. Je me suis renseigné : on ravitaille les villages de cette manière. Même les commerçants chinois utilisent ces convois.

– T'as conscience que tu seras dans le Nord-Katanga ?

– Et alors ?

– Et alors, mon canard, cette région est en guerre.

Il l'attendait depuis leur arrivée : le cours magistral sur le conflit au Congo. *Pourquoi pas ?* Avant son départ, il avait lu tout ce qu'il avait pu trouver sur la question et n'avait pas compris grand-chose.

– Laisse-moi te réexpliquer la situation, enchaîna Morvan d'un ton doctoral.

Il avait déjà tenté d'éclairer sa lanterne deux mois auparavant, quand ils étaient venus pour l'enterrement de Philippe Sese Nseko, le « regretté » directeur de Coltano. Erwan avait à peine écouté : à l'époque, il n'aurait jamais cru revenir ici.

– Y a pas de début ni de fin dans le merdier congolais mais faut bien commencer par quelque chose, alors prenons le génocide du Rwanda, en 1994. Un million de Tutsis massacrés par les Hutus en quelques jours. Un putain de coup de folie à l'africaine. Je m'attarde pas : tout le monde connaît.

« Mais ce n'était que le début de l'hécatombe. Quand les Tutsis ont repris le pouvoir à Kigali, les Hutus ont fui vers les Grands Lacs, à l'est du Congo. En quelques jours, des millions de réfugiés sont arrivés dans le Kivu. Les villes ont doublé, triplé, quadruplé en une nuit. Des camps se sont installés à la va-vite. On savait plus quoi foutre des Hutus et on redoutait l'arrivée des Tutsis prêts à se venger.

« Paul Kagamé, le nouveau président tutsi du Rwanda, n'a pas tardé à lancer ses troupes à leur poursuite et en a même profité pour dégommer le vieux Mobutu. Après le génocide contre son ethnie, il aurait pu décapiter le maréchal, les Occidentaux auraient encore applaudi. Pourtant, histoire de donner une légitimité à son invasion, il a monté une révolte congolaise bidon en associant quelques anciens rebelles en une pseudo-coalition. Parmi eux, il y avait Laurent-Désiré Kabila, un vieux briscard des années 60, à la retraite depuis des lustres.

– C'est ainsi qu'a commencé la première guerre du Congo…, coupa Erwan.

Grégoire soupira. Il estimait être le seul à pouvoir parler des affaires africaines. C'est d'ailleurs pour cette raison qu'il s'en abstenait. De son point de vue, il n'y avait là-bas ni problème ni solution. Seulement un imbroglio inextricable à gérer au jour le jour.

– Cette première guerre n'a duré que quelques mois. On était en 1997. Une fois installé au pouvoir, Kabila a exprimé sa gratitude à sa façon : il s'est retourné contre Kagamé et a chassé les Tutsis du pays, ces « sales envahisseurs ».

Toujours pas de poisson dans les assiettes. La veille, ils avaient attendu plus d'une heure. Quand leur commande était arrivée, le capitaine était froid et ils n'avaient plus faim.

Erwan écoutait autant son père que les bruissements de la brousse autour d'eux. Cette vie fourmillante dans les ténèbres, c'était presque réconfortant. De temps en temps, les crapauds-buffles entonnaient un solo.

Il voulut encore jouer à l'affranchi :

– J'ai lu tout ça. En représailles, Kagamé a réarmé ses troupes et envahi de nouveau la région des Grands Lacs. Deuxième guerre du Congo.

– Exactement, lui accorda Morvan avec réticence. Mais la donne avait changé : Kabila avait eu le temps de se constituer des troupes, les fameux kadogos, les enfants soldats. Il avait aussi armé les Hutus, ceux-là mêmes dont il avait provoqué le massacre dans l'est du pays. Sans compter ses nouveaux alliés, l'Angola et le Zimbabwe. De son côté, Kagamé s'était associé à l'Ouganda et au Burundi.

« Une sorte de guerre continentale a éclaté au centre de l'Afrique et provoqué une réaction en chaîne : des milices sont entrées dans la bataille. Les Maï-Maï, les Banyamulenge, d'autres rebelles encore... Même au sein de l'armée régulière congolaise, des rivalités sont apparues entre anciens des FAZ, les Forces armées zaïroises, et les kadogos, les enfants soldats... On n'en finirait pas si on devait citer tout le monde.

– D'après ce que j'ai lu, la situation s'est calmée, non ?

– Tu parles. Y a déjà eu je ne sais combien de négociations, d'accords de cessez-le-feu, d'alliances. À chaque fois, c'est reparti de plus belle. Pour dire la vérité, personne ne sait à quoi s'attendre.

– Sauf toi.

– Je n'ai pas cette prétention mais je peux te dire deux choses, et c'est pas des scoops. La première, c'est que cette guerre serait terminée depuis longtemps si elle ne se passait pas sur un des sous-sols miniers les plus riches au monde. La deuxième, c'est que ce sont toujours les civils qui trinquent. Pour l'instant, ces conflits ont fait au moins cinq millions de morts. Plus que ceux de Yougoslavie, d'Afghanistan et d'Irak réunis. En première ligne bien sûr, femmes et enfants. Les épidémies, la malnutrition, les viols, l'absence de soins les ont décimés.

Comme à point nommé, les capitaines arrivèrent. Cette fois, malgré l'attente et le sujet lugubre, ils se jetèrent sur leurs assiettes. Le silence s'imposa. Tout en mastiquant – aucun goût –, Erwan cogitait. Son père confirmait ce qu'il avait lu mais les faits, exposés de sa voix de stentor, devenaient plus *réels*.

Au bout de quelques minutes, il le relança :

– Tu ne m'as pas répondu : c'est plus calme aujourd'hui, oui ou non ?

– Les Casques Bleus ont mis quelques branlées, oui. Des chefs finissent par être arrêtés, des accords sont en cours, mais les armes circulent toujours, les mines tournent à plein régime et financent chaque « groupe d'autodéfense ». Le gouvernement central n'a aucun pouvoir sur cette zone…

– D'après mes sources, le Nord est sécurisé. La guerre est au Kivu et…

– Tu écoutes quand on te parle ? Je te répète qu'on ne peut jamais savoir ce qui va arriver, et certainement pas dans la région du Tanganyika. D'un jour à l'autre, des groupes tutsis peuvent déferler et reprendre les hostilités face aux FARDC.

– Tu y vas bien, toi…

– C'est mon business.

Erwan savait que Morvan s'apprêtait à exploiter en secret de nouvelles mines, en amont de Lontano. Il fallait reconnaître qu'à près de soixante-dix ans, le Padre avait encore les couilles gonflées à bloc.

– Dans tous les cas, conclut-il, nous allons toi et moi dans la même direction. Alors profite de mon appareil. Je te dépose à Ankoro et je reviens te chercher une ou deux semaines plus tard, à la même place. T'auras tout le temps de faire ta cuisine.

À ce stade, impossible de déceler le piège dans cette offre mais son père n'avait aucune raison de l'aider. *Bien au contraire.* Erwan fit rapidement ses comptes. Après tout, ce vol lui ferait gagner un temps précieux et Grégoire aurait d'autres chats à fouetter que de le surveiller.

– Je ne serai pas prêt avant 14 heures, objecta-t-il encore pour ne pas céder trop vite, je dois d'abord aller à Saint-François-de-Sales.

– Je t'attendrai, promit Morvan en lui tendant la main.

Erwan la saisit en ayant l'impression de serrer une corde autour de son cou.

3

SOUS LE SOLEIL, Erwan marchait dans une ville déserte. Une cité blanche, avec de grandes avenues ponctuées de palmiers et d'édifices aux toits-terrasses. Il savait qu'il rêvait mais le rêve était plus fort que tout, formant un univers clos dont il lui était impossible de s'extraire.

Il avançait avec difficulté, sentant ses pas s'enfoncer dans le sol. Pourtant l'asphalte était dur : c'était son corps qui cédait comme de la boue. Ses membres ne contenaient plus ni os ni muscle. La lumière accentuait encore sa déliquescence. Il fondait dans la chaleur…

Il repéra sous les porches des taches brunes qui ressemblaient à des silhouettes. Il s'approcha et découvrit des peaux noircies, graisseuses, clouées aux portes, s'étoilant sur un mètre d'envergure.

Du cuir humain…

Il se souvint que c'était la spécialité de la ville : des tanneurs qui ne travaillaient que la peau d'homme.

Un cri retentit, puis un autre, et un autre encore. Erwan essaya d'accélérer mais ses jambes s'enfonçaient de plus en plus au contact du bitume. Il ne fuyait pas, il s'enlisait… en lui-même.

Les hurlements devenaient intolérables, faisant craquer son crâne comme une coquille. Il ouvrit les yeux. À travers la moustiquaire, les murs de la pièce palpitaient. Des voix s'élevaient dehors, bien réelles. Une odeur de grillé saturait l'atmosphère. Il se redressa et comprit : un incendie, quelque part.

Il se débattit parmi les voiles de mousseline et réussit à s'extirper du lit, ruisselant de sueur. Il tituba vers les reflets diaprés de la fenêtre.

Les arbres dissimulaient la rue mais on percevait au loin la clameur. Des clients, des membres du personnel s'agitaient dans les jardins. Les ombres s'étiraient, s'entremêlaient sur les pelouses. Erwan regarda sa montre : quatre heures du matin.

Il enfila son pantalon, sa chemise, attrapa sa clé et sortit. Pas la peine de réveiller son père, sans doute déjà sur place. Le Vieux ne dormait jamais – du moins pas comme une personne normale, pour se reposer et laisser aller son esprit.

Dehors, il eut l'impression de plonger nu dans une chaudière. La cour. La rue. La puanteur du feu lui crispait les narines et souillait ses poumons. Le ciel était rouge, craquant comme une cheminée gigantesque. On courait, on hurlait, on se bousculait. Il devina que la foule ne fuyait pas mais se précipitait au contraire vers la catastrophe.

Suivant le mouvement, il ressentit une curieuse fébrilité – quelque chose comme l'excitation de l'orage quand il était môme. Tous semblaient animés par la même ambivalence : impossible de dire s'ils étaient terrifiés, consternés ou joyeux. Les enfants galopaient aussi, pris d'une véritable frénésie.

Ils tournèrent dans une rue latérale – Erwan notait à quel point ces gens étaient facilement sortis de chez eux en pleine nuit. Lubumbashi : la ville dont les murs sont du vent. La cité de son rêve ne cessait de lui revenir à l'esprit : les avenues, les façades claires, les peaux huileuses… Rien à voir avec ces artères obscures, sans éclairage public, pleines de tumulte. Il avait envie de vomir.

Ils parvinrent sur une place de terre battue, couverte par un dôme de fumée. Des veines de cuivre, des filaments de pourpre traversaient ce plafond comme des fissures volcaniques. Ici, la panique régnait en maître. Les hommes, les femmes couraient en tous sens, se cognant, s'apostrophant, portant des sacs ou des objets hétéroclites. On fuyait le quartier avant que le feu ravage tout.

Pour l'instant, un seul bâtiment brûlait. Un bloc de trois étages dont les fenêtres crachaient des éclats orange et des flots de suie noire. L'incendie semblait se délecter de sa propre puissance, se déployer avec ivresse dans l'étuve de la nuit.

Un pressentiment saisit Erwan. Il attrapa par la manche une femme qui courait, un enfant sous un bras, des bassines sous l'autre.

– Ce bâtiment, c'est quoi ?

La fugitive le regarda avec des yeux de feux follets. Elle ne comprenait pas la question – ou plutôt son absurdité.

– Qu'est-ce qui est en train de cramer ? répéta-t-il.

– Saint-François-de-Sales ! Le collège !

Il relâcha son emprise et considéra l'immeuble dans lequel il avait placé tous ses espoirs. Ce n'était plus qu'une structure rougeoyante dont les murs croulaient comme du sucre fondu. Il eut une pensée pour les élèves de l'école mais à l'évidence, personne n'était à l'intérieur.

Jetant un regard autour de lui, il réalisa les moyens dérisoires des pompiers – de simples gars en short et chemisette jetant des seaux, des sacs remplis d'eau, des pelletées de terre sous l'œil des soldats de la MONUSCO qui semblaient attendre, les bras ballants, les ordres d'un commandant invisible.

Erwan demeurait pétrifié. Sans doute n'y avait-il pas grand-chose à brûler dans ce collège, excepté les archives sur lesquelles il comptait tant. Les noms des témoins, les faits circonstanciés des crimes de l'Homme-Clou, les auditions et les plaidoiries partaient en fumée sous ses yeux.

Son enquête avait à peine commencé qu'elle était déjà terminée.

À cet instant, il chercha son père. Il n'eut qu'à se retourner : le Vieux était installé derrière lui, assis contre un mur. Son visage souillé de cendre évoquait un masque funèbre. Il ne paraissait intéressé ni par l'incendie ni par la cohue qui l'entourait : il dessinait sur le sol avec une brindille.

Se sentant observé, il leva les yeux et aperçut son fils. Il esquissa un signe désolé de la main et Erwan comprit qui avait foutu le feu au collège Saint-François-de-Sales.

4

– TU N'AS PLUS DE PROBLÈME pour décoller avec moi à midi.

– Je t'emmerde.

Sept heures du matin. Erwan s'installa face à son père, exactement à la même table que la veille – n'importe où dans le monde, il suffit de deux jours pour prendre des habitudes. Il n'était pas parvenu à se rendormir, ruminant sa rage et son impuissance. Renoncer à son enquête ? Pas question. Il devait directement passer à l'étape suivante, mais à l'aveugle. Trouver les derniers témoins de l'affaire, sans nom ni information. Reconstituer les faits, les dates, les lieux, sans le moindre repère.

– Si tu penses que j'y suis pour quelque chose, tu…

– Je ne pense rien, je sais.

Morvan lui servit du café. Derrière ses lunettes noires, il était plus indéchiffrable que jamais. Il portait une chemise de lin rose et un pantalon crème impeccable. Face à lui, Erwan avait toujours l'impression d'être fagoté comme un clodo.

– Les certitudes de la jeunesse…, murmura Grégoire.

Le ton était ironique : Erwan avait dépassé la quarantaine. Il chaussa à son tour ses lunettes fumées – autant lutter à armes égales – et but son café : aucun goût, à peine chaud. Le croissant en revanche était meilleur.

– Le truc à faire, reprit Erwan, c'est s'ignorer mutuellement. Pars rejoindre tes mines, je me débrouillerai de mon côté.

– Toujours ton idée de remontée du fleuve ? *Apocalypse Now* au Congo ? Tu reviens au roman d'origine, celui de Conrad, qui...

Il n'écoutait pas. Il songeait au spectacle fabuleux que les pluies de l'aube lui avaient offert. Par la fenêtre ouverte, il avait admiré cette mitraille d'étincelles qui submergeait la terre alors même que l'odeur du feu traînait encore dans l'air. Sans doute cette déferlante avait-elle eu raison de l'incendie mais ici, personne n'était venu abriter les balancelles ni ranger les tables et les chaises : on laissait faire la rosée la plus violente du monde.

Nouveau croissant. Plus le Vieux parlait, plus il sentait sa combativité renaître. Sa haine du père avait toujours été son meilleur ressort.

– Tu me permets tout de même de te donner quelques conseils ?

– Il faudrait que t'arrêtes de te prendre pour le roi du Congo.

– Mon règne s'arrête à Lubumbashi justement : va falloir que tu te fasses tout petit là-bas. Dans le Nord, mon nom ne te servira à rien.

– Je ne comptais pas m'en servir.

– T'as pensé à tes autorisations ?

Erwan réprima un juron. Obsédé par son enquête, il n'avait rien préparé concernant le périple lui-même.

– Lesquelles ? hasarda-t-il.

– Celles du chef de la province, du ministère du Tourisme, de la MONUSCO, des services de réhabilitation des infrastructures, du Bureau des mines... Les candidats au racket sont nombreux.

– Je n'ai encore rien fait, admit-il.

– Frappe au plus haut pour fermer leur gueule aux autres. Et surtout, ne dis pas précisément où tu veux aller.

– Et une fois sur place ?

– Tu paieras : ça sera plus cher, c'est tout. (Morvan posa ses paumes sur la table comme s'il y déroulait une carte du Katanga.) Admettons que tu décroches la paperasse et que tu te trouves un zinc pour t'emmener jusqu'à Ankoro… Ensuite, tu prendras ta fameuse barge. C'est ça ?

– C'est ça.

– Tu en as déjà vu ?

– Non.

– En général, elles circulent par deux. Elles mesurent plusieurs centaines de mètres de long et on y embarque tout ce qu'on peut : familles, bétail, nourriture, matériaux, essence, soldats, prêtres, prostituées… C'est plutôt folklo.

– Combien de temps pour atteindre Lontano ?

– Plusieurs jours. Y a pas de règle. Actuellement, avec la guerre qui menace, on ne s'arrête qu'un moment à chaque fois. On débarque les gens, les vivres, les médicaments des ONG, les armes parfois, et on repart aussi sec, avant d'être repéré par une milice…

– Et pour mon retour, quand les barges reviennent-elles ?

– Elles ne reviennent pas. Du moins pas de ce côté du fleuve.

– Y a bien des bateaux qui retournent à Ankoro, non ?

– Possible, mais si tu restes à Lontano, tes chances de survie sont égales à zéro. Tu devras mener ton enquête pendant les quelques heures d'arrêt. Après ça, tu remontes à bord et tu remercies Dieu d'être encore entier.

– Tu m'as proposé hier de me déposer là-bas pour une semaine ou deux.

– Avec une escorte à moi. Seul, tu ne tiendrais pas une journée.

– C'est absurde.

– Je te le fais pas dire. Tout ce périple pour seulement une heure ou deux sur place…

Une question de débutant lui traversa l'esprit :

– Le fleuve, c'est déjà le Congo ?

– Son cours supérieur, le Lualaba. T'as pris ta quinine ?

– Du Lariam.

– T'as eu tort : la méfloquine peut avoir des effets secondaires terribles. J'ai vu des gars devenir dingues, perdre la vue ou faire des crises cardiaques à cause de cette merde.

Erwan ne répondit pas, l'air de dire : « Je n'ai plus dix ans. »

– T'as déjà voyagé dans des pays difficiles ? insista le paternel.

– Je suis allé en Inde chercher Loïc.

– Rien à voir.

– J'ai effectué aussi une mission en Guyane et…

– C'est la France.

– Qu'est-ce que t'essaies de me dire ?

Morvan se pencha à la manière d'un vieux pirate au fond d'une taverne :

– Que le Congo-Kinshasa vit à l'âge de pierre. Évite de te blesser : tu crèverais d'infection en quarante-huit heures. Ne bois jamais l'eau sans l'avoir purifiée. Couvre-toi de répulsif : le principal vecteur de maladies dans la brousse, ce sont les bestioles.

– J'ai emporté une trousse à pharmacie.

– Alors, surveille-la comme si c'était ton billet retour. Bien sûr, tu ne touches pas à la femme noire.

Morvan attrapa par terre un sac à dos Eastpak qu'il posa sur ses genoux. Il en sortit un objet emmailloté dans un chiffon et le poussa entre café et croissants.

– Tu pourras pas dire que je pense pas à toi.

Erwan souleva un pan de tissu et découvrit une crosse de polymère noir frappée du logo GLOCK dont le G enchâsse les autres lettres.

– Les chargeurs sont dans le sac, précisa Grégoire en y replaçant l'arme. Du matos fiable, piqué aux forces de la MONUSCO.

Erwan s'efforça de ne pas avoir l'air choqué.

– Je te remercie mais je ne pense pas en avoir besoin.

– Tu penses mal et c'est pour ça que tu dois m'écouter. (Plongeant à nouveau la main, Morvan sortit cette fois un téléphone portable plus gros que la moyenne, surmonté d'une antenne imposante.) Un Iridium. Avec ça, tu pourras m'appeler de n'importe où, même du fin fond du trou du cul de la forêt, c'est fait pour.

– Tu veux dire : en cas de problème ?

Il avait pris une inflexion ironique, inutilement provocatrice.

– Je serai à environ cinquante kilomètres en amont du fleuve et j'aurai un avion dispo dans les vingt-quatre heures. Mon numéro est déjà mémorisé.

Erwan se jura de ne jamais contacter son père. Il mesurait à quel point son enquête était ambiguë : il cherchait l'assassin de Catherine Fontana, espérant secrètement coincer son propre géniteur, or c'était encore lui qui le protégeait aujourd'hui.

Le Vieux lui tendit le sac après l'avoir bouclé d'un coup de zip. Erwan se fendit d'un signe de tête en guise de merci.

Nouvelle tournée de café. Avant une dernière salve de conseils – pour la route :

– Il faut que tu comprennes que les guerriers que tu vas croiser n'ont rien à voir avec les meurtriers qu'on voit au 36. La plupart sont cannibales et ont le crâne farci de croyances délirantes. Les Maï-Maï pensent que les balles se transforment en gouttes d'eau à leur contact. Les Tutsis se trimballent avec des sacs remplis de sexes humains. Les Hutus violent les femmes sur les viscères des maris qu'ils viennent d'assassiner.

– Je travaille à la Crime, je te rappelle.

– C'est ce que je suis en train de dire. Il ne s'agit plus d'un homme qui a tué sa bonne femme ni même d'un psychopathe qui compte quelques victimes à son actif. Je te parle de cinglés qui ont des centaines de morts au compteur, capables de forcer une femme à dévorer ses propres enfants, équarris et cuits sous ses yeux. Quand tu affronteras ce genre de gars, il ne sera plus temps de jouer au flicard affranchi.

Erwan fit mine d'avoir intégré la leçon. En réalité, il n'y croyait pas. De telles horreurs tenaient de la légende de brousse, déformée, amplifiée par le bouche-à-oreille.

De toute façon, il éviterait les seigneurs de guerre. Il n'était pas là pour sauver le monde – il devait seulement trouver des témoins, leur rafraîchir la mémoire et découvrir ce qui s'était vraiment passé en avril 1971 à Lontano – *et basta*.

– Je vais préparer mes sacs, conclut Morvan en se levant. Pas de regrets ?

– Ça ira, papa : n'insiste pas.

Grégoire lui donna une tape amicale sur l'épaule :

– Je serai de retour avant que tu sois parti.

5

MORVAN gagnait le hall quand le concierge l'interpella : on l'attendait derrière l'hôtel, dans un patio bizarrement surnommé l'« atrium ».

– Qui ça ?

Le Noir eut un signe d'excuse : il ne savait pas ou ne pouvait rien dire. Grégoire jura à voix basse et contourna le comptoir, empruntant un corridor destiné aux membres du personnel. La matinée commençait mal.

Un colosse faisait les cent pas dans l'arrière-cour, costume sombre et Ray-Ban sur le front – il était si large qu'il semblait occuper tout l'espace. Le général de brigade Trésor Mumbanza en personne, accompagné d'un sbire aussi grand que lui, mais filiforme et en treillis.

– Salut à toi ! s'écria le géant en ouvrant les bras.

– J'allais t'appeler, mentit Morvan.

– J'espère bien ! Personne ne m'a annoncé ton arrivée !

– Une erreur du bureau.

Malgré son appréhension et sa mauvaise humeur, le décor lui plaisait. Un de ces recoins intimes qui vous donnent l'impression de pénétrer dans les coulisses de l'Afrique. Le sol de la véranda était couvert de sciure rouge et de feuilles tombées dans la nuit. Au-delà, enserré par un mur à claire-voie, un jardin à l'abandon égrenait quelques arbres cendrés aux racines énormes. On aurait dit une serre à ciel ouvert, un échantillon de forêt tropicale.

Le garde du corps attrapa une chaise en plastique et la tendit à Morvan : plutôt un ordre qu'un geste courtois. Il s'assit, ses deux interlocuteurs restèrent debout.

– Je suis venu t'apporter tes autorisations. Pour ton voyage dans le Tanganyika.

Mumbanza lui remit une chemise cartonnée, déjà gondolée par l'humidité. Près d'un kilo de paperasse signée, contresignée, tamponnée et validée par une armée de fonctionnaires dociles.

– Qui t'a dit que j'allais dans le Nord ?

– Tss, tss, tss… Tu sais bien que je sais tout, cousin.

La Touffe avait trouvé des véhicules en bon état, de l'essence, des armes, des hommes. On ne pouvait pas lui demander en prime d'être discret.

– Je pars en prospection, dit Morvan d'une manière vague.

– Il me semble que tu emportes plutôt de quoi transporter des minerais.

Surnommé le Boss à Lubumbashi, Mumbanza était le souverain du Katanga. Le chef des armées de la province, l'homme qui empêchait la guerre de gagner la zone la plus prospère du Congo. Quand Philippe Sese Nseko, le patron local de Coltano, s'était fait assassiner, le général avait naturellement pris sa place à la tête de la compagnie. Il n'avait aucune compétence minière mais il pouvait assurer l'ordre autour des gisements – ce qui était le principal. Ses nouvelles fonctions ne l'empêchaient pas d'en briguer d'autres : tout le monde savait qu'il voulait devenir gouverneur du Katanga.

– Tu prospectes pour Coltano ?

– Non. Pour Kabila.

Le Noir fronça les sourcils :

– Depuis quand tu travailles pour notre pays ?

– Depuis que Kabongo me l'a demandé, improvisa Grégoire.

Le nom de l'éminence grise des ressources minières en RDC fit son effet. Même à mille cinq cents kilomètres de Kinshasa, il n'était jamais bon de froisser le pouvoir central. On en avait vu se faire dégrader – et même disparaître – pour moins que ça.

– Tu fais donc des heures sup ?

– Ça se calme dans le Tanganyika : je vais voir ce qui pourrait y être exploité.

– Dans quel coin, ces recherches ?

Morvan sourit sans répondre : imperceptiblement, il reprenait la main. L'autre ne devait pas réellement croire ses mensonges mais comment vérifier ?

– J'espère que t'es pas en train de faire un nain dans l'dos à ta propre compagnie...

– Pourquoi je ferais ça ?

– Parce que t'as vendu toutes tes actions le mois dernier.

Il était toujours surpris du degré d'information des Congolais. Après la mort de Nseko, tout était parti de travers du côté de Coltano : le cours de l'action avait subitement monté suite à de mystérieux achats de titres. Or, Morvan ne voulait surtout pas qu'on s'intéresse à sa compagnie ni qu'on découvre l'existence des nouveaux gisements. Il craignait aussi que ses partenaires africains ne le soupçonnent d'être derrière ces acquisitions. Finalement, il avait réussi à éteindre le feu en vendant à perte son propre portefeuille.

– Ça, c'est une autre histoire... Déjà du passé, j'espère.

Le Noir frappa dans ses mains et retrouva son entrain, désignant son compagnon :

– Je te présente le colonel Laurent Bisingye, le nouveau commandant de secteur opérationnel du Nord-Katanga. C'est lui qui s'occupe des troufions maintenant que je joue aux civils !

L'homme fit un pas et s'inclina légèrement. Il mesurait plus d'un mètre quatre-vingt-dix et semblait plus léger que les feuilles mortes à ses pieds. Morvan l'avait reconnu. En 1994, des centaines de milliers de Tutsis innocents avaient été tués dans des conditions effroyables par les Hutus mais d'autres Tutsis, armés et entraînés en Ouganda, n'avaient rien à envier aux génocidaires. Bisingye était de ceux-là. Il avait créé des milices dans le Kivu et s'était fait une réputation terrifiante en inventant des tortures de son cru – il était notamment connu pour faire fondre du plastique dans la vulve des petites filles et des nouveau-nés. Tout cela ne l'empêchait pas de croire intensément en Dieu : s'il n'avait pas été militaire, il aurait été prêtre. Il n'y avait pas de place pour les Hutus au royaume des cieux.

Il avait la gueule de l'emploi. Son visage en lame de couteau, typique de son ethnie, portait des cicatrices latérales. Pas des blessures de machette mais des scarifications guerrières. En Afrique, la ligne est très mince entre stigmate de souffrance et signe de bravoure.

– En cas de problème sur le terrain, tu peux toujours t'adresser à lui, ajouta Mumbanza.

Des problèmes, Morvan en aurait certainement, et plus certainement encore avec les alliés de Bisingye. Dans ce cas, il devrait faire appel à l'officier. Tel était le message : là-haut, un Blanc pouvait facilement se transformer en feu de bois.

Il se leva et serra la patte de poulet du colonel :

– Enchanté.

Pas un mot, pas un sourire de la part du tortionnaire. Grégoire se rassit et ne put que s'enfoncer dans un obscur fatalisme. Pour exploiter ses nouvelles mines, il avait dû conclure un accord avec Kabongo dans le dos du pouvoir national. Au moindre accroc, il serait forcé de passer *aussi* un deal avec Mumbanza, dans le dos de Kabongo…

À ce rythme, son butin fondrait comme neige au soleil.

Le général se fendit d'un discours sur la situation actuelle, le mettant en garde contre d'éventuels affrontements entre armées rwandaise et congolaise, de part et d'autre du fleuve. On parlait même de livraisons d'armes…

Morvan n'y croyait pas. D'ailleurs, à cet instant, il s'en foutait, se laissant bercer par l'atmosphère environnante. Les arbres géants drapés de lianes, les hachures du soleil emplies de poussière, les insectes qui dessinaient de furtives arabesques dans les vapeurs de la matinée. Il flottait ici un mélange d'odeurs fongiques et de parfums d'écorce qui évoquait un endroit très lointain mais aussi familier. Quelque chose comme une cave qui laisserait passer les rayons d'une lumière divine.

– Tu m'écoutes ou quoi ?

– Excuse-moi, se concentra Morvan. Qu'est-ce que tu disais ?

– Je te demandais ce que ton fils fout ici.

Erwan était son talon d'Achille, surtout s'il restait à Lubumbashi. Il serait facile de viser le gamin au moment de partager le gâteau.

– Rien à voir avec moi. Il vient collecter des faits pour une enquête qu'il mène à Paris.

– Le Katanga, ça fait vrrrrraiment loin de Paname, tonton.

– En septembre dernier, plusieurs meurtres ont été commis en France dans le style de l'Homme-Clou.

Prononcer ce nom au Congo, c'était comme parler de Jack l'Éventreur en Angleterre ou de Landru en France. Le meurtrier en série que tout le monde connaît. Presque une fierté nationale. Mumbanza hocha lentement la tête : il avait eu vent de l'affaire.

– Erwan a arrêté le coupable…, continua-t-il.

– Tu veux dire qu'il l'a tué.

Morvan fit comme s'il n'avait pas entendu :

– Il est venu consulter les archives du procès de Pharabot pour boucler sa procédure.

Le colosse arpentait lentement le patio, shootant de temps à autre dans une feuille.

– Je me disais bien que cette histoire d'incendie au collège était pas catholique…

Il rit de sa propre blague et posa un regard lourd sur son interlocuteur.

– On m'a dit que c'était un accident.

– Toute l'Afrique est un accident.

– Qu'est-ce que tu crois ?

– Qu'on a fait le ménage. Des vieux dossiers étaient entreposés à Saint-François-de-Sales. Personne n'a envie qu'on remue la boue du passé.

Morvan remerciait mentalement le ciel que ce connard soit né après les évènements – il ne pouvait que soupçonner les abîmes que recouvraient les faits.

– Il va donc repartir ? reprit le Noir, les mains dans les poches.

– Il compte creuser quelques pistes avant de rentrer en France.

– Ici ?

– À Lontano.

– Il n'aura pas les autorisations.

Le général commençait à le chauffer avec ses grands airs.

– Sauf si je m'en occupe.

Mumbanza se planta devant lui. Dans ce soleil éclatant, parmi ces arbres qui semblaient nés avec le monde, il accédait à une dimension mythique : un de ces géants de la cosmologie du Bas-Congo, celle-là même qui avait inspiré l'Homme-Clou.

– C'est vraiment ce que tu souhaites ? Le bon papa blanc a peut-être pas intérêt à ce que le fiston fouille dans son passé.

– Tu m'emmerdes, grogna Morvan en se levant. Je dois préparer mon voyage.

Trésor s'inclina en signe d'excuse. Tout ça était joué sur le mode théâtral, avec grimaces et pantomimes. De la commedia dell'arte à la sauce pili-pili.

– Pontoizau ne laissera jamais voyager ton fils.

– Qui ?

– Le nouveau commandant de la MONUSCO. Vrrrrraiment pas un rigolo.

Morvan se souvenait de l'avoir croisé à l'aéroport : un Canadien avec un FAMAS planté dans le cul. Erwan aurait décidément du mal à quitter Lubumbashi.

Il décida de conclure sur un sujet qui mettrait tout le monde d'accord :

– Et sur Nseko ? Où en est l'enquête ?

– Quelle enquête ? répondit l'autre dans un nouvel éclat de rire.

On avait retrouvé le Bemba dans sa villa, la poitrine ouverte, le cœur prélevé. Le ou les assassins y étaient allés à la scie circulaire. Personne n'avait cherché à savoir qui avait fait le coup. On n'avait retenu que le symbole : Nseko avait fauté et il avait été châtié. Un message presque banal dans un pays en guerre depuis près de vingt ans.

– Je te souhaite bon voyage, mon frère, fit le général. Donne des nouvelles.

Songeur, Morvan le regarda s'éloigner. Qui avait tué Nseko ? Des concurrents tutsis sur le marché du coltan ? Des associés dans un trafic parallèle ? Mumbanza lui-même ? Il était peut-être temps de se poser *vraiment* la question.

Nseko était un des rares Congolais au courant des nouveaux filons : avait-il parlé avant de mourir ? Si c'était le cas, on attendrait Morvan de pied ferme dans ses collines, scie électrique au poing.

Comme pour confirmer ses soupçons, Mumbanza se retourna avant de disparaître et entoura de son bras les épaules de son sinistre cerbère.

– Et surtout, clama-t-il d'un air rigolard, en cas de pépin, n'oublie pas de contacter le colonel Bisingye ici prrrrrésent !

6

– IL Y A LONGTEMPS que je ne vous ai pas vue.

– C'est vous qui m'avez appelée.

– J'étais inquiet.

– Je sais ce que vous allez me dire.

– Alors, dites-le à ma place.

– Une thérapie doit être régulière. En ne venant plus, j'ai tout gâché. Aucune chance de guérison.

– Dans ce domaine, on ne peut pas parler de… guérison.

Gaëlle soupira :

– Je ne suis pas là depuis cinq minutes que vous me gonflez déjà avec vos grands airs. Ne commencez pas à couper les cheveux en quatre.

– Asseyez-vous.

– Je préfère le divan.

– Comme vous voudrez.

Elle s'allongea et retrouva, avec une étrange familiarité, le contact de l'oreiller aux broderies népalaises. Depuis son adolescence et ses crises d'anorexie, elle avait usé de nombreux psychiatres et psychanalystes – Éric Katz était le dernier en date. En mai dernier, elle avait décidé de le laisser tomber – sans même le prévenir.

L'homme lui avait laissé une empreinte plus profonde que les autres mais la violence des évènements de septembre avait refermé le couvercle sur tout ça. Et voilà que c'était lui qui venait de la rappeler pour prendre de ses nouvelles. D'accord pour un rendez-vous, sans engagement, et cette perspective lui avait réchauffé le cœur. Qui n'a pas été amoureuse de son psy ?

Elle laissait le silence remplir la pièce. Elle se souvenait de séances entières où elle n'avait pas dit un mot. *Toute une époque...* Elle renouait avec chaque détail. Les fissures du plafond. Les livres de Freud et de Lacan qu'elle pouvait apercevoir en relevant la tête. Le parfum de cèdre qui flottait dans la pièce. Elle avait l'impression de reposer dans un bain tiède qui lentement annihilait ses défenses.

Ce fut Katz qui craqua en premier :

– J'ai tout de même eu de vos nouvelles.

– Par qui ?

– L'hôpital Sainte-Anne.

– C'est vraiment la Stasi, votre corporation.

– Allons, vous avez un dossier médical, c'est tout. Je suis votre psychiatre et...

– Ils vous ont appelé ?

– Le lendemain, oui.

– Ils vous ont raconté ?

– Les grandes lignes, mais j'aimerais entrer dans les détails avec vous.

Le charme des retrouvailles était déjà brisé. En quelques secondes, le divan était devenu un gril. Elle resta muette. Le psychiatre ne faisait pas le moindre bruit. On aurait pu croire qu'il s'était esquivé par une porte dérobée.

– J'avais un projet..., se décida enfin Gaëlle. Détruire mon père.

– On en a souvent parlé.

– Non. Là, je possédais un moyen *concret* pour l'anéantir.

– De quelle manière comptiez-vous vous y prendre ?

– Par hasard, j'ai eu accès à des informations confidentielles sur des gisements de coltan, au Congo.

– Le coltan, qu'est-ce que c'est ?

– Un minerai rare qu'on trouve en Afrique centrale. On l'utilise dans la fabrication des circuits électroniques, notamment dans les portables, les consoles de jeux. Mon père a fait fortune avec ce truc.

– Je croyais qu'il était préfet.

– L'un n'empêche pas l'autre. Il a toujours eu, parallèlement à sa carrière de flic, des affaires au Congo.

Elle fit une pause. Il ne relança pas aussitôt. Peut-être prenait-il des notes...

– Quel genre d'informations ?

– L'année dernière, une équipe de prospection a découvert des filons importants dans une zone que contrôle la compagnie de mon père et qui, malgré la guerre, pourraient être exploités. Personne n'était au courant à part lui.

– Vous avez vendu ces informations ?

– Non. Je les ai refilées, gratuitement, à des banquiers que je connaissais.

– Comment les aviez-vous rencontrés ?

– Vous le savez bien.

Nouveau silence, aucun jugement.

– Quel était votre plan au juste ?

– Je sais pas trop, j'y connais rien en finance, mais j'ai senti, d'instinct, que ces renseignements pouvaient foutre le bordel. J'ai été servie. Les banquiers ont acheté en masse les actions de Coltano. Ces mouvements ont provoqué une hausse imprévue du cours, ce qui a mis mon père dans la merde. Ses partenaires congolais ont cru que c'était lui qui achetait pour avoir la mainmise sur la boîte.

– C'était si grave ?

– On voit que vous ne les connaissez pas. Moi non plus d'ailleurs. Mais selon mon père, ils ne rigolent pas.

Puisque ce n'était pas lui...

– Les Noirs se sont aussi demandé pourquoi on achetait d'un coup du Coltano alors que les mines ronronnaient tranquillement.

Mon père craignait qu'ils découvrent l'existence des nouveaux gisements.

– Il n'en avait pas parlé ?

– Vous comprenez rien ou quoi ? Il projetait de les exploiter en douce, pour son propre compte, dans le dos de ses associés. Tout ça, je l'ai appris plus tard…

– Ils ont donc découvert la vérité ?

– Non. Mon père s'est démerdé, comme d'habitude. Pour faire baisser le cours, il a vendu ses propres actions à perte. Mes banquiers ont fini par revendre les leurs, pensant que mon tuyau était bidon. Les Congolais ont lâché l'affaire. Coltano est retourné à son destin de groupe obscur.

– Vous avez ruiné votre père ?

Elle gloussa mais son rire résonna comme la dernière respiration d'un noyé.

– Même pas. Il a raflé un gros paquet de fric et finira par tout racheter, j'en suis sûre. Entre-temps, il aura exploité comme prévu ses putains de filons. D'ailleurs, à l'heure où je vous parle, il est là-bas, sans doute en train de fouetter des gars qui triment dans des tunnels irrespirables.

– C'est pour ça que vous le haïssez ?

– Bien sûr que non.

Nouvelle pause. Cette fois, elle en était certaine, il écrivait.

– Mais il s'est passé quelque chose de beaucoup plus grave, n'est-ce pas ? relança-t-il enfin.

Elle déglutit – du papier de verre dans sa gorge.

– Quand il a su ce que j'avais fait…, murmura-t-elle, il a déboulé chez mon frère, Loïc. J'étais là-bas pour garder ses mômes. Je l'ai vu surgir, je… j'ai paniqué… Pourtant, je savais que ça arriverait… J'espérais même cet affrontement… Je voulais jouir de sa sale gueule ravagée… Je…

Elle s'arrêta. *Surtout ne pas pleurer.*

– Qu'est-ce qui s'est passé ?

– Je me suis jetée par la fenêtre. Loïc habite au troisième étage.

Elle s'accorda une minute de silence. Une sorte d'épitaphe muette. Mais même son suicide, elle l'avait raté.

– Je m'en suis sortie, poursuivit-elle d'une voix brève, grâce aux arbres, au toit d'une bagnole, j'me souviens plus. Surtout, je m'en suis sortie pour m'apercevoir que je n'en sortirais jamais.

– Soyez plus explicite.

– Je peux haïr mon père, essayer de le détruire, ce ne sont que des esquives. Le seul sentiment qu'il m'inspire est la peur. Une peur primitive, incontrôlable.

– Pourquoi ?

Elle se redressa sur un coude, comme un patient qui refuse, au dernier moment, l'amputation.

– On est obligés de remettre tout ça sur le tapis ?

– C'est votre parole qui vous soigne. Peu importe le nombre de fois que vous ressasserez les mêmes histoires, quelque chose d'autre s'échappe et vous soulage.

Katz avait une voix métallique, asexuée. Ce timbre renforçait encore la neutralité de sa présence. Ni homme ni femme, seulement une oreille…

– Toute sa vie, ce salopard a frappé notre mère, reprit-elle en s'allongeant de nouveau. J'ai grandi dans cette terreur. Je ne l'ai jamais embrassé. Je ne l'ai jamais autorisé à m'approcher. Le jour où je le toucherai, ce sera pour le tuer.

Voilà ce qu'elle s'était dit en se relevant entre deux voitures, après sa chute. Mais cette résolution ne valait pas plus que les autres. Déjà, le Vieux volait à son secours. *On efface tout et on recommence.*

Elle chercha un kleenex dans son sac, se moucha puis essuya ses yeux, toujours allongée. Il fallait qu'elle redevienne Gaëlle l'arrogante, la cynique. Que ses mots soient du poison et non des larmes.

– Et Sainte-Anne ?

Elle se mit à rire comme le font les petites filles pour s'empêcher de pleurer.

– Vous voulez m'achever ou quoi ?

– Il faut vider la plaie.

– Après ma chute, on m'a emmenée à l'Hôpital américain pour un examen clinique puis on m'a internée à Sainte-Anne en HDT.

– Parce que vous étiez encore fragile.

– Fragile ? fit-elle en montant le ton. Je venais de faire le grand saut. Vous croyez que ce dont j'avais besoin, c'était de me retrouver avec des dépressifs encore plus atteints que moi ?

Le psychiatre ne prit pas la peine de répondre. Elle avait l'impression de s'enfoncer dans son coussin comme dans une mare saumâtre, entre deux rochers noirs.

– La nuit suivante, reprit-elle enfin, je me suis fait agresser à l'hôpital. Un homme en combinaison de latex a tenté de m'assassiner. Il a tué un infirmier et le flic chargé de me protéger. J'ai réussi à fuir. Pour une suicidée de la veille, c'était pas banal. Il faut croire que mon heure n'avait vraiment pas sonné.

– Vous aurez au moins appris quelque chose.

– Épargnez-moi ce ton condescendant.

– Cet agresseur, il a été identifié ?

Elle cracha un juron puis hurla :

– Vous lisez jamais les journaux ou quoi ?

– Arrêtez de tergiverser, Gaëlle. Peu importe ce que je lis ou ce que je sais, le but de cette séance est que vous me racontiez, vous, ce qui est arrivé.

Elle expectora un souffle – un sifflement d'autocuiseur.

– L'homme qui est venu cette nuit-là était l'Homme-Clou. Ou plutôt un meurtrier qui s'inspirait du premier Homme-Clou, le tueur en série que mon père avait arrêté dans les années 70 au Katanga. Je vous préviens : je ne raconterai aucune des deux histoires.

Elle perçut un léger soupir qui était peut-être un sourire, puis :

– Comment s'est terminée cette affaire ?

– Mon frère, Erwan, était chargé de l'enquête. Il a fini par démasquer l'assassin.

– Il l'a tué, non ?

– C'est moi qui l'ai tué.

Cette fois, elle put sentir le choc de sa révélation. Officiellement, Erwan Morvan, commandant à la Brigade criminelle, avait éliminé le meurtrier qui s'était introduit chez lui. Personne ne savait que c'était Gaëlle, dormant dans son appartement, qui avait tenu le couteau.

Peut-être était-elle venue ici pour se délivrer de ce poids. Ou simplement pour le plaisir de provoquer le docteur Katz. Elle imaginait ses pupilles dilatées, sa bouche entrouverte. Elle détestait son physique : un visage efféminé, un corps d'une maigreur malsaine, un look trop apprêté.

Cette fois, elle se redressa pour de bon et s'assit sur le divan, les yeux brûlants, serrant machinalement son sac à deux mains.

– Je ne vous en dirai pas plus, souffla-t-elle. C'est bon pour aujourd'hui.

– Notre temps est passé, de toute façon.

Toujours le dernier mot. Elle lui tournait le dos mais elle devinait que lui aussi avait son compte. Elle fut tentée de l'achever avec un ou deux détails supplémentaires – comme le Glock 9 mm que son père lui avait donné et qu'elle portait dans son sac ou que les deux gardes du corps qui l'attendaient en bas, dans la rue Nicolo.

Elle aurait également pu ajouter que l'affaire de l'Homme-Clou n'était pas vraiment réglée, que des doutes subsistaient sur son identité et ses mobiles, que son frère était parti en Afrique résoudre une énigme souterraine liée au dossier. *Garde des munitions pour le prochain rendez-vous.* Elle avait déjà décidé de reprendre la thérapie.

Elle glissa ses jambes sur le côté, comme aurait fait une paralysée, et mit pied à terre. Elle cherchait de l'argent quand la voix lui ordonna :

– Venez donc vous asseoir ici.

Elle s'installa sur la chaise face au bureau et observa Katz quelques secondes. Tout de même fascinant. Envoûtant comme le sont les hommes à la beauté féminine. Il ne cherchait pas à corriger cette impression par ses vêtements. Au contraire. Il portait des chemises à col haut qui semblaient faites pour illustrer l'expression « collet monté ».

Ses poumons se comprimèrent : Katz rédigeait une ordonnance. Cette prescription la mortifiait d'autant plus qu'elle suivait toujours le traitement d'anxiolytiques de l'hosto. Il lui en rajoutait une couche comme on étouffe un cancéreux sous la morphine.

– Je prends déjà assez de trucs, asséna-t-elle.

– Je vous donne simplement les coordonnées d'un confrère.

Encore pire : son psy ne voulait plus d'elle…

– Vous avez pas le droit de me jeter, prévint-elle d'une voix frémissante.

Katz reboucha son stylo plume, plia la feuille et la fit glisser sur le bureau dans sa direction.

– Je ne peux à la fois vous entendre comme patiente et devenir votre ami, dit-il en posant son regard placide sur elle.

Quelque chose se coinça à la hauteur de sa nuque – une sorte de courbature cérébrale. Elle ne parvenait plus à réfléchir, ni même à intégrer le sens de ces mots.

– Qu'est-ce… qu'est-ce que vous voulez dire ?

– Que je vous invite à dîner.

7

À 15 HEURES, tout était en place. Pas mal pour un départ prévu à midi. Morvan s'attendait plutôt à compter son retard en journées.

Sur le tarmac, il ressentit une bouffée d'orgueil : l'Antonov AN-32 se tenait prêt. Son énorme carlingue tremblait dans la pulvérulence de l'air à la manière d'un vaisseau spatial à Cap Canaveral. Il avait réussi à affréter cet avion en trois jours – un pur miracle à Lubumbashi.

On se pressait au pied de l'appareil. Il avait accepté d'embarquer des passagers – ceux qui, malgré les risques, voulaient remonter vers le Nord rejoindre leur famille. Il n'avait pas agi par charité : les protocoles encaissaient le prix des places et, en échange, fermaient les yeux sur ce vol qui n'avait aucune existence légale.

Alors qu'on allait boucler les soutes, Michel et quelques hommes apparurent, poussant en trottinant des caddies de supermarché remplis de cartons. Retour au grotesque africain. D'un coup l'Antonov apparut à Morvan pour ce qu'il était : un cargo antédiluvien, cabossé comme une boîte de conserve géante. Et les Noirs qui s'agglutinaient autour de l'escalier mobile, des va-nu-pieds promis à une mort certaine.

Il rejoignit Michel et ouvrit un des cartons : il contenait des uniformes défraîchis et mal cousus.

– C'est quoi, ça ?

– Pour eux, chef.

La Touffe désignait les costauds qui l'entouraient en short et tee-shirt, l'air hilare.

– C'sont nos soldats, papa. On doit les habiller.

Kabongo lui avait promis son soutien militaire mais c'était un soutien à l'africaine. Monsieur Mines l'autorisait simplement à déguiser n'importe quel clampin en soldat officiel.

Morvan acquiesça : ils n'étaient qu'une dizaine mais il pourrait en embaucher d'autres au cul de l'avion, quand ils atterriraient. Cette idée en appela une autre : toujours aucune nouvelle de Jacquot – son partenaire sur le terrain. Son dernier mail datait d'une dizaine de jours. Le boulot avait-il été fait ? Ou tout le monde était-il parti avec les véhicules de terrassement ?

Il grimpait dans l'avion quand il laissa échapper un « Putain ! » d'éblouissement. La cabine s'étendait sur une vingtaine de mètres : pas de sièges, de ceintures de sécurité, ni quoi que ce soit qui rappelle un vol de tourisme. Une foule s'entassait là, parmi des chèvres, des cochons, des ballots de toutes tailles, des paniers bourrés de fruits et de plantes, des malles, des cantines et, tout au fond, séparés par un grillage dérisoire, ses propres camions et ses 4 x 4 arrimés à la va-comme-j'te-pousse.

Les couleurs des boubous, des foulards, des tissus étaient somptueuses. Les hublots jouaient les poursuites de théâtre et jetaient une clarté violente sur chaque pigment. Visages noirs, nuques graciles, épaules dénudées des femmes, tout était sculpté dans une pierre sombre et brillante. Un minerai étincelant dont les reflets racontaient la genèse de l'homme.

Il alla saluer le commandant – un Russe du nom de Chepik qui travaillait à l'ancienne : trois ou quatre ans à survivre aux crashs, aux guerres, aux maladies avant de rentrer au pays les poches pleines. L'œil brumeux, empestant déjà la vodka, le gars n'avait pas l'air de saisir les dernières consignes. Morvan n'insista pas et retourna en cabine.

On lui avait réservé un trône – une chaise de jardin surplombant les passagers assis au sol. Il l'ignora et se tailla une place parmi les familles et le bétail. Il cala son sac contre la paroi et s'y adossa. Il fut pris d'une quinte de toux : l'atmosphère était brouillée de poussière et d'effluves de manioc. Encore debout, Michel s'agitait avec un bloc-notes : il ne savait ni lire ni écrire mais l'accessoire était essentiel pour son rôle de régisseur.

Grégoire n'avait aucune illusion. À l'arrivée, on s'apercevrait qu'il manquait la moitié du matériel – oublié, volé, vendu. Pas grave : la meilleure façon de gérer les problèmes en Afrique était de les ignorer. L'incertitude était une composante à part entière de tout projet. En respectant ce postulat, on appréciait même mieux la vraie poésie du pays, irrationnelle et sans issue.

Alors que les hélices vrombissaient, Morvan avait déjà basculé dans le rêve, grisé par les promesses du voyage. Il n'y avait plus qu'à se laisser porter jusqu'à son royaume, à plus de mille kilomètres de là. Il ressentait, encore une fois, un vrai frisson de pionnier. Ce qu'il était au sens propre : en ces temps chaotiques, ces terres étaient redevenues vierges et plus aucun Blanc ne s'y serait risqué.

L'avion cala, redémarra, cala à nouveau, déclenchant dans la cabine des cris de terreur et des éclats de rire. Enfin, il s'ébroua pour de bon et commença à prendre son élan. Des passagers étaient déjà malades. D'autres dormaient. Un fatalisme résigné planait. Un crash n'était qu'une manière de mourir parmi d'autres.

Des gamins jouaient sans respecter la moindre règle de sécurité. Pourtant, une voix radiophonique débitait en français et en swahili des consignes inspirées d'un manuel d'une compagnie officielle, parlant de ceintures, de masques à oxygène, de gilets de sauvetage qui n'avaient jamais existé.

Morvan avait toujours été fasciné par les vertus magiques qu'on prêtait à la langue française et aux procédures administratives sur le continent noir : les papiers, les stylos, les tampons, c'était déjà un pas vers une réalité idéalisée. Quand on n'a rien, le bagout colmate l'espoir.

Il songea à Erwan qui devait végéter dans une salle d'attente quelconque à Lubumbashi. Pour son plan, Morvan possédait un allié de poids : la bureaucratie africaine. Même s'il avait déjà pris ses précautions, il savait que son fils, face à l'inertie ambiante, n'avait aucune chance.

Il ferma les yeux et s'envola vers ses propres rêves.

8

– C'T'UNE BLAGUE ?

Erwan n'avait plus la force de répondre. Toute la matinée, il avait cherché un avion pour Ankoro. Il avait écumé les sociétés privées de transport, les ONG, les compagnies minières : aucun vol en vue. Dans tous les cas, il avait besoin d'autorisations officielles. Il avait enfin compris que, sans ces papiers, inutile de se mettre en quête d'un appareil. Il avait alors visité les ministères, la Chambre régionale, les bureaux des Eaux et forêts, des Carrières et des mines. Jamais il n'avait rencontré la moindre personne « habilitée ». Il fallait prendre rendez-vous, et même pour ça, il devait revenir.

Au bout du compte, une seule autorité pouvait l'emmener vers le Nord : la mission de l'ONU en RDC. Voilà pourquoi il se trouvait maintenant dans ce bungalow à toiture de tôle, quartier général de la MONUSCO, avenue Mama-Yemo, dans le centre-ville.

– C't'une blague ?

Le commandant Danny Pontoizau, nouveau chef de la mission onusienne, se tenait poings sur les hanches, béret bleu penché sur l'œil. Un malabar blond, rose et frais, comme on n'en voyait pas souvent sur les marchés de Lubumbashi.

Québécois, il parlait un français qui n'avait qu'un lointain rapport avec celui de Voltaire. Après les accents slaves ou chinois des ingénieurs croisés dans les salles d'attente et le sabir des fonctionnaires congolais, le charabia du Casque Bleu, vraiment, c'était le coup de trop.

– Qui nous a crissé un projet pareil ? Où qu't'as pris c't'idée-là ?

– Je dois mener mon enquête et…

– Quel genre d'enquête ?

Erwan reprit son histoire mais Pontoizau le coupa net :

– T'as un ordre écrit d'ton pays ? Què'que chose d'officiel ?

– Non. J'enquête pour mon propre compte.

Le Canadien faisait les cent pas. Son bureau aux murs de ciment peint était rutilant. Air conditionné, meubles impeccables, machine à café… L'ONU savait recevoir.

– C't'hors d'question, chum. La zone est pas clear.

Il ne devait pas avoir plus de quarante ans et suivait sans doute les ordres d'officiers supérieurs installés là où ça chauffait vraiment, dans le Kivu par exemple. Mais où qu'elles soient au Congo, les forces onusiennes étaient impuissantes et critiquées. Le matin même, sur Radio Okapi, un député congolais accusait la MONUSCO de tourisme…

Pontoizau se lança dans un énième exposé sur la situation au Katanga, les conflits qui couvaient, selon lui, dans la zone nord, les groupes armés qu'on ne comptait plus, les réfugiés qu'on ne savait pas où placer…

Erwan ne comprenait qu'un mot sur cinq environ mais il n'osait pas lui demander de parler anglais – l'officier venait d'un pays où on dit « restaurant rapide » pour « fast-food » et « voiture récréative » pour « camping-car ».

Il se contentait de suivre les expressions de son visage. Pontoizau avait un air juvénile, un nez épaté et des yeux clairs qui ressemblaient à des petits globes de verre dépoli. Ses boucles blondes lui sortaient du béret comme des postiches.

– Checke donc ça ! s'exclama-t-il en désignant une carte au mur.

Il attrapa une règle et, debout dans son battle-dress, se mit en devoir de lui décrire les différentes zones de conflit larvé au-dessus d'Ankoro. Au passage, il s'en prit aux pays voisins qui profitaient du trafic de minerais : Rwanda, Ouganda, Burundi... Puis ce fut le tour des groupes internationaux, des marchands d'armes, des hommes d'affaires véreux, de tous ceux qui se nourrissaient du coltan, du tantale, de la cassitérite, de l'or ou des diamants, et bien sûr de la guerre.

– Cinq millions de morts, ça t'dit què'que chose ?

Sans transition, il braqua sa colère sur les ONG qui faisaient le jeu de ces magouilles en aidant indirectement les milices, puis cracha sur les gouvernements qui les avaient envoyés dans ce bourbier, eux, les p'tits gars de la MONUSCO, tout en leur interdisant de faire quoi que ce soit.

– J'vas t'dire c'qui va s'passer : la guerre s'arrêtera seul'ment quand tout le monde s'ra mort ! Tabarnak ! Un point c'est tout.

Erwan se leva sans tenter d'argumenter. Il était près de 17 heures, la nuit allait tomber et il n'avait pas avancé d'un pouce. Il remercia le commandant et se dirigea vers la porte mais l'autre lui barra le chemin.

– T'es l'fils de Grégoire Morvan, c't'y vrai ?

– Exactement.

– Pourquoi t'es pas parti avec lui tout à l'heure ?

Son père avait donc réussi à décoller – il aurait dû accepter sa proposition.

– On n'allait pas dans la même direction.

– Où il va exactement ?

– Je l'ignore, mais moi, je vais à Lontano.

Pontoizau releva son béret de l'index, à la cow-boy.

– T'sais qu'la ville existe même plus ?

– Je trouverai des témoins dans les villages des alentours.

Le mastard avança d'un pas, Erwan dut reculer. Comme si la menace n'était pas suffisante, le Canadien empoigna son ceinturon à deux mains, façon hercule de foire.

– Tu trouveras rien du tout parce que t'vas rester à Lubumbashi.

Erwan commençait à en avoir marre :

– Vous prétendez m'empêcher de me déplacer ?

– Je prétends rien du tout. Soit t'as une autorisation d'ton pays, de l'ONU ou d'une quelconque autorité et j't'organise un trip avec une escorte, soit t'as peau d'balle et tu restes ici. Le territoire est sous ma responsabilité, tu capotes ?

Il feignit d'acquiescer, rejoignant mentalement, à cet instant précis, la clandestinité. Il devait partir en douce. Mais à qui s'adresser ? Le Vieux lui manquait déjà.

Pontoizau lui posa la main sur l'épaule, plus amical.

– S'cuse-moi, dit-il plus bas, j'suis à cran aujourd'hui. Les couilles mortes qui m'servent de soldats m'attirent qu'des problèmes. Et quand j'dis « couilles mortes », j'm'entends bien parce que j'ai plus de dix plaintes pour viol à cause de ces trouducs ! Et comme si c'était pas assez merdique, j'en ai une poignée à l'hôpital, brûlés dans l'incendie d'hier. (Il ouvrit la porte mais tendit son bras en travers de l'embrasure.) Ton père, y t'a parlé de Nseko ?

– Pas vraiment.

– Qu'est-ce que tu sais sur c't'affaire ?

– Il a été assassiné, non ?

– On lui a arraché le cœur. J'te jure, c't'pays, c'est pas platte. Nseko, c'tait l'patron d'Coltano, la boîte de ton père. T'savais ça ?

– Je ne m'occupe pas de cette histoire. Désolé. Il y a une enquête, non ?

Pontoizau laissa échapper un ricanement sinistre :

– C'est la PNC qui s'en occupe. La Police nationale congolaise. Autant dire personne. Et le général Mumbanza, tu l'as rencontré ?

Le commandant paraissait réellement souffrir en évoquant ce petit monde.

– Je ne connais personne à Lubumbashi.

– Que des bastards…, siffla l'autre entre ses dents. Ton père, tu sais c'qu'il a emporté dans son Antonov ?

– Du matériel, je crois. Pour la prospection des filons.

– Y t'a pas parlé d'armes ?

Erwan portait toujours à l'épaule le sac donné par Grégoire le matin même. Le Glock 9 mm lui semblait d'un coup peser des tonnes.

– Mon père ne s'intéresse pas à ce genre de business, répondit-il sèchement.

– On nous a volé des fusils, des calibres, dit Pontoizau comme s'il n'avait pas entendu.

Quitter ce bureau. Profiter du crépuscule pour envisager les options qui lui restaient. Mais le commandant ne bougeait pas du seuil.

– Si on t'propose un flingue ou quoi, tu m'préviens. C't'entendu ?

– Absolument.

Le gradé s'écarta enfin et s'adoucit encore :

– Qu'est-c'que tu fais ce soir ? On pourrait aller s'boire un cooler ?

– Je… Peut-être. Mais je suis épuisé et…

– T'es descendu à quel hôtel ?

– Le Grand Karavia.

– J'ai un avion à prendre cette nuit mais j'essaierai de passer. On doit encore parler, toi et moi.

9

– C'EST QUOI CE BORDEL ?

Même de nuit, Morvan avait pu constater avant d'atterrir que le travail n'avait pas été fait. Pas l'ombre d'une avancée dans la brousse. Pas la queue d'une zone élaguée. Aucun chantier à l'horizon. *Putain de merde.*

Après que l'Antonov se fut posé tant bien que mal sur la piste éclairée par des lampes-tempête, Morvan était sorti de la carlingue comme un enragé, bousculant les Africains et leurs cartons – il ne pouvait déjà plus les supporter.

– Tu peux m'expliquer ? hurla-t-il au Blanc qui l'attendait au bas des marches.

– Y a eu des problèmes.

– Sans blague !

Jacquot lui arrivait à l'épaule – et encore, sur la pointe des pieds. Il portait un polo Lacoste dont le crocodile avait été remplacé par la tête de Mobutu. Humour congolais. Il sortit les mains des poches de son short énorme et fit un signe en direction des engins de terrassement qui prenaient racine le long de la piste :

– On nous a volé le carburant.

– Qui ?

– On sait pas trop. Les Maï-Maï, sans doute.

Aucune milice ne possédait de véhicules mais ici, tout marchait à l'essence, y compris l'électricité.

– C'était quand ?

– Y a deux semaines environ.

– Et Cross et les autres ?

– Ils sont aux mines depuis longtemps. Plus utiles là-bas qu'ici.

Morvan était d'accord : se faire voler son essence était une chose, perdre la main sur les gisements une autre. Cross était un ancien FAZ, un militaire de la vieille école : on pouvait compter sur lui.

– J'ai envoyé le matos y a deux mois, relança Grégoire en désignant la brousse obscure, vous aviez pas commencé ?

– Ça a repoussé.

– Et depuis, qu'est-ce que vous branlez ?

– On t'attend. On élague la piste d'atterrissage à la main.

Morvan fit signe à Michel de commencer à décharger – pas le choix : l'Antonov ne resterait pas plus de vingt minutes au sol. Les passagers débarquaient, fantômes colorés chargés de leur paquetage, tirant leur maigre bétail. Une foule surgie d'on ne sait où était venue les accueillir. Embrassades. Éclats de rire. Les chèvres et les cochons se mêlaient à la fête.

– Pourquoi t'as pas appelé ?

– Y z'ont pris aussi le téléphone. (Jacquot cracha par terre.) Et le pognon. J'ai juste réussi à t'envoyer un mail avec un mobile à carte.

« Tout va bien... », se souvenait Morvan. Jacquot avait gardé son sens de l'humour. Et surtout son instinct de survie : s'il avait écrit la vérité, le Vieux ne serait pas venu.

– Des morts ? demanda-t-il comme s'il se rappelait enfin que des êtres humains étaient impliqués dans ce merdier.

– Non.

La nuit pesait des tonnes. Chargée de parfums, d'humidité, de sensualité. Pas besoin de voir le décor : il connaissait. Des arbres, des lianes, des broussailles, gorgés d'eau et de mort. Pas de route, pas de village, pas la moindre installation.

– T'as apporté du carbu au moins ? s'inquiéta Jacquot.

Morvan acquiesca.

– Alors on va pouvoir se mettre au boulot dès demain.

Un horrible craquement retentit : la porte arrière de la soute. Les moteurs vrombirent. Lentement, les camions et les 4 x 4 descendirent la pente d'acier. Ces engins allaient rester bloqués ici, inutiles, absurdes. Lui-même se sentait complètement vain. Un pauvre con de Blanc, avec des tonnes de ferraille sur le dos, acculé au milieu de nulle part.

Jacquot continuait sur sa lancée :

– Dans une semaine, la piste rejoindra les gisements.

Syndrome africain : le Belge était directement passé des excuses impuissantes aux prévisions absurdes. Morvan sourit. *Joue le jeu. Fais semblant d'y croire.* Autour d'eux, la rumeur des retrouvailles continuait. Ceux qui arrivaient ici savaient qu'ils pénétraient en enfer. Leur village était détruit, leur famille assassinée, et ils allaient sans doute subir le même sort – mais c'était leur pays, leur terre.

Jacquot s'approcha de l'avion alors que les véhicules manœuvraient et qu'on déchargeait les cantines. Michel avait attrapé une branche souple pour frapper les porteurs et accélérer le mouvement. *Pas plus négrier qu'un nègre...*

Le Belge revint de son inspection, l'air expert :

– Du bon matos. J'te garantis trois navettes par semaine d'ici quinze jours.

Il sortit une flasque de whisky et en but une longue rasade, sans en proposer à son patron – il le connaissait depuis des années : jamais d'alcool.

Jacquot, c'était l'Afrique à l'ancienne. D'origine flamande, un accent à éplucher les patates, carrure chétive, amaigri encore par toutes les maladies qu'on pouvait choper sur le continent. « Tout c'qui reste, c'est de l'os ! » disait-il lui-même en palpant ses cuisses grêles. La soixantaine grisâtre, un cursus de survivant : mercenaire en Angola, pilote pour Mobutu, directeur de scierie pour les compagnies belges, directeur de mines pour les Sud-

Africains, Jacquot – de son vrai nom Jacques de Beenaert ou quelque chose de ce genre – avait tout vu, tout connu, tout enduré. Il avait failli être tué plusieurs fois, par les hommes, les maladies, les animaux ou les éléments naturels. Il avait été emprisonné, torturé, condamné, mais il était toujours là, bon pied bon œil. « J'ai jamais payé un sou d'impôt ! » clamait-il pour résumer son destin.

Morvan l'observait, éclairé par en dessous par la torche électrique qu'il tenait à la main. Il scrutait son faciès de viande froide, sa silhouette de vautour décharné, et aimait comparer ce tableau aux discours officiels des multinationales qui achetaient le coltan. Ces groupes rêvaient de minerai noir et propre, extrait par des machines futuristes et des ouvriers syndiqués. La vérité était moins reluisante : de la caillasse dans des toiles de jute, des esclaves sous la terre et des Jacquot au-dessus.

– Le boulot a commencé là-haut ?

Les mines étaient situées sur une colline, à vingt kilomètres environ.

– Affirmatif.

– J'te jure que si tu m'embrouilles...

– Y a pas de problème. Ici, c'est plus facile de trouver des gars que de faire passer les bagnoles.

– Combien de creuseurs ? De P-DG ?

On appelait ainsi les mineurs et leur chef.

– Quatre cents environ. Un P-DG pour chaque équipe de dix.

– Des hiboux ?

Ceux qui se relayaient et travaillaient de nuit.

– Presque la moitié.

– Les galeries ?

– Au moins une quarantaine. On sort une tonne par jour. On passera à trois dans une semaine ou deux.

Pas mal. Après avoir acheminé le minerai au Rwanda, Morvan prendrait lui-même en charge le raffinage et l'exportation. À l'arrivée, son trafic allait lui rapporter plusieurs millions d'euros exonérés d'impôt – *à la Jacquot.*

Mais l'affaire n'allait pas sans risque et était limitée dans le temps. Cela durerait jusqu'à ce que les milices lui tombent dessus ou que l'une ou l'autre armée gagne du terrain. Avec un peu de chance, la guerre s'éloignerait au contraire et Morvan céderait la place à sa propre boîte. Dans ce cas, il gagnerait moins, mais il gagnerait encore.

– Les bandes vous laissent bosser ?

– Pour l'instant. (Jacquot eut un petit rire : il avait les dents taillées en pointe.) Les enfoirés t'attendent. Ils veulent voir qui est derrière tout ça !

– On m'a parlé de mouvements de troupes vers le Lualaba…

– C'est la rumeur. Un Tutsi qui se fait appeler Esprit des Morts aurait formé une nouvelle milice, le FLHK : le Front de libération du Haut-Katanga. Ils sont descendus du Sud-Kivu pour chercher des terres à conquérir…

La deuxième guerre du Congo offrait au moins deux constantes : des acronymes absurdes et des chefs de guerre complètement fous, aux surnoms surréalistes. Grégoire connaissait Esprit des Morts. Ancien membre du CNDP et du M23, il avait déjà sévi à la frontière du Kivu. Pourquoi rejoignait-il le Katanga ? Avait-il entendu parler des nouvelles mines ?

Par réflexe, il chercha des yeux ses propres troupes – pas des pros mais des gars qui ne confondaient pas une culasse avec un ouvre-bouteille. On allait leur filer un uniforme et un fusil pour en faire des soldats. Avec une louche et un tablier, ils seraient devenus marmitons. Comme disait Jacquot : « En Afrique, faut savoir s'adapter. »

Grégoire aussi savait s'adapter. Dans l'immédiat, se replier loin de la piste pour bivouaquer. Départ à l'aube. À pied, sur ce relief, avec ses soldats, ses porteurs et ses chèvres, ils pouvaient couvrir les vingt bornes jusqu'aux mines en quarante-huit heures. Alors il lancerait les grandes manœuvres. Le transport du coltan se ferait d'abord à dos d'homme. Cinquante kilos par tête et pour quelques dollars. Une livraison tous les deux jours. Pendant ce temps-là, Jacquot défricherait la piste : dans quelques semaines, en effet, on pourrait utiliser les véhicules. Une navette quotidienne en avion avec le Rwanda, et par ici la monnaie.

Michel enrôlait déjà des porteurs parmi les traîne-savates restés autour de l'avion. Quand l'Antonov décolla, le cortège était prêt, composé de deux groupes, colosses d'un côté, « courts » de l'autre comme on disait ici : les soldats et les porteurs. Contrairement à ce qu'on aurait pu penser, les plus chétifs étaient les sherpas. Le meilleur poste étant celui de soldat, les balèzes s'étaient imposés dans ce rôle.

Alors qu'on distribuait des fusils (pour l'instant, sans munitions), Morvan attrapa une ceinture munie d'un holster et y glissa un 9 mm – il préférait les .45 mais il n'allait pas faire le difficile. La Touffe lui donna également un fusil automatique et lui ajusta autour de la taille une cartouchière comme un écuyer apprête un chevalier. Toute la scène avait un parfum à la fois mortifère et excitant. Morvan songea à une drogue dangereuse, enivrante, mais comportant de forts risques de bad trip.

On se mit en marche : une vingtaine de soldats suivis d'une trentaine de porteurs, plus frêles pour la plupart que les sacs ou les malles sur leur tête.

Morvan les laissa passer et admira le convoi seulement éclairé par les lampes frontales. En quelques heures, il était définitivement retourné à l'âge de la pile bâton. Sans le moindre véhicule motorisé ni aucune technologie moderne, il allait diriger des centaines de gars prêts à s'enterrer vivants pour une poignée de francs congolais (billets magnifiques, aucune valeur). Si besoin était, il les frapperait ou les menacerait, comme n'importe quel autre seigneur de guerre.

Avait-il jamais été autre chose ?

Cette question lui fit chaud au cœur : même les ordures ont besoin de cohérence.

10

À LA NUIT TOMBÉE, Erwan n'était pas rentré à son hôtel. Après son rendez-vous avec le Québécois, il était retourné à l'aéroport, en quête des trafiquants évoqués par le militaire. Tout le monde connaissait un pilote, une compagnie, un avion prêt à décoller. On l'avait envoyé à l'autre bout de la piste, puis réexpédié d'où il venait. On l'avait guidé à travers des terrains vagues, des ghettos, des îlots de brousse. Il n'avait rien trouvé – du moins pas ce qu'il cherchait.

De retour à Lubumbashi, la ville lui avait semblé bouillonner plus encore dans la nuit. Il s'était tapi sous la véranda d'un restaurant libanais pour que personne ne le voie. Lui, le Blanc, l'étranger, complètement déboussolé dans cette marée humaine. Son père parti, il ne disposait d'aucun contact. Il n'avait pas progressé d'un millimètre ni déniché la moindre piste. La prophétie du Vieux se réalisait déjà.

– Patron ?

Un serveur en tee-shirt Primus se tenait devant lui.

– Un thé.

– On a que des bières.

– Va pour une bière.

Depuis son arrivée, il n'avait appris qu'une chose : en Afrique, une journée compte double, voire triple ou plus encore. Il avait l'impression d'être là depuis un mois. Outre la chaleur, chaque sensation vous foutait KO. Une simple odeur d'essence vous prenait à la gorge. Les couleurs vous serraient le cœur. Chaque goût bouleversait votre métabolisme, violentait vos nerfs, vous faisait comprendre à quel point la mort est déjà là, dans la pulpe d'un fruit, dans le piment des sauces, dans la tiédeur de la pluie... En quelques heures, vous deveniez accro à tout ce qui pouvait vous aider à tenir le coup. « Pour trouver l'Afrique, l'avait averti son père, il faut s'y perdre. »

Durant la journée, alors que les bureaucrates semblaient frappés par la maladie du sommeil, les gamins des rues l'avaient harcelé, braillant, gesticulant, lui faisant les poches. Les flics, uniforme bleu marine et sifflet rouge, l'avaient aussi racketté. Abruti de fatigue, Erwan n'avait pas résisté. Il se sentait gorgé de sang et de sueur, entravé dans ses gestes, ralenti dans ses pas par sa propre masse.

La seule bonne surprise avait été Lubumbashi elle-même. Solaire, aérée, ponctuée d'immeubles couleur pastel, la « ville des mangeurs de cuivre » avait un air de cité balnéaire.

Sa bière arriva. Des lumières s'étaient allumées dans la rue. Des ampoules en sous-régime, couleur beurre rance, évoquant une convalescence fiévreuse. Il but une gorgée, chaude et sans bulles. Mystérieusement, il pressentait qu'un évènement allait survenir, quelque chose de terrible, de magnifique, qui valait le déplacement : ce fut la pluie.

D'abord, la terre trembla, puis le vent se leva en rafales brûlantes. D'un coup, le ciel parut s'ouvrir dans un grondement d'abîme et le déluge commença. Les averses de ce matin n'en étaient qu'un préambule. À présent il semblait qu'on jetait des pierres sur les toits. On mitraillait la terre. On lâchait une crue chaude et sans retenue dans les rues. Le monde crépitait en un feu d'artifice rouge et liquide.

– Tu cherches un bateau pour rentrer, patron ?

Erwan leva les yeux : un athlète se tenait devant lui, en maillot tournesol et short de cycliste. Il était trempé du crâne aux orteils, au point que ses frusques lui moulaient le torse comme un costume de superhéros.

Erwan mit quelques secondes à intégrer le trait d'humour.

– Je peux m'asseoir ?

Il lui désigna une chaise sans amabilité excessive : un énième tapeur. L'intrus s'ébroua avant de s'installer. Plus d'un mètre quatre-vingts, des muscles saillants – Erwan remarqua une petite bible glissée dans son short.

– Salvo, fit le Noir en tendant la main. On m'appelle aussi « Maillot Jaune ».

Erwan la serra en se présentant.

– Ça a pas l'air d'être la grande forme, cousin.

– Cette pluie est le premier truc positif de la journée.

– C'est le soir que l'Afrique boit à la source !

Le Noir s'esclaffa à sa propre blague et Erwan décida que rien de mauvais ne pouvait provenir d'un tel rire.

– Qu'est-ce tu fous à Lubum, patron ?

– Je dois aller dans le Nord, lâcha-t-il sobrement.

– Tu veux te faire tuer ou quoi ? Où au juste ?

Au point où j'en suis...

– Ankoro, puis Lontano.

Salvo émit un sifflement incrédule en roulant des pupilles.

– Personne t'emmènera là-bas : c'est vrrrrraiment pas sûr. T'as essayé les ONG ?

– Ils n'ont pas de voyage prévu. De toute façon, ils refusent de m'embarquer sans autorisation.

– Parce que t'as pas les papiers non plus ? C'est mort pour toi, patron.

– T'es censé m'encourager ?

Salvo décocha de nouveau son rire « sabre au clair » :

– Au contraire, c'est ton jour de chance.

– On me répète ça depuis ce matin.

– Non, vrrrrrrrraiment. Parce que j'y vais aussi.

– Il n'y a pas d'avion.

– Y a le mien.

On lui avait raconté tellement de salades aujourd'hui qu'il n'avait même plus la force de s'énerver.

– T'as un avion, toi ?

– Ma société. Je travaille dans l'import-export.

– De quoi ?

– Je transporte, c'est tout. Du Nord au Sud. Du Sud au Nord.

– Tu veux dire que tu connais la région qui m'intéresse ?

– Patron, j'suis un Banyamulenge.

Erwan savait ce que désignait ce nom : des immigrés d'origine tutsie qui vivent principalement dans le Sud-Kivu, juste au-dessus de la frontière nord du Katanga. Il commença à lui prêter une oreille plus attentive.

– En général, où tu atterris ?

– Y a plusieurs pistes. Souvent à Kabwe.

Erwan observait toujours son interlocuteur : un bluffeur plus doué que les autres ou un miracle envoyé par l'averse ?

– C'est possible d'aller ensuite à Lontano ?

Salvo, alias Maillot Jaune, frotta son index contre son pouce. L'intérieur de ses doigts était étrangement pâle.

– Tout dépend de tes moyens.

– Laisse tomber, rétorqua Erwan en faisant signe au serveur.

Salvo mit la main à sa poche et plaqua un billet sur la table :

– C'est pour moi. Qu'est-ce que tu croyais ? Que tu pouvais voyager à l'œil ?

– Quand pourrait-on partir ?

– J'te dis : c't'une question de moyens.

– Admettons que j'aie ce qu'il faut, à quand le départ ?

– Demain.

– Sûr ?

Il dressa ses deux paumes roses et rit encore :

– Patron, c'est l'Afrique ici…

La seule bonne réponse possible.

– Combien pour aller là-bas ?

– Trois mille dollars.

– Mille.

Salvo secoua la tête pour en laisser tomber quelques sourires.

– Papa, quand c'est la guerre, les prix bougent plus. Ou alors ils montent. Trois mille dollars et j'm'occupe des papiers.

– Qu'est-ce que tu transportes ?

Maillot Jaune attrapa la bouteille de bière vide sur la table, regarda à l'intérieur comme s'il s'agissait d'une longue-vue puis l'orienta vers Erwan.

– Si on fait affaire ensemble, pas d'questions.

Erwan eut une autre idée – il sentait de mieux en mieux ce Figaro version Katanga :

– Tu viendrais avec moi jusqu'à Lontano ?

– Pour mille de plus.

Il ne chercha pas à marchander. Il venait de comprendre une autre vérité :

– En déboulant ici, tu savais déjà que je voulais partir.

– Lubum, c'est plein d'courants d'air… La voix porte !

Erwan éclusa son verre. Tout ça commençait à prendre une certaine cohérence : Salvo voulait partir pour le Tanganyika, on l'avait prévenu qu'un Blanc cherchait à s'y rendre, le Français paierait les frais du voyage. CQFD.

– Je suis au Grand Karavia – rendez-vous demain matin à 10 heures. Avec le pilote et une carte détaillée.

– Et mon avance, patron ?

– Montre-moi déjà que tu peux arriver à l'heure.

Salvo se leva à son tour :

– J'y s'rai, chef !

11

ERWAN RÉCLAMAIT sa clé au concierge lorsqu'il entendit des éclats de rire. Se retournant, il découvrit un personnage singulier à l'accent flamand, entouré par plusieurs membres du personnel qui le traitaient avec déférence.

Le vieillard – il devait avoir dépassé les quatre-vingts ans – portait un bob kaki et une cape de pluie. De petite taille, maigre comme un squelette réduit encore par le soleil, il se tenait droit dans ses bottes de caoutchouc, malgré son sac à dos. Si on avait pu avoir le moindre doute sur son rôle au cœur de l'Afrique noire, il arborait un large crucifix sur la poitrine.

Erwan tendit l'oreille : l'homme venait de Fungurume, une des villes sur la route d'Ankoro. D'abord Salvo, maintenant ce prêtre… La chance tournait peut-être ?

Il l'observa encore. Son visage était ocre et fissuré. Derrière ses lunettes, le blanc des yeux avait la couleur de la nicotine et les pupilles luisaient comme de minuscules coquillages nacrés.

– Bonsoir, mon père, fit Erwan quand les Noirs furent partis.

Il se présenta et obtint un large sourire, poli par des décennies de charité chrétienne. En quelques mots, il expliqua la raison de sa présence à Lubumbashi. Père Albert ne comprenait pas. Erwan insista en citant le nom de Grégoire Morvan et celui de l'Homme-Clou.

– Dites donc, jeune homme, ça ne date pas d'hier vos histoires ! répondit le religieux avec un rude accent.

– Vous étiez déjà au Congo à l'époque ?

Le missionnaire demeurait immobile sous sa cape comme une sculpture de glaise en train de sécher.

– Oui, mais je suis rarement monté au-dessus d'Ankoro bien que j'appartienne au diocèse de Kalemie-Kirungu, plus au nord encore. C'est un peu compliqué. Il faut connaître. De toute façon, en ce moment...

Erwan désigna les canapés et les tables basses qui jouxtaient le bar :

– Je vous offre un verre ?

Le religieux haussa les sourcils puis rajusta ses verres sur son bec d'aigle.

– Eh bien... si vous voulez..., dit-il en regardant sa montre. D'accord.

Avec précaution, il enleva son sac et le donna à un groom à qui il s'adressa en swahili. Il ôta ensuite son poncho et ses bottes. Dessous, il était vêtu comme un vrai broussard : polo à manches courtes, short en toile, sandales.

Ils s'installèrent et Erwan fit signe à un serveur.

– Qu'est-ce que vous prenez ?

– Un thé.

– Vous ne voulez pas quelque chose de... plus fort ?

Père Albert ferma ses paupières flétries puis murmura, après quelques secondes de réflexion, comme s'il prononçait une prière en latin :

– Un Cinzano.

Erwan opta pour une nouvelle bière tiède.

– Que voulez-vous savoir au juste ? attaqua Albert.

– Vous vous souvenez de Lontano ?

– J'y suis passé après sa construction, et même avant...

– Avant ?

– Quand ce n'était qu'un petit village fondé par une communauté italienne. Puis les Blancs Bâtisseurs sont arrivés.

– Qui ça ?

– C'est ainsi qu'on appelait les colons belges qui ont investi le Katanga à la fin des années 60, après la découverte des gisements de manganèse. Des familles qui vivaient auparavant à l'ouest, dans le Bas-Congo, exploitant le pétrole et la canne à sucre. Ces clans venaient de Lukula, de Kangu, de Tshela, des villes du Mayombé situées à plus de deux mille kilomètres.

Fait à retenir : le premier Homme-Clou venait lui aussi de cette région et la magie qu'il pratiquait était celle du Mayombé. Un lien entre le tueur et ces familles ?

Les boissons arrivèrent. Albert saisit son verre avec précaution. Il s'humecta les lèvres plus qu'il ne but, avec un air de ravissement.

– Parlez-moi de cette ville nouvelle. À quoi elle ressemblait ?

– C'était magnifique. Une sorte de mini-Brasilia. En pleine brousse, des routes bitumées, des immeubles avec de grandes façades à claire-voie, des parvis ornés de sculptures modernes. Un splendide exemple de l'architecture d'outre-mer !

Erwan se souvint de son propre rêve : la cité moderne avec ses peaux cloutées sur les portes. Carl Jung aurait parlé de « synchronicité »...

– C'est rapidement devenu un pôle d'activités important, continuait le père. Les mines tournaient à plein régime, les trains transportaient les minerais...

– Il y avait une voie ferrée ?

– Bien sûr ! (Il prit une expression dépitée.) Mais tout ça n'existe plus.

– J'ai du mal à comprendre. Mobutu est connu pour avoir chassé les colonisateurs et prôné l'émancipation de l'homme noir. Comment a-t-il pu soutenir la création d'une ville à dominante belge ?

Albert eut un rire un peu trop fort. À chaque expression, ses rides s'enroulaient autour de sa bouche comme du fil de fer.

– C'était un pragmatique. Seuls les Occidentaux pouvaient exploiter les gisements. Il a prétendu que la ville serait mixte mais comme toujours, ce sont les Blancs qui ont conçu et les Noirs qui ont creusé...

– Et les meurtres, vous vous en souvenez ?

– Comment oublier une histoire pareille ? Ça a fait beaucoup de bruit à l'époque. La femme blanche, Seigneur, qui pouvait oser y toucher ? Et surtout ces femmes !

– Que voulez-vous dire ?

– Les premières victimes étaient les filles des Blancs Bâtisseurs. Les de Vos, les de Momper, les Cornette... Le sacrilège était double, en quelque sorte.

Nouvelle information. Pharabot avait peut-être une secrète raison de s'attaquer à ces nababs. Une raison à chercher non pas à Lontano mais dans les vallées du Bas-Congo...

– Le nom de Catherine Fontana vous dit-il quelque chose ?

– Non.

– C'était la septième victime.

– Ça ne sonne pas très belge.

– Elle était française.

– Vous êtes sûr ? On m'a toujours dit que le tueur ne s'en prenait qu'aux Belges. Il y avait même des blagues pas très heureuses à ce sujet.

Il but une brève gorgée. Sur ses lèvres exsangues, le vermouth prenait une teinte de miel, évoquant quelque liqueur sacrée.

– De quoi d'autre vous souvenez-vous ?

– Je me rappelle surtout la situation politique. Ces meurtres avaient mis le feu aux poudres. Les premiers lynchages de Noirs, les représailles des Congolais. La ville était au bord de la guerre civile. Mobutu a envoyé des troupes mais ça n'a fait qu'ajouter au désordre. Un jeune militaire français a repris les choses en main...

– Jean-Patrick di Greco ?

Le vieil homme répéta à voix basse, en hochant la tête :

– Di Greco, exactement...

C'était Morvan qui avait appelé à l'aide l'officier de marine – ils s'étaient rencontrés à Port-Gentil sur les plateformes pétrolières. Erwan connaissait ce versant des faits.

– Selon mes sources, ces troubles ont failli provoquer la chute économique de la ville.

– C'est le moins qu'on puisse dire ! Les Belges s'en allaient, les Noirs refusaient de travailler. On parlait d'une malédiction. Les esprits avaient envoyé l'Homme-Clou pour chasser les Blancs. Vous savez, au Congo, il y a un mal qui surpasse tous les autres : le *bulozi*, la superstition…

La perche était trop belle :

– Vous-même, vous avez été confronté à la magie yombé ?

– Pas vraiment. Ces pratiques n'ont pas cours au Katanga.

– Et sur l'enquête, vous avez des précisions ?

– Rien du tout. À Fungurume, on lisait seulement les articles des journaux locaux qui donnaient dans le sensationnalisme. Encore une fois, je ne suis pas la bonne personne à interroger…

Il avait dit cela sur le ton d'une conclusion, en posant son verre vide.

– Des Pères blancs travaillaient à Lontano ? relança Erwan.

– Quelques-uns, oui. Mais ils ne sont plus de ce monde. Il y a pourtant quelqu'un, je crois… Laissez-moi réfléchir…

Il ferma les yeux de nouveau. Quand il les rouvrit, ses pupilles irisées brillaient.

– Sœur Hildegarde ! À l'époque, elle était toute jeune. Elle travaillait dans un dispensaire.

– Le kilomètre 5 ?

Le nom de l'hôpital de Catherine Fontana était venu naturellement aux lèvres d'Erwan.

– Je ne me souviens plus mais je crois qu'elle est toujours dans les parages, malgré la guerre.

– Où ?

– Dans le Nord, justement. Mais je vous déconseille d'y aller. Votre sécurité ne sera plus du tout assurée.

Les deux hommes se levèrent à l'unisson.

– Vous êtes descendu au Karavia ? demanda Erwan, plutôt perplexe.

– Non, je suis passé donner du courrier à des garçons de Fungurume qui travaillent ici. Je dors dans un lieu d'accueil près de la cathédrale Saint-Pierre-et-Paul.

– Je peux vous demander pourquoi vous êtes à Lubumbashi ?

Le petit père remit sa cape et ses bottes :

– J'accompagne un de mes vieux camarades qui repart en Belgique.

– Le mal du pays ?

– Si on veut : il est mort. Il voulait être enterré à Mons, sa ville natale.

– De quoi est-il mort ?

– De vieillesse. Il avait quatre-vingt-douze ans. (D'un coup, il retrouva son air malicieux.) C'est la force des Pères blancs. Nous nous éteignons tranquillement avant qu'on nous souffle dessus !

12

POUR LE MOMENT, Gaëlle vivait chez Loïc. Non pas qu'elle ait peur – avec ses deux cerbères et son Glock, elle pouvait gérer – mais parce qu'il le lui avait demandé. Le frangin avait enfin décidé de décrocher de la coke et avait besoin, disait-il, d'un coach.

Personne n'avait compris cette brutale résolution. Son divorce et la difficulté d'obtenir la garde alternée quand on s'envoie plusieurs grammes par jour ? Le fait de voir sa famille visée par un tueur en série ? Les menaces qu'il avait reçues à propos de la société minière de son père ? Ou encore l'obligation de vendre à perte les actions du Vieux ?

Sans doute un peu tout ça à la fois. La tempête d'emmerdements avait eu valeur d'électrochoc.

Depuis trois semaines, Loïc s'astreignait à un entraînement sportif sérieux (course à pied, boxe française, yoga...) et suivait un régime alcalin à base de fruits et de légumes. Il s'était fait porter pâle à Firefly Capital, sa propre société, et ne dérogeait pas à son credo : du pur, du sain, du bio.

Premiers résultats catastrophiques. Il était proprement invivable mais Gaëlle tenait bon – les médecins parlaient de dix à douze semaines « difficiles ». Elle-même était en sevrage : elle avait cessé de courir après des rôles qu'elle ne décrocherait jamais et mis un terme à ses rendez-vous tarifés. Après ce qu'elle avait traversé, tout ça n'avait plus aucun sens.

À minuit, elle déambulait dans le grand appartement de l'avenue du Président-Wilson – celui-là même où elle s'était défenestrée deux mois auparavant – après avoir réussi à coucher son frère à coups de Stilnox. C'était dangereux de jouer avec les médocs quand on cherche à décrocher de la coke, mais elle n'avait ni le temps ni la patience de tout miser sur la psychologie et les médecines alternatives.

Elle ouvrit la porte-fenêtre et s'installa sur le balcon. Vent glacé. Cigarette. Première bouffée en contemplant l'avenue épinglée par les réverbères. Elle se pencha et repéra ses gardes du corps faisant les cent pas sur le trottoir d'en face, devant le palais de Tokyo. Qu'est-ce que son père craignait au juste ? Une nouvelle agression ? Une nouvelle tentative de suicide ? Qu'elle reprenne ses passes ?

Elle laissa dériver son esprit vers l'évènement du jour : l'invitation d'Éric Katz. C'était absurde et pourtant, Dieu sait qu'elle en avait rêvé. Elle revit, en time-lapse, sa relation avec le psy durant une année. Au début, elle l'avait détesté. Il représentait tout ce qui lui répugnait : l'idée qu'elle devait se soigner, le fait que cette nouvelle thérapie était une recommandation – une injonction – de son père, la perspective de se raconter – de se vider – encore une fois auprès d'un inconnu... Physiquement non plus il n'était pas son genre : trop maigre, androgyne. Dans ses costards étriqués, il ressemblait à une femme vieillissante. Longtemps elle avait cru qu'il était homosexuel, avant de découvrir qu'il était marié et père de deux enfants. Seuls ses yeux – pupilles claires mais regard sombre – avaient quelque chose d'attirant.

Peu à peu, elle avait succombé à son charme. Encore plus désagréable. Ses séances de psychanalyse s'étaient transformées en sessions de séduction. Elle avait d'abord tout misé sur son histoire. Violences du père sur sa mère. Anorexie. Tentatives de suicide. Crises psychotiques. Prostitution. Un tel enchaînement aurait dû émouvoir un spécialiste. Que dalle. *Pas de mélo rue Nicolo.* Elle avait alors varié les tenues (parfois pute, parfois nonne), s'était épanchée sur son métier de comédienne, avait insisté sur ses conquêtes masculines, passant aux confessions intimes… Toujours rien. Il écoutait ses histoires comme on vidange un moteur. Elle avait passé la vitesse supérieure, évoquant son activité d'escort. Gros plans sur ses rendez-vous, ses talents secrets. Elle avait donné des détails, la plupart inventés, se complaisant dans un délire malsain et provocateur. Monsieur Iceberg ne cillait pas. De temps à autre, il posait une question, demandait une précision, apportait un commentaire, mais c'était toujours pour la relancer, elle. Il maîtrisait l'art de parler sans rien dire, d'intervenir sans jamais s'impliquer.

Elle était passée à l'action… physique. L'avait ouvertement allumé puis, n'obtenant aucun résultat, avait piqué des crises. Elle avait menacé de le frapper, de se suicider, d'appeler sa femme. Ce qui la rendait folle, ce n'était pas son indifférence, c'était son opacité. Impossible de savoir ce qu'il pensait, ce qu'il ressentait. Seule transparaissait parfois son expression de satisfaction quand il pensait avoir marqué un point, c'est-à-dire chaque fois qu'elle pleurait, qu'elle hurlait, qu'elle crachait. Alors il hochait doucement la tête, l'air de dire : « Très bien, continuez… » Elle avait envie de lui enfoncer ses ongles dans le cœur.

Finalement, tout s'était apaisé. *Victoire par abandon.* Le troisième acte s'était déroulé dans une sorte d'indifférence épuisée où elle continuait à parler, parler, parler… Dégager la plaie afin de préparer le champ opératoire. Sans doute le meilleur stade pour la thérapie : elle s'exprimait « à vide », sans réfléchir, sans affect, auprès d'une oreille totalement neutre. Pourtant, le traitement n'avait pas porté ses fruits. Aucun signe d'amélioration. Pire, Gaëlle avait rechuté. Il avait dû lui prescrire de nouveaux antidépresseurs. Finalement, elle avait balancé les médocs et était retournée à sa souffrance. Elle préférait encore affronter ses démons que de perdre son temps sur ce foutu divan…

Quand elle l'avait revu, elle avait été déçue. Comment avait-elle pu tomber amoureuse de ce quinquagénaire sec comme une trique ? Cette espèce d'homme-girafe avec son col de chemise à la Karl Lagerfeld ? Elle retrouvait le psy indifférent, celui qui lui avait mis les nerfs en pelote et avait sondé ses blessures avec son silence invasif.

Il faut croire qu'elle se trompait puisque aujourd'hui, il était sorti du bois. Il y avait bien un homme sous le costume. Peut-être même un sexe. Fébrile, engourdie, elle n'avait pas mis longtemps pour admettre qu'elle craquait toujours pour le psy. Et cela n'avait rien à voir avec le transfert ni la psychanalyse.

Gaëlle détestait cette idée parisienne que l'amour n'est qu'une forme de névrose, que notre carte du Tendre se résume à une liste de traumatismes. Malgré ses déséquilibres psychiques, elle était de la vieille école : l'amour doit être spontané, inexplicable, féerique. Elle qui avait toujours craché sur les sentiments, elle dont le féminisme était si violent qu'elle en excluait même les femmes, elle n'était pas plus blindée que les autres. Au contraire, elle était, au fond, la plus idéaliste.

Un bruit dans son dos lui fit tourner la tête.

Un homme avançait dans la pénombre d'un pas de somnambule, le visage tordu par un rictus. On aurait dit un zombie de film d'horreur ou un malade abruti de médocs comme elle en avait tant croisé en HP.

Ce n'était que son frère qui avait fait un cauchemar.

Elle balança sa cigarette au-dessus de la balustrade et rentra : le devoir l'appelait.

13

LE KATANGA offre d'ordinaire un paysage de brousse, une alternance de plaines et de sous-bois. Aujourd'hui, mauvaise pioche : ils pataugeaient depuis l'aube dans un tunnel végétal qui ne cessait de monter et de descendre, offrant une visibilité limitée à quelques mètres. De la forêt dense, comme on en trouve plutôt dans la province Orientale ou celle de l'Équateur.

Ils défilaient là-dedans à l'ancienne : chef blanc, hommes armés, porteurs. Morvan marchait nuque baissée, sentant les bretelles de son sac à dos s'enfoncer dans sa chair. Il suait comme un bœuf et cette transpiration même lui paraissait huiler ses rouages.

Il ressassait toujours les mêmes idées, les mêmes interrogations, à la manière de mantras ou de versets coraniques : qui avait tué Nseko ? Qui était au courant pour les gisements ? Qui l'attendait là-bas, sur ses terres ? Ces incertitudes le démangeaient comme s'il était tombé dans un buisson de plantes urticantes. Quand son cerveau lui-même se fatiguait de tourner à vide, il passait la seconde et affrontait la question cruciale : qu'allait dénicher son fils sur son passé ? Allait-il réussir à extirper la vérité, toute la vérité ?

Nouvelle suée. D'un coup de front, il envoya une giclée aux alentours sans chercher à s'éponger – il avait les pouces coincés sous les lanières de son sac. Au-dessus de lui, la canopée transpirait elle aussi et c'était comme une pluie tiède qui vous nourrissait. Vraiment dégueulasse…

Pourtant, il n'était pas pressé de retrouver la plaine. Au moins, ici, ils étaient à couvert – loin des regards ennemis.

Un brouhaha derrière lui, une agitation puis l'arrêt des troupes.

– Qu'est-ce qui se passe ?

Michel remonta la file et lui fit signe de venir. Grégoire laissa tomber son sac à dos et regarda sa montre : 8 heures. D'après son GPS, ils avaient déjà couvert un quart du parcours prévu aujourd'hui. *Pas mal.* La Touffe lui dit quelques mots à voix basse, qu'il ne comprit pas.

Ils descendirent la pente jusqu'à la fin du cortège. Un adolescent reposait dans la boue, écrasé par son paquetage.

– C'est quoi ces histoires ? demanda le Vieux à la cantonade.

Aucune réponse. Il s'approcha et écarta le sac de toile. Une plaie suppurait à l'intérieur de la chaussure du gamin jusqu'audessus de la cheville. La jambe offrait d'horribles nuances verdâtres. *Gangrène. Couper d'urgence.* Il souleva la chemisette et comprit qu'il était trop tard pour quoi que ce soit. La pourriture était partout. Le gosse n'en avait plus que pour quelques heures.

– Qui a engagé ce con ? rugit Morvan à l'attention de la Touffe.

– Patron, c'est lui qui voulait venir.

Le moribond tenta de se relever afin de donner le change. Leur cantine de pharmacie contenait de la pénicilline mais à ce stade… Le porter jusqu'aux mines ? Rebrousser chemin et le ramener à la piste d'atterrissage ? Aucun avion avant une semaine. L'abandonner ici ? Quelle que soit l'option, le môme mourrait et les seules conséquences seraient du temps perdu, des médicaments gaspillés, des emmerdements redoublés…

Morvan se tourna vers Michel et cracha :

– Prenez son sac et continuez. Je vous rejoins.

À voix basse, le contremaître donna des ordres. La forêt semblait s'être resserrée sur eux, révélant sa nature de tombeau.

Le gamin, qui était déjà retombé, observait Grégoire en tremblant.
– Je vais t'aider, fit Morvan en swahili.
Il lui passa le bras sous les aisselles et le releva d'un geste.
– Comment tu t'appelles ?
– Gilbert.
– T'as quel âge ?
– Quinze ans.
Il le poussa devant lui, dans le sens de la pente, l'éloignant de la troupe. Le jeunot se mordait les lèvres pour ne pas montrer sa douleur. Il voulait y croire : on redescendait vers la piste, on allait le soigner, on allait le sauver…
Morvan ne tira qu'une fois – dans la nuque. Il conservait toujours une balle dans la chambre comme une rancœur sur l'estomac. Le gamin roula à terre pour finir coincé dans un entrelacs de lianes. En s'approchant, Grégoire vit que sa tête baignait dans un lit de poudre rouge : des milliards de fourmis couraient déjà sur son visage.
Des vers de Léopold Sédar Senghor lui revinrent en mémoire : « Avant que le destin jaloux ne te réduise en cendres pour nourrir les racines de la vie… »
Dans quelques heures, la dépouille aurait complètement disparu.
Il remonta la côte en jurant. La détonation avait alerté les prédateurs des alentours. *Fuck*. Il sentait les larmes lui brûler les yeux et fut étonné par cet accès de sentimentalisme.
Il ne pleurait pas sur le môme – en forêt, l'espérance de vie est faible – mais sur lui-même. Sur cette violence qui l'avait forgé et qu'il retrouvait maintenant, intacte, dans une espèce de pureté abjecte.
Il endossa son sac et reprit la tête de ses hommes. Dans leurs yeux, aucun reproche, aucun jugement. Il était fautif de ne pas avoir vérifié ses troupes. Eux l'étaient d'avoir enrôlé un tel gamin qui l'était lui-même d'avoir voulu s'embarquer dans cette galère.
Affaire classée.
Contrairement à ce qu'on pense, l'Afrique n'incite pas à la compassion.

14

VINGT-DEUX JOURS SANS COKE.

Première pensée du réveil.

Dans un frisson, il constata que ses draps étaient vrillés comme si on avait voulu l'étrangler avec. La sueur sur sa nuque, ses épaules et dans son entrejambe lui parut se refroidir d'un coup. Nouveau frisson. Il aimait cette transpiration. Exsuder, c'est éliminer les toxines. Éliminer les toxines, c'est s'éloigner du mal.

Plein jour dans sa chambre. 9 h 50 au réveil. Loïc n'avait aucun rendez-vous, aucune urgence. Un seul combat à mener : laisser couler le temps en lui sans se taper une ligne. *Déjà beaucoup.*

Aussitôt, il se mit à claquer des dents, à trembler par spasmes. Ses os étaient endoloris comme si on l'avait roué de coups pendant son sommeil. Il essaya de s'extraire des draps et fut saisi par une douleur fulgurante au ventre. Une brûlure circulait le long de ses intestins, qui ne demandait qu'à s'expurger en une explosion incandescente : diarrhée.

Foncer aux chiottes avant qu'il ne soit trop tard. Il se leva et perdit l'équilibre. L'instant suivant, il était face contre terre, nez écrasé contre le parquet. Il se redressa et s'aperçut qu'il avait laissé une tache de sang sur le bois. *Merde.* Il s'était cassé le nez, ou bien ses plaques de titane s'étaient enfoncées dans ses cloisons nasales – les larmes lui embuaient les yeux.

Il se recroquevilla et attendit quelques secondes, en position fœtale, pour retrouver une once de volonté. Parfois, il se disait qu'il avait contracté une maladie très grave – un truc tropical, refilé par les Blacks qui l'avaient kidnappé deux mois auparavant. La vérité était plus simple : il avait le syndrome de la « dinde froide », *cold turkey*, disent les Anglo-Saxons – parce qu'en manque, on passe sa vie à grelotter comme une vieille volaille.

Il se déplia, le dos de la main plaqué sur le nez, et avança, mi-rampant, mi-à genoux, jusqu'à la salle de bains. Si ses sphincters lâchaient, il allait en foutre partout et ne se remettrait pas d'une telle humiliation.

La fraîcheur du carrelage lui fit du bien. Il prit appui sur la lunette des chiottes et s'installa *in extremis*. La brûlure lui déchira le fondement alors qu'un flash noir foudroyait son cerveau. Overdose de sang. Ou au contraire perte d'oxygène. Il…

Quand il se réveilla à terre, il se sentait mieux. Pas moyen de savoir combien de temps il était demeuré évanoui – sa montre était restée dans la chambre. Les vaisseaux de son visage lui paraissaient avoir éclaté et ses narines semblaient obturées par de la boue séchée – simplement du sang coagulé.

Respirant par la bouche, il s'agrippa au lavabo et se releva – la tuyauterie interne avait l'air de s'être calmée aussi. Il tira la chasse, alluma une bougie « bois des Indes » et se déshabilla. Assis dans la cabine de douche, il ouvrit l'eau et en régla – plus ou moins – la température. Il tremblait encore sous le jet tiède.

Il attrapa le gant de crin et se frotta à mort. Peu à peu, il retrouva sa lucidité. La seule bonne nouvelle était qu'il avait dormi. Depuis une semaine, il carburait au Mogadon. Si ça ne suffisait pas, il s'envoyait de la Mépronizine. Cette nuit, il s'était pris aussi un Tranxène puis sa sœur était venue en renfort avec du Stilnox. Mais se bourrer de médocs pour arrêter la coke, ça revient à se branler pour arrêter les putes.

Il ne travaillait plus. Il avait balancé la carte SIM de son portable. Il priait et méditait selon l'enseignement du Vajrayana. Faisait du sport dès que ses courbatures lui laissaient un répit. Pissait dans les lavabos pour éviter les toilettes qui déclenchaient chez lui un réflexe conditionné : *Où est ma ligne ?*

Il s'était enfermé avec son mal. Un duel à mains nues dont il sortait toujours vainqueur car au-delà des souffrances, des moments de désespoir, des crises d'anxiété, le temps passait – et cela seul comptait. Il n'y aurait pas de retour en arrière.

L'eau crépitait toujours sur son crâne. Il aurait dû prévenir son psychiatre et suivre un vrai traitement de soutien. Ou s'inscrire à un programme de type Narcotiques anonymes. Sa fierté en avait décidé autrement : il voulait arrêter en solitaire et en secret, renaître de ses cendres tel le Phénix.

Au sortir de la douche, il grelottait, de froid à présent, et son cerveau lui paraissait plus clair. Il songea à se raser mais vu le tremblement de ses mains, il se serait écorché vif. Miroir. Teint de plomb et visage creusé. Il n'avait pas ri ni même souri depuis des semaines. Il n'éprouvait plus aucun plaisir, n'avait aucun goût pour quoi que ce soit. Tout désir s'était retiré de lui, une marée basse terne et morose.

Il enfila caleçon et tee-shirt et se dirigea vers la cuisine en appelant Gaëlle. Pas de réponse. Presque midi : sans doute sortie. Depuis les meurtres, elle était devenue une autre. Elle avait rajeuni de dix ans. Ne se maquillait plus et ne portait plus que ses frusques les plus cool – plutôt hippie que it-girl. Elle avait minci – et non maigri (tout le monde était à cran quand il s'agissait du poids de Gaëlle). En Bretagne, le soleil de novembre l'avait brûlée, abrasée – dans le bon sens du terme.

Loïc était fasciné par sa sœur. Avec sa carrière avortée d'actrice et ses dérapages d'escort, elle pouvait passer pour une pure loseuse. Erreur : Gaëlle possédait un doctorat de philosophie et pouvait tenir le crachoir sur n'importe quel maître de la scolastique du XIIIe siècle. Elle était la plus belle fille qu'il ait jamais vue – après Sofia ou, disons, à égalité avec elle. Pourtant, on ne lui avait jamais connu de mec sérieux. Sa vie sentimentale se limitait à des coucheries glacées et des manipulations obscures.

Il se prépara un thé tibétain avec du sel, de l'orge, du beurre et du lait. Un truc à se vomir direct sur les chaussures mais ce breuvage lui rappelait ses seules années heureuses – celles qu'il avait passées au monastère de Zhongdian.

Il s'assit sur son canapé, sous le triptyque d'Anselm Kiefer qu'il avait racheté à un collectionneur ruiné, songea à ses enfants et son humeur rechuta d'un coup. Pour l'heure, il refusait de les voir. En réalité, défoncé ou sevré, il était toujours mal à l'aise avec eux. Étranger à leur univers, leur langage, leurs jeux, il n'était carrément bon à rien sur le plan pratique. Pas foutu de leur faire cuire un œuf ni de les habiller. En ce moment, avec ses nerfs en cordes de piano, il n'aurait pas tenu une heure en leur présence.

Pour ne pas honorer ses jours de garde, il avait prétexté des galères de santé. D'une manière ironique, Sofia avait dû supposer qu'il souffrait d'un excès de coke. *Tant mieux.* La drogue était la raison majeure de leur divorce et il ne voulait surtout pas que l'Italienne puisse imaginer qu'il arrêtait pour se rapprocher d'elle.

Il en était à son troisième thé au beurre – il dégueulerait avant d'attaquer le sport – quand on sonna à la porte. Gaëlle avait dû oublier ses clés : il n'attendait personne et son immeuble était une véritable forteresse avec concierge et codes en batterie.

Il déverrouilla la serrure et tourna la poignée sans jeter un regard à l'œilleton.

Ce n'était pas Gaëlle mais Sofia.

– *Papà è morto*, annonça-t-elle d'une voix blanche.

15

DIGÉRANT SA SURPRISE, Loïc la fit entrer et lui prépara un breuvage digne de ce nom : un thé vert japonais torréfié – *hojicha* – qu'il sortait pour les grandes occasions. Ses tremblements avaient repris de plus belle. Dans sa cuisine ouverte, pleine d'ustensiles en inox, ses manœuvres faisaient plus de bruit qu'un solo de percussions.

Sofia n'y prenait pas garde. Assise sur un tabouret de l'autre côté du comptoir, elle demeurait les yeux fixes. Sa peau blanche parfaitement lisse, ses yeux légèrement bridés coupaient court à toute expression.

Loïc hésitait à sortir les banalités d'usage.

– Qu'est-ce qui s'est passé ? demanda-t-il finalement, pragmatique.

– Il a été assassiné.

Il se figea, théière en main :

– Quoi ?

– On vient de retrouver son corps, affreusement mutilé.

Même si le personnage possédait sa part d'ombre, Loïc ne s'attendait pas à ça. Giovanni Montefiori, dit le Condottiere, était un ferrailleur parti de rien qui avait réussi à bâtir un empire. Les rumeurs à son sujet allaient bon train, notamment sur ses accointances avec la mafia en col blanc et Silvio Berlusconi, mais naïvement, Loïc pensait qu'à soixante-dix ans passés, son beau-père s'était rangé des voitures.

Retour à la théière.

– Qu'est-ce que tu sais au juste ?

– C'est atroce... C'est... (Elle s'arrêta puis reprit sur un ton plus ferme.) Selon les premières constatations, on lui a ouvert le torse avec une scie circulaire. Après ça, on lui a... (Sofia hésita encore, il ne l'avait jamais vue reculer devant un mot)... arraché le cœur.

Loïc s'immobilisa à nouveau. Ce n'était pas la première fois qu'on lui parlait d'un meurtre de ce genre. Philippe Sese Nseko avait été assassiné de la même façon en septembre dernier, à Lubumbashi. Malgré la distance, les deux homicides étaient liés, aucun doute. D'autant plus que Heemecht, la société luxembourgeoise du Condottiere, détenait 18 % de Coltano.

Les tasses. Gestes saccadés. *Maîtrise-toi.* Grégoire Morvan, le prochain de la liste ? Il était justement sur place – dans la gueule du loup. Loïc en renversa son thé. Éponge. Nouvelle tournée.

– Qu'est-ce que tu sais d'autre ?

– Rien. Il est parti au boulot à l'aube, comme d'habitude. On a découvert son corps vers 10 heures, aux environs de Signa.

– Il avait rendez-vous ?

– Tu le connaissais.

Montefiori avait une particularité : il savait à peine lire et écrire, à quoi s'ajoutait son goût obsessionnel du secret. Son emploi du temps était connu de lui seul. Pas d'agenda ni de téléphone portable. Sa secrétaire n'était au courant de rien. Pour retracer sa dernière journée, les flics allaient s'amuser.

– T'as parlé à la police ?

Sofia haussa les épaules d'une manière méprisante qui semblait dire : « Que pourraient-ils piger aux Montefiori ? » Assise derrière le comptoir de marbre (le même que celui qui décorait leur cuisine place d'Iéna), il la retrouvait comme jadis. L'âge d'or des débuts. Leurs innombrables cafés à New York, Florence, Paris. Leurs dîners enthousiastes alors que Loïc montait dans la finance. Les cris de leur premier bébé. L'appartement qu'ils avaient acheté, ouvert sur la tour Eiffel et le palais de Tokyo, mais qui ressemblait déjà à un sanctuaire...

Troublé, il l'invita à passer au salon.

– Ils ont des soupçons ? Des suspects ?

– J'en sais rien. L'enquête commence tout juste. L'autopsie a été ordonnée. Je pars demain à Florence.

– Où sont les enfants ?

– À la maison. Je ne leur ai encore rien dit.

Il se sentit obligé d'évoquer sa belle-famille :

– Ta mère ?

– Aucune réaction. Elle va augmenter ses médocs et sera un peu plus à l'ouest pour un moment, c'est tout.

– Tes sœurs ?

– Elles se sont jetées sur les funérailles comme des hyènes, pour démontrer leur capacité d'organisation. Elles lorgnent déjà sur la présidence de l'empire.

Pas moyen de se souvenir de leurs prénoms. Moins belles que Sofia, célibataires, elles s'étaient taillé une place de choix dans les sociétés du Condottiere. Par comparaison, Sofia passait pour la princesse oisive et futile. À tort : plus brillante que ses frangines, elle éprouvait un dédain naturel (celui de sa mère, aristocratique) pour le travail. C'était le boulot qui n'était pas à la hauteur, non l'inverse.

Il but son thé d'un coup. L'*hojicha* n'avait aucun goût après ses breuvages au beurre et au sel. Il partit se resservir – Sofia n'avait pas touché à sa tasse. Posté derrière le comptoir, il l'observa à nouveau. Assise sur le canapé, elle lui tournait le dos. Ses cheveux noirs et lisses coulaient comme de l'encre japonaise. Il l'avait tant de fois admirée à son insu...

Il s'ébroua face à cet attendrissement. Ne pas baisser la garde. Elle était là pour le piéger. Il n'y avait pas d'autre explication.

– Je suis vraiment désolé pour ton père..., fit-il en s'approchant, mais pourquoi me l'annoncer en personne ? (Il ne put s'empêcher de la provoquer.) Ça change quelque chose pour le divorce ? Y a des papiers à signer ?

– T'es trop con. Je suis venue à cause de l'enterrement. Je veux que tu nous accompagnes.

– Nous ?

– Les enfants et moi.

En pleine séparation, cette requête ne rimait à rien.

– Je comprends pas…, cracha-t-il. On se déchire depuis des années, ta mère et tes sœurs voudraient me voir en prison ou dans un asile. Quant au reste de ta famille, elle…

– Tu viens ou non ?

Il but une brève gorgée.

– Bien sûr.

16

LE MOINS QU'ON PUISSE DIRE, c'est que Salvo était efficace. Il s'était pointé à midi – pour un rendez-vous à 10 heures, c'était acceptable. Et il avait des excuses : toute la matinée, il avait téléphoné, frappé aux portes. La paperasse officielle était acquise, l'appareil affrété, les derniers préparatifs en cours.

Salvo ne portait plus son maillot jaune mais un tee-shirt à l'effigie de Steve Jobs, représenté à la manière du célèbre portrait du Che. Ils s'étaient installés dans le lobby et avaient repris chaque point du périple. Ils décolleraient en soirée et atterriraient dans la nuit aux environs de Kabwe, à cent cinquante kilomètres d'Ankoro.

– Pourquoi pas à Ankoro même ?

– Impossible.

– Pourquoi ?

– Impossible.

Erwan n'avait pas insisté. D'ailleurs, son père lui avait précisé qu'il n'y avait plus de piste là-bas. Ensuite, un 4 x 4 les emmènerait jusqu'à Ankoro où ils prendraient les barges sur le Lualaba.

– Combien de temps pour atteindre Lontano ?

– Aucune idée.

Face à l'incrédulité d'Erwan, le rire inimitable du Noir avait fusé.

– Là-bas, on peut pas faire de prévisions. T'as les sous ?

– Il faut les donner maintenant ?

– La moitié d'avance, cousin.

Erwan était un produit de la société moderne : jamais plus de deux cents euros en cash sur lui. Or, il se promenait maintenant avec une ceinture cache-billets contenant dix mille euros dont les deux tiers en dollars. Le matin même, à la banque centrale de Lubumbashi, il avait changé quelques liasses en francs congolais – pour les arrosages mineurs.

Il était parti aux toilettes et revenu avec mille dollars.

– Retourne pisser, cousin. La moitié de trois mille dollars, ça fait mille cinq cents.

– C'était pour Ankoro.

Salvo avait souri, empoché l'argent puis l'avait emmené pour un dernier tour de piste dans les administrations. Ils n'avaient attendu nulle part, avaient réduit les palabres – français, swahili – au minimum. Erwan n'avait eu qu'une chose à faire : sortir encore ses billets, ce que le Banyamulenge appelait les « petites motivations ». Quelques coups de tampon, une signature et en selle, Marcel !

Aux environs de 14 heures, ce fut le grand départ. Erwan se sentait léger. Il était même d'humeur rêveuse : il se prenait à songer à Sofia, sa « future ex-belle-sœur », avec qui il avait vécu une brève idylle deux mois auparavant. Une nuit d'amour en forme de blitzkrieg. Un réveil d'empereur chez la comtesse, avec vue sur la tour Eiffel. Une étreinte encore à l'hôpital alors qu'il était blessé puis plus rien. Sofia avait appris entre-temps que son père l'avait manipulée pour lui faire épouser Loïc et elle maudissait depuis leurs deux familles, Erwan compris.

Pour sauver un tel dossier, il aurait fallu un orfèvre, un virtuose, alors qu'il ne dépassait pas en la matière le stade du puceau. Il se prit à imaginer une longue missive écrite au fil du Lualaba, ce qui ne manquerait pas de panache, puis il y renonça en se disant que Sofia devait rester ce qu'elle avait toujours été : une pietà inaccessible.

Salvo avait quitté la route principale (il conduisait une Toyota Land Cruiser, inexplicablement neuve et rutilante). Les constructions s'espaçaient, des villas pointaient leur toit rouge à travers les jardins, le long de la route les arbres étaient taillés. À l'évidence, un quartier résidentiel.

Le Noir s'engagea sur un sentier non bitumé qui parut leur tousser au visage. Le pare-brise se couvrit de particules rouges.

– Où on va ?

Le Noir ne répondit pas. Cramponné à son volant, il s'efforçait d'éviter les nids-de-poule, les flaques du matin, les branches qui jonchaient la piste. Ils longèrent un lac aux eaux saumâtres puis bifurquèrent à droite. Soudain, une maison fantastique jaillit comme à fleur d'eau.

Un immense cadre de béton sur pilotis, s'ouvrant sur des terrasses, des loggias à claire-voie, des escaliers extérieurs. On aurait dit que la façade avait été arrachée, dévoilant l'intérieur de la bâtisse. La fameuse architecture d'outre-mer – lignes épurées, ouvertures brise-soleil –, poussée à un degré d'abstraction pure. Ce n'était plus une maison mais une sculpture géométrique, entre sanctuaire et pavillon d'été.

Le climat tropical l'avait entièrement ravagée. Les hautes herbes rongeaient les piliers de soutien, le lierre asphyxiait les murs, les racines fendaient les terrasses. Au-dessous, les eaux croupies semblaient prêtes à avaler la demeure comme une vulgaire épave.

Salvo se gara à cent mètres de l'édifice et coupa le contact.

– Si j'ai bien compris, tu t'intéresses à tout c'qui concerne Lontano et l'histoire de l'Homme-Clou, si ?

Erwan avait eu le temps d'entrer dans les détails de sa quête.

– Bienvenue chez les de Momper, fit Maillot Jaune en ouvrant sa portière.

– Comme Magda de Momper ?

Mars 70, la troisième victime de l'Homme-Clou : une étudiante en géologie âgée de vingt ans. Erwan descendit de voiture et suivit son guide.

– Comme Philippe surtout, l'architecte de Lontano. Le père de Magda. C'est lui qu'a tout imaginé, tout dessiné là-bas.

– Ils vivent ici ?

– Seulement la petite sœur de Magda, Philae.

– Elle avait quel âge au moment des faits ?

– Je sais pas : dans les dix-douze ans, je crois. Tu prends ou non ?

– Bien sûr !

Salvo s'arrêta et lui barra le passage :

– C'est cinq cents dollars.

Erwan lui en accorda deux cents, sans un mot de négociation. C'était la première fois qu'il menait une enquête à péage et à ce train-là, il serait vite ruiné.

17

DE LA LUMIÈRE aveuglante du dehors, ils passèrent directement à l'obscurité. Erwan ne vit plus rien puis, peu à peu, ses yeux s'accommodèrent. Dans une immense pièce, une femme semblait les attendre, appuyée sur un balai : longue, noire, comme disloquée par l'indolence. Son tablier portait des traces sanglantes – simplement de la latérite.

Salvo lui adressa la parole, en swahili, sur un ton autoritaire, presque insultant. Sans broncher, la domestique fit un geste vague vers la double porte dans son dos qui donnait sur l'extérieur. On avait l'impression que la maison n'était qu'un passage au sein d'un vaste domaine végétal. Le temps de traverser le salon, Erwan remarqua dans la pénombre des appuie-nuques, des masques étroits, des fauteuils très bas. Du pur africain, usé et poussiéreux.

Ils retrouvèrent les jardins. Sur une pelouse anarchique, du mobilier en fer peint se groupait au pied d'un arbre imposant. Au fond, des jacinthes d'eau, des roseaux atteignaient une taille monstrueuse. La végétation semblait dopée ici par une drogue mystérieuse.

Il lui fallut regarder à deux fois pour distinguer, installée sur la balancelle qui jouxtait la table et les chaises, une femme :

lunettes noires, boubou indigo, foulard couvrant ses cheveux. Une star des sixties.

Ils s'approchèrent. Philae de Momper n'avait pas d'âge : elle avait plutôt franchi un seuil. Sans parler de mort véritable, elle semblait appartenir au monde statique des momies et des mausolées. La petite sœur de Magda ne pouvait pas avoir dépassé la soixantaine mais elle paraissait avoir traversé des siècles. Elle tanguait doucement, raide comme un battant de cloche, au rythme d'un léger grincement. La matière de son boubou – du basin – ajoutait encore à son hiératisme. Crissant et sombre, rehaussé de fils d'or, le tissu la caparaçonnait tel un sarcophage.

Erwan se présenta et résuma, sans prendre de précautions particulières, ce qui l'amenait. L'Homme-Clou. Lontano. Grégoire Morvan, son père...

– Vous lui ressemblez beaucoup.

La remarque le surprit : à l'époque des faits, Philae n'était qu'une gamine.

– Vous vous souvenez de lui ?

– Il était très proche de nous. Une citronnade ?

Le Vieux entretenait donc des liens avec la famille d'une des victimes. Erwan regarda la femme remplir les verres en se préparant mentalement à d'autres surprises. On but en silence. La première boisson vraiment glacée depuis son arrivée en RDC.

Enfin, il se pencha vers Philae – ils s'étaient installés sur des chaises de jardin face à la balancelle – et reprit :

– Il venait vous voir pour les besoins de l'enquête ?

– D'abord, oui, je suppose, puis par amitié. Il aimait beaucoup les Salamandres.

Ce nom lui évoquait vaguement quelque chose. Il sentit que, derrière ses verres fumés, Philae l'observait avec consternation : il ne savait rien. En revanche, elle semblait disposée à l'affranchir :

– Ma grande sœur, ainsi qu'Ann de Vos, Sylvie Cornette et Monika Verhoeven appartenaient aux Salamandres. Un groupe de rock uniquement féminin. Les stars de Lontano… Tous les samedis, elles jouaient à la Cité Radieuse.

Philae de Momper avait conservé son timbre d'enfant. C'était d'autant plus troublant qu'elle évoquait maintenant ses souvenirs d'adolescente.

– La Cité Radieuse, demanda Erwan en sortant son carnet, qu'est-ce que c'est ?

– Le grand hôtel de Lontano. C'était là-bas que se déroulaient les concerts, les bals, les banquets. Mon père avait baptisé ce bâtiment en référence à une construction de Le Corbusier, à Marseille. Il était passionné par cet architecte.

Son rêve, encore une fois. Il était certain d'avoir « vu » cet hôtel dans son sommeil.

– On ne me laissait pas aller les écouter, continuait Philae, mais j'ai tout de même assisté à un ou deux concerts. Maggie avait vraiment une voix pour le blues.

– Qui ? tressaillit Erwan.

– Maggie de Creeft. La chanteuse du groupe.

Le nom de jeune fille de sa mère. Il devait se convaincre que ses propres racines étaient à Lontano. *Reprends toute l'histoire.*

– Vous vous souvenez quand Grégoire est apparu dans votre vie ?

– Exactement, non. J'avais douze ans. Toute ma famille était en deuil…

Erwan avait les dates en tête : Morvan était arrivé au Katanga en mai 70, deux mois après le meurtre de Magda.

– Ma mère voulait partir mais mon père hésitait : Lontano était son œuvre. Si la ville devait sombrer, disait-il, il mourrait avec elle, comme un capitaine de vaisseau. Moi, je me rappelle surtout que la vie s'était arrêtée. Je n'allais plus à l'école. Je n'avais même plus le droit de sortir. La ville était à feu et à sang.

Philae continuait, avec sa voix de dessin animé, à décrire le marasme des années rouges. Erwan écrivait – ses doigts trempés de sueur s'enfonçaient dans ses pages. Salvo s'était planqué sous le parasol – peut-être dormait-il...

– Votre père... enfin, il était d'accord avec les... actions menées contre les Noirs ?

Erwan s'exprimait avec prudence – faute de savoir dans quel camp jouait Philae.

– Il dirigeait lui-même les opérations. On peut dire qu'il en a cassé, du nègre... À l'époque, on était persuadé que le tueur était un sorcier yombé. Mon père et sa clique traquaient les immigrés du Bas-Congo. Mais ils se sont assez vite calmés...

– Pourquoi ?

– Les Yombé sont des chasseurs. Ils se sont constitués en milices et s'en sont pris aux Blancs, avec des chiens et des filets. Y avait une ambiance... électrique. Des morts des deux côtés.

Erwan revint sur un fait qui ne cadrait pas :

– Vous dites que Grégoire appréciait les Salamandres mais quand il est arrivé, le groupe n'existait déjà plus, non ?

– Si. Ça peut paraître bizarre mais Maggie disait qu'il ne fallait pas se laisser intimider, qu'elles devaient continuer à jouer en mémoire des disparues. Elle avait trouvé d'autres musiciennes. Elle avait aussi monté une association pour prendre la défense des Noirs. Un vrai phénomène.

Il retrouvait là un des visages de sa mère : la hippie forte en gueule, toujours en avance d'une croisade. Il imaginait l'atmosphère de l'époque : Peace & Love, révolution et fumette tous les soirs. Malgré la terreur ambiante, les Salamandres n'avaient pas baissé la garde.

– Maggie et les autres étaient des contestataires... chroniques, confirma Philae. Elles se battaient contre leurs origines, contre les mines, contre tout ce pognon gagné sur le dos du peuple noir. Par goût, et surtout par provocation, la plupart couchaient même avec des Africains, ce qui rendait dingues nos parents... Moi, je les admirais. (Elle tendit la main et attrapa une Malboro.) Vous fumez ?

– Non.

– Donnez-moi du feu.

Erwan saisit un briquet posé sur la table. Philae rejeta un long filet de fumée et il crut sentir, entre la cigarette brûlante et l'air torride, la même connivence qu'il avait surprise entre l'incendie de Saint-François-de-Sales et la touffeur nocturne de l'avant-veille.

– Finalement, reprit Erwan, on a identifié Thierry Pharabot et découvert qu'il venait lui-même du Mayombé. Aurait-il pu avoir un lien avec vos familles ?

– Non. Ce n'était pas la même génération.

– Ses parents ?

– Jamais entendu parler de ça. Le mobile de Pharabot se trouvait dans le deuxième monde.

Philae s'en tenait à la version officielle : l'ingénieur initié par les féticheurs du Congo central, le nganga blanc malade de ses propres croyances… Inutile d'insister.

– Revenons à Grégoire, suggéra-t-il. Un autre détail qui m'échappe : si Magda était morte, il n'avait plus de raison de venir si souvent chez vous.

– Je vous l'ai dit : Grégoire aimait les Salamandres. (Elle eut un geste vers le jardin.) Au fond, il y avait un bungalow où les filles continuaient à jouer. Il assistait aux répétitions. Il prétendait aussi qu'il nous protégeait.

Erwan comprit enfin les motivations de Morvan :

– C'est à cette époque qu'il s'est rapproché de Maggie ?

Nouveau sourire de la femme. Ses lèvres flétries se confondaient avec sa chair pâle. Son visage paraissait flotter derrière ses lunettes de soleil, à la manière d'un fantôme.

– C'était la plus belle… Ils se sont tout de suite plu…

Erwan avait grandi, avec son frère et sa sœur, dans un enfer conjugal. Il n'était pas prêt – mais alors pas du tout – à écouter l'histoire d'une quelconque idylle entre ses parents.

– Savez-vous, coupa-t-il, si votre sœur et les autres… (il hésitait, freiné encore par le principe de précaution) se droguaient ?

Philae éclata franchement de rire face aux pudeurs du flic :

– Elles étaient défoncées du matin au soir. Ça faisait partie du jeu.

– Quelle drogue ?

– Le cannabis bien sûr, mais aussi des comprimés ou des espèces de timbres qu'elles posaient sur la langue…

Amphètes, acides : l'arsenal de l'époque.

– Savez-vous où elles se les procuraient ?

Philae nia de la tête. Erwan souligna les derniers mots qu'il avait écrits. Une idée faisait son chemin : pourquoi, dans cette ville terrifiée par un tueur en série et plongée dans une guerre civile, ces filles continuaient-elles à sortir ?

Et maintenant, la question cruciale :

– Est-ce que vous vous souvenez de Catherine Fontana ?

– Catherine, tout le monde la détestait.

La réponse le fit sursauter. Au mieux, il s'attendait à un souvenir vague. Au pire, à une absence de réaction. Catherine, française et infirmière, ne correspondait pas au profil des Salamandres.

– Pourquoi ?

– Parce qu'elle avait piqué Grégoire à Maggie.

Deuxième scoop. Non seulement Morvan connaissait Cathy mais il couchait avec elle ! Son père ne lui avait pas dit un mot là-dessus – *tu m'étonnes…*

– Que pouvez-vous me dire sur elle ?

– Pas grand-chose. Je sais seulement ce qu'on racontait. Elle avait dragué Grégoire la nuit de la Saint-Sylvestre 1970, à la Cité Radieuse. Les Salamandres répétaient que c'était la pire des salopes que la Terre ait jamais portées…

Philae parlait toujours de sa petite voix acidulée, tout en tirant de longues taffes sur sa cigarette. Pas l'ombre d'un sentiment en vue : ni passion ni compassion.

– Sur son meurtre précisément, de quoi vous vous souvenez ?

– Rien. Un nom de plus sur la liste, c'est tout. Mais la tristesse n'était plus la même… Les filles disaient que cette pute avait eu ce qu'elle méritait, que personne la regretterait. Ce genre de trucs.

– Maggie menait le groupe ?

– Non. Bizarrement, la mort de Cathy l'a totalement abattue. Elle est même partie à Kisangani. Elle ne voulait plus entendre parler de Lontano.

– Et Grégoire ?

– On ne le voyait plus non plus. Il menait l'enquête nuit et jour, sans résultat. Les victimes se multipliaient et il ne possédait aucun indice. Mes parents disaient qu'il ne servait à rien. On pensait surtout que l'Homme-Clou était un démon insaisissable. La malédiction de Lontano.

Erwan notait toujours – les termes exacts utilisés par Philae – mais n'analysait plus rien.

– Martine Duval, la quatrième victime, était française elle aussi. Vous la connaissiez ?

– Oui. Elle appartenait à la bande.

– Anne-Marie Nieuwelandt ?

– Pareil. Les deux venaient aux répétitions, en groupies.

– Catherine Fontana a donc été la première victime à ne pas faire partie du club ?

– On s'est dit que l'Homme-Clou provoquait Morvan. Tout le monde savait qu'ils étaient ensemble.

– Personne n'a soupçonné qu'un autre assassin aurait pu frapper ? Profiter de cette série pour couvrir son propre meurtre ?

Philae le fixa derrière ses verres fumés. Pour la première fois, ses sourcils se haussèrent : comment pouvait-on avoir des idées pareilles ? Un malaise le gagna en retour : et si c'était lui qui se trompait ? Ces histoires de jours et d'horaires, à plus de quarante ans de distance, étaient-elles suffisantes pour étayer les scénarios tordus qu'il avait en tête ?

– Les victimes suivantes ? reprit-il pour balayer son propre doute. Vous vous en souvenez ?

Elle propulsa sa clope d'une pichenette, visant une flaque. La proximité du lac contaminait toute la pelouse et la rendait spongieuse.

– L'Homme-Clou élargissait son terrain de chasse, c'est tout. Il ne visait plus seulement les Salamandres. Après Catherine, il a surpris une mère de famille dans sa villa. Il lui a planté des dizaines de clous dans la chair alors que son bébé pleurait à quelques mètres.

Erwan avait lu ces faits dans les synthèses du procès. Pas la peine de développer. Ni de revenir sur la dernière victime du meurtrier : une religieuse de vingt ans.

– Et son arrestation ?

– On a fait la fête pendant des jours et des nuits. La ville était libérée. Grégoire était notre héros ! S'il avait voulu devenir maire de Lontano, on l'aurait élu dans la minute.

– Et Maggie ?

– Elle n'est jamais revenue. Grégoire l'a rejointe à Kisangani. Elle est tombée enceinte et…

Philae se tut. Les cris des oiseaux, le bruissement des herbes semblèrent d'un coup monter en régime. Elle venait de réaliser que l'enfant que Maggie attendait alors, c'était Erwan.

Il se leva pour couper court à toute question. La suite de l'histoire, il la connaissait – c'était sa propre enfance. Sa tête bourdonnait : trop de chaleur, trop de mots, trop d'infos inattendues. Il ne se sentait plus capable d'assimiler quoi que ce soit.

– Vous n'auriez pas conservé des coupures de presse de l'époque ? hasarda-t-il pour finir.

– Non. Ce ne sont pas des bons souvenirs.

– J'ai cherché la trace de vos familles à Lubumbashi, je n'ai rien trouvé. Vous avez quitté Lontano ensuite ?

– C'est Lontano qui nous a quittés. Dans les années 80, les mines se sont taries. Plus tard encore, il y a eu des pillages. Les soldats de Mobutu, qui n'étaient plus payés depuis des lustres, se sont servis à la source. Les derniers Blancs ont fui. Certains ailleurs en Afrique, d'autres en Belgique.

– Vous, vous êtes restée.

– C'est mon pays. J'y ai fait mes études, ma carrière.

– Dans quelle branche ?

– Au Katanga, il n'y en a qu'une : les mines. L'ingénierie industrielle, la mécanique des roches, les méthodes d'extraction. Je me suis installée à Kolwezi puis ici, chez les mangeurs de cuivre…

Dernière question pour la route :

– Vous ne vous êtes pas mariée ? Vous n'avez pas eu d'enfant ?

– Plutôt crever. Il n'y a pas d'avenir ici pour les générations futures.

– Pour les Blancs ou pour les Noirs ?

– Pour personne.

18

QUAND ILS PARVINRENT au-dessus de Kabwe, il faisait nuit.

L'avion – un Cessna 182 bon pour la casse – venait d'éteindre ses feux de position. L'intérieur de l'appareil ne comportait que deux sièges – Erwan était assis à même le sol, à l'arrière. La cabine avait été désossée, sans doute pour transporter plus de minerai, mais l'espace était vide. Qu'allait donc livrer Salvo ? Ou était-ce le contraire ? allait-il chercher un chargement ? Il n'avait emporté que quelques valises qui paraissaient en carton, ficelées avec des sangles de déménagement.

– Ni les FARDC ni les rebelles rwandais n'ont de missiles sol-air, cria Maillot Jaune en se retournant, mais vaut mieux être prudent ! On raconte que les Tutsis ont reçu des armes…

L'avion piqua vers les ténèbres. C'était tellement irréel qu'Erwan n'avait pas vraiment peur. Plutôt le sentiment d'évoluer dans une dimension parallèle. Soudain, il distingua par le hublot une double ligne lumineuse qui tremblotait dans la nuit. Plus qu'une piste, cela évoquait les vestiges d'une culture sur brûlis.

À cinquante mètres d'altitude, le Cessna ralluma ses lumières. Contre toute attente, l'atterrissage se fit sans problème. Avec la vitesse, les nids-de-poule passèrent à l'as et le pilote réussit à maintenir plus ou moins son axe. Erwan n'avait aucune idée de l'endroit où ils étaient. Il ne disposait que d'un seul repère, sa montre : un peu plus de 18 heures.

– Bienvenue à Kabwe, patron.

Il n'espérait rien et c'est exactement ce qui l'attendait dehors. Une obscurité totale, une atmophère lourde, poisseuse comme un manteau mouillé. On ne distinguait que les boîtes de conserve remplies d'essence enflammée qui marquaient la zone d'atterrissage. L'odeur du carburant, ajoutée aux relents de la terre humide, saturait les narines. Des Noirs dissous dans l'ombre les observaient, yeux exorbités.

– On… on dort ici ? s'inquiéta Erwan.

– Non, dans la voiture qui nous emmène à Ankoro. En partant maintenant, on arrivera demain en milieu de journée. À temps pour attraper les barges.

– À quelle heure ?

– Houlà, faut déjà qu'elles soient là ! (Salvo prit son ton de businessman.) C'est mille euros, patron.

– Pour quelques kilomètres ?

– Tu peux les faire à pied.

Erwan ouvrit sa ceinture.

– Où est la bagnole ?

– Au bout du sentier, répondit le Noir en empochant l'argent, n'aie pas peur.

Le Cessna repartait déjà. À mesure que le bruit du moteur s'éloignait, les craquements et les sifflements de la nuit semblaient se rapprocher. Salvo n'aurait plus qu'à lui trancher la gorge et récupérer son cash. D'instinct, Erwan chercha, glissé dans son sac, le 9 mm et le fourra dans son dos.

Ils marchèrent dans un corridor de feuillages. Le Banyamulenge ouvrait la marche, braquant sa lampe devant lui, une de ses valises sous le bras, Erwan sur ses pas, des fantômes dépenaillés fermaient la marche, portant les autres bagages.

Bientôt, dans le faisceau de la torche, une Toyota blanche mouchetée de boue apparut. Pas une maison ni le moindre signe de vie aux alentours. Seul un chauffeur en short les attendait, cigarette au bec. Un vrai prodige, qui valait bien mille euros.

– Dernières révisions et on démarre.

Erwan s'assit sur une souche, redoutant d'y découvrir une araignée ou un serpent, au lieu de quoi c'est la fatigue qui l'assaillit. Il était abruti par la chaleur de la journée, les trépidations du vol, le néant qui les entourait maintenant. Tout ce qui lui restait ce soir, c'était des économies qui fondaient à vue d'œil, une ignorance complète de son avenir et une trouille au ventre qui ne demandait qu'à se transformer en chiasse.

Pourtant, il tenait quelque chose : les informations de Philae de Momper. Il avait déjà essayé de les ordonner afin d'échafauder une nouvelle théorie. Non, trop tôt. En revanche, un petit coup de fil à son père s'imposait. Il fouilla dans son sac et en tira l'Iridium. Après quelques essais infructueux, la sonnerie retentit. On décrocha au bout de quelques secondes.

– C'est moi, fit-il d'une voix triomphante. Je suis dans les environs de Kabwe.

Le Padre eut un sifflement admiratif mais ne posa aucune question. Une manière de respecter les efforts du fiston. Il y avait quelque chose de surréaliste à se parler ainsi à travers la nuit, d'un point de brousse à l'autre.

– Tu as le bonjour de Philae de Momper, attaqua Erwan.

Morvan ne manifesta aucune surprise : au fond, il savait exactement ce que pouvait découvrir son fils, et à qui il pouvait parler.

– Elle va bien ?

– Je l'ai trouvée… usée.

– L'Afrique, mon bonhomme ! Qu'est-ce qu'elle t'a raconté ?

– Elle m'a parlé des Salamandres.

– Toute une époque !

– Pourquoi tu ne m'as rien dit là-dessus ?

– Je t'en ai parlé mais tu n'as pas fait gaffe. Et tu as eu raison : aucun intérêt pour ton enquête.

– Et ta liaison avec Catherine Fontana ?

Soupir proche du grognement :

– Pas envie de remuer ça, fils. Pharabot l'a tuée pour me montrer qui était le maître. (Grégoire prononça un juron inaudible.) C'est moi, avec ce simple flirt, qui ai attiré son attention sur elle.

Erwan décida, le temps de cette conversation, d'admettre la culpabilité de Pharabot pour ce meurtre.

– Pourquoi tu ne m'as pas raconté tout ça la première fois ?

– Pour ne pas t'embrouiller. Ces détails ne t'auraient rien apporté sur le profil du tueur de Paris.

– C'était à moi d'en juger.

– Y a une autre raison, ajouta le Vieux un ton plus bas. Quand Pharabot a tué Cathy, il m'a complètement détruit. Cet automne, le nouvel Homme-Clou a essayé de faire la même chose avec Anne Simoni. J'ai gardé le silence par superstition, pour ne pas tomber dans une spirale que je connaissais bien…

Malgré la distance et les interférences, Erwan percevait un accent de sincérité dans la voix de son père : avait-il tort à son sujet depuis le départ ?

– Parle-moi d'elle.

– Elle est arrivée à Lontano à la fin de 1970. Je l'ai rencontrée à la Saint-Sylvestre, à la Cité Radieuse, un hôtel qui…

– On m'en a déjà parlé.

– Elle bossait dans un dispensaire ouvert aux Noirs, ce qui était à l'époque un vrai acte de foi. Qu'est-ce que je peux te dire d'autre ? Notre relation n'a pas eu le temps d'aller très loin…

– Suffisamment pour que tu laisses tomber Maggie.

– Suffisamment, oui.

Erwan distinguait maintenant, en fond, des cris et des raclements qui faisaient écho à ceux qui l'entouraient. Le bivouac de Grégoire devait valoir le sien.

– Les Salamandres la détestaient.

– Maggie était leur chef : elles ont pris son parti. Elles prétendaient que Cathy était une allumeuse, une fouteuse de merde.

C'était faux. Juste une femme d'origine modeste, discrète et dévouée. Une catholique rigoureuse et un peu naïve. Le contraire de ces filles à papa qui m'ont toujours exaspéré…

– On m'a dit au contraire que tu leur collais au cul.

– Je les protégeais. Enfin, j'essayais… À l'époque, je n'avais rien à voir avec le Morvan que tu connais. J'étais moi-même une sorte de hippie. Un gauchiste avec les cheveux longs et des convictions sur tout.

Difficile à imaginer, en effet. Même jeune, maoïste ou beatnik, Morvan devait déjà être un flic dans l'âme, un fouineur infiltré.

– J'ai découvert que les Salamandres étaient toutes des filles des Blancs Bâtisseurs.

– Tu parles d'un scoop. Et alors ?

Il était temps d'exprimer son nouveau soupçon :

– Pharabot avait peut-être un autre mobile.

– Qu'est-ce que tu racontes ?

– Les Blancs Bâtisseurs venaient du Bas-Congo, comme lui. Il les avait peut-être connus là-bas.

– Les dates ne collent pas. Il n'était pas né quand ces familles se sont installées à Lontano.

– Quelque chose qui concerne ses parents ? Ou la sorcellerie ?

– T'es en plein délire. Le fumier a choisi les Salamandres parce qu'elles étaient les filles les plus en vue de Lontano. En les transformant en fétiches, il obtenait plus de puissance… c'est tout. Tu me fais perdre du temps et de l'argent. Tu sais combien coûtent ce genre de communications ?

Erwan passa outre :

– Philae m'a dit que les filles se défonçaient beaucoup.

– Et alors ?

– Elle m'a parlé d'acides, de LSD. Où se les procuraient-elles ?

– Il y avait des filières. Lontano était une ville moderne. Où tu veux en venir ?

– Elles prenaient peut-être des risques pour se fournir…

Des portières claquèrent dans son dos. Erwan se retourna. Les sacs étaient dans le coffre, le chauffeur au volant, Salvo côté passager. Ne manquait plus que lui. Il frissonna. Il avait peut-être déjà chopé la crève dans ce climat d'éponge.

– Je suis sûr que t'as creusé cette piste.

– Elles allaient chercher leur came le soir, admit son père après un bref silence. De l'autre côté du fleuve. C'est comme ça qu'il les surprenait en effet. T'es content ? Qu'est-ce que ça t'apporte aujourd'hui ?

– Mon idée…

– Quelle idée, à la fin ? explosa Morvan. J'ai interrogé tous les trafiquants à l'époque, j'ai surveillé les allées et venues de chaque fille dans les ghettos noirs, j'ai passé mes nuits à planquer sur le bac, tout ça pour rien. Je n'ai jamais réussi à le surprendre. Aujourd'hui, Pharabot est mort. Le deuxième Homme-Clou aussi. Pourquoi tu cherches à réécrire l'histoire, nom de dieu ? Pour me traîner dans la merde quarante ans après les faits ?

Erwan ne sut quoi répondre. Son père conclut avec mauvaise humeur :

– N'utilise plus le téléphone satellite pour de telles conneries. Je te l'ai filé pour m'appeler en cas de besoin, pas pour me casser les burnes tous les soirs.

19

LE PENASAR est un restaurant indonésien situé dans le 8e arrondissement, spacieux et peu éclairé. Bougies, lumières indirectes, objets de bronze et de cuivre, renvoyant des reflets parcimonieux sur les tables et les visages. Le long des murs, des marionnettes *wayang* derrière des parois de toile projettent des ombres d'une troublante élégance. Pour les femmes, un avantage : le clair-obscur est clément avec les rides et autres imperfections. Pour les hommes, un avant-goût de victoire : on est déjà au lit, ou presque.

Gaëlle avait choisi l'endroit pour une autre raison : les tables espacées ménageaient une vraie intimité. Elle ne voulait pas de témoins gênants pour cette première rencontre. Curieusement, elle se sentait à l'aise. Katz en revanche paraissait hors sujet. Elle savourait ce spectacle – pendant une année, elle avait subi face à lui une situation d'infériorité. Elle tenait là sa petite revanche.

– Vous connaissez l'Indonésie ? attaqua-t-il avec maladresse.

Visiblement pas un habitué de l'exercice. Mais quel exercice au juste ? Pourquoi l'avoir invitée ? La draguait-il ? Tentait-il une nouvelle expérience : la psychanalyse autour d'une table ?

Elle trempa une brochette de poulet dans la sauce satay, la croqua puis haussa une épaule.

– Comme tout le monde : je suis allée à Bali.

Katz sourit en en prenant une à son tour.

– On ne doit pas venir du même monde.

– Ne me faites pas croire que vos amis partent en camping à Palavas-les-Flots.

– Vous seriez étonnée. J'ai beau exercer dans le 16e arrondissement et avoir des patients plutôt aisés, je viens d'un milieu… modeste.

Allons bon, elle allait avoir droit à une biographie à la Zola. *Pas grave.* Quel que soit le déroulement de la soirée, contempler son psy dans cette posture était un régal.

– Et votre femme, vos enfants ? Où sont-ils ce soir ?

– Eh bien… (L'air gêné, d'un geste réflexe, il s'essuya avec sa serviette.) Ils sont à la maison.

– Votre épouse, elle sait que vous dînez avec moi ?

– Mais… bien sûr.

– Pas de réflexion, pas d'engueulade ?

Il eut un rire bref :

– Nous ne sommes pas ce genre de couple.

Elle se demandait ce qu'il voulait dire mais préféra continuer à jouer à la boîte à questions :

– Quel âge, vos enfants ?

– L'aîné, Hugo, onze ans. Son frère, Noah, huit.

On vint prendre la commande. Gaëlle décida pour deux, choisissant plusieurs plats à partager.

– Je préfère vous prévenir, reprit-elle sur un ton faussement autoritaire, ce soir c'est vous le sujet.

– Pourquoi ?

– Parce que vous savez déjà tout de moi.

Elle avait remarqué son tic : il se frottait les paumes l'une contre l'autre comme pour les réchauffer, produisant un bruit de feuilles sèches qui lui rappelait Morvan et sa peau de serpent. *Pas bon du tout.*

– Katz, c'est de quelle origine ?

– C'est juif, si c'est la question.

– Ce n'est pas *du tout* la question !

– Mon nom est d'origine allemande, l'apaisa-t-il d'un nouveau sourire. Mon père assemblait des voitures à Berlin-Ouest dans les années 60. Ensuite, il est passé chez l'« ennemi », une marque française, je ne sais plus laquelle, avant d'émigrer en France.

– Vous êtes né en France ?

– Presque : en Alsace. J'y ai vécu jusqu'à mes études supérieures.

– Pourquoi avez-vous choisi cette discipline ?

La question lui avait échappé – elle s'était juré pourtant de l'éviter : trop banale. Le métier de psy, comme celui de flic ou de pute, intrigue. Pour une fille de préfet, escort à ses heures perdues, elle aurait pu trouver mieux.

– Je vais vous faire une réponse simple… Pour moi, c'est le plus beau métier du monde.

– Comment le définiriez-vous ?

Il planta ses coudes sur la table – à la lueur de la bougie, son visage osseux prenait des reflets tourmentés.

– Je suis un mécanicien. Je remets des hommes et des femmes en état de marche. Je purge leurs âmes et diffuse de l'énergie positive. Je soutiens l'amour contre la mort.

– Vous êtes un idéaliste.

– Vous pensez que j'ai passé l'âge pour avoir de telles idées ?

– Je ne le connais pas.

– Quarante-six ans.

Les commandes arrivèrent. Sa première moisson de réponses était franche et plutôt satisfaisante. Après quelques explications sur chaque plat (elle jouait à l'affranchie alors que c'était la deuxième fois qu'elle venait là), elle repartit pour de nouvelles questions, toujours avec une pointe d'agressivité :

– Ça ne vous épuise pas d'écouter ces gémissements, ces pensées morbides toute la journée ?

– À vous entendre, je suis un vide-ordures.

– Un peu, non ?

– Je ne suis pas un auditoire, juste une clé. Mes patients se parlent à eux-mêmes.

– Vous aurez tenu un quart d'heure.

– Avant quoi ?

– Me sortir votre bullshit de psy.

Il leva son verre – en fait, sa tasse : ils avaient commandé du thé épicé.

– Vous êtes injuste : c'est vous qui dirigez l'interrogatoire.

Elle l'imita puis but à son tour une gorgée.

– C'est vrai, mais vous me connaissez, non ? Quand je ne suis pas cynique, je suis hostile. Quand je suis ni l'un ni l'autre, c'est que je pleure. Si vous me disiez plutôt pourquoi vous m'avez invitée à dîner ?

Encore une question qu'elle était censée retenir.

– Disons que je veux être votre ami.

– Je suis déçue..., fit-elle en minaudant.

– Vous avez tort : c'est plutôt la preuve que j'ai de hautes espérances.

Elle n'insista pas, de peur d'avoir droit au sempiternel discours sur l'amitié plus forte que l'amour. Elle préféra en revenir aux questions pragmatiques – son quotidien, son job. De ce côté-là, elle resta sur sa faim. Il n'enseignait pas à la fac, n'avait pas de service dans un HP : rien de brillant ni de singulier. Il parlait de son cabinet comme d'un petit commerce.

Pourtant, elle ne se lassait pas d'observer son visage – durant ses séances, la voix de Katz avait toujours été associée au vide et à un plafond fissuré. Maintenant, elle pouvait contempler cet être de chair et d'os – surtout d'os.

Avec un temps de retard, elle se rendit compte qu'elle ne lâchait plus la parole, parlant à tort et à travers. Elle avait l'impression d'avoir bu mais c'était l'effet de l'excitation. La tête lui tournait comme un moulin à prières.

Soudain, le psy l'arrêta d'un geste. Il avait les yeux baissés sur l'assiette de Gaëlle : elle n'y avait pas touché. Au fond, elle aussi passait une épreuve. Dix années d'anorexie et tout ce que Katz savait sur ce problème, c'était ce qu'elle lui avait raconté.

– C'est pas ce que vous croyez, fit-elle en plongeant sa cuillère dans son *nasi goreng*. Je parle, je parle et j'en oublie de manger.

– Alors laissez-moi parler. Je veux que vous compreniez que ce que je vous propose a beaucoup plus de valeur qu'une relation sexuelle.

Elle porta la cuillère à sa bouche – délicieux.

– C'est ce que disent les hommes aux boudins.

– Gaëlle, je vous connais en profondeur. Cette image du père que vous détestez...

– Ce n'est pas une image, c'est une réalité. Un salopard de...

– Vous ne pratiquez qu'un type de rapport avec les hommes, le combat, et l'arme que vous utilisez est votre corps. Vous en avez fait votre croisade, votre névrose...

– Il faut que je paie la consultation ?

– Écoutez-moi. Je vous offre aujourd'hui un autre type de soutien, de réconfort. Je peux vous aider à briser l'association qui vous constitue : homme/ennemi. (Il sourit.) Je voudrais être, disons, le premier gracié...

Elle but une gorgée de son thé – il était froid.

– Je préférais quand on parlait de vous, se raidit-elle.

– Nous parlons de nous. Je ne dois plus être votre psy ni un homme parmi d'autres, c'est-à-dire une proie sexuelle. Je serai votre ami, tout simplement.

Elle sentit des larmes lui monter aux yeux. Elle ne comprenait pas les intentions de Katz mais sa bienveillance la dégoûtait. De tous les sentiments qu'elle pouvait inspirer, le pire était la pitié.

– Excusez-moi.

Elle se précipita aux toilettes pour pleurer un bon coup. *Putain de putain de putain*... Pour qui se prenait-il ? Durant une année, il l'avait assommée par son silence et voilà qu'il lui parlait maintenant comme un prêtre.

Quand elle se retrouva devant le miroir des lavabos, elle avait déjà repris le dessus. Dans l'atmosphère mordorée – toujours la touche balinaise –, elle s'observa : petite, vidée, à cran. *Ce dîner est nul*, se dit-elle. *Complètement raté. Vraiment pas de quoi s'arracher les collants.* Elle avait oublié son sac : impossible de se remaquiller. Un peu de flotte sur le front, on se pince les joues et on repart… Le temps de remonter les escaliers, elle avait déjà changé d'idée. Il fallait lui laisser une chance. Pour la première fois, un homme lui tendait la main au lieu d'autre chose.

Elle traversa la salle comme elle se serait approchée d'une scène de théâtre, lissant des paumes sa petite robe noire. Elle s'arrêta à quelques mètres de la table, sidérée. Au fond de l'ombre, dissimulé par la table, Éric Katz était en train de fouiller son sac à main.

Le temps qu'elle reprenne sa marche, il l'avait repérée et souriait. Le sac était revenu à sa place, sur le siège libre. Elle aurait pu croire avoir rêvé mais non. Que cherchait-il ? Quel était le véritable but de ce dîner ?

Quand elle s'assit, elle avait retrouvé sa cohérence – c'est-à-dire sa colère et son mépris. Elle souriait toujours, et même plus franchement : elle connaissait mieux ce rôle. Katz lui parlait et elle répondait, avec humour et vivacité. Elle était en pilotage automatique et plus rien de ce qui se passait à cette table ne l'intéressait.

Glacée jusqu'au fond des os, elle avait pris sa résolution : elle l'emmènerait au bout de ses désirs et lui arracherait son secret.

Cet homme cherchait quelque chose – et elle saurait quoi.

20

« T*URNED a whiter Shade of pale…* »

Lontano, 1970. Dans la salle des fêtes de la Cité Radieuse, les accords de Procol Harum résonnaient alors qu'autour de l'hôtel, la forêt pleurait en silence.

Morvan se souvenait encore de la suite harmonique du morceau (celle du *Canon* de Pachelbel) et du timbre râpeux de l'orgue Hammond. La voix de l'amour, et aussi celle de la mort. Sur la piste, les couples dansaient à l'unisson mais chacun était seul, grisé par ce souffle d'église qui raclait au rythme de la boule à facettes.

Maggie, short extracourt, bottes blanches, lui murmurait à l'oreille que même avec cette chaleur, elle était obligée de porter des collants à cause des moustiques et que ces salopards passaient même à travers… Son rire rouge, son timbre rauque. Il s'écartait légèrement et admirait ces taches de rousseur qui lui rappelaient la poudre vitaminée qu'on lui donnait à l'orphelinat – un des rares bons souvenirs de son enfance.

Et maintenant, cette poudre était là, près de ses lèvres. Sa vitamine pour toujours…

Au-delà des chuchotements de Maggie, il percevait les paroles de la chanson : une femme au visage spectral, un plafond qui s'envole, un meunier qui raconte son histoire et un homme qui flotte parmi ses cartes à jouer… Au fil des mots, Morvan songeait à son propre destin : d'une certaine façon, la chanson racontait son histoire, celle d'un homme poursuivi par une femme livide, une de ces créatures qui hantent les poèmes de Verlaine. Que lui prédisait cette musique ? Qu'il n'échapperait jamais à sa malédiction et que la fille pâle le retrouverait toujours.

Et en effet, ce soir-là, elle apparut sur le seuil de la salle de bal.

Sa silhouette se découpait à contre-jour. Elle restait, dos aux néons du hall, à la lisière de la piste. Morvan ne respirait plus. Le présent s'était arrêté. Le rire de Maggie n'existait plus, déjà relégué dans les limbes d'un passé sans intérêt.

Son seul présent se tenait là, à quelques mètres.

Maggie suivit le regard de Grégoire et aperçut à son tour l'arrivante. Elle parut surprise, décontenancée, et déjà vaincue. L'attaque avait eu lieu, à son insu, il y avait très longtemps ou juste une seconde, mais tout était réglé, alors que l'orgue de « A Whiter Shade of Pale » poursuivait son requiem.

Morvan lâcha Maggie et se tourna vers l'autre. Une fille petite et excessivement maigre. Visage en losange, mâchoires prononcées qui se resserraient sur des lèvres charnues. Une douceur enveloppait cette figure sculptée comme celle d'un camée. À Lontano, la tendance était aux cheveux longs et raides – Cathy Fontana portait les cheveux courts. Chez les Salamandres, la rousseur et la blondeur étaient la norme – elle était brune.

– Tu la connais ? demanda Maggie, en essayant encore d'être joyeuse.

Morvan déglutit péniblement et l'abandonna en murmurant :

– Depuis toujours…

La toile s'ouvrit brutalement :

– Patron, faut qu'tu viennes.

Il se redressa sur son matelas – il s'était enfermé dans sa tente pour mieux affronter les démons réveillés par son fils.

– Qu'est-ce qui se passe ?

– Viens.

Il découvrit soldats et porteurs apeurés, groupés autour du feu.

– Ils ont entendu des bruits, tonton.

– Quel genre ?

– Des bruits.

Morvan tendit l'oreille. Rien de spécial. Il ne croyait pas à un animal – la guerre avait fait fuir les grands prédateurs. Plutôt les gars d'une milice. « Les enfoirés t'attendent... », avait plaisanté Jacquot. Maintenant que Grégoire avait abattu le gamin, tout le monde connaissait sa position.

– Qu'est-ce qu'on fait, patron ?

– On va se coucher. Ils ne feront rien cette nuit.

– T'es sûr, patron ? Pasque...

– Dormez. On verra demain.

La Touffe disparut. Dans cette zone, Morvan penchait pour des Maï-Maï, guerriers traditionnels du Congo. Or, il n'y avait pas plus superstitieux que ces connards. Jamais ils ne se seraient lancés dans une attaque nocturne – la nuit était le royaume des esprits.

Il ne rentra pas aussitôt sous sa tente dôme, demeurant plusieurs minutes à s'imprégner des ténèbres, à en capter la respiration lancinante. Il avait déjà oublié la menace – mince tribut à payer pour qui souhaitait pénétrer réellement la chair de l'Afrique. Non, il songeait de nouveau au seul danger qu'il redoutait : ce que son fils Erwan pouvait découvrir. Remonterait-il jusqu'à la Cité Radieuse et au cauchemar qui s'était mis en marche cette nuit-là ?

21

APRÈS DEUX HEURES DE PISTE, ils avaient perdu une roue. Ils l'avaient cherchée, retrouvée, revissée avant de repartir après minuit. Plus tard, un tronc d'arbre les avait bloqués une heure, puis le 4 x 4 s'était enlisé. Erwan avait aidé ses acolytes à placer les plaques de fer sous les pneus alors que l'averse leur labourait le dos. Le reste du temps, il avait tenté de dormir sur la banquette arrière – sans succès : trop de bosses, trop de chocs, trop de sueur. Finalement, mieux valait demeurer les yeux ouverts pour bien profiter de ce voyage fantôme.

Maintenant, le soleil se levait, un vent frais circulait dans l'habitacle et Salvo venait de lui annoncer qu'ils avaient couvert à peine la moitié du parcours.

– On va s'arrêter à Muyumba pour faire des provisions ! clama-t-il.

– On devait pas le faire à Ankoro ?

– Mieux vaut prendre ses précautions.

Erwan capta le message :

– Combien d'heures pour Ankoro ?

– Au moins une journée.

Ainsi, il y était enfin. Le bourbier dont son père lui avait si souvent parlé. Pas d'heure, pas de route, pas de repères. Prendre les évènements comme ils viennent et surtout, bien saisir le sens du périple : c'est l'Afrique qui vous roulait dessus et non l'inverse.

– Et… les barges ?

Salvo eut un geste d'insouciance suggérant qu'il n'y avait finalement pas plus de chance qu'elles soient là-bas aujourd'hui que demain.

Erwan ouvrit sa fenêtre et admira le paysage dans la lumière matinale. Plaines sans fin, vallons qui se perdaient dans la pulvérulence du soleil, arbres dont les cimes se noyaient dans la brume. Chaque élément semblait remonter à une ère immémoriale. Des verts de rizière, des rouges de forge, des jaunes d'étamine : c'était ici que les couleurs étaient nées.

Il songea aux hommes qui avaient conquis – et exploité – cette terre. Il pensa à ces Italiens qui avaient planté une pancarte qui signifiait « loin » dans leur langue et aux Belges qui les avaient suivis, découvrant la richesse des sous-sols.

– Tu connais l'histoire des Blancs Bâtisseurs ?

– Patron, fit Salvo d'un ton d'évidence, j'ai fait la fac de psychologie.

Erwan ne voyait pas le rapport mais attendit la suite.

– Tout a commencé avec Léopold, le roi des Belges, claironna le Noir. Il a envoyé des gars de chez lui, des gars à la dure pour exploiter les terres africaines, collecter l'ivoire, couper les arbres, construire le premier chemin de fer, et bien sûr mater les négros… Au début, les p'tits Blancs, y vivaient comme des animaux. Ils avaient pas de maison, tonton, rien à manger ni rien du tout. Y z'étaient obligés d'enfumer les termitières-cathédrales pour chasser les bestioles et y vivre à leur place.

Avec les cahots de la route, les vrombissements du moteur et l'accent à couper à la machette de Salvo, Erwan pensa avoir mal compris :

– Ils vivaient sous la terre ?

Salvo, hilare, frappa dans ses mains – en même temps, il ne cessait de donner des gifles ou des coups de pied au chauffeur pour l'empêcher de s'endormir – ou parfois même le réveiller.

– Patron, les termitières-cathédrales, c'est des constructions de plusieurs mètres de haut, à ciel ouvert ! Impossibles à briser. Quand on construit une route, on est obligé de les contourner tellement c'est solide. Les Blancs, y vivaient là-dedans, et y creusaient la roche à mains nues pour trouver du minerai…

Erwan avait de sérieux doutes sur l'exactitude des faits.

– Les familles de Lontano, c'était celles de ces pionniers ?

– Ce sont eux qu'ont construit le chemin de fer dans le Bas-Congo ! Y jetaient les corps des ouvriers morts dans les cuves où on fondait les rails, y tuaient les sorciers qui s'opposaient au passage des voies…

Encore des légendes mais Erwan imaginait bien ces Blancs en quête de fortune et de pouvoir. Les sauvages, c'étaient eux. Le sang de sa mère. Son propre sang. Ils n'avaient jamais rencontré aucun membre de la famille de Maggie. Morvan leur avait assuré qu'ils étaient morts au pays. Vraiment ?

– Après la guerre de 14, continuait Salvo, on a reconstruit l'Europe grâce au Congo, avec l'étain, le zinc, le cuivre…

Le père Albert lui avait raconté que les Blancs Bâtisseurs s'étaient installés au Katanga dans les années 60.

– Tu sais pourquoi ces familles sont venues dans cette région ? Leurs affaires ne marchaient plus à l'ouest ?

– Y s'est passé quelque chose, répondit Salvo sur un ton lugubre. Y z'ont été chassés du Mayombé. Une histoire de magie… Au Mayombé, le sorcier, il est très fort. Vrrrraiment trrrrès fort ! Ces Blancs, ils étaient maudits !

Ces rumeurs avaient sans doute valeur de symbole : un évènement s'était produit, crime ou faute politique, déformé par la brousse et les superstitions. En résumé, on avait chassé ces familles de la côte occidentale.

– Au Katanga, personne voulait d'eux, poursuivit le Banyamulenge. Les Belges qu'étaient déjà là, ils avaient leur fromage à Kolwezi et y voulaient pas le partager. Alors les Bâtisseurs, y z'ont dû partir vers le Nord, la vraie terre sauvage. Y z'ont dû vivre à nouveau dans les termitières, chef, et creuser la terre rouge avec leurs mains blanches... C'était l'indépendance au Congo et tout l'monde se foutait sur la gueule. Mais eux, ils creusaient, et ils creusaient encore... Sous leurs doigts, y avait du cobalt, du manganèse, de l'or ! Mobutu, il a bien été obligé de les écouter... C'étaient peut-être des parias mais dans leur domaine, ils restaient les meilleurs...

Erwan songea à l'Homme-Clou, l'enfant oublié du Bas-Congo. Finalement, il n'y avait pas tant d'années d'écart entre sa naissance et la migration de ces rois maudits...

– Patron, on arrive à Muyumba.

Erwan aperçut, à travers le pare-brise moucheté de boue, une corde tendue entre deux barils de fuel, surveillés par des soldats débraillés. Au bord de la piste, des femmes étaient assises devant une bassine ou un cageot, abritées sous un parasol.

Salvo se tourna et tendit la main. Dans la nuit, ils avaient déjà croisé plusieurs barrages de ce type. À chaque fois, il fallait présenter les autorisations et surtout quelques billets. Erwan ouvrit sa ceinture et donna une liasse.

– Tu t'approches pas. Tu me laisses parler. (Maillot Jaune fit un rapide signe de croix puis embrassa sa bible.) Dieu nous protège !

À mesure qu'ils montaient vers le Nord, Salvo était de plus en plus nerveux. Il fit stopper le 4 x 4 à cent mètres du checkpoint. Alors qu'il marchait vers les soldats, son porte-documents sous le bras à la manière d'un agent d'assurances, Erwan en profita pour se dégourdir les jambes.

Quand on descend d'un bateau, le roulis vous habite encore. Lui, c'étaient les nids-de-poule, les ornières et les flaques qui vibraient dans ses jambes. D'un pas chancelant, il se dirigea vers les parasols – il avait une faim de loup.

Pour le petit déjeuner, il devrait repasser. On vendait ici de l'essence dans des bouteilles de soixante-quinze centilitres, des bonnets de douche volés à un quelconque hôtel, des chenilles dans des bassines. D'autres articles étaient plus énigmatiques :

tubes non identifiés, liquides brunâtres dans des sacs transparents, petits bidons souillés…

Salvo réapparut dans son dos, tout sourire : le contrôle s'était bien passé.

– T'es malade, patron ?

– Non, pourquoi ?

– Parce que c'est la pharmacie.

Erwan observa à nouveau les récipients informes et crasseux :

– Ce sont des médicaments ?

– La pâte à dentifrice, c'est pour les hémorroïdes. La glaise, pour les caries, expliqua le Noir sur un ton doctoral. Pour les brûlures, on utilise plutôt les œufs de chenille. Faut bien s'débrouiller !

– Et… ça ? fit le Français en désignant de minuscules carrés enveloppés dans du papier d'argent.

– La cosmétique.

– Quel genre ?

– Des bouillon Kub. Les femmes les utilisent en suppositoires, pour avoir de plus grosses fesses !

22

MUYUMBA est un village ensablé qui monte parmi les collines. Tout y est rouge : latérite, briques d'adobe, toitures rouillées. Erwan songeait aux chirurgiens qui portent des blouses vertes pour reposer leurs yeux, trop sollicités par la vue du sang – les habitants de Muyumba auraient dû s'habiller en vert.

Le chauffeur avait quitté la route principale pour s'engager dans des ruelles aux airs de labyrinthe. Tout semblait avoir été bâti à la va-vite, et pas pour longtemps. Que l'on découvre des mines ailleurs, et tout le monde se casserait.

– Les soldats du check-point, demanda Erwan, c'était l'armée régulière ?

– Plus ou moins.

– Comment ça « plus ou moins » ?

– Ils portent l'uniforme des FARDC mais ça signifie rien. Chaque groupe se bat pour lui-même. Ils ont conquis un bout de terrain et l'exploitent : une mine, des cultures… Kabila est loin et il faut survivre.

Ils avançaient toujours dans un dédale pourpre. Erwan ne comprenait pas pourquoi ils devaient s'enfoncer dans un tel ghetto.

– Où on va, là ?

– La question, c'est : est-ce que t'as encore des sous ?

– Tu commences à me fatiguer, Salvo. Je ne raquerai plus pour franchir un bout de ficelle.

– Et pour rencontrer un témoin ?

Erwan n'eut pas le temps de répondre. Salvo se retourna et casa son coude entre les deux sièges.

– J'ai une tante qui vivait y a longtemps à Lontano. Elle travaillait pour une grande famille, j'me rappelle plus laquelle. Elle vit à Muyumba. J'me suis dit : on peut aller la voir…

Erwan ouvrit sa ceinture – il serait toujours temps de passer à d'autres méthodes, à base de menaces physiques et de calibre. Salvo empocha les cent dollars et donna un nouvel ordre au chauffeur.

Après quelques coups de volant, ils se retrouvèrent dans une cour de terre battue. Un seul bloc en U fermait l'espace. Sur le toit, une citerne d'eau de pluie. Le sable semblait sucer les murs et remplir les angles. Assises par terre, des femmes voilées étaient embusquées dans la mort même.

Le Banyamulenge se dirigea vers un seuil clos par un rideau. La chaleur s'emmagasinait dans ce patio comme au fond d'un four. Une pancarte, écrite au pinceau, indiquait : CENTRE SOINS FEMMES.

Salvo se retourna, soudain grave :

– Ma tante, patron, elle s'appelle Mouna. Elle est très respectée ici. Elle s'occupe des femmes violées qui viennent du Nord. Alors tu restes poli, d'accord ?

– Mais bien sûr, je…

– Ces femmes-là, elles sont irradiées, tu comprends ?

Salvo chuchotait presque alors que les mugissements du vent tournaient autour d'eux, soulevant des bouffées rouges.

– Irradiées par quoi ?

– La honte, la souffrance, la souillure… (Le Noir lui saisit le bras.) Le viol, c'est notre bombe atomique à nous, tu piges ? Ces victimes, elles sont contaminées pour toujours, elles meurent à p'tit feu…

Erwan se libéra de l'emprise :

– Je saurai me tenir.

23

LE RIDEAU S'OUVRIT sur les ténèbres. Dans la première pièce, pas de meubles, seulement des tapis. Des femmes, enturbannées comme celles de l'extérieur, étaient assises, totalement immobiles. Erwan s'avança. Les rares lucarnes étaient obturées avec du carton. Des lampes-tempête et des bougies ponctuaient l'espace, envoyant des lueurs roses contre les murs de terre.

Ce n'était plus l'Afrique noire mais l'Afrique rouge, celle du désert et de l'Islam. Malgré la pénombre, pas la moindre parcelle de fraîcheur ici. L'idée même d'une température en dessous de quarante degrés relevait de l'utopie.

Salvo s'adressa à des fantômes dans un nouveau dialecte. La femme acquiesça puis se leva. Petite, courbée, elle lui arrivait à la taille. Elle se mit en marche et ils la suivirent sans un mot.

Ils traversèrent plusieurs pièces, compartimentées par des tissus, de la toile, du linge. Derrière ces parois flottantes, Erwan apercevait encore des silhouettes, des adolescentes, des petites filles, amorphes ou vaquant à des tâches domestiques avec lenteur et précaution. Parfois, on entendait le cri d'un bébé. Sans doute le produit d'un abus sexuel – ou carrément la victime d'un violeur. Certaines convalescentes boitaient ou se déplaçaient avec difficulté. Erwan, lors de ses recherches à Paris, s'était procuré des rapports sur les centaines de milliers de viols commis dans le pays – on parlait d'un par minute. Il savait pourquoi ces femmes étaient infirmes mais il refusa de se souvenir des détails qu'il avait lus.

Dans la dernière salle, une dizaine de spectres étaient assis en cercle, autour d'un brasero sur lequel on préparait du thé. L'ombre s'inclina et parla avec une vieille femme assise.

– Maman Mouna, murmura Salvo.

On s'écarta pour leur laisser une place. Vêtue d'un pagne carmin tissé de motifs dorés, la maîtresse des lieux penchait curieusement la tête d'un côté et n'avait pas les cheveux crépus : sa chevelure grise était simplement ondulée, couverte par un voile sombre qui se déployait sur ses épaules. À la lueur du feu, son visage paraissait sculpté dans une souche de bois noir très dur. Deux rides profondes dessinaient des tenailles sur ses pommettes, se resserrant autour de la bouche.

Présentations. Salvo parlait français, Mouna souriait d'une manière détachée, presque absente. Ses yeux mi-clos paraissaient regarder dans le vide comme une aveugle.

– Elle est d'accord pour te parler, résuma le Banyamulenge en lui donnant une tasse de thé. Mes souvenirs étaient bons : elle travaillait chez les Blancs Bâtisseurs.

– Les autres parlent français ?

– Non.

Tant mieux. Pas besoin de public. Erwan but une gorgée – il n'avait jamais goûté un breuvage aussi amer et sucré à la fois – puis expliqua sa démarche avec malaise : son histoire vieille de quarante ans ne pesait pas lourd parmi ces victimes du présent. La vieille regardait toujours un point mystérieux, sa tête s'inclinant comme celle d'une poupée démantibulée. L'introduction d'Erwan semblait l'amuser – ça la changeait des journalistes et des membres d'ONG.

– Je travaillais chez les Verhoeven, répondit-elle enfin dans un français quasiment sans accent. Une famille importante de

Lontano. Le père dirigeait l'Union minière, il était le chef de la ville.

– Que faisiez-vous chez eux ?

– Le ménage, bien sûr. Mais aussi un peu plus que ça… La gestion des repas, les devoirs avec les enfants…

– Où… Enfin, vous parlez un français parfait.

Dans son rire pointa une légère coquetterie :

– Je suis une fille d'évolués.

– Qu'est-ce que c'est ?

– Une invention des Belges. Le chaînon manquant entre le singe, c'est-à-dire l'Africain, et l'être civilisé, c'est-à-dire le Blanc. L'évolué, c'était le *mundele-ndombe* : le Blanc à peau noire. On savait lire et écrire le français, on mangeait avec une fourchette, on dormait dans des draps. Ça nous donnait le droit d'acheter du vin rouge ! Mobutu a balayé tout ça. Plus question d'imiter les mzungus…

Il l'interrogea sur les meurtres.

– Il y a d'abord eu la fille de De Vos, puis la petite Cornette, puis encore Magda de Momper et Martine Duval. Quand Monika a été assassinée… Verhoeven est devenu fou. Il ne cessait de répéter : « Faut tous les griller ! »

– Et vous ? Il ne vous mettait pas dans le même sac ?

– Non. Le mzungu est toujours protecteur avec ses employés de maison. C'est comme si nous n'étions plus noirs…

– Ces familles venaient du Bas-Congo, comme le tueur.

Elle acquiesça avec une expression de respect : Erwan connaissait son dossier.

– Ils avaient reconnu la magie yombé. La malédiction les avait poursuivis jusqu'au Katanga. L'Homme-Clou était envoyé par les esprits !

Erwan lança un regard à Salvo qui n'en perdait pas un mot. Il avait l'expression d'un enfant à qui on raconte une histoire de sorcières avant de s'endormir.

– Vous voulez dire que les Blancs Bâtisseurs croyaient aux esprits ?

– Ils avaient passé des années dans le Mayombé : comment survivre autrement ?

Erwan remisa cette information dans un coin de son cerveau.

– On raconte qu'ils avaient commis une faute, vous savez laquelle ?

– On ne parle pas de ces choses-là.

– La série de meurtres était un châtiment ?

– Si c'en était un, il était injuste : leurs filles étaient innocentes.

Belle occasion pour revenir sur les Salamandres. Mouna lui répéta ce qu'il savait déjà puis lui proposa quelque chose qu'il n'attendait pas : des images des victimes.

– J'étais passionnée par la photographie.

Elle donna un ordre dans la pénombre. Durant quelques secondes, le silence resta suspendu autour du cercle. Erwan but le nouveau thé qu'on lui avait servi – plus amer encore, et toujours aussi sucré.

Les clichés arrivèrent.

– Les Salamandres ! fit Mouna avec une sorte de fierté dérisoire.

C'était une photo de groupe – non pas seulement les musiciennes mais une dizaine de jeunes femmes qui se ressemblaient d'une manière frappante. Blondes ou rousses, toujours minces, parfois même décharnées, elles portaient des tuniques africaines, des blouses indiennes, des minijupes et tout un tas de bijoux ethniques.

Mouna choisit d'autres tirages et montra au Français, en gros plan, Ann de Vos, Sylvie Cornette, Magda de Momper, Monika Verhoeven… Elles avaient toutes une carnation pâle et sèche, ponctuée de taches de rousseur. Leurs traits étaient fins mais parfois à la limite de la dureté. Leurs os saillaient sous la peau de vélin.

– Leur ressemblance est… incroyable.

Mouna rit en relevant son fichu devant la bouche :

– C'est parce qu'elles sont sœurs.

– Quoi ?

– Enfin, presque… Les Blancs Bâtisseurs refusaient tout mélange avec les populations locales et même les Occidentaux qui n'étaient pas de leurs filiations. Le clan était consanguin depuis des générations. Ils s'épousaient entre cousins, parfois même germains, et des rumeurs d'inceste ont toujours circulé…

Erwan observait les photos et imaginait ceux qu'on ne voyait pas dessus : les pères autoritaires, jaloux de leur sang appauvri, les mères en retrait, anémiées, reines pondeuses au bout du rouleau. À leur façon, les colons avaient reproduit ces lignées maudites de l'Égypte ancienne ou de la Rome antique qui sombraient dans la folie ou s'étiolaient dans les maladies génétiques à force d'endogamie.

Soudain, il aperçut une photo qui lui déchira le cœur : un couple debout sur fond de soleil couchant. L'homme, grand, musclé, arborait une boule afro à la Jackson Five. Grégoire Morvan au faîte de sa jeunesse. Sur ce cliché, il ressemblait plus à un GO du Club Méditerranée qu'à un enquêteur sur les traces d'un tueur en série. Mais le vrai choc provenait du deuxième personnage : une jeune femme élancée, dont la beauté se coulait à la manière d'une ligne de sable clair entre les bras de son homme. Maggie. À elle seule, elle résumait la beauté et la pâleur de toutes les autres. « C'était la plus belle… », avait dit Philae.

– Vous vous souvenez de Maggie de Creeft ? demanda Erwan d'une voix enrouée.

– Elle dirigeait le groupe. Toutes venaient à la maison pour faire des « sit-in » comme elles disaient. (Elle rit à l'évocation de ces enfantillages.) Je leur préparais des *mikaté*, des beignets à la banane…

À la manière de Philae de Momper, Mouna parut réaliser une évidence :

– Vous avez dit que vous vous appeliez Morvan ?

– Oui. Comme Grégoire Morvan, mon père.

Pour la première fois, la vieille femme délaissa son sourire béat. Ses yeux brillèrent plus intensément dans son visage de quartz.

– Grégoire Morvan… Le héros de Lontano. Vous lui ressemblez beaucoup.

Aucune envie d'entendre un nouvel éloge du Vieux.

– Et Catherine Fontana, ce nom vous dit quelque chose ?

– Non. Qui est-ce ?

Change de cap.

– Il paraît que toutes ces filles se droguaient.

– C'était à la mode. Elles se fournissaient de l'autre côté du fleuve, chez les Noirs. Saint-Paul, la Lagune, Jambo, Soso… Je leur disais… je les mettais en garde…

– Comment y allaient-elles ?

– À vélo, en prenant le bac. On les a toujours retrouvées sur l'autre rive. À côté du dessin.

Erwan tressaillit :

– Quel dessin ?

Mouna releva la tête et chercha du regard Salvo. Erwan l'imita et s'aperçut que le Noir avait disparu. L'heure du départ.

Il se pencha vers elle. Son odeur était un mélange d'épices et d'encens.

– Le tueur traçait un schéma sur le sol, souffla-t-elle. Comme ceux qui donnent la composition d'un minerai.

Pas un mot là-dessus lors du procès.

– Vous voulez dire un schéma atomique ?

– Je crois… Moi, j'y connais rien. Parfois, il était effacé par la pluie mais plusieurs fois, je le sais, on le voyait encore. Les policiers les photographiaient.

Où étaient ces clichés ? Une migraine le gagnait, comme si la poussière qui planait ici s'était insinuée dans son cerveau. Les parfums, les voiles, les yeux blancs… Il était là pour Catherine Fontana – un meurtre à part – et il se retrouvait face à de nouveaux indices à propos de l'Homme-Clou.

– De quel minerai s'agissait-il ?

– Laissez-moi… Je suis fatiguée…

Il lui attrapa le poignet, les autres se redressèrent, choqués par cette marque de violence. « Elles sont irradiées », avait dit Salvo.

– Quel minerai ? répéta Erwan en lui lâchant la main.

– Des géologues ont étudié ce schéma… Ils ont jamais trouvé…

Des pas derrière lui, Salvo de retour :

– Faut y aller. On a de la route.

Erwan se leva avec difficulté. Il avait l'impression qu'on grillait son cerveau sur un brasero rougeoyant.

– Je peux garder quelques photos ?

24

GIOVANNI MONTEFIORI, TUÉ.

Et il ne l'apprenait que maintenant. Près de vingt-quatre heures après les faits. *Putain de dieu.* Maggie avait réussi à le contacter à l'aube. Les circonstances du meurtre se passaient de commentaire : torse ouvert, cœur arraché. Comme Nseko. Comme lui-même, bientôt…

Comment avait-il pu être si négligent ? Depuis deux mois, il refusait de s'intéresser à la mort de son directeur à Lubumbashi, classant ce meurtre dans le vaste dossier « affaires de nègres ». Règlements de comptes, rivalités tribales, trahison, corruption, sacrifices rituels, passion amoureuse – pourquoi pas, il en avait vu d'autres au Congo… Mais en aucun cas il n'avait voulu imaginer la moindre connexion avec Coltano.

Le lien s'était fait de la plus violente des manières – à la scie circulaire.

9 heures. Avec cette menace qui lui était tombée dessus, Morvan en avait presque oublié l'autre, beaucoup plus proche : les Maï-Maï. Les salopards n'allaient pas tarder à apparaître. Selon la température, il faudrait jouer la diplomatie ou organiser une bataille rangée.

Par réflexe, il lança un regard sur la plaine qui l'entourait. Visibilité à cent quatre-vingts degrés. La réverbération disloquait l'horizon, les plateaux se dissolvant dans la brûlure de l'air. Personne. Il enfonça son chapeau sur ses tempes – le modèle de brousse des Navy Seals – et se replongea dans ses pensées.

Avec ces deux homicides, l'un à Lubumbashi, l'autre à Florence, on sortait du crime local pour entrer de plain-pied dans le complot financier. Aucun doute sur le mobile : la prise de pouvoir au sein de Coltano. Cette boîte n'en valait pourtant pas la peine. À moins d'être au parfum pour les nouveaux gisements…

On lui filait donc le train. Une fois à bon port, on lui ouvrirait le ventre comme aux autres. Il grogna pour lui-même et accéléra le pas. Ce pactole était pour les siens. Personne ne léserait ses enfants. Par contrecoup, il songea à son clan sans défense à Paris. Les Blacks s'attaqueraient-ils à ses proches pour lui forcer la main ? Pas pour l'instant…

Morvan s'ébroua. Il n'avait même pas accordé une minute à sa tristesse. Montefiori et lui n'étaient pas des amis au sens ordinaire. Des compagnons, des partenaires, parfois même des rivaux. Mais le respect avait tenu lieu d'attachement, la crainte réciproque joué le rôle de pudeur. Quarante ans d'association, ce n'était pas rien. Leurs *pasta con le sarde* à Florence allaient lui manquer. À qui désormais ne pas parler de ce qu'il avait sur l'estomac ? Avec qui se taire en toute complicité ? Quand on a eu la même vie de crapule, la salive est inutile…

Nouveau tunnel de forêt, idéal pour une embuscade. *Mauvais feeling.* Il était loin de ses terres (les mines officielles de Coltano étaient au sud, entre Kolwezi et Fungurume), il ne connaissait pas les chefs d'ici. Son seul atout, c'était d'être blanc : n'importe quel Noir sait que toucher un mzungu est dangereux. Le meilleur moyen d'attirer l'attention internationale. Et quand on fait la guerre, on aime avoir la paix.

Ils pénétrèrent dans la trouée. Il planait ici la même odeur douceâtre de viande crue que sur les scènes de crime. Parmi les entrelacs de feuilles, les relents de décomposition berçaient les sens. Même envoûtement, même pouvoir narcotique…

Il lança un coup d'œil derrière lui : tout le monde suivait. Michel, allant et venant le long de la file, balançait ses ordres et ses coups de schlague. Les soldats fermaient la marche, fusils déchargés. Le moment de leur filer des munitions ? Même d'où il était, Morvan pouvait sentir leur nervosité, leur inquiétude – les Noirs détestent la forêt.

Quand il se retourna, les Maï-Maï étaient devant lui.

25

LES GUERRIERS désarmèrent la troupe sans un coup de feu. Eux non plus ne tenaient pas à être repérés. D'autres groupes rôdaient dans le coin. Morvan n'esquissa pas le moindre geste – ils n'avaient pas remarqué le calibre glissé dans son dos mais pas question de s'en servir. Sans un mot, les Maï-Maï leur firent signe de les suivre jusqu'à une clairière cernée de lianes et de fougères. Quatre combattants les entouraient, deux autres les braquaient à l'arrière. Ces gars-là puaient la mort. Malgré leurs croyances, ils s'attendaient à mourir d'un moment à l'autre. Une journée d'existence, c'était toujours ça de gagné.

Un guerrier, béret rouge et crâne de singe suspendu autour du cou, s'avança vers lui – le Blanc était forcément le chef.

– Ça va, patron ?

– Ça va.

– Vous allez où comme ça ?

– Sur mes terres.

Le géant éclata de rire. Les autres ne bronchèrent pas : ils ne comprenaient pas le français. Morvan les détailla en quelques secondes. La plupart portaient des cartouchières, façon bandits mexicains, certains avaient leur machette scotchée au chargeur du fusil. Un gamin arborait un bandeau de munitions en serre-tête, un colosse, des dreadlocks prolongées de cauris. Tous exhibaient des fétiches : pattes de poulet, grelots, plumes... En regardant mieux, on discernait aussi des oreilles humaines ou des mains desséchées à leur ceinture. Aucune cohérence dans les vêtements, pas l'ombre d'un uniforme. Seul point commun : la kalachnikov réglementaire.

Les Maï-Maï n'étaient pas seulement dangereux, ils étaient fous. Morvan en avait vu se prendre des mortiers sur la gueule en hurlant pour se protéger : *Maï mulele ! Maï mulele !* Des incantations censées les rendre invincibles ou invisibles, ça dépendait des jours. Dans les années 60, on racontait qu'ils coupaient les pieds de leurs ennemis puis les forçaient à courir : le vainqueur avait la vie sauve. Des fous.

– Tes terres ? répéta le Noir. Houlà, ma poule. T'y vas fort...

– Tu veux voir mes papiers ? J'ai les concessions, signées par Kabila.

– Pas d'Kabila ici. Pas d'papiers non plus. Ici, y a que ça.

Il fit claquer la culasse de son AK-47 – Morvan remarqua que sa crosse était gravée de l'expression latine *Vae victis* (Malheur aux vaincus). Les Africains l'étonneraient toujours.

– Qu'est-ce que tu viens faire là, dis donc ?

– M'installer.

Un des guerriers portait sur son épaule un singe – une espèce de boule de poils qu'ils avaient affublée d'un tee-shirt et d'un couteau à la ceinture, simulant une machette. La mascotte du groupe.

– En pleine brousse, par les temps qui courent ?

– J'en ai vu d'autres.

Le colosse s'approcha : il avait compris qu'il n'avait affaire ni à un envoyé de l'ONU ni à un journaliste perdu. Encore moins à un missionnaire ou un martyr d'une quelconque ONG.

– On va d'abord voir ce que tu transportes, reprit-il en désignant les paquetages et les caisses que les porteurs avaient posés au sol.

– Fais comme chez toi.

– Je suis chez moi.

En admettant qu'ils leur laissent la vie sauve, les Maï-Maï repartiraient avec les armes et tout le reste. Morvan n'aurait plus qu'à rentrer à Lubumbashi une main devant, une main derrière. Mais il doutait qu'il y ait des survivants. Tuer ses prisonniers : plus net, plus rapide. À la machette ou étouffés, mais sans bruit.

La fouille commença. Morvan, en quête de solution, analysait chaque détail de la scène. Le chef et son adjoint penchés sur les cantines, trois autres jouant avec leur macaque, déjà distraits, les deux derniers, à l'autre bout du cortège, immobiles, canon braqué sur le convoi. Ses porteurs et ses soldats se tenaient en retrait de la piste, toujours en file indienne. Sans doute espéraient-ils s'échapper au moment du massacre – il y en aurait bien un ou deux qui passeraient entre les balles.

Morvan marcha d'un pas tranquille vers le trio et observa le singe en tee-shirt. Voyant s'approcher le Blanc, l'animal attaqua aussitôt une série de galipettes. Les guerriers rirent en chœur. Difficile d'admettre que ces abrutis à la gaieté bon enfant étaient les mêmes qui violaient des fillettes et mangeaient la chair cuite des bébés.

– C'est un Maï-Maï lui aussi ? leur demanda-t-il en swahili.

Les rires s'arrêtèrent. Dans leurs yeux exorbités, des éclats contradictoires. Haine, méfiance, folie. Et aussi, en guise d'huile sur le feu, la fièvre née de l'alcool ou de la drogue.

– C'est votre chef, c'est ça ?

Le singe continuait ses roulés-boulés.

– C'est ça, tonton ! s'esclaffa enfin un des hommes. Exactement ça. C'est notre chef !

Les autres se mirent à rire aussi. L'onde de gaieté se transforma en hilarité générale, ponctuée par les sauts du singe.

Coup d'œil par-dessus son épaule : Béret rouge s'acharnait sur une des cantines.

– C'est un vrai Maï-Maï, hein ? relança Morvan.

– Le meilleur, patron ! Le meilleur !

Les assassins au cœur léger se frappaient les cuisses. L'animal, excité par la clameur, roulait de plus belle dans les feuilles mortes.

– Alors pourquoi il a pas de Kalach ?

La question les plongea dans une soudaine perplexité. Un sifflement fit tourner la tête à Grégoire : le chef lui ordonnait de venir. Il s'avança sans se presser – chaque seconde gagnée lui permettait de préciser son plan.

– Kisssk' y a là-dedans ?

Le Noir frappa du pied une des caisses – de mémoire, elle contenait une quarantaine d'armes semi-automatiques.

– Du matériel de prospection. Je suis géologue.

– Ouvre-la ! ordonna le Black.

Morvan jeta un regard derrière lui : un milicien faisait mine de donner son fusil au singe, qui tentait de l'attraper, chaque fois le Maï-Maï esquivait le geste, déclenchant de nouveaux rires.

– Je ne sais plus où j'ai mis la clé.

Le mensonge était faible et le Noir ne s'y arrêta pas :

– Ouvre.

– Je te dis que je sais pas où…

– Ouvre, cousin. Sinon, je la chercherai sur ton cadavre.

Il palpa ses poches. Nouveau coup d'œil vers les autres : le singe venait de saisir l'AK-47. Morvan était certain que ces connards n'avaient pas mis le cran de sécurité.

– Je te jure…, marmonna-t-il, je…

Une rafale lui coupa la parole.

– Putain, qu'est-ce que…, hurla Béret rouge.

Le singe, doigt sur la détente, faucha les trois Maï-Maï. Tout le monde plongea à terre sauf le chef, qui resta pétrifié. Une balle dans la tête : Morvan avait dégainé et l'avait visé en premier. Il pivota et en plaça une autre dans le cœur des deux gardes alors qu'ils tentaient de le viser. Trente ans de tir sportif, ça fait la différence.

Il se retourna, prêt à abattre le singe, mais celui-ci, effrayé par les coups de feu qu'il avait lui-même tirés, avait lâché le fusil pour courir se cacher. Malheureusement, il s'était pris les pattes dans la courroie de la Kalach et n'arrivait pas à s'en dépêtrer. Un vrai numéro à la Charlie Chaplin.

La folie africaine : il n'y a que ça de vrai.

Un Noir bougeait encore. Morvan se précipita et lui fit exploser le crâne. Avançant avec prudence vers le singe qui tournait toujours sur lui-même, il sortit son couteau et parvint à couper la lanière du fusil-mitrailleur. La bestiole partit se planquer derrière un arbre, à quelques mètres de ses maîtres refroidis.

Tout redevint silencieux.

À première vue, les membres de son groupe étaient indemnes. *Un putain de vrai miracle.* Allongés, ils semblaient prêts à s'enterrer sous les feuilles mortes.

Sept morts, un score en équipe, avec l'aide d'un chimpanzé.

Michel se releva. Il tremblait tellement qu'il ne pouvait plus parler. Morvan n'était pas en meilleur état mais il parvint à ordonner :

– Récupérez leurs armes et leurs vivres.

La guerre était déclarée. Les détonations avaient signalé leur présence aux autres pillards. Donner des munitions à ses soldats. Accélérer la cadence. Atteindre les mines – Cross et ses hommes entraînés – le plus vite possible. Il n'aurait pas chaque fois une telle veine.

En rengainant, il désigna le singe derrière son tronc enliané :

– Filez-lui quelques morceaux de sucre. On lui doit la vie.

26

IL RETROUVAIT la demeure familiale de Fiesole, sur les hauteurs de Florence, sans plaisir. En réalité, il n'aurait jamais cru y refoutre les pieds. On l'avait installé dans la chambre D'Annunzio – chaque pièce portait le nom d'un écrivain italien, ce qui ne manquait pas de sel dans la propriété d'un analphabète, paix à son âme. Il avait voyagé avec Sofia et les enfants, sans se départir d'un profond malaise. Qu'allaient penser Milla et Lorenzo ? Que leurs parents se remettaient ensemble ? Que la mort de *nonno* avait effacé les engueulades, les rancœurs ?

Durant le vol, il avait simulé la bonne humeur, la décontraction. Tout ce dont il était dépourvu depuis qu'il avait arrêté la coke. Les courbatures persistaient, les tremblements aussi. Assis à côté de Lorenzo, il l'avait aidé dans ses coloriages et avait passé ses nerfs sur les feutres.

Maintenant, il était seul. Enfin. Par la fenêtre de sa chambre, un songe saupoudré d'or et voilé de brume. Au loin, les dômes et les clochers de Florence, toits rouges, toits roses, rues exiguës regorgeant de chefs-d'œuvre. Plus près, les flancs de la colline, ponctués de palais paisibles qui commençaient à boire le soleil – le festin de lumière s'achèverait en beauté, ce soir, avec le crépuscule, miel ou or, selon l'humeur.

Il baissa les yeux vers le parc : terrasses de grès, piscine à débordement, haies verdoyantes, arbres centenaires… Le tableau atteignait une perfection sans âge, la quintessence de l'Italie. Même les cerbères qui allaient et venaient, sans doute armés, appartenaient à une certaine tradition du pays : mafia, combines, violence.

Loïc ne connaissait qu'un seul autre homme à s'entourer de ce genre de caricatures : son père. Il n'avait pas cherché à le joindre mais Maggie l'avait prévenu. Le Vieux était sans doute bouleversé. Loïc n'avait pas vraiment été choqué d'apprendre qu'ils étaient amis depuis des décennies et qu'ils avaient arrangé en douce le mariage de leurs enfants. Les caïds avaient voulu unir leurs familles comme le faisaient jadis les souverains pour fusionner leurs royaumes. Après avoir éprouvé un coup de chaud – il avait même menacé son père avec un calibre –, il s'était calmé. Au fond, les Anciens n'avaient agi que pour consolider leur patrimoine, c'est-à-dire l'héritage qu'ils leur laisseraient à eux, les rejetons, les bons à rien.

Il chaussa ses lunettes noires pour mieux percevoir les détails du parc. On n'aurait jamais pu deviner que les paparazzis s'agglutinaient au-delà des murs d'enceinte – l'assassinat de Montefiori, c'était le scoop de la semaine. Sous les cyprès, la comtesse donnait des ordres aux domestiques qui mettaient la table – en novembre, on allait pouvoir déjeuner dehors. Grande, fine, serrée dans sa robe Prada, elle ressemblait à une sculpture de Giacometti. Quand on l'approchait, on avait l'impression de pénétrer dans un confessionnal. Elle distillait une lumière sombre et parlait toujours à voix basse.

Les deux sœurs de Sofia n'étaient pas loin, faisant les cent pas le long de la piscine. Sans doute organisaient-elles les funérailles. Nerveuses, diplômées, arrivistes, elles vivaient crispées sur leur iPhone et griffaient les heures de leurs ongles laqués de rouge. Elles avaient toujours détesté Loïc : trop beau, trop cool, trop drogué. Mais maintenant qu'il était libre, peut-être allaient-elles changer d'avis…

Le plus étrange était que personne n'avait l'air bouleversé ni terrifié par la mort du Condottiere. Sa femme et ses filles s'attendaient-elles à une telle violence ? Étaient-elles au courant de certains faits ? Ces questions ramenèrent Loïc à son propre père. Difficile d'imaginer, avec cette méthode typiquement africaine – vol de cœur, cannibalisme : on avait finalement retrouvé des fragments mordus de l'organe –, que le Vieux ne soit pas lié au drame. En tant que victime potentielle ou au contraire, pourquoi pas, commanditaire du crime.

Avant de partir, il avait appelé sa mère. Ces derniers mois, Maggie s'était révélée bien plus avisée qu'une simple femme au foyer persécutée – elle était peut-être même l'alter ego de son mari dans ses affaires africaines. Elle avait joué les effarées et lui avait juré que Morvan, au téléphone, s'était montré rassurant. La comédie continuait.

De son côté, Loïc avait une autre idée en tête : mener sa propre enquête sur le meurtre de Montefiori. Il n'était pas dans la forme la plus brillante pour sonder les faits et établir l'emploi du temps du Condottiere ces derniers jours, mais il parlait parfaitement italien. Fouiller le bureau personnel du ferrailleur. Identifier ses rendez-vous. Repérer les Congolais en villégiature à Florence – impossible qu'un Italien ou un Français « bon teint », même tueur professionnel, se soit mis à la scie circulaire. Tel était son programme pour les prochains jours.

– Tu te souviens de la dernière fois que tu es venu ici ?

Sofia. Elle n'avait pas frappé. Il ne se retourna pas mais se rappela ce dîner où, complètement défoncé, il avait développé l'idée selon laquelle plus une femme est belle, moins elle est apte au travail – pure provocation visant les sœurs de Sofia qui avaient repris les affaires de papa. À l'autre bout de la table, Sofia souriait.

– Et comment que je m'en souviens ! J'ai battu tous mes records ce soir-là.

Elle se plaça près de lui, face à la fenêtre, et observa les serviteurs qui disposaient les couverts sous les frondaisons. Elle s'était changée. Robe légère en mousseline de soie d'un bleu très sombre, qui semblait chuchoter au moindre de ses mouvements. Loïc admira son profil. Son front, son nez parfaits jaillissaient de la ligne verticale des cheveux noirs. Magnifique, mais tout ça ne le concernait plus.

De leur passion à New York, il ne lui restait qu'une seule sensation : à quel point le temps avait filé. Quand ils étaient ensemble, les secondes fuyaient comme les marquages au sol d'une autoroute à pleine vitesse. Ce seul sentiment – peut-être pas de l'amour – les avait grisés, enivrés, jusqu'à la perte de contrôle. Une fois dans le fossé, prisonniers de la tôle fracassée, ils avaient eu tout le temps pour se haïr.

– Combien de jours ? demanda-t-elle soudain.

Loïc, planqué derrière ses lunettes noires, tressaillit :

– De quoi tu parles ?

– Depuis combien de jours tu as arrêté ?

– Comment tu le sais ?

– Je le vois.

– Vingt-trois jours.

Il s'attendait à ce qu'elle éclate de rire mais elle se contenta d'ajouter, les yeux toujours fixés sur les terrasses :

– Tu as besoin de quelque chose ?

– Surtout pas de ton aide.

Elle sourit en silence. La cloche venait de retentir – celle qui d'ordinaire appelle les domestiques mais qui chez les Montefiori sollicitait les convives. *A tavola !*

27

COMMENT FILER QUELQU'UN quand on est soi-même suivie ?

Avant de se lancer dans sa mission d'observation, Gaëlle avait cherché des infos sur Internet à propos de Katz. Elle y avait découvert la chose la plus bizarre qui soit : le vide. Pas la moindre occurrence à son nom. Elle avait appelé les sociétés de psychanalyse : rien. Le conseil de l'Ordre : on avait refusé de lui répondre. Elle avait cherché du côté des facs de médecine : aucun étudiant, encore moins de professeur sous ce patronyme…

Après leur dîner, il l'avait déposée en taxi au pied de son immeuble, encore stupéfiée par la scène du restaurant. Que cherchait-il dans son sac ? Ses clés ? Ses papiers ? Un objet intime ? Des renseignements sur sa vie personnelle ? Ses pseudo-sentiments pour lui lui étaient tombés dans les collants. Tout ce qui lui restait, c'était une boule d'angoisse dans la gorge. Et une bonne dose de curiosité. Elle voulait savoir qui était au juste ce type. Un charlatan ? Un de ces dingues qui s'improvisent médecins et accrochent une plaque de cuivre en bas de leur immeuble ? Un maître chanteur ? Un détective ?

Pas moyen de se souvenir où elle l'avait déniché – dans l'annuaire peut-être ou au cours d'une soirée : la panne de mémoire plaidait pour une version bourrée ou défoncée. « Voici ma carte. »

Du reste, il avait pignon sur rue : c'était la première chose qu'elle avait vérifiée. Les Pages jaunes comportaient un « Éric Katz, psychiatre, psychanalyste ». Pourquoi n'était-il référencé nulle part ailleurs ?

Elle s'interrogeait aussi sur sa famille. Sa femme, ses deux enfants. Qu'en était-il exactement ? Elle n'avait trouvé aucune adresse personnelle. Aucun Éric Katz en Île-de-France. Un appartement ou une maison au nom de son épouse ?

Ce matin, elle avait pris une décision. Il avait fouillé son sac ? Elle retournerait son cabinet. Le problème était les deux chiens de garde qui lui collaient au train. Pas question de faire le poireau devant son porche. Ses anges gardiens rédigeraient aussitôt un rapport qui alerterait le Vieux.

Elle s'était résolue à une mise en scène : installée dans une brasserie en face de l'immeuble de Katz, elle avait emporté son ordinateur et jouait maintenant à l'auteur inspiré – le genre qui écrit dans les cafés. En réalité, elle attendait que sa cible quitte son cabinet. Ses molosses ne connaissaient pas son visage : ils savaient juste qu'elle était déjà venue à cette adresse.

Enfin, à 18 h 30, Katz sortit de chez lui. Serré dans son imper qui lui donnait l'air d'un espion dans le Berlin d'après-guerre, il passa devant la brasserie sans voir Gaëlle. Elle paya son café et traversa la rue. *En route pour la perquise.* Sans un regard pour les deux autres, elle composa le code et pénétra dans le hall. En montant les escaliers, elle se remémorait les dernières minutes de sa soirée. Katz avait tenu sa ligne : l'amitié. Il n'avait rien tenté et avait promis de la rappeler au plus vite. *Franc comme le cul d'une nonne.*

Une fois à son étage, elle sonna. Pas de réponse. La porte d'entrée n'était pas blindée – pendant plus d'une année, à raison de deux fois par semaine, elle avait attendu son tour dans un vestibule minuscule, assise en face de cette serrure. La technique qu'elle avait prévue pour l'ouvrir avait l'air d'une blague : glisser une radiographie entre la porte et l'huisserie puis la remonter jusqu'à faire sauter le pêne. Elle avait vu un serrurier procéder ainsi une nuit où elle avait oublié ses clés. La simplicité de moyen l'avait frappée. Elle avait vérifié le matin même sur Internet. La méthode, classique, avait même un nom : by-pass.

Elle commença sa manœuvre en glissant la pellicule de polyester dans la rainure tout en essayant de secouer la porte. Aucun résultat. Elle reprit ses efforts avec plus d'acharnement. Toujours rien. Elle avait l'impression que le raffut s'entendait dans tout l'immeuble. Un voisin allait pointer son nez, croyant à un cambriolage en pleine journée. Elle...

– Qu'est-ce que vous faites là ?

Gaëlle n'eut que le temps de fourrer sa radiographie sous son manteau et de se retourner : Éric Katz se tenait devant elle, dans son trench-coat ceinturé.

– Je... je venais vous voir, improvisa-t-elle.

– Pourquoi ?

– Laissez-moi entrer, je vous expliquerai.

Le psy s'avança, l'air méfiant, sortit ses clés et se décida à déverrouiller sa porte. Elle pouvait toujours essayer de jouer les passe-murailles : le bâti était en réalité blindé et la serrure comportait au moins trois points.

Quand elle franchit le seuil, elle eut l'impression d'être la dernière femme de Barbe bleue – celle qui voulait entrer dans la pièce interdite.

28

EN BROUSSE, on dîne à 18 heures, comme les vieux. Assis dans la boue, lampe frontale allumée, Morvan attaqua son *chikwangue*, boule de manioc verdâtre sentant la merde. Pour faire passer un truc pareil, il fallait l'agrémenter : sauce tomate, piment, épices, huile de palme, n'importe quoi pourvu que ça étouffe le goût de bouse. Rien d'autre au menu : les chasseurs étaient rentrés bredouilles.

Faute d'avoir réussi à atteindre les mines avant la nuit, le plus raisonnable était de s'installer dans une clairière et d'initier des tours de garde. Selon ses plans (il tenait une carte à moitié moisie sur ses genoux, son GPS ayant rendu l'âme), ils parviendraient sur le site dans la matinée.

Il reprit une bouchée avec ses doigts – pâte gélatineuse, goût persistant sous la sauce. Il se sentait fier, malgré tout, d'avoir vaincu les Maï-Maï et de tenir bon face à la brousse. Sous le soleil implacable, dans les marigots où ils s'enfonçaient à mi-corps, parmi les épineux serrés comme des barbelés, il avançait toujours.

Des porteurs s'étaient volatilisés, l'épisode Maï-Maï en avait découragé quelques-uns, un autre avait disparu avec une cantine des médicaments. Mais *a priori*, 80 % du matériel était encore de l'expédition. Pourcentage honorable aux deux tiers du chemin.

Morvan jeta un coup d'œil à Michel, roulé en boule au pied d'un arbre géant. Les Noirs d'Afrique centrale souffrent souvent de malaria chronique qui se réveille de temps à autre sous forme de crises de fièvre.

– C'est l'palu... c'est l'palu..., gémissait la Touffe, recroquevillé.

Il fallait attendre que ça passe.

Morvan méditait sur le problème Maï-Maï : impossible de ne pas en croiser d'autres. Ou des pillards d'origine différente. Les coups de feu avaient été comme un hallali : tous les prédateurs du coin étaient maintenant à leurs trousses. Il ne craignait pas les Tutsis, de l'autre côté du fleuve, ni les FARDC, qui n'oseraient pas s'attaquer à eux – les autorisations de Mumbanza et le laissez-passer de Kabongo calmeraient leurs ardeurs. Restaient les bandes sporadiques : Interahamwe, kadogos, insurgés tutsis...

Il n'excluait pas non plus une attaque plus ciblée, signée par les meurtriers de Nseko et de Montefiori. Mais il s'était convaincu que ceux-là attendraient d'avoir localisé les gisements avant de frapper. Il bénéficiait donc d'une forme de sursis – jusqu'au lendemain.

En réalité, ces dangers ne lui faisaient ni chaud ni froid. Toute sa vie, il avait vécu la tête sur le billot. La contrepartie du permis de tuer est celui de mourir. Et finir ici, dans cet enfer rouge, brûlé par les fièvres ou passé à la broche par des rebelles qui pouvaient se transformer en léopards, ça vous avait tout de même une autre gueule que de tirer sa révérence à Bréhat, en peignant des aquarelles ou en glissant des bateaux dans des bouteilles.

Son téléphone sonna à l'intérieur de sa boîte étanche. Il était presque surpris qu'il marche encore. Il ouvrit le caisson : son fils.

– Où t'es ? demanda-t-il sans lui laisser le temps de parler.

– Kayombo. Je vais bientôt reprendre la route. Je serai à Ankoro demain.

– Pas mal.

Il avait posé la question pour la forme : l'Iridium d'Erwan étant équipé d'une balise satellite, il suivait ses déplacements en temps réel.

– Plus j'avance, cingla le fiston, plus j'en apprends. T'as décidément oublié de me dire pas mal de trucs.

– Tu vas pas recommencer.

– Je ne fais que commencer. Qu'est-ce que c'est que cette histoire de schémas que le tueur traçait sur le sol ?

– Des conneries. Pharabot était taré. Si tu veux t'arrêter à chaque détail, tu…

– Je ne pense pas que ce soit un détail. L'Homme-Clou envoyait des indices. Ses victimes n'étaient pas seulement des minkondis, elles étaient aussi des supports pour ses messages.

– Des messages à qui ?

– Aux Blancs Bâtisseurs, leurs pères. Ces hommes avaient commis un acte dont Pharabot se vengeait et…

– Encore une fois, j'admire ta grande gueule. C'est toi, à quarante ans de distance, qui vas m'expliquer ce que j'ai manqué ?

– Je ne crois pas que tu aies manqué quoi que ce soit : c'est ça le problème. Je crois plutôt que…

Un grondement de tonnerre fit trembler le sol et couvrit ses derniers mots.

– Il s'est passé quelque chose, continuait-il, j'en suis sûr. Et tu sais exactement quoi. Pourquoi ces familles étaient-elles maudites ?

– Attends un peu : qui t'a raconté ces salades ?

– Mon guide d'abord, puis Mouna, une femme qui a longtemps travaillé chez les Verhoeven.

Grégoire se souvenait vaguement d'une larbine aux manières policées. Mi-noire, mi-blanche, cent pour cent docile. Malgré ses prières, tous les habitants de Lontano n'étaient pas morts. Combien son fils allait-il encore en dénicher ?

– Qu'est-ce que ces Belges ont fait ? hurla Erwan à travers les interférences et les roulements de l'orage.

– À la fin du XIXe siècle, ce sont eux qui ont construit le chemin de fer et…

– Parle-moi de leur faute.

Morvan soupira. Il y avait prescription pour ce versant de l'histoire : autant donner un os à ronger à son fils.

– On a dû te dire que le chantier avait été le plus sanglant du siècle, que les cadavres des ouvriers étaient fondus dans les rails, que le ballast était composé d'ossements humains émiettés.

– Ce genre de trucs, ouais.

– Des conneries. En revanche, à cette époque, les Blancs ont commis un meurtre. Un sorcier yombé s'est opposé au développement de la voie ferrée. Le chantier passait sur son territoire. Le marabout s'est installé sur la piste et n'a plus bougé. Il lançait des imprécations, jetait des sorts aux ouvriers : plus moyen d'avancer. Les Belges ont dynamité la colline au-dessus de sa tête et l'ont enseveli vivant. Les bulldozers ont fait le ménage.

– C'est ça, leur faute originelle ?

– Y en a sans doute eu d'autres. Mais enterrer vivant un féticheur, au Bas-Congo, c'était pas une bonne idée.

– On m'a dit justement que ces Blancs craignaient la magie yombé.

– C'est vrai, mais sur ce coup, ils se sont crus les plus forts. Ces familles avaient une conception très spéciale de l'intégration. S'ils en avaient eu le pouvoir, ils auraient imposé un apartheid, façon Afrique du Sud.

– On m'a aussi parlé d'inceste.

Morvan éclata de rire :

– Je suis sûr que t'as vu des photos des Salamandres. La vérité saute aux yeux : ces filles étaient issues du même sang. Quand j'ai connu ta mère, elle souffrait déjà d'hyperthyroïdie, une maladie liée à l'hérédité, son frère était fou et sa sœur mourait de sclérose en plaques. Les Blancs Bâtisseurs, c'était ça : une réaction en chaîne de mauvais gènes qu'ils se refilaient de génération en génération. Encore heureux que j'aie apporté du sang neuf dans ce jus de pisse !

Le tonnerre retentit, plus proche. Il pouvait sentir la terre vibrer sous ses pieds. Son fils, à l'autre bout de la connexion, gardait le silence. Il n'était même pas sûr qu'il ait capté l'intégralité de son discours. *Peu importe.*

– Les Blancs Bâtisseurs ont fini par être chassés du Bas-Congo dans les années 60, relança Erwan au bout de plusieurs secondes. Que s'est-il passé au juste ?

Morvan maugréa mais après tout, cela aussi, il pouvait en parler :

– Un autre meurtre. Une de leurs épouses avait couché avec un Noir. Ça les a rendus dingues. Ils l'ont écorché vif puis l'ont passé dans une machine à broyer les briques.

– Qui a fait ça exactement ?

– On n'a jamais su. Mais les de Creeft sont en bonne position.

– Tu veux dire…

– Tes grands-parents. Après ça, on s'étonne que j'aie rompu avec ma belle-famille.

Erwan ne réagit pas, à moins que la friture absorbe sa voix.

– L'affaire est revenue aux oreilles de Mobutu, reprit Morvan. On venait de découvrir des mines au Nord-Katanga : il a envoyé les coupables là-bas. C'était ça ou il les virait du pays manu militari. Les Blancs Bâtisseurs sont repartis de zéro et ont construit Lontano. C'étaient des salopards mais ils avaient le feu sacré. Pas de meilleurs exploitants miniers dans tout le Zaïre.

Encore plusieurs secondes puis la voix d'Erwan revint en force :

– Quel pourrait être le lien entre ces meurtres et les schémas que laissait l'Homme-Clou sur ses scènes de dépose ?

Morvan frissonna. Il n'en avait jamais douté : son fils finirait par trouver.

– Qu'est-ce que j'en sais ? éluda-t-il.

Erwan éclata d'un mauvais rire :

– Arrête ton cirque, papa. Je me farcis tes obsessions, ta violence, ton acharnement depuis plus de quarante ans. Tu n'as jamais lâché une affaire sans en avoir compris le moindre détail. Parle-moi, tu me feras gagner du temps.

– Pense ce que tu veux. Demain, tu prends les barges ?

Il n'entendit pas la réponse : un craquement venait de déchirer le ciel.

– Fais attention à toi, poursuivit-il. Des rumeurs courent sur des livraisons d'armes. Si c'est vrai, ça va péter exactement où tu seras.

– Je dois continuer mon enquête.

– T'es vraiment plus con que nature.

Il raccrocha avec violence. La seconde suivante, la pluie déferla. La version maousse, en forme de bombardement tiède et translucide. Il se précipita vers sa petite tente et y pénétra à quatre pattes. Il l'avait arrimée à un arbre pour qu'elle ne soit pas emportée par le vent ou la boue. Il remonta la fermeture éclair de la double toile et tomba le cul sur le sol.

Vraiment de quoi rire : un vieux bonhomme de plus de cent kilos qui jouait encore au héros avec ses cartouchières et son chapeau de cow-boy, coincé sous un dôme de toile. Il se faisait penser aux *stragglers*, ces soldats japonais qui ont continué à se battre aux Philippines parfois trente années après la reddition du Japon.

Au bout de quelques secondes, les paroles de son fils lui revinrent en tête. À ce train-là, la vérité éclaterait dans un jour ou deux. Il saisit son Iridium : il était temps de rappeler à l'ordre sa cheville ouvrière.

29

– SALVO ? MORVAN.

– Vi, chef.

– Tu peux parler ?

– Affirmatif.

– Qu'est-ce que tu fous, nom de dieu ?

– On avance. On s'ra à Ankoro demain matin.

– À quoi tu joues ? Je t'ai dit de lui faire faire un tour en forêt et de rentrer !

– Chef, je suis un professionnel et…

– Ta gueule. Si tu rentres pas dare-dare à Lubum, j'te jure que je vais te botter le cul.

– Mais…

Le Banyamulenge la jouait à l'africaine. Après le pognon de Morvan, il encaissait maintenant celui d'Erwan. Et sans doute profitait-il du voyage pour mener d'autres combines encore…

– Qu'est-ce qui t'a pris de l'emmener chez les de Momper ? Et maintenant Mouna ?

– Chef, c'étaient des opportunités et…

– J'ai l'impression que t'as pas compris ton boulot. Je te paye pour freiner Erwan, pas pour le porter sur tes épaules. Continue comme ça et j'te jure que je te grillerai partout à Lubum !

Salvo ne répondit pas : il pesait le pour et le contre. Fric à court terme, chômage à long terme.

L'orage ne faiblissait pas. La double toile ployait sous la masse de flotte.

– Quelle est la situation avec les rebelles ? cria encore Morvan.

– Pour l'instant, aucun problème.

– Les FARDC ?

– Les barrages habituels.

– Et les livraisons d'armes aux Tutsis ?

– On parle que de ça.

– De quoi, au juste ?

– Lance-roquettes, missiles, mitrailleuses.

– C'est Esprit des Morts qui mène la danse ?

– Lui et ses troupes seraient descendus du Sud-Kivu jusqu'à chez nous. Mais c'est p't'être que des mensonges…

Qui avait vendu ce matériel au FLHK, les « dissidents de la dissidence » ? Qui avait intérêt à alimenter cette poche de conflits ?

– Demain matin, tu rentres à Kabwe

– On est presque à Ankoro !

– Tu comprends le français ? Erwan ne doit pas monter plus haut.

– Qu'est-ce que je lui dis ?

– Tu te démerdes.

– Vi, chef.

L'abri ne cessait d'osciller sous la pluie comme si une main titanesque, faite de lianes et de racines, essayait de l'arracher de sa base. À travers le toit gorgé d'eau, Morvan voyait les palmes s'agiter dans le vent avec une étrange lenteur, comme des algues monstrueuses au fond d'une mer de limon.

– Et surtout, tu le quittes pas d'une semelle, compris ?

– Vi, chef.

– Au rapport demain soir.

– Et pour l'avion ?

Qui disait retour à Lubum disait renvoyer un appareil dans la brousse.

– Tiens-moi au courant, j'aviserai.

Il raccrocha avec humeur. L'affaire lui avait déjà échappé. Erwan n'en ferait qu'à sa tête. Le Banyamulenge n'agirait que selon ses intérêts immédiats. Quant au conflit armé, il ignorait de quoi demain serait fait…

– Patron ?

Le déluge se calmait, aussi brutalement qu'il avait démarré. Grégoire reconnut, à travers la toile, la silhouette de Michel, courbé en deux – derrière lui, les autres ranimaient déjà le feu à coups d'essence et de charbon de bois, tous protégés par une feuille d'arbre géante sur la tête.

– Ça va mieux ? demanda Morvan quand la Touffe pointa son nez entre les deux pans de toile, avec les yeux rouges d'un lapin albinos.

– J'ai pris mon remède.

– Nivaquine ?

Michel lui montra un joint de la taille d'un entonnoir.

– C'est le Seigneur qui t'envoie ! clama Morvan en tendant les doigts.

30

SUR LA PLACE DE L'ÎLE-DE-SEIN, au croisement du boulevard Arago et de la rue Saint-Jacques, il y a chaque soir d'hiver un attroupement d'une centaine de personnes. Pas de lumière, pas d'abri, aucune explication. On dirait une manif, mais sans cause ni banderole.

Gaëlle était souvent passée devant, en taxi, en Vélib ou même dans la berline de papa. Cette foule obscure, figée, qui semblait faire la queue alors que des panaches de fumée s'élevaient au-dessus des têtes l'avait toujours intriguée. Aujourd'hui, elle marchait vers elle. La nuit noire et dure, le trottoir couvert de mica luisant, les yeux brillants des reverbères. Les Restos du cœur. Elle ne connaissait que le nom et l'associait vaguement à des spectacles de variétés pathétiques. Maintenant, elle était au cœur du dossier.

On distribuait des tickets, on tendait la main, on tenait des assiettes et des gobelets, chaque geste paraissant englué dans l'odeur de bouffe et de graisse. Elle se détestait de réagir ainsi – petite-bourgeoise née dans la soie et le dédain. « C'est ma nature… », disait le scorpion de la fable.

Gaëlle dépassa la file d'attente et repéra celle qu'elle cherchait derrière un comptoir, louche à la main. Cheveux filasse, veste de treillis, silhouette asexuée : elle aurait pu facilement passer dans l'autre équipe, côté indigents.

– Salut, fit Gaëlle, sous sa capuche bordée de fourrure.

– À la queue comme tout l'monde, répondit l'autre sans lui jeter un regard.

– Je suis la fille de Grégoire Morvan, la sœur d'Erwan.

La fille lui lança un coup d'œil oblique et parut la reconnaître aussitôt :

– Qu'est-ce que tu fous là ?

– Je voudrais te parler.

L'autre ne répondit pas et observa les alentours, cherchant sans doute les deux cerbères censés coller aux basques de Gaëlle. *Elle est au courant de tout.*

– Attends-moi là-bas. J'en ai pour dix minutes.

Le tutoiement était explicite : elle ne devait pas être beaucoup plus âgée que Gaëlle mais elle la prenait pour une gamine. Pour être plus précis : une fille à papa qui faisait chier son frère au quotidien avec ses passes, ses fugues et ses tentatives de suicide.

Gaëlle s'exécuta sans broncher. Elle s'écarta et alla fumer une cigarette près d'un banc où des crevards mangeaient en silence. L'air semblait près de se fissurer comme une couche de glace trop mince. Les deux malabars piétinaient le bitume, à cent mètres de là. Toujours à l'abri sous sa capuche, elle fit quelques pas, éprouvant une curieuse sensation de réconfort.

Elle se remettait seulement de sa frayeur de l'après-midi. Surprise par Katz, elle avait prétexté une crise d'angoisse pour légitimer sa visite. Le psy avait paru gober le mensonge et l'avait encouragée à contacter son confrère. Il n'était plus, désormais, son thérapeute.

Cette histoire lui avait servi de leçon. Si elle voulait poursuivre son enquête, elle avait besoin d'aide. Et pas de n'importe laquelle : celle d'un flic, habilité à mener des recherches indiscrètes et à violer des secrets. Des keufs, elle en connaissait beaucoup : elle avait grandi parmi eux, les avait côtoyés, avait appris à les comprendre. À chaque Noël, il y avait toujours un ou deux flicards paumés chez ses parents, en rupture d'épouse ou en délicatesse avec leur hiérarchie, qui ne savaient pas où mettre, ce soir-là, leurs petits souliers.

Elle avait aussitôt songé à Audrey, la cinquième de groupe d'Erwan. Les rares fois où son frère lui parlait de son équipe, c'était ce nom qui revenait : « Mon meilleur gars est une femme. »

Elle avait appelé un numéro qu'Erwan lui avait donné « en cas d'urgence » et était tombée sur un dénommé Kevin Morley. Le flic lui avait expliqué où trouver Audrey Wienawski : chaque mercredi, elle faisait du bénévolat aux Restos du cœur.

– Qu'est-ce que tu veux ?

La fliquette se tenait devant elle, en train de se rouler une cigarette. Le ton était agressif : elle lui consacrerait le temps de fumer sa clope.

Gaëlle commença à parler mais l'autre l'interrompit :

– Je sais qui tu es, ce que tu fais.

Puis, sur un ton radouci :

– Je sais ce qui t'est… arrivé.

L'agression à Sainte-Anne, l'affrontement chez Erwan. Gaëlle profita de la brèche.

– C'est pour ça que je voulais te voir…, fit-elle en passant au tutoiement à son tour.

Elle raconta les évènements des derniers jours. La reprise de contact avec Katz. L'invitation à dîner. L'épisode du sac.

– Et alors ?

– Ce sont des choses que les psys ne font pas.

– Celui-là est peut-être différent.

– Tu ne comprends pas : c'est une discipline fondée sur des règles très strictes. Le thérapeute n'est pas là pour sonder ta vie mais pour que tu le fasses toi-même. Il ne peut interférer. Déjà, l'invitation à dîner était chelou. Mais le coup du sac révèle une autre vérité : Katz cherche quelque chose.

Audrey tirait sur sa cigarette, ne cessant de lancer des regards aux SDF qui mangeaient aux quatre coins de la place. Parfois, elle jetait aussi des coups d'œil aux gardes du corps qui semblaient intrigués par cette conspiration de femmes.

– Pendant le dîner, de quoi vous avez parlé ?

– De tout et de rien.

– Il t'a interrogée sur ta vie ?

Cette fliquette n'avait jamais foutu les pieds chez un psy.

– Je l'ai vu deux fois par semaine pendant une année. Il sait déjà tout de ma vie.

– Il t'a draguée ?

– Il m'a proposé son amitié. C'est encore plus bizarre.

Audrey acquiesça, une lueur admirative dans la pupille – la beauté de Gaëlle n'inspirait pas toujours l'irritation chez les autres femmes, souvent un respect silencieux, un fatalisme résigné.

– Accouche, fit-elle au bout de quelques secondes. Dis-moi ce que t'as en tête.

– Je veux savoir ce qu'il cherche. Pourquoi il essaie de se rapprocher. (Elle ralluma une cigarette.) J'ai passé ma vie chez les psys. Je m'en suis toujours méfiée. Des êtres froids et manipulateurs, des pervers toujours avides de cas singuliers. Katz veut peut-être m'ajouter à sa collection.

– Dans ce cas, il t'aurait gardée comme patiente, non ?

Audrey marquait un point. Gaëlle fit quelques pas autour d'un réverbère. Les bruits de mastication, les grognements des clochards lui paraissaient s'amplifier.

– Peut-être voulait-il m'observer sous un autre angle...

– Qu'est-ce que tu sais au juste sur lui ?

– Rien, ou presque. Il exerce uniquement dans son cabinet, rue Nicolo. Pas de consultation à l'hosto, aucune autre responsabilité professionnelle.

– Côté familial ?

– Il aurait une femme et deux gamins mais je n'ai pas pu vérifier.

– Tu as d'autres renseignements, non ?

Gaëlle expliqua qu'elle n'avait rien trouvé sur Internet, ce qui était incroyable, puis, après quelques hésitations, raconta son effraction ratée.

– Tu sais ce que tu risquais ?

– Un coup de couteau entre les côtes.

Audrey éclata de rire face à l'imagination de Gaëlle puis s'arrêta net : elle avait oublié un peu vite ses antécédents.

– Sans aller jusque-là, il aurait pu porter plainte.

– Il ne s'est aperçu de rien. J'ai prétexté une crise d'angoisse. Il m'a conseillé d'aller voir un autre psy et m'a aimablement poussée vers la porte.

– Vous avez prévu de vous revoir ?

– Pas pour l'instant, mais…

– Mais ?

– J'ai peur qu'il me suive, qu'il m'observe… Quand il m'a recontactée, il connaissait déjà l'histoire de Sainte-Anne. Il m'a raconté que l'hosto l'avait appelé. Je suis sûre qu'il mentait : ce mec n'a aucune existence officielle.

Audrey roulait une autre cigarette après s'être assise sur un banc laissé libre par quelques clampins. *Bon signe.*

– Et ces deux-là ? demanda-t-elle en désignant les molosses en face.

– Les bagnards avaient un boulet au pied, moi j'en ai deux.

– Ils te protègent, non ?

Gaëlle haussa les épaules. Elle craignait une menace beaucoup plus vicieuse. Une intrusion psychologique, une contamination contre laquelle de tels gros bras ne pouvaient rien.

– Tu m'as toujours pas dit ce que tu attends de moi.

– Que tu enquêtes sur lui, avec les pouvoirs dont tu disposes.

– Rien que ça.

Gaëlle se pencha sur la fille en treillis : elle en avait marre de ses petits airs supérieurs.

– J'ai vérifié ce que je pouvais. Je te répète que ce mec-là n'existe nulle part. Il n'a suivi aucune étude. Il n'est attaché à aucun hôpital. Il n'est référencé dans aucune association de psychanalyse.

– Mais il est dans l'annuaire ?

– Dans les Pages jaunes, en tant que psy, mais pas dans celui des particuliers.

– Normal, non, pour un pro ?

Elle acquiesça à contrecœur.

– Comment tu l'as connu ?

Encore un mauvais point pour son dossier :

– Je ne me souviens plus.

– Comment ça ?

– Dans une soirée, je pense. C'est l'explication la plus plausible. Je devais être défoncée, ou sous médocs. J'ai traversé des moments où… disons que je n'étais pas très claire.

Audrey allluma sa clope. Elle paraissait hésiter à s'engager dans cette histoire étrange. Pas un mot sur Erwan, ni sur le Padre : elle savait qu'ils étaient en Afrique.

– Après ce que j'ai vécu ces derniers mois, insista Gaëlle, j'ai de quoi m'inquiéter, non ?

– Donne-moi son nom et son adresse. Je t'appelle dès que j'ai du nouveau.

– T'as mon numéro ? demanda-t-elle en lui tendant les coordonnées qu'elle avait préparées.

– On l'a tous dans le groupe, répondit la fliquette en repartant, les mains dans les poches.

Prends ça dans la gueule.

– Je peux te poser une question ? cria Gaëlle.

Audrey se retourna :

– Quoi ?

– Pourquoi tu fais, enfin, ce… truc tous les mercredis ?

L'OPJ Wienawski lança un regard amusé aux loqueteux dont les ombres étaient brouillées par la fumée des étuves et des conteneurs.

– C'est là d'où je viens. Sans ton frère, j'y serais encore.

31

APRÈS LA CONVERSATION avec son père, ils avaient repris la route, direction Ankoro. Les distances et les durées ne signifiaient plus rien. Le voyage qu'ils devaient avoir achevé en milieu de journée n'était toujours pas accompli ce soir et Salvo prévoyait encore quinze heures de route.

Erwan ne réagissait plus. Vingt heures de voiture l'avaient complètement abruti. La cadence irrégulière de la piste l'avait plongé dans une prostration dont il ne sortait, vaguement, qu'au moment des barrages – cash, provisions, et on repart… Assis à l'arrière, il suivait halluciné les difficultés de la progression, les flaques rouges, les feuilles fouettant le pare-brise, les cailloux rebondissant sur le capot, la boue grasse qui les faisait patiner…

On descendait pour installer les plaques de fer sous les roues, pousser, bouffer la terre qui ressemblait à de la chair arrachée. Il fallait aussi couper, soulever, écarter des branches, des troncs, des lianes… Quand on reprenait la route, les courbatures le relançaient à chaque cahot et, bien sûr, toujours pas question de dormir.

Pour ne rien arranger, la climatisation de la voiture était HS. Ils roulaient fenêtres ouvertes, invitant à bord toutes sortes de bestioles. Moustiques, taons, guêpes et d'autres spécimens inconnus, tous de taille monstrueuse… Couvert de répulsif et de crème apaisante, le Français ne sentait plus rien et se disait qu'une de ces saletés l'avait déjà contaminé. Cramponné à la poignée de la portière, il imaginait les parasites proliférer dans son sang et détruire ses globules rouges.

Maintenant, ils roulaient dans les ténèbres. On avait dû refermer les vitres pour cause d'averse. Ça bringuebalait là-dedans comme dans une boîte à outils. La pluie était d'une telle violence qu'on aurait pu croire que la nuit elle-même se brisait en milliards de particules sur la Toyota. Au fond passaient des éclairs évoquant les projecteurs de miradors gigantesques vérifiant que le boulot était bien fait, que le monde avait compris qui commandait.

Ruminant la conversation avec son père, Erwan avait allumé le plafonnier pour observer les photos des Salamandres. Avec leurs chapeaux de paille, leurs fleurs dans les cheveux, leur silhouette androgyne, elles évoquaient des muses à la sauce seventies. Il voyait, en surimpression, les grappes de clous plantés dans leur chair, les éclats de miroir enfoncés dans leurs orbites, les plaies abdominales – là même où le tueur avait volé les organes et placé les cheveux et les ongles de sa prochaine victime…

Erwan était venu ici pour identifier le meurtrier de Catherine Fontana, mais l'infirmière était peut-être bien la septième victime de l'Homme-Clou. En revanche, Pharabot possédait un secret que le flic n'avait jamais soupçonné. Le mobile d'une vengeance… Pourquoi dans ce cas avoir changé de cibles à partir de Cathy ? Ni Colette Blockx, mère au foyer, ni Noortje Elskamp, religieuse, n'appartenaient au clan des Blancs Bâtisseurs. Et pourquoi Pharabot n'avait-il pas tué Maggie de Creeft, la fille d'un des chefs les plus puissants de Lontano ? Pas de symbole plus fort pour toucher les fondateurs de la cité minière.

Il y avait aussi ce dessin tracé sur la terre. La structure atomique d'un minerai, vraiment ? Sa conviction : l'Homme-Clou envoyait un signe aux maîtres de la ville. Pour se faire identifier ? Arrêter ? Ou simplement leur rappeler une faute ancienne ? L'idée d'une vengeance ne quittait plus Erwan : il devait découvrir le mobile de Pharabot. Son père, il en était certain, connaissait la vérité mais c'était la dernière personne qui l'aiderait. Quel était le lien entre tous les acteurs de la tragédie ?

32

MORVAN CHANTAIT à l'abri d'un réseau de palmes, au pied d'un énorme moabi. Il avait fini le joint – le remède miracle de la Touffe – et planait complètement. À quelques mètres de là, le feu crépitait. Les Noirs avaient tendu une bâche imperméable de l'ONU sous laquelle ils s'étaient regroupés. Les dernières gouttes clapotaient aux quatre coins des ténèbres. Au loin, le tonnerre grondait encore – la nuit se raclait la gorge.

Dans le rayon de sa lampe frontale, des bestioles grouillaient : araignées de la taille de crabes, vers de terre aux allures de serpents, ombres furtives non identifiables... Ce delirium tremens avait un air de fête. La pluie en Afrique n'est jamais triste : elle réveille la nature, nourrit la terre, sonne l'ouverture de la parade.

La veille, il avait tué un gamin. Ce matin, abattu trois hommes. Ils avaient de fortes chances d'être à nouveau attaqués avant d'atteindre les mines, elles-mêmes peut-être déjà aux mains d'autres rebelles. Quant à Erwan, il s'approchait inexorablement de la vérité. *Qui dit mieux* ? Morvan était cuit, sur le dessus, le dessous, et bien saisi au milieu. Mais cette nuit, sous l'effet du chanvre, rien n'était grave.

Ces vapeurs lui en rappelaient d'autres. Son fils avait effleuré la piste des dealers sans s'y arrêter. Il avait raison : ce n'était pas là qu'il fallait chercher. Mais lui-même à l'époque avait creusé le filon. À force d'interroger les vendeurs d'herbe, il avait fini par s'en faire des amis, notamment Jimmy, le trafiquant de ganja le plus important de la zone. Ses visites ne lui avaient jamais rien appris. Jusqu'à un certain soir…

Avril 1969.

La baraque du grand J. restait allumée toute la nuit. Pour accélérer la floraison des plantations, il devait les maintenir à la lumière plus de seize heures par jour. Dans le ghetto, son repaire ressemblait à une gigantesque lampe en cristal de sel au fond d'une décharge.

Morvan n'avait jamais soupçonné le Noir des homicides : abruti par les vapeurs de résine, il était à peu près aussi actif que ses plantes en pied.

– Les Salamandres, lui demanda-t-il cette nuit-là, qu'est-ce que t'en penses ?

– Elles puent. Les salopes blanches qui veulent se rapprocher des Noirs, y a pas pire…

– Ça fait marcher ton commerce…

– C'est pour ça que je leur ouvre ma porte…

– Et l'Homme-Clou ?

Jimmy était d'origine tutsie. Deux mètres, une tête si étroite qu'elle semblait avoir poussé dans un casse-noix, des mains évoquant des nageoires, des yeux qui paraissaient lui sortir directement des tempes.

– C'est le démon, patron… On peut rien faire contre lui.

Depuis des semaines, Grégoire se farcissait ce genre de superstitions, si fortes que ses propres convictions en vacillaient.

– T'as rien entendu à Soso ? Quelque chose de concret ?

– Papa, on entend parler que d'ça et c'est un tissu d'conneries… Des histoires de diab', de sorciers qui s'transforment…

– Et tes clients, les Blancs ?

– Plus personne se risque ici la nuit… Tout c'barouf, c'est mauvais pour le bizz. Y a qu'ta poule qui…

Maggie était la seule à s'aventurer encore de l'autre côté du fleuve.

– L'appelle pas comme ça.

Jimmy prit une taffe et rit de nouveau. Ils étaient assis par terre entre les feuillages foisonnants, chauffés par les lampes.

– J'm'excuse, tonton…

– Qui vend le LSD, la kétamine ?

– J'te l'ai déjà dit, je touche pas à ça, je…

Un bruit bizarre retentit dehors. Une sorte de grelot de bois.

– C'est quoi ?

– La saison de la chasse.

– Quelle chasse ?

Un nouveau trille, comme frappé sur un marimba ou un wood-block.

– Tu f'rais mieux de partir : tu vas être pris dans la battue.

– Une battue cette nuit ? En plein quartier ?

– C'est une chasse spéciale, patron. La chasse aux Mzungu.

On racontait que les mineurs préparaient une opération de représailles contre les Blancs. Le Grand Soir ?

– Mais ce bruit, c'est quoi ?

– Les Yombé chassent à l'ancienne, avec des chiens qui n'aboient pas. Alors on leur met une cloche de bois autour du cou qui rabat le gibier. (Le Noir rit encore, parmi les volutes de fumée.) Mais ce soir, c'est l'gibier qu'a la cloche autour du cou…

Morvan se leva – la tête lui tournait. Trop de shit, trop de conneries. Aucun Européen ne se serait risqué de nuit dans le ghetto. Il faillit tomber et se rattrapa aux parois de plastique. Les ampoules oscillaient, les feuilles bruissaient. Il était dans un poumon géant, saturé de miasmes hallucinatoires.

– T'as intérêt à trouver le Blanc avant les Yombé ! cria Jimmy dans son dos.

Morvan réalisa que Maggie pouvait bien être la perdrix de ce soir.

Après la fournaise de la serre, la nuit lui parut presque fraîche. Quartier désert. Fine pluie. Ruelles rouges cadrées de masures, de planches et de pneus, aussi étroites que les galeries d'une mine.

Calibre au poing, il longea des palissades, des cases au seuil noir. En quelques secondes, il fut perdu. Sa seule certitude : il se rapprochait de la cloche qui se déplaçait elle-même dans le dédale, irrégulière, hésitante, convulsive... L'image de Maggie ne cessait de battre ses tempes.

Il tourna à gauche. *Poc-poc-poc.* Puis à droite, de la boue jusqu'aux chevilles. *Poc-poc-poc.* L'autre à quelques rues. À mesure qu'il marchait, il se persuadait que c'était la reine des Salamandres qui pataugeait non loin de là. *Quelle conne.* Il allait l'appeler quand des cris retentirent, suivis de coups de sifflet et de crissements atroces. Les chasseurs frottaient leurs machettes les unes contre les autres. Il allait finir par prendre la place du gibier...

Soudain, la mitraille de bois se fit entendre plus proche encore. Grégoire bondit dans cette direction et découvrit une ombre recroquevillée sous une tonnelle. Il alluma sa torche et considéra la proie : un échalas de vingt-cinq ans, cheveux longs, vêtu à l'anglaise. Il haletait, les mains attachées dans le dos, le visage ruisselant de pluie et de sang, une grosse cloche en guise de collier.

Jamais vu à Lontano.

– Comment tu t'appelles ?

– Michel... Michel de Perneke.

Le fugitif se mit à chuchoter à toute vitesse des mots inintelligibles. En état de panique, il le suppliait de l'emmener, de le sauver. Morvan le fouilla d'abord : dans la doublure de sa veste, des comprimés, des minuscules papiers buvards, des pointes grises qui ressemblaient à des mines de crayon. Amphètes, acides, kétamine... Il avait trouvé le dealer qu'il cherchait depuis des semaines. Le revendeur de ces dames.

– Où tu t'es procuré ça ? demanda-t-il avant de le libérer.

L'autre baissa la tête sans répondre : il sanglotait. Les machettes crissaient, de plus en plus présentes. Les coups de sifflet déchiraient la nuit détrempée.

Morvan l'empoigna à la gorge :

– Comment t'as eu cette came ?

– Je vous en supplie, libérez-moi !

– Réponds.

– Je... j'la fabrique... J'suis psychiatre.

– Où ?

– Clinique Stanley. J'arrondis mes fins de mois. Je passe par les Noirs et...

Il le détacha et le remit sur ses pattes tremblantes. Ils déguerpirent à travers les ruelles de Soso. Morvan tira quelques coups de feu pour calmer les ardeurs des chasseurs. Personne ne riposta : ils ne devaient être équipés que d'armes blanches.

Une fois hors de portée, sur la pirogue qu'il utilisait pour joindre les deux rives, Morvan interrogea son suspect. Le toubib s'était installé un laboratoire clandestin dans les sous-sols de la clinique pour Blancs de Lontano. Il apportait chaque semaine sa livraison à Soso, malgré les « évènements », et prenait une marge généreuse auprès de ses revendeurs anonymes.

Le flic avait soupesé les chances pour que ce psy soit l'Homme-Clou. Non : trop belge, trop peureux, pas assez cinglé.

– Comment je... je peux vous remercier ? demanda de Perneke une fois sur l'autre berge.

– En me soignant à l'œil.

Sur le moment, l'idée lui avait paru bonne – Grégoire avait encore des périodes d'angoisse paralysantes, des hallucinations atroces, des excès de violence incontrôlables.

En réalité, il avait eu cette nuit-là sa pire inspiration.

Michel de Perneke. Le véritable émissaire des enfers.

33

– CIASCUNO PENSI *ed operi a suo talento : e anche la morte non mancherà di fare a suo modo.*

« Que chacun pense et agisse à sa guise : la mort ne manquera pas d'en faire autant. » Loïc avait reconnu la citation de Giacomo Leopardi, le poète de Recanati. C'était maintenant un des directeurs de Montefiori – on aurait pu dire « colonel » – qui s'exprimait derrière le pupitre installé près du caveau familial.

L'homme avait ouvert son discours avec cette citation pour rappeler que le disparu, toute sa vie, avait été un « homme libre » – comprendre qu'il avait agi en oubliant la morale, la loi, l'humanité et bien d'autres valeurs qui l'auraient empêché de vaincre les autres, tous les autres. Le grand Giovanni s'était toujours cru au-dessus des lois. Loïc connaissait l'œuvre de Leopardi. Qu'on puisse citer ce champion de la bonté et de la sensibilité dans un tel contexte était un formidable contresens – ou une sournoise récupération intellectuelle. Mais après tout, au bord de la fosse, qu'importait un mensonge de plus ?

Une messe d'une heure à la basilique San Miniato al Monte avait largement amorti la réactivité de l'assistance. Il avait ensuite fallu se battre avec les journalistes pour rejoindre les voitures. Le matin même les unes des quotidiens avaient livré les informations les plus contradictoires, les hypothèses les plus farfelues sur la mort du Condottiere. Ni la famille ni les flics ne s'étaient exprimés.

Et pour cause : personne ne savait rien.

Malgré son état (il avait la gorge gonflée et le nez pris), Loïc appréciait la beauté de la scène. Montefiori avait fait construire au cimetière des Allori un caveau en marbre noir de Golzinne, style Renaissance, dont les lignes pures rappelaient les premiers chefs-d'œuvre de Brunelleschi. Le ferrailleur s'était toujours pris pour un Médicis. Il étrennait l'édifice : les ancêtres de la comtesse étaient inhumés dans la crypte d'un palais florentin, ceux de Montefiori devaient être enterrés dans un terrain vague quelconque.

Le soleil d'hiver donnait sa bénédiction à la cérémonie. Les rayons matinaux rappelaient l'huile dorée qu'on impose sur le front des malades « au nom du Seigneur ». Chacun était vêtu de sombre, ce qui donnait une solennité et une homogénéité à une assemblée qui n'en avait aucune au départ. Aux côtés des vieux mafieux à l'élégance tapageuse, affichant des femmes de trente à quarante ans leurs cadettes, d'autres couples, aristocratiques, proposaient un meilleur équilibre. Loïc admirait en particulier ces épouses qui avaient dépassé la soixantaine : elles s'étaient accrochées, avaient su se rendre indispensables, ou effrayantes, pour rester jusqu'au bout au bras de leur mari – des dures à cuire…

Les discours continuaient. Le tableau avait la somptuosité des scènes de groupe au musée des Offices, les paroles italiennes la musicalité des *Symphoniae* de Gabrieli. Tout cela lui paraissait merveilleux mais il n'était pas objectif. Shooté aux somnifères, il avait passé l'après-midi de la veille au bord de la piscine avec ses enfants. Ce moment ordinaire – en réalité exceptionnel : il n'avait pas partagé plus d'une heure avec eux depuis des mois – l'avait comblé. Leur vitalité surpassait l'ambiance funeste de la villa – les sœurs qui s'agitaient au téléphone ou pleuraient d'une manière théâtrale, l'ombre de la mère qui errait dans les jardins,

Sofia et sa morgue qui ne savait toujours pas quelle attitude adopter face au malheur.

– *Cosa stai facendo* ?

Loïc sursauta :

– Quoi ?

Sofia venait de lui donner un coup de coude. La cérémonie s'achevait. Il fallait lancer une rose à l'intérieur du caveau. Il prit la sienne et pénétra dans le mausolée. Les murs noirs distillaient une tiédeur inattendue. Cette sobriété ne convenait pas au Condottiere. Il aurait mérité un tombeau à l'égyptienne – avec esclaves exécutés, trésors et fresques sur les parois relatant son destin d'exception.

Il lança la fleur sur le cercueil et eut une pensée pour son propre père, là-bas en Afrique. Quel danger le menaçait ? Des tueurs avaient-ils décidé de lui arracher le cœur à lui aussi ?

Quand il ressortit à la lumière, Sofia, tenant leurs enfants par la main, parlait avec un blond gominé qui ne cadrait pas avec l'assistance. Tout de suite, il comprit : un flic. Sofia lui fit signe de le rejoindre, les traits crispés.

Les emmerdements commencent…

34

– JE TE PRÉSENTE Massimo Sabatini, *ispettore superiore.*

Loïc ne se souvenait plus à quoi correspondait ce grade : capitaine ou commandant. En tout cas suffisant pour diriger une enquête criminelle. L'homme confirma qu'il était en charge du dossier Montefiori. Cheveux clairs et laqués, la quarantaine, il avait ce côté décoloré qu'ont parfois les Italiens du Nord, tirant sur l'Allemagne.

Sofia confia Milla et Lorenzo à l'une de ses sœurs et revint vers eux :

– M. Sabatini aimerait nous parler quelques minutes.

– À moi aussi ? demanda Loïc, feignant l'étonnement.

– Nous n'en avons pas pour longtemps, fit le flic en s'inclinant.

La troupe se dirigeait déjà vers la sortie du cimetière. Au-delà des grilles, les flashs crépitaient. L'*ispettore* désigna une voie ombragée qui partait dans le sens opposé. Les Montefiori avaient organisé un déjeuner pour une cinquantaine de proches – Loïc n'était pas pressé de s'y rendre.

Ils marchèrent en silence. Les allées rappelaient les ruelles de Pompéi. Du temps stoppé net par la lave et les cendres. Les croix hiératiques, les stèles espacées, les feuilles qui bruissaient dans le vent… Dans la perfection de l'azur, les arbres paraissaient bleus et les sépultures argentées.

Pour l'instant, le service médico-légal et les pompes funèbres avaient battu des records de rapidité : le transfert du corps, l'autopsie puis la restitution à la famille avaient pris moins de quarante-huit heures.

Sofia finit par demander :

– Vous avez des pistes, *ispettore* ?

– Pas encore. Aucun témoin, pas le moindre indice, et nous ne savons absolument pas où votre père a été… disons agressé. Le lieu de découverte du corps ne signifie rien : nos techniciens scientifiques sont certains qu'il a été transporté.

Sabatini semblait timide et indécis. Ses cheveux huileux lui donnaient l'air d'avoir été pressé à froid.

– Actuellement, reprit-il de sa voix hésitante, nous éprouvons beaucoup de difficulté à établir son emploi du temps et…

– Mon père était un homme très secret.

– Vous-même, vous ne savez pas où il aurait pu se rendre ce matin-là ?

– Je vis en France depuis des années. Demandez plutôt à son épouse. Ou à mes sœurs : elles travaillaient avec lui.

– Ah ? Très bien.

Sabatini s'inclinait, comme pour s'excuser, à chaque fin de phrase. Ses lunettes effaçaient ses sourcils blonds, annulant toute expressivité. Pourtant, à mesure qu'ils marchaient, Loïc sentait autre chose. Ce type jouait un rôle. Une stratégie à la Columbo pour endormir leur vigilance.

– Conservait-il un agenda, électronique ou papier, dans son bureau ? Je veux dire : à la villa de Fiesole ? On n'a rien retrouvé sur lui. Pas même un téléphone portable.

– Mon père n'utilisait jamais de support papier ni d'ordinateur, expliqua Sofia d'une voix monocorde. Un détail que vous ignorez sans doute : il n'a jamais su bien lire ni écrire. Il avait surtout la mémoire des chiffres.

La comtesse jouait son rôle à la perfection : hautaine, glaciale, inaccessible.

– Vous saviez qu'il avait deux gardes du corps ? relança l'Italien.

– Je les connais très bien, oui.

– Mardi, votre père leur avait donné leur matinée.

– Il préférait parfois se rendre seul à ses rendez-vous.

C'était le jeu du chat et de la souris et Sofia, à tort, Loïc en était certain maintenant, pensait avoir le dessus.

– Je suis désolé, madame, mais vous vous trompez.

Premier coup de griffe.

– Nous avons déjà vérifié : c'est la première fois qu'ils ne l'accompagnaient pas. Depuis au moins dix ans, Giovanni Montefiori ne se déplaçait jamais sans eux.

Ils étaient parvenus au bout de l'allée. Sans se concerter, ils prirent sur la droite. Loïc imaginait des fantômes, des feux follets espiègles circuler entre les tombes, profitant du calme et de l'espace.

– Vous connaissez la société Heemecht ?

Loïc sursauta. Sabatini s'adressait maintenant au couple. Le chat ne jouait pas avec une, mais deux souris.

– C'est une des boîtes de mon père, admit Sofia.

– Une des plus importantes, confirma le flic. Une entreprise de récupération, de recyclage et de valorisation des métaux. C'est aussi une compagnie de fret, de transport, de logistique ainsi qu'un important groupe financier, basé au Luxembourg, détenant des parts dans de nombreuses sociétés internationales.

L'*ispettore* énumérait ces faits sur un ton neutre mais ferme. Il s'était avancé de quelques pas pour pouvoir englober du regard ses interlocuteurs tout en continuant à marcher.

– Je vous l'apprends peut-être mais votre père, depuis plusieurs années, faisait l'objet d'une enquête de la Guardia di Finanza, notamment sur des accords plutôt… obscurs qu'il avait passés avec l'empire Mediaset et des opérations de corruption établies avec des députés de Toscane et de Lombardie.

Sofia s'arrêta. Elle comprenait enfin : l'introduction pianissimo n'avait été qu'un leurre. Ils allaient passer sur le gril, elle et son financier de mari. Sabatini souriait toujours distraitement, comme s'il ne réalisait pas la violence de ses informations.

– Sa mise en examen n'était qu'une question de semaines, continua-t-il. Si les conditions du meurtre n'étaient pas si barbares, l'hypothèse du suicide serait la première retenue.

Sofia paraissait abasourdie. Loïc et le flic s'étaient immobilisés autour d'elle. Tout était prêt pour un duel à trois dans le cimetière, façon western spaghetti.

– En réalité, les dossiers complets sur ses sociétés, ses voyages et ses allées et venues en Italie sont déjà sur mon bureau. Contrairement à ce qu'on raconte, les services de police collaborent efficacement, et ils peuvent être très rapides. Parmi les sociétés dont Heemecht est actionnaire, il y a Coltano, ça vous dit quelque chose ?

– Vaguement, siffla-t-elle entre ses lèvres. Je vous répète que je ne m'occupe pas des affaires de mon père.

Pas question de dire ce qu'elle avait fini par découvrir : c'était pour fusionner leurs actions africaines que les deux pères avaient marié leurs enfants.

– Et vous ? demanda Sabatini en regardant Loïc, comme s'il l'invitait à entrer dans le jeu.

– Arrêtez de poser des questions dont vous avez les réponses, répondit-il dans son italien le plus parfait.

– Giovanni Montefiori partageait avec votre père des parts significatives dans cette société d'exploitation minière au Congo. Je pense que son meurtre est lié à ce fait.

– Pourquoi ?

– Parce que Philippe Sese Nseko, le directeur de Coltano sur le terrain, c'est-à-dire au Katanga, a été assassiné il y a deux mois exactement de la même façon.

– Mon père aurait été tué par des Africains ?

La phrase avait échappé à Sofia, sur un ton dégoûté qui pouvait passer pour raciste. Machinalement, Loïc lui prit le bras comme pour l'arrêter sur cette mauvaise pente.

– Les Italiens n'ont rien à envier à un pays quelconque pour la cruauté et la barbarie, poursuivit Sabatini, mais tout porte à croire, en effet, que ce meurtre a un lien avec l'Afrique et Coltano. Il s'agit peut-être d'une prise de pouvoir… radicale au sein du groupe.

D'un geste nerveux, Sofia attrapa une cigarette au fond de son sac.

– Je suis aujourd'hui l'héritière exclusive de ces parts, annonça-t-elle après avoir soufflé une bouffée dans le soleil. Je pourrais être menacée moi aussi.

Le flic balaya ce soupçon d'un geste léger :

– N'ayez crainte. Le mobile est ailleurs. En réalité, votre père ne possédait plus que quelques actions de Coltano.

– Qu'est-ce que vous racontez ?

Il était un peu tard pour affranchir Sofia mais Loïc souffla :

– Il a tout vendu ces dernières semaines. Je t'expliquerai…

– Moi aussi j'aimerais que vous m'expliquiez…

Loïc se recula : Sabatini le fixait droit dans les yeux.

– Les raisons de cette opération sont complexes, esquiva-t-il, il faudrait des heures pour…

– Prenons rendez-vous.

– Aucun problème, rétorqua Loïc, cachant son malaise, voici mon numéro.

Sabatini prit sa carte de visite avec satisfaction. En s'inclinant encore, il les invita à s'orienter vers un nouveau sentier. Sofia fumait comme si son corps fonctionnait à la vapeur.

– Isidore Kabongo, vous connaissez ? demanda l'*ispettore* à la cantonade.

– Non, fit Sofia d'une voix égarée. Qui c'est ?

Le Monsieur Mines du Congo-Kinshasa. Il a été plusieurs fois ministre des Mines, des Industries minières et de la Géologie.

Il conserve un rôle d'expert auprès du gouvernement de Joseph Kabila.

– Jamais entendu parler.

– Le général Trésor Mumbanza ?

– Non plus.

Loïc connaissait ces noms mais impossible de se souvenir de leur lien exact avec Grégoire.

– Le colonel Laurent Bisingye ?

– Vous pourriez plutôt nous expliquer, non ? intervint-il.

– Des personnalités impliquées dans l'exploitation et le commerce du coltan au Congo. Je n'ai pas encore les détails mais une chose est sûre : Bisingye, qui est l'adjoint de Mumbanza, le nouveau directeur de Coltano, est un criminel de guerre.

– C'est votre suspect ? demanda Loïc.

– Il faudrait d'abord prouver qu'il était en Italie au moment des faits.

Par association, Loïc songea de nouveau à Morvan.

– Mon père pourrait être en danger lui aussi ?

– En tout cas, il est imprudent. Selon mes sources, il serait là-bas actuellement.

– Exact.

– Vous avez une idée du motif de son voyage ?

– Non. Mon père partage avec Giovanni le goût du secret.

Sabatini sourit encore, faisant mine d'admirer le paysage : les tombes, les ifs, le ciel… L'air de rien, il les avait guidés jusqu'à la grille de sortie. Les berlines, le corbillard, les camions régie de la télévision avaient disparu.

– Je vous demanderai, pour l'instant, de ne pas quitter Florence.

– Vous commencez vraiment à m'agacer, explosa Sofia tout à coup. Vous nous parlez comme à des accusés. Vous avez l'air d'oublier que c'est mon père qui a été tué !

Loïc se planta devant le flic, lui bloquant le passage :

– Que voulez-vous au juste ?

– L'agenda de Giovanni Montefiori.

– On vous a dit que...

– Vous vous trompez. Selon nos témoignages, il notait ses rendez-vous confidentiels dans un carnet qu'il conservait à la villa. Il avait inventé un alphabet primaire, utilisé par lui seul, pour transcrire en phonétique le nom des lieux et des personnes à y rencontrer.

Loïc n'en avait jamais entendu parler mais à l'expression de Sofia, il comprit que le flic disait la vérité. Il songea à son père qui avait aussi la passion des codes, des secrets, des barbouzeries. *Putains de vieux singes...*

– Trouvez ce carnet, *signora*, nous vous en saurons gré. En dépit des enquêtes financières qui visaient votre père, nous ne pouvons pour l'instant perquisitionner dans le palais de Fiesole...

– Et si nous ne le trouvons pas ?

Sabatini se plia encore en deux – des manières onctueuses d'un autre siècle.

– La mort de votre père n'annule pas la procédure dont il faisait l'objet. L'inculpation qui le menaçait va se reporter sur votre mère, associée aux affaires de son époux, et sur vos deux sœurs qui ont eu la mauvaise idée de vouloir lui succéder.

Sofia alluma une nouvelle cigarette. Elle exhala la fumée dans une bouffée de rage et d'impuissance.

– Peut-être qu'à une autre époque, les réseaux de votre père l'auraient protégé mais ce temps est révolu, insista le flic. L'Italie a changé, *signora*. C'est ce que je me plais à espérer en tout cas.

Enfin, Sabatini tombait le masque : un petit-bourgeois qui bandait pour son boulot de justicier, trop heureux de se faire une famille aristocratique de Florence, doublée d'un clan de parvenus de l'ère Berlusconi.

– Je vous donne vingt-quatre heures.

Le flic les engloba d'un dernier regard puis tourna les talons, passant la grille sans se retourner.

Sofia ne bougeait pas, fumant et se mordant les lèvres. Enfin, ils se lancèrent un coup d'œil et leurs années de complicité ressurgirent d'un coup. Ils allaient trouver l'agenda du ferrailleur mais certainement pas pour le confier à ce flic beurré comme une tartine.

35

ANKORO. L'objectif avait fini par lui paraître irréel. Ils avaient roulé toute la nuit en accumulant encore les galères. À 22 heures, après un énième barrage, leur chauffeur s'était mis à gémir : il avait la fièvre, il avait l'infection. Salvo l'avait viré d'un coup de pied et avait pris le volant. Une heure plus tard, le 4 x 4 avait versé dans un fossé. Comme par magie, des hommes étaient apparus dans les ténèbres et les avaient aidés à repartir. Encore une fois, Erwan avait dû ouvrir sa ceinture… Malgré la fatigue, malgré les piqûres, il était fasciné : il sentait battre sous ses pieds le cœur rouge de la terre.

Salvo était bon conducteur. Alors que la route se limitait aux faisceaux des phares éclairant les giclées de boue et les feuilles assaillant le pare-brise, il plongeait là-dedans avec calme, absorbant les chocs, les secousses, les transformant en kilomètres parcourus.

Erwan s'était installé à l'avant, ceinture bouclée, main serrée sur la poignée supérieure. Il bringuebalait sur son siège comme un sac de patates. Parfois, il sombrait dans une demi-somnolence, menton rebondissant contre la poitrine, le corps pris de soubresauts. Un simple cadavre en transit…

Quand il s'endormait vraiment, il faisait le même rêve. Il vivait dans une termitière, en couple avec la reine, énorme et transparente. Il l'enlaçait, la serrait, la fertilisait, sentant son corps congestionné par des milliers de larves qui s'animaient sous ses caresses. Soudain, on venait le libérer : les Blancs Bâtisseurs, avec leurs torches enfumées. Les termites prenaient la fuite. Quand il sortait de son repaire, les larmes aux yeux, ses sauveurs l'attendaient, entourés de corps écorchés suspendus aux arbres…

À l'aube, ils avaient découvert une plaine qui baignait dans son jus. Un grand corps vert qui se prélassait dans des draps de pluie. Tout scintillait dans l'aurore. La nature semblait avoir poussé dans la nuit. La naissance du monde, rien que ça, sous un ciel écarlate, sortant lui aussi de forges mythologiques…

Maintenant, il était midi et ils traversaient Ankoro. Aucune couleur ici : seulement la rouille des jours et le gris du fleuve. Un bidonville palustre qui mêlait l'humain au végétal, la chair à l'écorce, le plastique au limon.

Salvo parqua le 4 x 4 dans un garage – plutôt un auvent surveillé par des autochtones.

– Ton job, c'est quoi au juste ? demanda Erwan, les yeux rivés sur la valise que le Banyamulenge gardait toujours à portée de main.

– L'import-export, je te l'ai dit.

– Avec quels pays ?

– Ceux qui nous donnent des trucs.

– Comprends pas.

– Quand les gentils pays développés nous envoient des colis, faut bien les répartir.

– Tu veux dire les voler puis les revendre.

– De toute façon, ils disparaissent. Autant prendre les choses en main. Je récupère les stocks et je ventile à la pièce… Médicaments périmés, chaussures dépareillées, voitures déglinguées.

– Ne joue pas les modestes : il y a aussi l'ONU, les ONG.

Salvo éclata de rire :

– Les bons jours ! On est des fourmis, patron. Et les fourmis, ça vit de miettes…

– Et cette valise ?

Il plaqua sa main dessus comme pour empêcher Erwan de la regarder :

– Ça, c'est off ze record. (Il ne lui laissa pas le temps d'insister et plongea dans la foule de la rue.) On continue à pied.

Ils traversèrent le reste du village avec difficulté, suivis par leurs porteurs, assaillis par les enfants, les vendeurs ambulants, les rires des femmes sur le seuil de leurs baraques. Plus on s'approchait des eaux, plus les maisons semblaient construites avec des déchets. Une odeur de poisson pourri couvrait tout.

Le vrai spectacle était le fleuve. D'un brun orangé, les flots semblaient drainer des métaux anciens, des braises encore vives, venus d'un temps oublié. Ce paysage laissait un goût de fer dans la bouche. En face, on distinguait à peine l'autre rive, ruban verdoyant perdu dans les brumes de chaleur.

Les pieds dans l'eau, ils progressèrent dans une forêt de joncs et de racines puis accédèrent à la berge. Agitation maximum. Les voyageurs, chargés de la tête au dos, bras encombrés, avançaient à l'aveugle. Enfouies parmi les racines lacustres, des échoppes proposaient les marchandises les plus farfelues. Des barils, des ballots, des barques clapotaient le long du rivage. Chacun s'enfonçait jusqu'aux genoux dans les eaux fangeuses mais personne ne ralentissait. Pas question de rater le départ.

Erwan mit quelques secondes à comprendre ce qu'il voyait au-delà des roseaux : deux barges solidarisées, formant un pont d'environ deux cents mètres de long, sans l'ombre d'un équipement ni d'une installation, seulement envahies de passagers. À cette distance, on aurait dit une monstrueuse décharge à fleur d'eau. Ou encore un village flottant de plusieurs milliers de personnes qui s'organisaient déjà en vue de la traversée. Sur le flanc de cette gigantesque planche à repasser, on avait peint en blanc : VINTIMILLE.

– On a de la chance, elles sont là ! (Salvo fendait la foule à coups de bâton comme il aurait usé d'une machette dans la jungle.) Dépêche-toi, chef. Faut qu'on chope une cabine première !

Erwan accéléra le pas – ou plutôt la nage : ils pataugeaient à mi-corps, leur sac sur la tête. Il ne pouvait quitter des yeux le pont fourmillant. Des hommes torse nu semblaient faire des nœuds avec leurs muscles sous le soleil. Des lavandières accroupies s'activaient devant leurs bassines. Des enfants pêchaient, un fil à la main. Des chèvres, des cochons, des poules dans des enclos. Des tentes, des toiles, des parasols, des parapluies serrés les uns contre les autres. Des braseros fumants, du linge séchant sur des cordes, un groupe de musique en pleine répétition...

Une planche pour monter à bord. Erwan jouait des coudes pour suivre Salvo. On pilait du manioc, on s'engueulait, on arrimait des caisses sous des bâches plastique. Parmi d'énormes sacs, on essayait de s'installer, de trouver sa place, indifférent au soleil accablant.

Salvo ne cessait de hurler et de surveiller leurs porteurs. Ils rejoignirent la deuxième barge. Tout se passait à l'arrière, expliqua Maillot Jaune. Le *Vintimille* était poussé et non remorqué.

– Poussé par quoi ?

– C'te question : par un pousseur, tiens ! Trois mille chevaux, quatre hélices ! Un moteur de char d'assaut piqué aux FAZ !

Erwan aperçut enfin l'automoteur. La cabine première se trouvait sur le pont. Les porteurs leur passèrent les bagages : ils ne voulaient surtout pas être embarqués malgré eux. Erwan les paya et les vit s'absorber dans la mêlée pour le match retour.

Il repéra les lieux. Le bateau propulseur se résumait à une coque trapue dont l'étrave était fixée à la première barge par des câbles d'acier serrés par des treuils. En surface, une timonerie surélevée – pour offrir au capitaine une vue d'ensemble. Dessous, dans la cale, les moteurs vrombissants. Entre les deux, la cabine première : une plaque de tôle chauffée à blanc, dans une puanteur de diesel. Pas sûr qu'ils aient décroché la meilleure place, les vibrations de la salle des machines montaient du sol et les crachats du capitaine tombaient d'en haut. Seul point positif : la bâche tendue au-dessus de leur tête.

– T'as une arme ? demanda Salvo, surexcité.

– Oui.

– La montre jamais. Perds pas ton sang-froid, cousin. Sinon, ceux qui voulaient juste te voler auront une raison de te tuer.

Erwan acquiesça mais il ne parvenait pas à prendre ce bazar au sérieux.

– Surtout, faut jamais que t'oublies la règle numéro un ici.

– Quelle règle ?

– Où qu'on s'arrête, on repartira aussi sec.

Son père lui avait déjà expliqué le principe : ça ne lui laissait pas beaucoup de temps pour trouver des témoins et les interroger.

– Une heure maxi, répéta Salvo en tendant l'index puis il désigna l'amont du fleuve : Là-haut, c'est la guerre. Si tu restes à terre, tu meurs.

– Et… les autres ? Ceux qui voyagent avec nous ?

– Eux, c'est pas pareil. Y z'ont fait leur choix. Y vont voir leur famille, y font di bizness, y connaissent. Si un gars comme toi est abandonné, alors y s'f'ra bouffer.

Un grand coup de trompe résonna dans l'air surchauffé. Le barrissement du convoi qui s'apprêtait à lever l'ancre.

36

TOUTE LA MATINÉE, Audrey avait mené des recherches sur Katz pour obtenir les mêmes résultats que Gaëlle. L'analyste n'existait pas. Ni pour l'état civil. Ni pour la Sécurité sociale. Ni pour le service des permis de conduire. Encore moins, bien sûr, au conseil de l'Ordre des médecins ou au registre national des psychanalystes. Les numéros inscrits sur ses ordonnances correspondaient à un autre médecin.

– Il y a plusieurs Éric Katz en Île-de-France, précisa la fliquette, mais ils n'ont rien à voir avec la médecine, hormis un généraliste du nom de Michel Katz, mort en 1991. Il exerçait à Paris, dans le 6e arrondissement.

– Pas de famille ?

– Pas chez les toubibs. Ton mec est un imposteur. Je me suis renseignée sur ce genre d'arnaques : c'est plus fréquent qu'on ne croit.

Gaëlle s'était fait soigner toute une année par un escroc... Elle se sentait humiliée, presque violée. Comme une femme qui se serait déshabillée des centaines de fois devant un prétendu aveugle.

Elles s'étaient donné rendez-vous au café de la rue Nicolo. Le psy allait bientôt sortir pour déjeuner et elles pourraient le suivre – du moins Audrey, puisque Gaëlle avait toujours ses *men in black* aux basques.

– Tu vas l'arrêter ?

– Houlà, ma poule, pas si vite. Faut qu'on prouve d'abord qu'il exerce bien en qualité de toubib et qu'il encaisse de l'argent à ce titre.

– Il y a sa plaque en bas de l'immeuble.

– Tu veux l'inculper pour publicité mensongère ?

– Je l'ai payé pendant douze mois.

– En cash, non ?

Gaëlle pressentait déjà les obstacles mais elle devait bien avoir conservé une ou deux prescriptions de sa main. Elle songea aussi au confrère que Katz lui avait conseillé. Un autre arnaqueur ? Elle n'avait même pas conservé ses coordonnées.

– Faut surtout découvrir qui il est vraiment, rétorqua-t-elle. Et pourquoi il a voulu me revoir.

– Il veut sans doute savoir s'il y a plus de fric à tirer de ton côté.

– De ma famille, tu veux dire ?

– De qui d'autre ?

Gaëlle ne répondit pas. Normal qu'Audrey réduise cette histoire à une affaire d'argent mais elle, elle sentait d'autres enjeux. Une sorte de… voyeurisme mental. Katz l'avait sondée, observée, analysée. Maintenant il en redemandait.

– Écoute-moi, murmura l'OPJ en lui prenant la main, ce mec est un amateur. Tant qu'il a affaire à des patients…

– À des gogos, tu veux dire…

– À des personnes vulnérables qui ne se méfient pas, il peut s'en sortir, mais avec des flics au cul, ce sera une autre chanson. Donne-moi une semaine pour le coincer en flag d'abus de confiance.

– C'est pas de ta compétence, si ?

– Non, admit Audrey, je suis de la Crime et je peux rien faire sur ce terrain. Mais on va trouver le meilleur angle d'attaque pour…

– Le voilà.

Katz sortait de son immeuble. Elles réglèrent leurs consommations et se précipitèrent sur le seuil du café. Plan basique : Audrey allait le suivre alors que Gaëlle rentrerait chez elle, tout simplement, escortée par ses anges gardiens.

Mais la fliquette ne bougeait pas, le regardant s'éloigner.

– Qu'est-ce que tu fous ?

– Changement de programme.

Gaëlle comprit son idée :

– Tu ferais ça ?

Audrey sourit. Mains dans les poches de son treillis, gibecière à l'épaule, elle prit la direction du porche de l'analyste :

– On va s'gêner.

Une fois à l'étage, la fliquette sortit de son sac un trousseau de clés qui multipliaient les formes et les crans. Elle observa avec attention la serrure puis sélectionna un modèle dans sa collection.

– C'est quoi ?

– Une *bump key*, chuchota-t-elle, en l'enfonçant en douceur dans le cylindre.

Un petit marteau se matérialisa dans sa main. D'un coup sec, elle frappa la clé puis la tourna aussitôt, sans la moindre difficulté. La porte s'ouvrit en un déclic. Gaëlle comprit que l'OPJ avait prémédité son coup.

– Comment t'as fait ?

– Une clé de frappe, répondit l'autre en entrant dans le vestibule. C'est un peu compliqué à t'expliquer mais disons que ses crans créent, sous l'effet d'un choc, un vide très bref entre goupilles et contre-goupilles. Pendant ces quelques fractions de seconde, il suffit de tourner la clé pour ouvrir n'importe quelle serrure.

Auprès de cette fille, Gaëlle ressentait un réconfort que ses gardes du corps n'avaient pas été capables de lui procurer. Un seul mot lui venait à l'esprit : pro.

– Reste pas plantée là. (Sans bruit, Audrey referma la porte puis sortit une autre clé qu'elle glissa dans la serrure.) S'il revient, il ne pourra pas ouvrir. Ça nous permettra de nous tirer par la fenêtre.

– Mais il saura que quelqu'un est venu...

– Tant mieux : ça le fera réfléchir.

Elle lui tendit des gants de chirurgien. Sans un mot, Gaëlle les enfila, éprouvant un frémissement, mi-trouille, mi-excitation. Elles avaient franchi la ligne. Il n'y aurait pas de retour en arrière.

– Je fouille le bureau. Va voir ce qu'il y a à côté, ordonna Audrey.

Gaëlle n'avait jamais pénétré dans l'autre pièce – simple réduit où Katz rangeait ses archives ou chambre où il pouvait faire la sieste. La première option était la bonne : un cagibi de deux mètres sur trois, tapissé d'étagères et de dossiers rangés par ordre alphabétique. Katz semblait avoir des centaines de patients. Tous des pigeons ?

Ne sachant pas trop quoi chercher, elle se mit en quête de son propre dossier. Elle éprouvait un malaise à l'idée de plonger dans les notes du psy, redoutant que le diagnostic de Katz – même imposteur, même sans la moindre légitimité – soit plus grave que prévu...

– Viens voir ! appela Audrey, de l'autre côté du mur.

Assise derrière le bureau verni, la fliquette tenait un classeur ouvert dont les feuilles plastifiées abritaient des coupures de presse. Gaëlle comprit au premier coup d'œil. Articles et photos détaillaient l'affaire de l'Homme-Clou 2012. Wissa Sawiris, Anne Simoni, Ludovic Pernaud... Audrey faisait claquer les pages, leurs pensées défilaient au même rythme.

Un nouvel adorateur du tueur fétichiste. Un cinglé qui vénérait le meurtrier et s'intéressait à la sœur de son chasseur...

– On vient de rejoindre mon domaine de compétence, chuchota la fliquette avec satisfaction.

Gaëlle ne répondit pas : ses pensées se brisaient contre un mur de stupeur. Audrey poursuivit sa fouille, soulevant le sous-main en cuir, passant en revue les dossiers empilés, lisant les

Post-it disséminés. Finalement, elle feuilleta les pages du bloc éphéméride qui occupait un coin du bureau.

– Merde.

Gaëlle leva les yeux alors que l'autre détachait avec précaution deux feuilles de l'agenda, l'une datée de juillet, l'autre d'août. Elles portaient chacune une adresse, sans nom ni autre indication.

– Les coordonnées d'Anne Simoni et de Ludovic Pernaud, commenta Audrey.

Gaëlle encaissa cette nouvelle surprise : plusieurs semaines avant les meurtres, Éric Katz avait noté sur son agenda les adresses de deux des victimes de l'Homme-Clou. Comment connaissait-il Simoni et Pernaud ? Était-il le complice du tueur ? Ou carrément le véritable assassin ?

« C'est à la fin de la foire qu'on compte les bouses », disait toujours son père. En d'autres termes, il fallait attendre quelques mois pour être certain qu'une affaire était réellement sortie – c'est-à-dire bouclée. La découverte du jour lui donnait raison car à l'évidence, l'affaire de l'Homme-Clou n'était pas terminée – Éric Katz était lié au massacre de septembre et n'avait jamais été inquiété.

37

ILS AVAIENT LEVÉ LE CAMP à quatre heures du matin et repris aussitôt la route, la peur au ventre – les porteurs prétendaient avoir perçu des craquements suspects toute la nuit, certains avaient encore disparu. Morvan, malgré sa gueule de bois, avait imposé une cadence rapide. Les porteurs ployaient sous leurs charges, les soldats faisaient claquer leurs bottes de jardinier, Michel titubait, couvert de frusques empruntées à tous, et grelottait toujours.

Grégoire avançait au jugé. Sa carte multipliait les imprécisions, les indications des géologues laissaient à désirer et lui-même était le topographe de zones vierges – brousse sans repères ni habitations, alternance sans fin de marigots rouges et de collines verdoyantes. Plus question de réfléchir à quoi que ce soit, ni à Montefiori, ni aux Maï-Maï, ni aux surprises qui les attendaient sur le site d'exploitation. Il avait même remisé son fils et son enquête au placard. Un pas devant l'autre, ployant sous des ciels bibliques, à encaisser cette bichromie qui rendait fou : du vert, du rouge, du vert, du rouge…

À midi, toujours pas découvert l'ombre d'une mine. À 15 heures, il était certain de s'être trompé. À 16 heures, alors qu'il s'apprêtait à rebrousser chemin, une rumeur qu'il aurait reconnue entre mille : bruits de marteaux contre la roche, brouhaha des voix, ronronnement des blocs générateurs…

Nouvelle colline, puis une vallée si humide qu'on aurait dit un lac. Tous accélérèrent – le sprint de l'arrivée, la vie sauve. Ils plongèrent à nouveau dans des bois serrés, marchant la tête en l'air, dans l'espoir d'apercevoir, entre les cimes, les murailles rouges des gisements.

Ils durent se contenter d'un premier barrage militaire. Les filons étaient taxés de multiples façons et, un ou deux kilomètres avant la zone d'extraction, le racket commençait. Une chaise, une ficelle, et par ici la monnaie. Le gouvernement réclamait son impôt à la source. Le Comité national des routes ou l'administration des Eaux et Forêts voulait sa part. Le préfet de la région prélevait sa dîme…

Les « douaniers » tordirent le nez lorsqu'ils découvrirent la carrure de Morvan et sa tignasse crépue de nègre blanc. Personne ici ne l'avait jamais vu mais tout le monde l'attendait. Malgré sa fièvre, Michel courut devant pour prévenir tout conflit. Le mzungu arrivait chez lui fusil au poing, et mieux valait ne pas l'énerver.

Deuxième barrage. Cette fois, on leur offrit du thé, du singe et du manioc. On allait et venait autour d'eux. Des creuseurs regagnaient leur village. D'autres au contraire arrivaient. L'agitation épuisée des bouts du monde, une faune de pionniers, de têtes brûlées, de miséreux pour qui c'est ça ou mourir.

Morvan ne s'attarda pas. Il soufflerait au pied de ses mines, en admirant enfin sa dernière œuvre. La cadence des marteaux devenait un battement sourd, une palpitation enfouie sous la canopée. Au bord du chemin, sous les parasols, des vendeurs proposaient des cartes téléphoniques, des tongs taillées dans des pneus, des piles bâtons…

Coup d'œil à Michel : ils partageaient la même excitation, le même vertige aussi. Après ces kilomètres sans croiser la moindre âme humaine, ces heures passées dans le jus des origines, retrouver d'un coup cette fourmilière procurait un choc. Surtout, Morvan mesurait, rien qu'à l'affluence, que l'exploitation avait bel et bien commencé. Souza, le maître des lieux, et Cross, le chef des armées, avaient posé les fondations du royaume.

Ils marchaient maintenant sous des hautes voûtes grises et vertes, leurs pieds froissant un tapis de feuilles mortes. Le décor avait ici une douceur, une solennité poignantes. Soudain, il aperçut quelque chose qui ne lui plut pas du tout : des cadavres sur le dos, sans tête, ni pieds, ni mains. Le dessus des cuisses avait été tranché net : deux kilos de viande bien tendre. On voyait les os au fond de la chair.

– C'est quoi ce bordel ?

– Je f'rai mon enquête.

– Pas de ça chez moi.

Tout le monde savait que les cuisses étaient les meilleurs morceaux. Comment étaient morts ces gars ? Le cannibalisme ici n'était ni une manière de survivre ni un rite animiste. Simplement une habitude…

Ils croisèrent les premiers mineurs sortant des tunnels. Torse nu, uniformément rouges, ils portaient seulement une lampe frontale (en réalité une torche fixée sur le crâne avec une sangle), un burin et un marteau. La latérite leur était passée dans le blanc des yeux. Ils avaient l'air complètement défoncés. Morvan avait interdit l'alcool et le chanvre mais ces gars étaient drogués aux ténèbres et au coltan. Dire qu'ils faisaient corps avec la terre était un pléonasme : ils étaient la terre.

Il donna des ordres. Décharger le matériel, surveiller les armes. En réalité, il voulait affronter sa montagne en solitaire. Il sortit du bois et engloba d'un regard la pente pourpre criblée de puits – chaque cavité était gardée par un homme à Kalach. Un monde de troglodytes. Ça grouillait dans les trous, sur les coteaux, au pied du massif. Des ouvriers, sac à l'épaule, dévalaient les marches taillées dans la roche, d'autres montaient, à quatre pattes, s'accrochant aux arbrisseaux qui faisaient office de rampes. Le tout noyé de poussière écarlate. Rien qu'en regardant ce tableau, les yeux vous piquaient, la gorge vous brûlait. Après l'overdose d'humidité, un autre âge commençait : celui de la roche et de l'aridité.

Ces mines occultes qui n'existaient sur aucune carte ni aucun registre étaient à Morvan. Il était devenu un seigneur de guerre, un négrier parmi d'autres. Il n'en éprouvait ni fierté ni remords. C'était son devoir qui l'avait amené ici, prêt à affronter les rebelles, les éboulements et les maladies, pour gagner encore quelques millions qu'il coucherait sur son testament.

Michel revint accompagné d'un grand Noir vêtu d'un tee-shirt de basketteur qui lui descendait jusqu'aux genoux. Carrure de monument aux morts, tête toute ronde, écrasée comme une poêle, grands yeux rieurs : Souza, l'architecte de la cathédrale. Un Luba qui avait fait ses armes à Kolwesi et roulé sa bosse au sein de la Gécamines. À lui seul, il assurait les rôles de géologue, d'ingénieur, d'officier d'intendance, de garde-chiourme.

– Patron ! On t'attendait pour le dîner hier soir !

– Content de te voir, Souza. Du beau boulot.

– C'est qu'on a pas beaucoup de temps, papa.

Claire allusion aux attaques imminentes des milices.

– Combien de creuseurs ?

– Environ six cents.

Jacquot n'avait parlé que de quatre cents bonshommes. La prolifération avait commencé.

– Ça arrive de partout, confirma Souza. Le bruit s'est répandu dans la brousse. On pourra bientôt passer à un millier si on prend les enfants et…

– Pas d'enfants. Combien de puits ?

– Pour l'instant une trentaine.

– Les galeries sont stables ?

– On a travaillé vite, grimaça le Luba.

D'ici quelques jours, les premiers accidents surviendraient. Morvan aurait pu exiger qu'on étaye mais à quoi bon ? Personne ne l'aurait écouté. Seul le coltan comptait. Mieux valait crever dans ces boyaux en essayant de gagner sa vie que de la perdre dans son village, pour rien. En Afrique, on donne surtout un sens à sa mort.

– On en est où ?

– À la subsurface.

– Quel potentiel ?

– Très bon. Un eldorado.

Un sourire échappa à Grégoire : ses géologues ne s'étaient pas trompés. La montagne rouge allait se transformer en pyramide de richesse. Maggie avait cité Baudelaire : « J'ai pétri la boue et j'en ai fait de l'or. » Elle avait raison. Et tout ça avec une mise de départ dérisoire. *Le miracle africain.*

– Quel rendement ?

– Un sac par jour par creuseur.

Une fois le minerai raffiné, on pouvait négocier les cinquante kilos mille euros. Le calcul était simple : six cents sacs par jour signifiaient un rendement de six cent mille euros selon le cours ; on enlevait les frais – minimes : chaque creuseur recevait un salaire quotidien de quatre dollars –, on parvenait à un revenu d'environ cinq cent cinquante mille euros par jour. Morvan avait l'habitude de ces résultats – la grande nouveauté, c'était qu'il était le seul exploitant et que cette fortune allait tomber directement dans sa poche.

Allait-il donc finir en beauté ?

Il ne se lassait pas de ce spectacle grandiose. Les puits crachaient de la fumée et les ombres qui y plongeaient évoquaient des damnés de l'enfer, moitié braise, moitié charbon. Au-dessus, la poussière s'élevait et s'unissait à la lumière du crépuscule pour passer du rouge au rose, comme si quelque chose cuisait au fond du ciel.

– La bouffe ? demanda-t-il en revenant à la logistique.

– On a des chèvres, de la volaille. Des mammas aux fourneaux. Des champs sont déjà semés. Le manioc va pousser.

Il songea aux corps mutilés, aux cuisses taillées. *Plus tard.*

– Pas de problème avec le sel ?

Dans cette région, il était importé. Une des manières les plus simples de s'approprier des mines était d'empoisonner les livraisons. D'un coup, tout le monde crevait ou fuyait. Il n'y avait plus qu'à plonger dans les galeries désertées et se servir.

– Des gars de Cross le surveillent jour et nuit. On a aussi des goûteurs.

– L'hôpital ?

– J'espère que tu l'as apporté dans tes bagages, rit Souza.

Morvan avait assez de pilules et de pénicilline pour faire illusion. La médecine africaine est presque exclusivement fondée sur l'effet placebo.

– Les putes ? demanda-t-il pour passer à un sujet plus distrayant.

– Elles arrivent.

Une de ses cantines était remplie de capotes – il prohibait l'alcool et la drogue mais pas les femmes. On ne tient pas ses troupes uniquement avec des promesses, Karl Marx lui-même le disait.

Les bruits de marteaux continuaient, semblant briser chaque seconde en mille éclats. Il respira l'air chargé de particules et ressentit une véritable ivresse. Si les Maï-Maï ne l'emmerdaient pas, si les Tutsis ne le bombardaient pas, si l'armée régulière ne se retournait pas contre lui, si les gars de Mumbanza ne venaient pas lui voler ses stocks, s'il survivait aux maladies, aux conspirations, aux souvenirs et enfin, si les tueurs de Nseko et de Montefiori ne décidaient pas que c'était son tour, alors oui, il pourrait tirer sa révérence en laissant de quoi voir venir à ses enfants.

– Les sacs, où ils sont ?

– Je te montre.

Ils s'orientèrent vers un bidonville constitué de baraques sommaires – branches et toiles plastique. Des bouches de la terre, on passait aux gueules des hommes. Là-dessous, ça buvait, mangeait, parlait mais d'une manière brutale, apeurée, presque honteuse. Morvan songea au village des lépreux de *Ben-Hur*, le film qu'on leur montrait dans les foyers religieux où il avait grandi. En réalité, ces Noirs se considéraient comme bénis des dieux. Venus de nulle part, protégés par Cross et ses hommes, ils repartiraient bientôt vers leur néant plus riches que n'importe quel autre paysan.

Souza désigna un enclos – une parcelle surveillée par deux hommes, Kalach sous l'aisselle, remplie de sacs poussiéreux. Chacun d'entre eux était plein du fameux minerai : ce qu'on appelle ici le coltan mais qui n'en est pas encore. Il en ouvrit un et plongea sa main dans le gravier noir. La fameuse colombo-tantalite, qui contient à la fois de la tantalite, de la cassitérite, du niobium, du zinc et de l'or… La pierre de voûte du monde d'aujourd'hui, permettant la technologie la plus sophistiquée. Tout partait de là : de ce sable lourd au creux de sa paume.

Jacquot mettrait au moins dix jours pour défricher la route. Morvan ne pouvait laisser s'entasser le pactole ici.

– À partir de demain, on envoie les sacs à pied.

– Y a pas d'avion là-bas, patron.

– Je vais me débrouiller.

– Et si on les attaque en chemin ?

– J'ai amené du renfort. Ils escorteront les gars.

Souza agita sa tête ronde en signe de scepticisme.

– Tu veux visiter les galeries ?

Morvan observa les falaises perforées. Les bruits de fer évoquaient une tuberculose raclant des poumons noircis. À l'idée de plonger là-dedans, le malaise vint lui tordre l'estomac. Depuis son enfance – en réalité *à cause d'elle* – il souffrait de claustrophobie. Il ne s'en cachait pas : au contraire, c'était sa seule phobie avouable. Le terrifiant n'était pas d'être enfermé, mais avec qui…

– Pas maintenant, répondit-il. Forme les équipes. Je veux que des sacs partent avant la nuit.

– Patron, personne prendra la route ce soir.

– Je double la paie. Ça urge, nom de dieu !

38

LA JOURNÉE s'était écoulée comme le fleuve. Longue, lente, monotone. À bord, tout le monde avait dormi, bercé par le ronronnement du moteur. Sauf les sondeurs qui, debout à la proue, enfonçaient leur longue perche dans l'eau tout en signalant la profondeur au capitaine par des gestes mystérieux.

Maintenant, sur fond de crépuscule, on commençait à s'agiter : les enfants criaient, le bétail s'ébrouait, les femmes vaquaient aux tâches domestiques. Seuls les hommes s'accordaient encore une pause au bord de l'eau – de quoi : mystère.

Erwan lui-même se réveillait et comptait ses courbatures. En se redressant sous l'auvent, la première chose qu'il retrouva fut la foule déployée sur les plateformes. La deuxième fut la surface du Lualaba. Les flots changeaient de couleur mais jamais de tons : rouge, ocre, jaune, beige, chocolat… Après le départ, les rives s'étaient écartées comme de grands rideaux verts et le fleuve était devenu aussi vaste, aussi éblouissant que le ciel lui-même. On aurait pu se croire en pleine mer. Mais maintenant, le paysage était encore différent. Ils traversaient des marais à papyrus, sorte de maquis amphibie dont les rives égrenaient des lacis inextricables.

Erwan imaginait les animaux tapis là-dedans, insectes fourmillants, reptiles glissant à travers les souches et les lianes, milliers d'yeux invisibles, immobiles comme des défauts d'écorce, des bourgeons de plante, qui vous observaient.

Soudain, il discerna autre chose : des hommes nus qui se confondaient avec les fûts et les feuillages au point qu'on doutait de les avoir vraiment vus. Reflet ? Effet d'optique ? Il secoua Salvo qui dormait encore et lui montra ces ombres :

– C'est qui ?

Le Banyamulenge mit sa main en visière :

– Des nudistes.

Les spectres regardaient les barges avancer, sans faire le moindre geste.

– C'est-à-dire ?

– Des réfugiés. On leur a tout pris. On a brûlé leur village. Y z'ont nulle part où aller. Y mangent des mouches et boivent à la liane. En attendant de se faire bouffer par une milice quelconque.

Erwan les chercha de nouveau, ils avaient disparu. À ce moment, la lumière changea de nature : vitreuse, frémissante, elle plongea le paysage dans un halo d'aquarium. L'air chaud devint collant. Il leva les yeux et découvrit, à travers la canopée, une cohorte de nuages noirs, prêts à se déchirer en éclairs. Les pluies du soir. En écho, les odeurs se renforçaient comme des lutteurs qui se serrent les coudes avant la bataille. On s'enfonçait dans la fin du jour comme dans un marécage fétide.

À bord, la vie continuait. Les lavandières décrochaient leur linge. Des soldats faisaient rouler des barils sur le pont. On se levait, on criait, on regroupait ses troupes – enfants, chèvres, poules, cochons… Erwan comprit enfin qu'on parvenait à un embarcadère.

– Tuta, confirma Salvo. Premier arrêt.

Les barges longeaient la rive de si près que les joncs bruissaient contre leurs flancs, des racines craquaient sous leur masse. Erwan ne voyait pas ce qui pouvait survivre ici, à part des crocodiles et des serpents. Pas l'ombre d'une case ni d'un village.

Pourtant, au détour d'un éperon d'herbes hautes, une foule apparut, de l'eau jusqu'aux cuisses, sautant, braillant, rigolant. Le comité d'accueil.

Salvo se frotta les jambes pour en chasser l'ankylose :

– T'as encore du fric à perdre, missié le mzungi ?

– T'as quelque chose à me vendre ?

– Toujours la même came : un témoin.

– Arrête de te foutre de ma gueule.

– Je déconne pas. Y a un *muganga* à Tuta. Un docteur, quoi. Il a longtemps travaillé à Lontano. Le kilomètre 5, chef ! C'était très connu à l'époque !

Le dispensaire de Catherine Fontana. Un nouveau coup de chance.

Les manœuvres de mouillage avaient commencé. Le moteur grondait. Les hélices tournaient dans un sens puis dans l'autre, provoquant des vagues déchaînées de tourbe et de vase. Sur le pont, personne n'avait la patience d'attendre. On sautait à l'eau, au risque d'être écrasé par les barges ou empalé par les racines, on se jetait dans les pirogues qui s'étaient glissées parmi les jacinthes d'eau.

– Il va vraiment s'arrêter ?

– Un peu plus loin, y a l'embarcadère.

Salvo serrait contre lui sa valise, l'air concentré. Bouillons de fumée. Craquements horribles. Enfin, un amas de planches se profila.

– Combien de temps on va rester ?

– J't'ai déjà dit : pas plus d'une heure. Le capitaine y fait viser sa feuille de route et on repart.

– Où est ton toubib ?

– Où est ta monnaie ?

Erwan plongea la main dans son sac à dos, attrapa son 9 mm et l'enfonça dans les côtes de Salvo, sans chercher à dissimuler son geste.

– J't'avais dit de pas sortir ton arme !

– Tu m'avais dit aussi de pas perdre mon sang-froid. Si tu continues tes conneries, je risque de vraiment m'énerver. On va voir ton gars. Selon le résultat, je paierai ou non.

Le Black éclata de rire :

– On y va, tonton. Derrière les arbres, à cinq cents mètres, c'est Tuta. Y a un dispensaire dirigé par le docteur Fuamba. Il a commencé sa carrière à Lontano, dans les années 70.

Soudain, le capitaine enclencha la marche arrière, faisant chuter plusieurs centaines de passagers comme dans une ola inversée. Erwan s'accrocha en attendant la fin de la manœuvre, observant les hommes agglutinés sur la rive dans un tourbillon de mouches. À peine mieux lotis que les nudistes. Torse nu, jambes couvertes de boue, ils agitaient les bras, en direction des passagers, des manutentionnaires, et surtout à son attention : un Blanc sur la barge, ça promettait des revenus inhabituels.

– *Let's go !* cria Salvo, soudain bilingue.

Ils plongèrent dans la mêlée, Salvo jouant encore de la trique contre la vague de ceux qui voulaient monter. Derrière lui, Erwan s'agrippait à son épaule, sans voir où il mettait les pieds. Il se retrouva, arc-bouté contre son guide, sur la terre ferme – en réalité, un marécage écarlate – avant de se glisser dans le dédale des chenaux qui ressemblaient à d'immenses vaisseaux sanguins. Tout le monde y barbotait, se croisant, se poussant le long des parois d'herbes souples.

C'était à hurler de beauté. Les boubous des femmes, leur peau noire ruisselante, le vert frémissant de la végétation... En même temps, des détails trahissaient la débâcle. Les visages surtout portaient le sceau de la guerre – les femmes, avec leur ballot sur la tête, leur bébé dans le dos, leurs sacs de toile à la main, exprimaient une tragédie sans issue.

– On va bientôt être au sec, prévint Salvo. C'est à cinq minutes.

Erwan regarda sa montre : dix minutes étaient déjà passées. Il fit ses comptes : quinze pour le retour, trente pour interroger le médecin. Il allait effectuer le PV d'audition le plus rapide de sa carrière.

39

LE DISPENSAIRE du docteur Fuamba était déjà assiégé par une foule d'hommes et de femmes qui braillaient, se bousculaient, frappaient à la porte, s'accrochaient aux fenêtres. Totalement inaccessible.

– Qu'est-ce qui se passe ?

– Y veulent des médicaments avant de repartir.

– On fout le camp : on n'aura jamais le temps de l'interroger.

– Sauf si tu me donnes cent dollars.

Une leçon pour le Blanc : on ne joue pas avec l'Afrique. Il donna les billets. Salvo, toujours sa valise sous le bras, siffla entre ses doigts. Les infirmiers qui jouaient au service d'ordre leur défrichèrent le passage. En quelques secondes, ils étaient dans la place.

L'intérieur ressemblait à l'extérieur : mêmes murs de ciment rongés par les lichens et les mousses, même terre battue au sol tirant sur la gadoue, même odeur de vase. Coup de chance, Anatole Fuamba était du genre vif et nerveux. Il comprit tout de suite ce qui amenait le mzungu et n'essaya pas d'en profiter pour obtenir du fric. En revanche, il s'adressa d'abord à Salvo en swahili.

– Qu'est-ce qui se passe ? demanda Erwan.

– Rien à voir avec toi.

– Dis-moi quand même.

– Il veut savoir si j'ai vu des caisses de pénicilline à bord. Il les attend depuis six mois. Je lui ai expliqué qu'il devrait attendre encore.

Erwan saisit une chaise et s'assit face au bureau de Fuamba – un pupitre d'écolier englouti sous des piles de paperasse. Il n'eut pas besoin de répéter ses questions.

– Je me souviens très bien de Catherine, commença le docteur, tout en parcourant un dossier qu'il signa d'un geste sec. On l'appelait la Française.

– Vous vous rappelez son petit ami, un flic qui enquêtait sur l'Homme-Clou ?

Nouveau dossier, nouvelle signature.

– Grégoire ? Mais je le connaissais trrrrès bien ! Un grand gaillard, bien solide ! Y vous ressemblait.

– C'est mon père.

Fuamba haussa les sourcils en signe de doute. Petit, large, cheveux crépus et gris, il portait de grosses lunettes comme s'il s'apprêtait à piloter une moto ou un autre engin rapide. Il arborait une blouse blanche tachée de rouge et un stéthoscope – uniforme d'officier médical qu'il n'avait pas dû quitter depuis cinquante ans. Tout en parlant, il continuait à biffer les premières pages de ses dossiers moisis.

– Grégoire…, répéta-t-il rêveusement. Y avait des problèmes avec Cathy…

– Quel genre ?

Bref regard au-dessus de ses verres :

– Il la battait. Elle avait les bras couverts de bleus…

Les démons de Morvan, déjà là.

– Pourquoi elle ne le quittait pas ?

– Eux deux, ça remontait à loin.

Machine arrière toute :

– Attendez. Vous voulez dire qu'ils se connaissaient d'avant Lontano ?

– Cathy s'était fait muter au Congo pour le retrouver. Je crois qu'ils s'étaient fiancés au Gabon.

Erwan s'ébroua de sa surprise et essaya de recoller les morceaux. *Rewind.* Grégoire avait commencé son exil africain à Libreville et à Port-Gentil. Il y avait connu Cathy. Il était ensuite parti mener son enquête à Lontano. Sa fiancée l'avait rejoint et avait évincé Maggie. La véritable histoire était donc le contraire de ce qu'il avait compris jusqu'ici : la pièce rapportée, c'était la Salamandre, non l'inverse.

Durant quelques secondes, il considéra la mort de Cathy à travers le prisme de ces nouveaux éléments. Mobiles, suspects, stratégies tourbillonnaient devant ses yeux. Morvan avait-il frappé trop fort ? Maggie avait-elle voulu se débarrasser de sa rivale ? L'hypothèse d'un meurtre étranger à la série reprenait du sens.

Fuamba ferma son dernier dossier et se leva d'un bond :

– Venez. Faut qu'je fasse ma ronde. (Son rire claqua comme un pétard.) Je veux dire : ma visite !

Erwan jeta un coup d'œil à sa montre : plus qu'un quart d'heure. Salvo suivit le mouvement, l'air tendu. Les plaies des patients n'offraient aucune ambiguïté. D'ailleurs, des fusils étaient entreposés dans une cage bouclée avec un cadenas – l'arsenal des patients.

Les blessés s'alignaient sur une vingtaine de lits dans une chaleur suffocante, assortie de violents effluves de désinfectant. Amputés, ensanglantés ou aveugles, certains gémissaient mais la plupart demeuraient immobiles et silencieux. Leurs uniformes étaient en lambeaux, leurs pansements souillés, les portiques de perfusion ne soutenaient rien. L'odeur d'antiseptique couvrait tout, comme si on soignait ici uniquement à l'éther ou à la javel.

– Catherine, reprit Erwan en suivant Fuamba, elle vous parlait de ses… problèmes ?

– Non. Mais moi j'ai parlé à Grégoire. Ça pouvait plus continuer comme ça. Il avait de vrais… troubles mentaux. En France, on l'aurait enfermé depuis longtemps !

– Qu'est-ce qu'il a répondu ?

Le *muganga* passait d'un lit à l'autre, soulevant les compresses, observant des courbes de température, serrant des mains – tout le monde l'appelait « papa ».

– Qu'il se soignait, qu'un psychiatre allait le guérir.

– Un psychiatre ? À Lontano ?

– À la clinique Stanley, oui, y s'appelait de Perneke. Michel de Perneke. (Nouveau rire sec.) Il connaissait tous les secrets des Blancs !

Jamais entendu ce nom. Une nouvelle pièce du puzzle ?

– Parlez-moi de Catherine.

Fuamba auscultait un jeune homme qui avait perdu ses deux jambes. Le torse nu du mutilé, noir et musculeux, contrastait douloureusement avec les deux moignons bandés de blanc. Penché sur lui, le docteur écoutait son rythme cardiaque avec son stéthoscope – cet instrument semblait être sa seule arme dans sa bataille contre la mort. Il se redressa et sourit au soldat dont les yeux luisaient de fièvre.

– Docteur, insista Erwan, s'il vous plaît… Elle avait de la famille ?

Fuamba répondit, comme pour lui-même, l'air désolé :

– Cathy… La petite Française… Pas de famille… Une orpheline…

– Des amis ?

Il ouvrit les bras vers la salle, repris par sa jovialité :

– Voilà ses amis ! Elle passait son temps au dispensaire… Elle faisait que travailler… Ji m'exkizzzze…

Il le dépassa et pénétra dans la salle suivante. Plus de monde encore mais uniquement des femmes et des petites filles. Erwan songea à Mouna et à son « centre de soins » qui était en réalité un lieu de convalescence. Ici, les victimes venaient d'être violées.

Fuamba s'arrêta devant une petite fille assise sur un lit sans drap, recroquevillée, la tête entre les mains. Elle paraissait minuscule, dérivant sur une grande chaloupe de fer. Fuamba voulut vérifier son pansement – elle portait un bandage à l'entrejambe – mais y renonça. Pour la première fois, une crispation passa sur son visage – Erwan se demanda comment il tenait le coup.

– Patron, murmura Salvo, faut y aller : la barge va partir.

Plus que quelques minutes pour arracher encore d'ultimes révélations.

– Cathy, reprit-il, elle avait peur de Grégoire ?

– Non. Elle disait qu'elle voulait le sauver… J'étais inquiet. Je suis même allé voir le psychiatre… À la clinique des Blancs !

Il rit dans ses épaules, comme à l'évocation d'un souvenir tordant.

– Qu'est-ce qu'il vous a dit ?

– La même chose que Grégoire : qu'il savait comment le soigner. Il prétendait même connaître l'origine de son mal.

– Quelle origine ?

Fuamba auscultait maintenant une adolescente dont le visage trahissait une violente folie, comme tournée vers l'intérieur. Son expression évoquait une cage qu'on aurait verrouillée sur ses traits.

– Quelle était cette origine, docteur ?

Le *muganga* haussa les épaules sans répondre. À cet instant, la corne de brume résonna.

– Tonton, insista Salvo, on va rater le départ !

– Essayez de vous souvenir, docteur, que vous a dit de Perneke ?

– Qu'il savait pourquoi Grégoire frappait Cathy… Il avait découvert son secret… Il avait un dossier sur lui…

Le médecin soulevait une compresse de gaze sur le bas-ventre d'une malade inconsciente – par chance, le carré verdâtre faisait paravent et Erwan ne voyait pas la plaie. Fuamba gardait son sourire perché sur les lèvres tout en fixant intensément la blessure. Lui aussi avait l'air d'un dément.

– Ce dossier, que contenait-il ?

Fuamba parut se souvenir de la présence d'Erwan. Il ôta les embouts de ses oreilles et se tourna vers lui. Il avait perdu toute expression joviale.

– Allez voir sœur Hildegarde. On travaillait ensemble à l'époque.

Le nom donné par le Père blanc à Lubumbashi.

– Elle a jamais bougé, murmura le médecin en retrouvant son sourire. « Plus vieux est le bouc, plus dure est la corne… » C'est ce que disent les Belges.

– Elle sait quelque chose sur ce dossier ?

– Je l'ignore mais elle a récupéré le bureau de De Perneke à l'époque, à la clinique Stanley.

– Quand a-t-il quitté Lontano ?

– Je sais plus… En 1971… Il est parti sans prévenir et a tout laissé en place. Peut-être que sœur Hildegarde a trouvé des choses…

Nouveau coup de sirène.

– Grégoire, demanda Erwan dans un souffle, vous l'avez revu après le meurtre de Cathy ?

– Bien sûr.

– Comment était-il ?

– Détruit. Je crois même qu'il a été hospitalisé…

– Où ? À la clinique Stanley ?

– Je sais pas.

– Vous est-il venu à l'esprit qu'il aurait pu tuer Cathy et maquiller le meurtre ?

– Jamais de la vie !

– Vous avez connu Maggie ?

– Non. Qui c'est ?

Nouveau son de trompe. Erwan se retourna : plus de Salvo. Il n'était pas certain de retrouver seul son chemin jusqu'aux barges.

– Docteur, une chose encore : auriez-vous une photo de Cathy ?

Le médecin souffla, manifestant pour la première fois son irritation :

– Dans mon bureau. Y a des cadres accrochés au mur. Les dates sont indiquées. Vous trouverez un portrait de l'équipe du kilomètre 5. La petite brune à côté de moi, c'est Cathy. Emportez-le si vous voulez, j'en ai d'autres.

– Merci, docteur.

40

LE DÉJEUNER après les funérailles, pas moyen de s'esquiver. Loïc et Sofia rongeaient leur frein alors que l'étrange festin s'éternisait, mêlant effroi, tristesse et retour à la vie : rire et appétit reprenaient leurs droits à peine franchi les grilles du cimetière.

Enfin, vers 16 heures, ils s'étaient partagé le boulot. Sofia fouillait le bureau de son père – elle en connaissait les moindres recoins –, Loïc grattait sur Internet à propos des noms cités par Sabatini : Isidore Kabongo, Trésor Mumbanza, Laurent Bisingye.

Le premier était un pur Luba du Katanga. Il avait commencé au plus bas de l'échelle, dans les mines, puis était monté au plus haut, près de Mobutu, devenant ministre des Mines, des Industries minières et de la Géologie. Un autodidacte qui avait su se rendre indispensable au point de traverser tous les gouvernements. Aujourd'hui qu'il était conseiller auprès de Kabila, rien ne pouvait se décider en matière d'exploitation de gisements sans son accord – connaissait-il l'existence des nouveaux filons ?

Avec Trésor Mumbanza, on passait à la vitesse supérieure. Un autre Luba, plus jeune, plus sanguinaire. Rien sur ses origines ni sa formation. Le militaire apparaît en 1996, durant la première guerre du Congo, quand James Kabarebe, officier rwandais aux ordres de Paul Kagamé, forme l'Alliance des forces démocratiques de libération du Congo (AFDL) pour renverser Mobutu. Plus tard, Mumbanza soutient Laurent-Désiré Kabila quand il se retourne contre les Rwandais et passe colonel. Il rentre au Katanga et y organise les forces armées. Dans les années 2000, il devient général et repousse le conflit qui descend du Kivu au Nord-Katanga. Il organise alors les milices chargées de surveiller les gisements, notamment ceux de Coltano. C'est ainsi qu'il se voit proposer le poste de directeur à la mort de Philippe Sese Nseko. Proposition acceptée. Avait-il tué son prédécesseur pour prendre sa place ?

Mumbanza n'était directement mentionné dans aucun exemple d'exactions – le Katanga n'était ni le Kivu ni l'Ituri – mais ses soldats – des FARDC plus efficaces que la moyenne – n'étaient pas des enfants de chœur. Aucune difficulté pour y trouver des amateurs de scie électrique, cannibales à leurs heures.

Son bras droit notamment qui, fait curieux, était tutsi : le colonel Laurent Bisingye. Avec lui, pas d'ambiguïté : après avoir dirigé des troupes d'une cruauté unique pendant dix ans, il avait vendu ses services au plus offrant, à la fois dans les deux Kivu, l'Ituri, puis au Nord-Katanga où il avait fini sous les ordres de Mumbanza. Le Tutsi était le meilleur candidat pour les meurtres de Nseko et Montefiori. Les portraits que Loïc avait dénichés glaçaient le sang. Visage allongé, barré de scarifications, regard noir jailli des sources les plus sombres de l'âme. Le colonel ressemblait à une pure concrétion d'énergies négatives.

Loïc passa en revue ces trois gueules et eut l'impression de jouer à un Cluedo horrifique. Qui avait tué le Condottiere ? Pourquoi Sabatini les avait-il cités ? Étaient-ils venus en Toscane ? Qui était le prochain de la liste ? Morvan Senior ? Lui-même ? Sofia ?

Il l'entendait fouiller dans la pièce d'à côté et allait la rejoindre quand ses tremblements le reprirent. Couvert de sueur, il passa dans la salle de bains et demeura pétrifié, flageolant sur ses jambes. Ses bras et son torse étaient maintenant pris de vraies convulsions. Un sentiment de dépression, de détresse sans limite était en train de fondre sur lui à la manière d'une citerne de goudron brûlant. Du déjà-vu. Dans ces cas-là, même le suicide lui paraissait trop bon...

– Ça va pas ?

Sofia se tenait sur le seuil de la salle de bains. Il se rendit compte qu'il était en train de se cogner le front sur le miroir comme un cinglé de Sainte-Anne ou de Maison-Blanche. Sans répondre, il fit couler de l'eau froide à jet dru et se passa la tête dessous.

– Tout va bien, fit-il enfin, ruisselant, hagard.

Les tremblements refluèrent. Dans la glace, il ne reconnaissait pas ces traits durs, frémissants, sur lesquels les gouttes glissaient comme sur du marbre. Il devait faire aboutir cette enquête, quels qu'en soient les risques. C'était elle qui le sauverait, lui, le drogué, le lâche... « Un héros, disait son père, c'est celui qui est trop terrifié pour s'enfuir. » Jusqu'à maintenant, Loïc avait toujours eu les couilles de courir.

Il marcha vers Sofia et remarqua qu'elle tenait un agenda.

– Tu l'as trouvé ?

Elle s'approcha et feuilleta devant lui des pages couvertes de signes qui rappelaient ceux du *Code de Hammurabi*, un des premiers exemples d'écriture cunéiforme, vieux de près de quatre mille ans.

– Toute sa vie, papa a inscrit son emploi du temps avec ces bâtons et ces symboles.

– Tu sais déchiffrer ces... trucs ?

– Pas la peine.

Sofia ouvrit la double page correspondant à la date du mardi : vierge.

– Il n'avait aucun rendez-vous ce jour-là ?

– Il devait plutôt rencontrer des personnes dont il ne voulait pas voir les noms traîner, même écrits dans son sabir. Et il avait prévu large : la journée entière.

– Retour à la case départ ?

– Pas tout à fait.

L'Italienne lui montra la page précédente : un lundi chargé de signes et marqué, en bas de la page de droite, d'un K bizarre

– Il est temps que je te présente Keno.

41

DEPUIS QU'AUDREY avait découvert les adresses de deux victimes de l'Homme-Clou dans l'éphéméride d'Éric Katz, elle avait opéré un virage à cent quatre-vingts degrés. Elle qui avait aidé Gaëlle comme on vérifie la chambre d'un enfant qui a fait un cauchemar, venait de comprendre que les mauvaises nouvelles étaient de retour.

Avant de quitter le cabinet, elles avaient vérifié dans les archives de Katz s'il n'existait pas un dossier au nom d'Anne Simoni ou de Ludovic Pernaud. Un classeur pour la femme, rien sur l'homme. Elles avaient cherché d'autres noms. Rien sur Philippe Kriesler, alias Kripo, le véritable tueur de septembre – celui qui avait assisté, enfant, le premier Homme-Clou dans ses crimes et qui s'était révélé être le nouvel assassin, imitant son mentor quarante ans après, à Paris. Rien non plus concernant Jean-Patrick di Greco, Ivo Lartigues, Sébastien Redlich ou Joseph Irisuanga, les premiers suspects de l'enquête qui s'étaient fait greffer les cellules de Thierry Pharabot afin de « devenir » le meurtrier mythique. Finalement, elles avaient emporté leurs précieuses trouvailles et soigneusement refermé la porte du psy.

Audrey semblait atterrée : comment un tel personnage avait-il pu échapper à son groupe d'enquête en septembre ? Ils avaient retourné l'existence d'Anne Simoni dans les moindres détails et n'avaient jamais soupçonné l'existence de cette thérapie. Le dossier n'avait rien révélé de spécial – Anne Simoni, ex-braqueuse, ex-taularde, protégée par Morvan Senior, avait commencé une analyse en février dernier, non pas pour surmonter ses goûts pervers (elle était une adepte du fétichisme médical) mais au contraire pour les assumer pleinement. À l'évidence, ses penchants exotiques trouvaient leurs racines dans un passé de traumatismes qu'elle avait beaucoup de mal non seulement à exprimer mais à identifier.

Fait étrange : selon ses notes, le psy ne l'avait jamais interrogée sur le premier Homme-Clou – l'enquête policière avait révélé qu'elle vouait un culte au tueur africain. Or, le lien entre Éric Katz et les deux Hommes-Clous (celui de 1970 et celui de septembre dernier) était désormais patent. Le psy avait-il attiré Anne Simoni dans un piège ? Dans quelles conditions avait-il commencé cette thérapie (pas un mot dans ses notes à ce sujet) ? Comment connaissait-il l'adresse de Ludovic Pernaud ?

Audrey avait opté pour le principe de précaution maximal : interdiction de sortir pour Gaëlle jusqu'à nouvel ordre. Pendant ce temps-là, la fliquette reverrait sa copie. Il y avait désormais beaucoup mieux à trouver qu'une inculpation pour escroquerie et pratique illégale de la médecine au sujet de Katz.

Gaëlle sentait qu'en dépit de son sang-froid affiché, Audrey était paniquée. Erwan absent, elle se retrouvait seule, confrontée à un stupéfiant retour de manivelle. Attendre son retour ? Avancer en douce ? Informer sa hiérarchie ? Impossible : elle avait obtenu ces informations de manière illégale, en cambriolant le cabinet de Katz.

Pour l'heure, elle avait promis un débriefing en fin de journée. Tout l'après-midi, Gaëlle avait ruminé les quelques fragments de l'énigme qu'elle possédait. Elle avait essayé de les assembler, sans résultat – trop de vide entre les éléments.

À 18 heures, aucune nouvelle d'Audrey. Gaëlle rejoignit ses deux molosses, toujours coincés dans le vestibule. Karl jouait à

Candy Crush. Ortiz, beaucoup plus original, lisait *La Gare de Finlande* d'Edmund Wilson, et dans le texte s'il vous plaît.

– Café ?

Les deux hommes levèrent les yeux. Pas réellement une proposition : elle les avait déjà enjambés (ils étaient assis par terre) pour accéder à sa cafetière italienne. Elle s'affaira quelques minutes, sentant leurs regards interloqués posés sur elle. Quand elle revint avec son plateau, elle proposa :

– Venez dans ma chambre.

Les deux mercenaires s'agitèrent, mal à l'aise. Le grand retour de Gaëlle « couche-toi là » ? Ou au contraire café empoisonné ? Karl et Ortiz attendirent que la jeune femme ait pris le sien et parurent légèrement se détendre.

– Qu'est-ce que vous foutez ce soir ?

Les soldats échangèrent un coup d'œil – si c'était une blague, elle n'était pas drôle. Gaëlle avait appris à les connaître : malgré leur métier (et le sang qu'ils avaient sur les mains), pas des mauvais bougres. Il était même troublant de comparer leur gentillesse, presque leur naïveté, aux actes violents qu'ils avaient dû commettre dans d'obscurs pays d'Afrique ou du Moyen-Orient.

– Je vais vous dire ce qu'on va faire, dit-elle en posant bruyamment sa tasse sur la table basse, on va sortir tous les trois.

– Mais…

– Je dois vous rappeler votre boulot ?

– Audrey nous a dit…

– C'est Audrey qui vous paie ? C'est mon père et il vous a ordonné de me suivre. *Andiamo !* (Elle regarda sa montre.) On va commencer par la rue Nicolo.

42

POUR LES HOMMES DE POUVOIR tels que le Condottiere, la maîtresse de l'ombre était une figure obligée, un nécessaire rouage du mécanisme – sauf pour Morvan, mais lui, c'était une autre histoire… Dans la voiture, Sofia ne lui avait lâché que quelques mots sur cette femme mystérieuse qu'il était interdit d'évoquer. Le secret le mieux gardé du clan Montefiori : la preuve, Loïc n'en avait jamais entendu parler auparavant.

Keno, alias Andrea Buscemi, était la véritable femme de Montefiori. Elle n'était ni une secrétaire que le patron avait sautée ni une poule qu'il entretenait en douce. Journaliste reconnue du *Corriere della Sera*, elle avait couvert de nombreux conflits, notamment au Moyen-Orient, et demeurait, aujourd'hui encore, une plume qui comptait. Elle ne s'était jamais mariée, n'avait pas eu d'enfants – sans qu'on puisse penser pour autant qu'elle avait attendu le Condottiere toute sa vie.

Sofia l'évoquait avec réticence. Non pas par égard pour sa mère – c'était plutôt l'idée que Montefiori ait pu partager sa vie avec la comtesse qui la choquait – mais avec regret, comme un rendez-vous manqué, un chemin que son père n'avait pas su prendre.

Elle s'était garée près de la Piazza della Repubblica, dans le quartier Santa Maria Novella, puis ils avaient marché Via degli

Strozzi et, prenant sur la droite, s'étaient perdus dans un dédale de ruelles. Plus question de chaleur ce soir : la nuit tombait, couvrant la ville d'un froid minéral. Loïc se sentait mal à l'aise auprès de Sofia. Ils progressaient en silence dans ces siècles de pierre comme ils l'avaient si souvent fait, mais un mur de rancœur les séparait. Deux mois auparavant, l'Italienne le faisait chanter et lui l'aurait défenestrée avec joie. Que foutaient-ils ensemble, nom de dieu ?

– C'est là.

Elle composa le code sans hésitation.

– Tu… tu la connais bien ? demanda-t-il alors qu'ils montaient l'escalier.

Sofia ne répondit pas : elle gravissait les marches mal équarries d'un pas prudent, le visage perdu dans l'ombre. Au centre de la cage, de vieilles lanternes projetaient sur les murs des éclats en forme de losanges et d'étoiles.

Devant la porte, elle rajusta son manteau et son sac, comme si elle se présentait pour un job ou au proviseur de l'école de ses enfants. Loïc l'observait du coin de l'œil : mélange de madone italienne et de statue asiatique, syncrétisme qui rappelait les sculptures gréco-bouddhistes du Gandhara. Il ne l'avait jamais vue dans un tel état de trac.

– Tu la connais ou non ? répéta-t-il avec agacement.

Elle sonna puis eut ce sourire hautain, envoûtant, qui rappelait d'un coup ses origines nobles :

– C'est ma marraine.

Il n'eut pas le temps de poser d'autres questions, la porte s'ouvrait déjà.

– *Sofia ? Mia cara…*

43

LOÏC PÉNÉTRA dans le vestibule où les deux femmes étaient enlacées dans une joie et une émotion communes. Alors que personne ne faisait attention à lui, il contempla Andrea : la soixantaine, petite, mince, visage en longueur, à la Modigliani. Grands yeux ovales, nez fin, bouche bien dessinée, exprimant une douceur passionnée, presque féroce : ces traits d'icône étaient encadrés par une coupe au carré, d'un gris de nacre. La séduction de Keno avait sans doute demandé des décennies pour se révéler, s'affirmer. Malgré les rides, la sécheresse de la peau, le dessin était là, gracile et sûr, tracé à la mine de plomb.

Sofia présenta son compagnon. Instantanément, la femme s'adressa en lui en français, avec un accent rauque qui lui colla la chair de poule :

– Loïc… (Elle lui caressa les cheveux avec naturel.) Mon petit Loïc… Giovanni m'a souvent parlé de vous.

Va savoir ce qu'il avait pu dire. Il connaissait à peine son beau-père et le seul sentiment que l'Italien lui ait jamais inspiré était la peur. Elle les guida jusqu'à un salon aux murs de ciment ocre, constellé de bibelots en fer forgé. Le cadre dégageait une impression de dureté, de solennité proche de l'atmosphère d'une église.

Ils s'assirent sur un canapé et tandis que leur hôtesse partait faire du café, ils restèrent silencieux : Sofia, visiblement émue de se retrouver ici, Loïc, toujours stupéfait de découvrir, après toutes ces années, un pan entier de la vie de son ex.

Quand elle revint avec son plateau – argent, cuivre, porcelaine –, elle servit les trois tasses en demandant en français :

– Les funérailles se sont bien passées ?

– Keno, je n'ai pas pu...

– Je sais, ma chérie... (Puis elle murmura, comme pour elle-même :) *Ogni cosa a suo tempo, ciascuno al suo posto e un posticino per ogni cosa...*

L'expression italienne équivalait plus ou moins à « Chacun son métier et les vaches seront bien gardées ». L'incident était clos. La maîtresse n'avait pas sa place aux funérailles officielles.

– D'après son carnet, commença Sofia, il était avec toi la dernière nuit.

Andrea sourit – son chagrin était tapi au fond d'une crypte, derrière une porte verrouillée.

– Tu mènes une enquête ?

– On veut simplement comprendre...

– Tu vas le dire à la police ?

– Bien sûr que non. Mais ils finiront par l'apprendre.

– De toute façon, ta mère fera passer l'information.

Aucune hostilité dans la voix. Sofia ne relança pas l'interrogatoire. Si Keno voulait dire quelque chose, ce serait de son plein gré.

Loïc l'observait de biais : jupe sombre, col roulé noir, collier de perles. Un deuil à l'italienne. En chemin, il avait demandé à Sofia l'origine de son surnom, qui désignait un jeu de casino. Jadis, Giovanni prétendait qu'avec elle, il avait gagné le « gros lot ». La simplicité et la naïveté de l'explication avait renforcé sa surprise – il n'y retrouvait pas le ferrailleur retors et meurtrier.

– Cette nuit-là, il n'a pas dormi, reprit enfin Andrea, à voix basse. Il était inquiet.

– Tu sais pourquoi ?

– Un rendez-vous le lendemain qui le préoccupait beaucoup.

– Avec qui ?

– Je n'en sais rien. Il ne me parlait jamais de ses affaires.

– Il te parlait d'absolument tout.

Keno eut un sourire de pythie, mystérieux et entendu.

– Le nom d'Isidore Kabongo vous dit-il quelque chose ? se permit de demander Loïc.

– Non.

– Trésor Mumbanza ?

– Non plus.

– Laurent Bisingye ?

– Je n'ai jamais entendu ces noms. Ce sont des Africains ?

– Des Congolais, oui.

Sofia prit le relais :

– Les soupçons de la police s'orientent sur les affaires de papa là-bas.

Keno hocha lentement la tête, les yeux baissés sur sa tasse. Tout ça ne semblait pas l'intéresser outre mesure.

– Tu sais au moins où il avait rendez-vous ?

– Pas du tout.

– Vous saviez qu'il avait vendu toutes ses actions de Coltano ? risqua encore Loïc.

– Oui. Giovanni était fatigué…, fit-elle avec un geste vague.

– Vous pensez qu'il avait l'intention de racheter ses titres ?

Elle regarda Sofia avec tendresse :

– Il aurait fait au mieux, comme toujours, pour vous protéger tes sœurs et toi.

Le silence s'imposa. Il se demanda soudain ce que le Condottiere lui avait laissé, à elle… Dans son boulot, Loïc avait connu pas mal de maris qui n'avaient même pas mentionné leur maîtresse dans leur testament, de peur de se faire engueuler *outre-tombe.*

– Il ne croyait plus au coltan africain, murmura enfin Keno. Les médias accusaient Heemecht de financer la guerre du Congo. Les grands groupes allaient finir par se fournir ailleurs. Même les Chinois commençaient à trouver ça trop compliqué.

Elle révélait sa vraie position : la seule personne à qui Montefiori parlait de ses affaires, comme l'avait dit Sofia. Une journaliste spécialisée en conflits internationaux qui connaissait les rouages des marchés émergents et les fragiles équilibres mondiaux.

– A-t-il évoqué des nouveaux filons au Nord-Katanga ? reprit Loïc, décidant qu'elle devait être de tous les secrets.

– Il était sceptique. Il pensait que votre père prenait ses rêves pour des réalités.

– Il le soutenait pourtant dans cette exploitation.

– Par amitié.

Sofia intervint, d'une voix qui trahissait son impatience :

– Keno, avec qui avait rendez-vous papa mardi ?

– Je n'ai pas les noms. Des personnalités liées au Congo.

Coup d'œil entre les ex-époux : ils ne comprenaient plus rien.

– Vous venez de dire qu'il n'était plus intéressé par le coltan…, remarqua Loïc.

– Il s'était lancé dans un autre business. (Andrea soupira.) Beaucoup plus dangereux. C'est toute l'ironie de l'histoire : il critiquait votre père mais avait opté pour une voie plus risquée encore.

Loïc avait avancé son fauteuil :

– La cassitérite ? L'or ? Les diamants ?

Elle posa lentement ses pupilles grises sur lui – fondues dans le même fer forgé que les objets bizarres qui les entouraient.

– Vous connaissez le Congo-Kinshasa ?

– Non.

– Il y a là-bas un commerce bien plus juteux.

La tête aussi vide qu'un œuf clair

– Vraiment, je ne vois pas…

– Dans un pays en guerre, qui a coûté la vie à cinq millions de personnes ?

– Je…

– Les armes, *ragazzo*. Giovanni se livrait au trafic d'armes au Congo. Il venait de faire une livraison importante au Katanga.

44

À LA LUEUR de sa lampe frontale, Erwan observait le visage de Cathy Fontana. Sur ce portrait de groupe daté de février 1971, une petite brune se tenait aux côtés du docteur Fuamba. La seule Blanche. Deux mois plus tard, elle était assassinée. Erwan avait emprunté les lunettes d'un pasteur repéré à bord : en orientant les verres, il parvenait à les utiliser comme des loupes. Il voulait décrypter ce visage. Sonder le sentiment de son père. Pourquoi il la cognait. Pourquoi elle avait été tuée. Pourquoi Morvan n'en avait jamais parlé

Un visage de chat : yeux en amande, petite bouche, sourcils épais à la courbe délicate. Au milieu de ces hommes noirs, elle paraissait minuscule et filiforme. Avec ses cheveux courts, on aurait dit un adolescent. Erwan connaissait les goûts du Vieux : il n'aimait chez les femmes que la virginité, l'innocence, la jeunesse. Cathy avait tout pour le charmer : diaphane, émouvante, elle distillait un parfum éthéré, en rupture avec toute idée de sexe ou de désir. À quoi s'ajoutait une impression mystérieuse de fuite, d'échappée. Un rêve dont on parvient à peine à se souvenir.

Morvan en homme violent devenu assassin ? Maggie en harpie meurtrière ? Erwan n'hésitait pas non plus à faire entrer de Perneke, le psychiatre, dans la danse. Les soins qu'il prodiguait à Grégoire, ce dossier qu'il avait constitué sur lui...

Il éteignit sa lampe et essaya de dormir. Il s'était enfoui dans un sac de couchage en toile, un sac à viande pour se protéger des insectes, et avait calé son dos contre la timonerie. Il sentait encore dans ses membres la course qu'il avait livrée pour attraper, *in extremis*, les barges. Salvo était déjà à bord : Erwan n'avait pas suivi les règles, il pouvait crever.

Ce soir, Maillot Jaune avait disparu avec sa valise. Toute la soirée, il avait dragué une *msichana* aux cheveux plats comme un pin parasol. Riant aux éclats dans sa robe rouge, elle ressemblait à un brasero. Salvo était un séducteur. Une fois, à un barrage, il lui avait suffi de quelques mots à une vendeuse de chenilles pour que les choses se finissent derrière un mur de parpaings.

Le capitaine avait stoppé les moteurs. Une histoire de courant, d'économie de gasoil ou une mesure de discrétion. Toute lumière sur le pont était bannie. Aucun risque d'être repérés. Leur silence glissait donc dans des ténèbres assourdissantes. Le crissement obsédant des grillons avait cédé la place à la cacophonie des crapauds à laquelle s'ajoutaient des gloussements d'eau ou des clapotis furtifs. « Les crocos, ricanait Salvo, ils chassent la nuit. Pas le moment de tomber à l'eau. »

Un autre sujet d'inquiétude revenait maintenant le tarauder : des rumeurs couraient à bord des barges. Un nouveau groupe d'autodéfense tutsi avait franchi la frontière du Sud-Kivu et s'apprêtait à traverser le Lualaba. Le Front de libération du Haut-Katanga, dirigé par un dénommé Esprit des Morts, général autoproclamé, en bonne place parmi les seigneurs de guerre les plus givrés. On murmurait que les pillards s'étaient même installés dans les ruines de Lontano et avaient reçu une importante livraison d'armes. « Si c'est vrai, avait conclu Salvo, le *Vintimille* ne s'y arrêtera pas. »

Erwan serait fixé demain. Pour l'heure, la cadence était bonne. Ni panne, ni obstacle, ni naufrage. Après le périple en voiture, il était étonné que tout se passe si bien sur le tanker.

Soudain, les voiles de la moustiquaire fixée à l'auvent s'ouvrirent comme un théâtre de guignol. Salvo bondit à l'intérieur de la cabine. Valise sous le bras, yeux injectés de sang, peau luisante de sueur.

– Tu t'arrêtes donc jamais ?

– Ça, c'est l'Afrrricain !

Il attrapa une bouteille d'eau purifiée qu'il siffla d'un trait. Il semblait lessivé, essoré – et bien sûr vidé.

Le bon moment pour le cueillir à chaud :

– Salvo, j'ai une question.

– Je t'écoute, chef.

– Qu'est-ce qu'il y a dans ta valise ?

– Secret défense, chef.

– On va s'aventurer dans des coins dangereux, je veux savoir avec qui, ou plutôt avec quoi, je voyage.

Maillot Jaune lui lança un regard oblique, comme s'il soupesait la confiance qu'il pouvait ou non lui accorder. Il finit par esquisser un sourire rusé :

– N'aie pas peur, chef, c'est notre assurance voyage ! fit-il en passant sa main sous son tee-shirt.

Il exhiba une clé reliée à une chaîne. Avec des gestes de conspirateur, après avoir balayé des yeux leur environnement immédiat, il déverrouilla les serrures de la valise. Elle était remplie de liasses de dollars, glissés dans des sacs de congélation. Des billets de cent tout neufs, à profusion. Aux côtés de cette fortune, un Iridium, un modèle du même genre que le sien, était calé avec sa batterie et son antenne.

– Y a combien ? demanda Erwan, médusé.

– Trois cent mille.

– Qu'est-ce que tu fous avec cette fortune ?

– Parle moins fort. Je livre, chef.

– À qui ?

– Aux Tutsis.

– Lesquels ?
– Ceux du FLHK.
Erwan mesurait à quel point le Noir l'avait enfumé jusqu'ici.
– Ceux qui sont soi-disant à Lontano ?
– Ils y sont, chef.
– Et ils ont été livrés en armes ?
– Ils ont été livrés.
– Ils vont franchir le fleuve ?
– Ils vont essayer.
– T'es en contact avec eux ?
– Vu ce que je leur apporte, il vaut mieux.
– T'as rendez-vous ?
– Si Dieu nous protège.
Salvo avait raison : cet argent avait valeur d'assurance, mais il constituait aussi une belle source d'emmerdements potentiels.
– Et tu n'es pas armé ?
– C'est l'argent d'Esprit des Morts. Personne y touchera.
Erwan se surprit à hocher la tête : c'était lui qui devait suivre le mouvement.
– Ce fric, c'est quoi au juste ?
– Vaut mieux que tu saches pas, patron.
– Un paiement pour du coltan ?
– Ou de la cassitérite. Ou de l'or. Les Tutsis, ils exploitent déjà plusieurs mines. Ils livrent aux comptoirs de Lubum, je paie.
Après tout, rien à foutre. Erwan s'allongea sur les sacs et carra ses mains derrière sa nuque. Finalement, cette valise était une bonne nouvelle. Avec une telle marchandise, il était certain de passer les derniers barrages et d'atteindre sœur Hildegarde.
Le retour serait sans doute plus compliqué.

45

PAS DE REPOS pour les braves. Les mines, c'était jour et nuit.

Les hiboux bossaient dur. Les marteaux claquaient, la pierre se brisait, résonnant au fond des galeries, craquant les os de la montagne. Pas moyen de fermer l'œil. Morvan se prenait à regretter ses cauchemars les plus horribles.

Au lieu de ça, il se souvenait, et c'était encore pire.

Clinique Stanley, mars 1971.

– Docteur, ce sont mes hallucinations… Je n'en peux plus…

– Décrivez-les-moi.

– On en a souvent parlé. Je vous ai dit que…

– Recommencez.

Allongé sur la natte, Grégoire déglutit avec difficulté et balbutia :

– Je vois son visage.

– Comment est-il ?

– D'une beauté… ravagée. Les traits sont beaux mais la chair est jaune, ulcérée. La maigreur accentue le relief des pommettes, les trous des orbites.

– C'est tout ? Y a-t-il autre chose qui ternit cette beauté ?

Ces questions l'obligeaient à se concentrer sur elle à mieux la discerner, au fond de son cerveau.

– Son crâne est tondu. On discerne les coupures du rasoir sur la peau.

– Qui l'a rasée ainsi ?

– Moi.

Les yeux fermés, Morvan commença à respirer avec difficulté. Il songeait au *strong and hard punishment*, la « peine forte et dure » des pays anglo-saxons, aux XVe et XVIe siècles : on étouffait le condamné sous de lourdes pierres.

– Que voyez-vous d'autre ?

– Docteur, vous le savez bien.

– Répondez.

Les souvenirs écrasaient sa poitrine. Il allait mourir sous ces dalles. Les premières années de son enfance.

– Une croix gammée.

– Où ?

– Sur son front.

– Décrivez-la-moi.

– Je... je ne peux pas.

Le psy conserva le silence. Ni forceps ni péridurale : l'accouchement se ferait dans la douleur. Morvan, vingt-cinq ans, à moitié fou, n'aurait jamais pensé que l'Afrique lui apporterait la moindre aide... psychique. Depuis des années, il souffrait d'hallucinations, de crises de terreur. Le continent noir, qui était lui-même un délire en trois dimensions, s'avérait être aussi un remède...

Il rouvrit les yeux : le ventilateur tournait au plafond, régulier et silencieux. Un luxe au Congo. D'ordinaire, les pales s'activaient dans d'horribles couinements comme si l'air lui-même hurlait à mesure qu'on le coupait en morceaux.

– Avez-vous trouvé l'origine de ces visions ? reprit de Perneke.

– Y a pas de raison. J'en ai toujours, je...

– Mais elles se multiplient depuis que vous êtes ici, à Lontano.

– Pas seulement : depuis que je suis en Afrique.

– Cela n'a donc rien à voir avec votre enquête ? Avec ce tueur qui vous obsède ?

– Non. Je suis sûr que non. Cela a à voir avec… cette terre, ces peuples.

– Que voulez-vous dire ?

– Je ne sais pas.

– Vous y avez réfléchi ?

– Je ne pense qu'à ça…

Hypnotisé par les pales lancinantes, il se sentait mieux. Parler, respirer, parler, respirer… Il s'était extirpé du piège de pierres, s'éloignait du visage, de la croix, des morsures de la tondeuse…

– Vous pensez que ces crises sont dangereuses ?

– Pour mon cerveau, c'est sûr ! essaya-t-il de plaisanter.

Le psy avait quitté sa place. Il était penché sur lui.

– Vous ne gagnerez rien à esquiver. C'est dangereux pour quoi ? Pour qui ?

Les pierres revenaient. Chaleur étouffante de la pièce. Respiration altérée. Et cette voix, suspendue dans la touffeur…

– Dangereux pour qui ? insista la voix.

– Pour elle, finit-il par répondre, en ayant l'impression de se trancher la bouche.

– Elle qui ?

– Catherine.

– Vous l'avez encore brutalisée ?

– Je n'aime pas ce mot.

– Il ne correspond pas à la réalité ?

Les pierres ne lui broyaient plus le thorax mais obstruaient sa gorge, *de l'intérieur*.

– Si, mais…

– Mais quoi ?

– Quand ça arrive, je ne suis pas dans mon état normal.

– Comment définiriez-vous votre état normal ?

– Le temps hors de mes crises. Les trêves où je suis apaisé.

Silence. La voix réfléchissait. Non, c'était le contraire : elle lui laissait le temps, à lui, de réfléchir.

– Diriez-vous que ces crises font partie de vous-même ?

– Elles appartiennent à une zone d'ombre qui est en moi, une zone malade…
– Savez-vous ce qui les déclenche ?
– Non.
– Réfléchissez.
– Je n'en sais rien ! Elles surviennent… c'est tout.
– Mais Catherine en est toujours la victime.
– Qu'est-ce que vous insinuez ?
– Diriez-vous que sa présence provoque ces crises ?
Il ne pouvait répondre. Pas même envisager la question. Sans doute parce que la réponse *était* dans la question.
– Je l'avais prévenue…, balbutia-t-il. Je… je lui avais ordonné de ne pas me suivre.
– Êtes-vous une menace pour elle ?
– Ma part d'ombre, le démon qui m'habite…
– Pourquoi parlez-vous de « démon » ?
– Je ne sais pas.
– Vous m'avez dit que l'Homme-Clou cherchait à se protéger de ses démons en tuant ces femmes.
– Il faudrait que je tue quelqu'un pour aller mieux ?
– À chacun sa catharsis.
Que lui conseillait au juste ce cinglé ? De tuer Cathy ?
– Songez à cela, Grégoire. Vous devez trouver le moyen d'expurger votre peur, votre colère.
– C'est à vous de me soigner ! C'est à vous de me guérir !
– Non, Grégoire. Vous seul pouvez le faire.
Morvan se leva d'un bond. De Perneke recula, effrayé. Le flic sourit, couvert de sueur. Dans l'immédiat, la meilleure catharsis aurait été de briser quelque chose dans ce bureau colonial, et en priorité la gueule du jeune médecin belge.

Il s'avança. Le psy recula encore. Soudain, Morvan vit tout chavirer. Les rais du soleil par les claires-voies, les murs blancs, le tapis tressé sur le sol. Le psy tenait une photo entre ses mains comme on dresse un crucifix face à un vampire. En un éclair, Grégoire reconnut les traits de la femme et son cœur sauta dans sa poitrine avec la violence d'une douille brûlante expulsée d'une chambre.

– Co… co… comment vous avez eu cette photo ?

– Peu importe.

– Catherine…

De Perneke se terrait dans un angle de la pièce mais il souriait à son tour :

– Ce n'est pas Catherine, vous le savez bien.

Morvan tomba à genoux et fondit en larmes.

– La catharsis, reprit le psy, vous devez trouver la catharsis.

D'un coup, le souvenir éclata comme du verre dans sa main. Il se redressa et découvrit son « chez-lui » : une bâche mal tendue sous laquelle on avait installé un lit de camp, un tabouret, une cafetière. Le martèlement de la montagne continuait. Le brouhaha des creuseurs remplissait la nuit. Morvan pleurait à chaudes larmes.

Il chercha à tâtons le thé que la Touffe venait de lui préparer. Le b.a.-ba des pays tropicaux : boire plus chaud que l'air lui-même. Battre l'Afrique sur son propre terrain.

Il s'assit de nouveau sur sa couchette et s'enfila quelques gorgées, en essuyant ses paupières. *La catharsis…* Il se revit, cette nuit-là, arracher des mains du psychiatre la photo comme une hyène emporte un morceau de charogne. *Enfoiré de psy…* Après tout ce temps, rien n'était réglé…

Tout ça, c'était de la faute de son fils. Ce merdeux qui remuait la fange du passé. Son enquête, ses questions, son acharnement à exhumer les cadavres. Morvan pressentait sa chute. Quarante années à jouer les funambules et voilà qu'il perdait à nouveau l'équilibre. *Cette fois-ci, c'est la bonne.*

Il but encore et se brûla la gorge.

Jamais il n'aurait dû revenir en Afrique.

46

– PAPA ? C'EST LOÏC.

Il ne manquait plus que lui. Morvan avait donné son numéro à chaque membre de sa famille mais ce coup de fil était le dernier qu'il attendait.

– Un problème ?

Il perçut le rire de son fils à l'autre bout de la connexion. Il plaidait coupable pour de telles répliques. Six heures du matin : Morvan avait à peine dormi et déjà avalé son manioc matinal.

– T'es tout de même au courant pour Montefiori ?

– Ta mère m'a appelé.

– Je suis allé à ses funérailles à Florence. Sofia me l'a demandé.

– À quelque chose malheur est bon.

– Ne te monte pas la tête. Je t'appelle pas pour ça.

Il s'était écarté du site – au fond des galeries, on frappait toujours. Il s'enfonça parmi les buissons qui, dès qu'on quittait la clairière défrichée, redevenaient de la pure jungle. On entendait aussi au loin la voix d'un prêtre exalté qui inaugurait la journée :

– Seigneur, nous te dédions ce jour, protège chacun de nous, que ta bénédiction se pose sur chacun de nous !...

– Sur la mort de Giovanni, continua son fils, quelle est ton idée ?

Ce matin, pas le jus nécessaire pour inventer de nouvelles salades :

– C'est sans doute lié à Coltano mais je n'en sais pas plus.

– On voudrait éliminer les gros actionnaires ?

– Nseko n'avait pas d'actions et Montefiori n'avait pas encore racheté les siennes.

– Je pense qu'il y a un lien avec les nouvelles mines.

Morvan le pensait aussi mais pas la peine d'affoler son monde.

– Que disent les flics italiens ? éluda-t-il.

– Un dénommé Sabatini mène l'enquête, tu vois qui c'est ?

Il sourit pour lui-même. Loïc, alcoolique à treize ans, héroïnomane à dix-sept, bouddhiste à vingt-cinq, millionnaire à trente, était resté un gamin. Un petit garçon qui croyait encore que son père connaissait les flics du monde entier.

– Non. Où ils en sont ?

– Nulle part mais ils privilégient la piste africaine.

Tu m'étonnes. N'importe quel condé digne de ce nom aurait plongé en priorité dans les affaires de Montefiori et étudié ses dernières manœuvres financières. La vente massive par Heemecht des actions Coltano avait dû attirer l'attention. Les *poliziotti* s'étaient penchés sur la société d'exploitation minière puis sur la mort violente de son directeur à Lubumbashi…

– Il m'a interrogé sur Kabongo, reprit Loïc.

– Qu'est-ce que tu lui as dit ?

– Ce que je savais, c'est-à-dire rien.

– Il t'a cité d'autres noms ?

– Trésor Mumbanza. Laurent Bisingye.

Les Italiens avaient déjà identifié les affreux qui gravitaient autour du coltan. Bon réflexe : ils se concentraient sur des Africains puissants, capables de débarquer à Florence pour régler leurs comptes.

– J'ai pris mes renseignements, ajouta Loïc. Bisingye pourrait être le tueur.

Allons bon, le cadet s'y mettait aussi.

– Le meurtre a bien eu lieu mardi matin ? demanda Morvan.

– Oui.

– Alors ce n'est pas lui. Lundi matin, ils étaient avec moi à Lubum.

– En vingt-quatre heures, il pouvait rejoindre Florence.

– Ça me paraît juste. De Lubum, il faut atterrir à Kinshasa puis attraper un vol pour Paris ou Bruxelles... Je ne le sens pas.

– Mumbanza aurait pu engager des tueurs sur place.

Tout était possible. D'ailleurs, il ne fallait pas se cantonner à ce trio. Les Rwandais pouvaient avoir un mobile. Les Hutus aussi. D'autres groupes encore, exploitant le coltan ou un autre minerai au Katanga. Après tout, Grégoire ignorait les magouilles exactes de Nseko et de Montefiori.

– Je vais chercher les Congolais qui sont passés par Florence ces derniers jours, reprit Loïc.

– Qu'est-ce que tu racontes ? Laisse la police faire son travail.

– Tu fais confiance aux flics maintenant ?

– Je te fais confiance pour te foutre dans la merde. N'approche pas de cette affaire !

Bref silence. En guise de contre-attaque, Loïc balança :

– J'ai rencontré Keno.

– Elle était à l'enterrement ?

– Bien sûr que non. J'ai accompagné Sofia chez elle. Montefiori a passé sa dernière nuit là-bas. Selon elle, il avait un rendez-vous le lendemain qui l'inquiétait.

– Avec qui ?

– Des Congolais, ou des mecs mouillés dans leurs affaires. Elle n'a pas les noms.

Morvan s'enfonçait parmi la végétation. Il se rendit compte qu'il pataugeait au milieu d'excréments humains – sans doute les latrines de sa propre entreprise. Des nuées de mouches se nourrissaient des étrons puis venaient sucer ses propres égratignures sur ses bras, son cou.

– Qu'a-t-elle dit d'autre ? cria-t-il en bondissant hors des bosquets.

– Selon elle, il s'était lancé dans un autre business.

– Lequel ?

– Le trafic d'armes.

Morvan faillit hurler – de rire ou de désarroi, il ne savait plus. Que le vieux ferrailleur soit tombé dans ce cliché était incompréhensible. Depuis Lontano, les deux hommes s'étaient juré de ne jamais toucher aux armes – ils contribuaient déjà largement à la mortalité au Congo, pas la peine d'en rajouter. Mais au crépuscule de sa vie, le Rital avait cédé aux hydres du pognon facile. Au fond, pas si étonnant : Giovanni était un maître du métal, alors pourquoi ne pas fourguer des balles, des canons, des obus ?

– À qui vendait-il ?

– Elle n'en sait pas plus mais il venait d'effectuer une livraison au Katanga.

Les Tutsis. Les rumeurs étaient donc fondées. Le FLHK était armé jusqu'aux dents et c'était le vieux salopard qui avait signé le bon d'expédition. D'une certaine façon, c'était une bonne nouvelle. Le coltan sortait du tableau et avec lui les Morvan. Nseko, qui n'en était pas à sa première connerie, avait dû superviser le transport du matériel. Il y avait eu un problème et les commanditaires l'avaient réglé à leur façon.

L'envers de la médaille était que le fleuve allait devenir un enfer. Là même où Erwan grenouillait, menant son enquête comme s'il s'agissait d'un crime passionnel dans le 6e arrondissement. *Bordel de dieu.* Jusqu'à quand devrait-il leur torcher le cul ?

La forêt lui apparut soudain sous son plus mauvais jour. Un enfer pornographique. Formes, relents, chaleur. Toute saillie semblait tendue par le désir, perlant de substances nauséabondes. Toute cavité était humide et tiède. Vulves brillantes, glandes fibreuses, pénis turgescents…

– Tu penses qu'un des trois Africains pourrait être impliqué dans le trafic, en tant qu'intermédiaire ou client ? relança Loïc.

Morvan revoyait la gueule effilée de Bisingye, le sourire à bouffer de la merde de Mumbanza. Auraient-ils pu jouer les go-between avec le FLHK ? Non : ces gars-là avaient d'autres ambitions. Le coltan, la gouvernance du Katanga...

– J'vais voir ce que j'peux apprendre, conclut-il, mais je t'interdis de te mêler de ça.

– Tu ne penses pas que la négo a pu avoir lieu à Florence et mal se passer ?

Grégoire cherchait le chemin du retour, oppressé.

– Tu comprends le français ? Tu t'assois là-dessus et tu rentres à Paris avec ta petite famille.

– Je voulais...

– Obéis, nom de dieu ! Là où je suis, crois-moi, c'est déjà pas facile. J'ai ton emmerdeur de frère sur les bras et j'aimerais au moins savoir que de votre côté, tout va bien.

– On va préparer nos valises, capitula Loïc. Un souci avec Erwan ?

Les gisements étaient en vue. Ses poumons s'ouvrirent. Il préférait l'atmosphère mortifère des mines à la fournaise étouffée de la jungle.

– Je gère. Rentre à Paris. T'as aucune raison de t'inquiéter.

Loïc parut hésiter :

– Je me demandais...

– Quoi ?

– Cette histoire d'armes... tu n'y es pour rien ?

– Loïc, grogna-t-il, tu es un drogué et un lâche. Tâche de pas ajouter la connerie au tableau.

47

KARL ET ORTIZ avaient été réglo. Et même très obligeants. Gaëlle leur avait demandé de l'accompagner dans son opération de surveillance de la rue Nicolo sans s'expliquer davantage. Ils avaient patienté tous les trois devant l'immeuble d'Éric Katz. Le psy était sorti à 19 h 15, avait remonté à pied l'avenue Paul-Doumer puis la rue de la Tour jusqu'au 38 pour s'engouffrer dans un immeuble moderne. Sans doute son domicile.

« On attend », avait-elle décidé, grisée d'être devenue chef de la bande. À 21 heures, Ortiz était allé chercher des plats chez un traiteur chinois et ils avaient dîné dans la voiture. Ils n'avaient plus bougé de la nuit. Une vraie opération de planque – comme celles que lui décrivait son frère Erwan aux grandes heures de la BRI. Gaëlle avait envoyé Karl vérifier les noms sur les boîtes aux lettres : pas l'ombre d'un Katz. Était-il allé dîner chez quelqu'un ? L'appartement était-il loué sous une autre identité ?

Le seul scoop était survenu aux environs de 22 heures, mais rien à voir avec Éric Katz. Maggie appelait sa fille pour lui annoncer ce que tout le monde savait sans doute déjà : Giovanni Montefiori, le père de Sofia, avait été assassiné. Un meurtre atroce avec mutilation et vol d'organes.

Gaëlle comprenait mieux pourquoi Loïc était parti en Italie l'avant-veille sans un mot. On la traitait encore comme la petite sœur fragile – celle qui avait affronté l'Homme-Clou deuxième génération. Selon Maggie, personne n'avait été arrêté pour l'instant et la police italienne nageait – à moins qu'encore une fois, on lui cache des informations susceptibles de l'effrayer…

Elle n'avait vu qu'une fois ou deux le ferrailleur italien et sa mort ne lui faisait ni chaud ni froid. Elle avait seulement eu une pensée pour Sofia, sa rivale historique, qui avait dû être prise de court par cette mort violente : le drame survenait alors même qu'elle avait juré de se venger de son géniteur…

Plus tard dans la nuit, Gaëlle s'était tout à coup demandé si ce meurtre n'avait pas un lien, même indirect, avec l'Homme-Clou et son sillage funeste. *Non, absurde.* Beaucoup plus sûrement, Montefiori avait fait les frais d'une opération financière crapuleuse en Afrique – un directeur de Coltano avait été tué de la même façon au Congo quelques mois auparavant. Finalement, elle avait décidé de ne plus y penser. *Pas mes oignons.*

À minuit, Audrey lui avait téléphoné pour avoir des nouvelles. Gaëlle avait répondu que tout allait bien, sans mentionner qu'elle était de sortie. De son côté, Audrey n'avait rien de nouveau – ce qui était en soi une information. Les requêtes d'état civil n'avaient donné aucun résultat. Plusieurs Éric Katz vivaient en France mais ils ne correspondaient pas au signalement du client. Aucun mineur non plus ne répondait aux prénoms des enfants du psy : Hugo et Noah. Quant à l'épouse, aucune recherche n'avait abouti. La conclusion s'imposait : non seulement le thérapeute portait un faux nom mais il s'était sans doute aussi inventé une famille. Qui était sur la photo du bureau ?

Gaëlle n'avait pas signalé sa propre découverte : une nouvelle adresse pour Éric Katz. Elle voulait attendre le lendemain matin, cuisiner la concierge et localiser son appartement dans l'immeuble. Peut-être alors appellerait-elle Audrey pour une nouvelle effraction… À une heure du matin, elle s'était endormie alors que les malabars ouvraient l'œil. Maintenant, il était 7 heures et quelques et c'étaient eux qui dormaient profondément. *Bravo, les mercenaires.*

Elle eut envie de se dégourdir les jambes et, sans bruit, ouvrit sa portière. Une petite clope et on y verrait plus clair. En réalité, il faisait toujours nuit et elle se retrouva plongée dans un cocon opaque et froid, bleu plombé.

Soudain, elle se dissimula sous un porche : Katz venait de sortir de son immeuble. L'occasion qu'elle attendait pour visiter son appartement ? Elle se ravisa. La vraie question était : où allait-il si tôt ? Elle regarda la Mercedes : les nervis dormaient toujours. Sans même réfléchir, elle se plaça dans les pas de Katz. Il avait toujours cette silhouette fine et inquiétante, espion des sixties rôdant dans le Berlin d'après-guerre.

Place de Costa-Rica, il prit un taxi à une station. Gaëlle accéléra le pas et en chopa un à son tour :

– Suivez cette voiture !

Jamais elle n'aurait cru prononcer un jour une telle phrase. Le chauffeur s'exécuta sans sourciller – il finissait sa nuit et il lui en fallait plus pour le surprendre. Par mesure de sécurité, elle mit son bonnet – sa tignasse évaporée de cheveux blonds, presque blancs, était le meilleur signal pour se faire repérer – et se terra au fond de son siège. De temps à autre, elle tendait le cou pour apercevoir l'autre taxi, une berline Skoda flambant neuve. Elle en frémissait d'excitation. Le frisson de l'aventure bien sûr. Mais aussi la jouissance perverse d'être désormais celle qui épiait.

Porte Maillot, boulevard périphérique direction porte de Clignancourt. Elle songeait à la tête des deux cerbères quand ils se réveilleraient. La circulation était fluide, le jour hésitait à se lever. Le gris dur et froid du matin parisien, l'air brouillé du périph, chargé de gaz toxiques : tout ça lui paraissait constituer un chemin mystérieux, quelque chose comme la forêt d'un conte, dans une version blafarde et polluée.

La Skoda sortit porte des Lilas.

– Mais où il va ? demanda-t-elle au chauffeur.

– Comment j'peux savoir ?

Place du Maquis-du-Vercors – Gaëlle voyait le nom sur l'écran du GPS –, une esplanade cernée de blocs de briques rouges et d'immeubles de verre, le taxi emprunta l'avenue Faidherbe puis disparut dans un écheveau serré de rues anonymes. Bientôt, ils se retrouvèrent à longer un mur aveugle de crépi beigeasse. Gaëlle commençait à craindre d'avoir été repérée – à cette heure, pas une seule autre bagnole pour faire diversion.

La Skoda s'arrêta. Katz sortit pour entrer aussitôt chez un fleuriste. Étonnant que cette boutique soit ouverte si tôt, se dit Gaëlle.

– Vous savez où on est ? demanda-t-elle en réglant le chauffeur.

– Au cimetière des Lilas.

Elle se précipita. Katz, portant un gros bouquet rouge, avait déjà emprunté une entrée jouxtant un petit bâtiment percé de lucarnes. Encore quelques pas et elle vit s'ouvrir au-delà de la grille une immense plaine de tombes et de stèles.

8 h 30. Seule avec Katz, et des milliers de morts.

Le jour se levait enfin et suivre sa cible sans être repérée devenait difficile – pas un rat aux alentours. Le psy s'arrêta devant un caveau sombre, fouilla dans ses poches puis ouvrit la porte de fer forgé. Il disparut comme un fantôme rentre dans un mur.

Gaëlle, bonnet au ras des sourcils, s'approcha, choisissant les stèles les plus hautes pour se cacher. À cinquante mètres, elle attendit. Elle n'aurait pu rêver plus beau contexte pour son feuilleton : la matinée solitaire, la silhouette en trench-coat, le cimetière, qui dit mieux ? Ne manquait plus qu'il réapparaisse une valise à la main. Déjà, elle commençait à mouliner des scénarios – peut-être que le vieux Morvan était impliqué dans la mort d'un de ses proches, peut-être Katz cherchait-il à se venger sur sa fille…

Il ressortit les mains vides, suivit l'allée puis disparut dans l'air d'ardoise. Au bout de dix minutes bien glacées, Gaëlle s'approcha du sanctuaire. L'excitation la réchauffait sous son manteau.

Le mausolée était un blockhaus aux lignes sévères. Une plaque était encastrée au-dessus de la porte, portant trois noms et des dates inscrits en lettres d'or :

PHILIPPE HUSSENOT 1960-2006
HUGO HUSSENOT 1995-2006
NOAH HUSSENOT 1998-2006

Même nom de famille, même année de décès : un drame familial. Accident ? Crime ? Suicide collectif ? Quelle était la connexion entre Philippe Hussenot et Éric Katz ? Le psy avait-il une responsabilité dans cette hécatombe ? Hussenot était-il un patient dont le psy n'avait pas su détecter la gravité du désespoir ? Et elle-même, se pouvait-il qu'elle ait un lien avec cette tragédie ?

L'autre idée qui lui vint soudain, plutôt bizarre, était que les deux hommes étaient amants. Tout de suite, un fait divers se précisa dans sa tête : Philippe couchait avec Éric, la femme de Philippe avait découvert la trahison et tué tout le monde. Non, c'était le thérapeute qui couchait avec l'épouse, le mari avait sacrifié sa progéniture à titre de vengeance. Ou bien... *Calme-toi, Gaëlle : tu es en surchauffe.*

Elle prit des photos de la plaque avec son portable, vérifia que la porte de fer forgé était verrouillée puis s'en alla à pas de souris. Fourrant les mains dans ses poches, elle se jura de ne plus rien imaginer avant d'avoir Audrey au bout du fil.

48

DEUXIÈME JOUR sur le Lualaba.

Rien à signaler. Erwan avait déjà compris que ce voyage reproduirait à l'infini les mêmes heures, les mêmes paysages, les mêmes sensations. La plupart du temps, une brousse basse, d'un vert fluorescent, partant en lignes de fuite vers l'horizon. Parfois, une forêt, arbres à hauts fûts, lianes entrelacées, racines englouties. Puis de nouveau les plaines, écrasées de chaleur, s'ouvrant de temps à autre sur une piste déserte.

Quand on s'approchait de la rive, c'était toujours la même végétation gorgée d'eau, comme cousue aux eaux limoneuses par du fil d'écorce. Arbres morts grouillants d'insectes, crocodiles plus inertes que les troncs couchés, pirogues croupissantes… Des huttes apparaissaient quelquefois, abandonnées – elles semblaient fabriquées en glaise et brindilles, comme des nids d'oiseau. Soit on avait chassé les habitants de ce monde, soit l'espèce s'était éteinte d'elle-même. On sillonnait ici un continent vide. Une sorte de magma macéré d'herbes et de boue. Un enfer de solitude et d'indifférence, sans commencement ni fin, sans contour ni limite.

Quand il était pris d'une vraie trouille, Erwan revenait aux passagers. Il avait repéré les étapes immuables de la vie à bord. Le matin, au réveil, on s'agitait tous azimuts, dans une confusion qui recelait un ordre souterrain – chacun avait sa place, personne ne tombait jamais à la baille. Le reste de la journée, on cuisait comme un lardon au fond d'une poêle. Yeux mi-clos, les voyageurs n'avaient même plus la force de se protéger contre la brûlure aveuglante. En fin d'après-midi, la vie reprenait et c'était la liesse jusqu'à la nuit où chacun se calmait, de peur d'attirer les miliciens et surtout les esprits.

8 heures : on en était au chapitre un. Erwan s'était résolu à aller trouver le capitaine. Visage boucané, yeux de phosphore, rides et cicatrices en pagaille. Ni tutsi, ni hutu, ni luba, il ne disait rien. Il restait au sommet de sa timonerie, entouré de ses cartes fluviales datant du XIXe, de son journal de bord et de ses fétiches. Quand il sortait de sa cage, c'était pour cracher pardessus bord des glaviots noirs comme des pruneaux. Erwan s'était délesté de quelques billets et n'avait réussi qu'à lui soutirer une vague promesse : il ferait le maximum pour accoster à Lontano mais au moindre signe hostile, on filerait directement jusqu'à la prochaine étape.

Maintenant, dans l'air gris et rose, Erwan reprenait ses notes – le fruit de ses réflexions nocturnes – mais pas moyen de se concentrer. Depuis l'aube, un autre sujet revenait l'obséder : Sofia. Depuis son départ, aucune nouvelle. Pour dire la vérité, pas besoin de s'envoler au bout du monde pour obtenir ce silence : il n'avait aucun contact avec elle depuis plus d'un mois. Il se jura qu'à son retour, il l'appellerait. En se disant cela, il réalisa avec frayeur que cette résolution sous-entendait une autre conviction : il ne croyait pas réellement à son retour…

Un grand craquement l'arracha à ses pensées.

Le capitaine avait suivi un affluent du fleuve, sans doute pour éviter un obstacle ou des rapides. Ils glissaient à présent sous un tunnel de branches et de lianes. La lumière devint folle, kaléidoscopique, comme si on avait brisé le soleil en mille petites étincelles, jaillissant à travers les cimes. Des branches s'accrochèrent aux flancs des barges, balayant les ponts, attrapant des hommes et des bêtes dans leurs griffes. Des chèvres tombèrent à l'eau, aussitôt absorbées par le limon couleur cacao. Personne n'eut le temps de se plaindre, ni de gémir. Déjà, le *Vintimille* poussait de nouveau ses barges dans la lumière éblouissante du matin. On se rassit à sa place, s'abritant en perspective du combat inégal de la journée : chair noire contre soleil blanc.

Erwan replongeait dans ses pensées quand il se rendit compte qu'un silence anormal l'entourait. Pas un évènement exceptionnel : souvent, sans qu'on comprenne pourquoi, toute la forêt se taisait. Mais cette fois, une rumeur s'empara des ponts. Les regards se tournèrent vers la berge à tribord.

Ils étaient là.

Dans l'épaisse végétation qui bordait la rive, des guerriers aussi immobiles que des sentinelles de pierre, Kalach au poing. Erwan mit sa main en visière : c'était la première fois qu'il voyait des soldats en état de marche – et non plus saouls ou ensommeillés à un barrage. Ceux-là n'avaient pas l'air d'avoir plus de vingt ans. Intégrés à leur milieu, ils évoquaient des créatures de la mangrove, des pièces du puzzle végétal.

– Kadogos, chef. Y a plus qu'à prier.

Erwan avait lu un tas de bouquins et d'articles sur les enfants soldats. Au Congo, les premiers avaient été enrôlés par Laurent-Désiré Kabila et c'étaient eux qui, plus tard, l'avaient assassiné. Au cours de la deuxième guerre du Congo, leur utilisation était devenue systématique. Les milices enlevaient les gosses dans leurs villages, les obligeaient à tuer leurs parents ou leurs frères et sœurs à titre de baptême du feu, et en avant marche. Drogués, ivres du matin au soir, ils s'entendaient répéter qu'ils n'avaient plus qu'une seule famille : leur Kalach. Analphabètes, amoraux, ils grandissaient la faim au ventre, le cerveau fracassé, et traversaient les étapes de la puberté à coups de viols et de meurtres. Parvenus à maturation, ils devenaient des fantômes en sursis, plus perdus encore si la guerre s'arrêtait.

Là, immergés à mi-corps, quelques-uns portaient des gants de caoutchouc. Erwan regarda mieux encore. Ils étaient en train de triturer à la machette des cadavres qui flottaient autour d'eux.

– Qu'est-ce qu'ils foutent ?

– Ils les éventrent, fit Salvo d'une voix sourde.

– Pourquoi ?

– Pour qu'ils coulent et remontent pas.

– Ces victimes, c'est qui ?

– Des villageois, sans doute. Des gars à qui ils ont volé les femmes et les récoltes.

Horrifié, Erwan fixait les gamins arrachant les organes des ventres ouverts. Leurs visages évoquaient des masques de peau noire. Même à cette distance, on entendait les cris d'un bébé resté attaché au cadavre de sa mère décapitée.

– Pourquoi tiennent-ils à les faire disparaître ? Qu'est-ce qu'ils en ont à foutre ?

– Y craignent les raids de l'ONU, des Casques Bleus qui surveillent de temps en temps ces zones en hélico. Le seul truc qui leur fait peur, c'est La Haye.

– Les gants Mapa, pourquoi ?

– Pour pas attraper le sida.

Le temps qu'il se remette de ce choc, les barges les avaient dépassés. Pas de coup de feu : ils s'en sortaient bien. Salvo lui avait raconté que parfois, les kadogos tiraient sur les bateaux simplement pour s'entraîner ou parce qu'ils avaient fait un pari.

Erwan était trempé de sueur mais c'était toute l'atmosphère qui exsudait. Un orage se préparait. Déjà, on s'apprêtait à essuyer le grain. Tout le monde sous les bâches. On avait évité les tirs, on aurait la pluie. Le tonnerre retentit mais le ciel restait sec. D'ailleurs, les claquements ne résonnaient pas comme d'ordinaire. Ils semblaient jaillir de la terre, se déployer à la surface de la plaine en longues vibrations.

Chacun tendit le regard et aperçut au loin, tout au fond du fleuve, des éclats de lumière sur fond noir, en contrepoint des détonations. La distance dissociait les faits mais il s'agissait d'un seul et même phénomène. Pas un orage. Des mortiers. Ceux des Tutsis, à moins que les FARDC aient décidé de leur brûler la politesse.

En guise de confirmation, des crépitements retentirent quelque part – brèves rafales qui avaient la sécheresse d'une mort à répétition, sans bavure. Une houle dans la foule, chacun se jetant à terre ou se précipitant derrière les rares abris.

Erwan ne bougea pas : il avait déjà compris que les tirs étaient loin – au moins plusieurs kilomètres.

– Qui attaque ? demanda-t-il d'une voix blanche.

– Aucune idée mais tu peux vrrrrraiment oublier Lontano.

49

– TON FRÈRE M'AVAIT PRÉVENUE : t'es vraiment une emmerdeuse.

– Me parle pas comme ça.

– Comment t'as pu me faire un plan pareil ? J'ai pas été claire ?

Après son escapade au cimetière, Gaëlle avait téléphoné à Audrey. L'accueil n'avait pas réellement été triomphal. Le premier réflexe de la fliquette avait été de contacter Karl et Ortiz pour les rassurer – solidarité corporative – puis elle avait convoqué Gaëlle dans un restaurant près du 36, Au rendez-vous des camionneurs, pour le petit déjeuner. Le lieu, mezzanine grise et banquettes turquoise, n'avait rien à voir avec un bar de flics à l'ancienne – plutôt un repaire de bobos végétariens. Au menu : engueulade et café chaud.

Gaëlle laissait passer l'orage. Elle attendait surtout les résultats de la première pêche aux infos – le temps qu'elle rejoigne le Pont-Neuf, l'OPJ avait eu le temps de lancer une recherche sur Philippe Hussenot.

– À peu près l'inverse de Katz, attaqua-t-elle enfin en ouvrant son ordinateur. Aucun problème pour le tracer. Il était même connu dans son milieu.

– Lequel ?

– Psychiatrie et neurobiologie.

Gaëlle reprit un croissant. Elle se sentait dans la peau d'un randonneur qui a déjà couvert vingt bornes avant le petit déjeuner.

– Né en 1959, à Vienne, Isère, récapitula Audrey. Ancien interne des Hôpitaux de Paris. Ancien chef de clinique de la faculté de Lyon. Internat dans les années 80. J'ai trouvé sa trace à l'hôpital Saint-Jean-de-Dieu à Lyon, puis à la clinique Dessault à Montpellier. À la fin des années 90, il possède aussi son cabinet et y exerce en tant que psychiatre. Il ouvre ensuite sa propre clinique à Chatou, spécialisée dans le traitement de la dépression et des addictions. En même temps, il est expert auprès du TGI de Nanterre.

Gaëlle l'arrêta :

– Quel nom sa clinique ?

– Les Feuillantines. Tu connais ?

– J'y ai fait un bref séjour en septembre.

Elles se turent. Hasard ? Connexion souterraine ? La seule chose dont se souvenait Gaëlle était que son père y avait été aussi soigné jadis.

– De quoi est-il mort ? reprit-elle.

– Accident de voiture. Il s'est tué avec ses deux mômes en vacances, en Grèce.

– Comment tu le sais ?

– J'ai simplement passé un coup de fil à Chatou.

– T'as une photo ?

Audrey tourna l'écran de son Mac : tête large, carrée, regard intense, sourire franc. Aucun rapport avec Éric Katz, raffiné et ambigu. Sans tomber dans la morphopsychologie, les deux hommes ne collaient pas ensemble. La théorie des amants ne tenait pas.

– Pour l'instant, je n'ai pas retrouvé l'ex-épouse, fit Audrey comme si elle voulait enterrer définitivement la thèse farfelue de Gaëlle. Il y a quelque chose de pas clair. Hussenot était divorcé mais impossible d'obtenir le moindre renseignement sur madame.

– Par l'état civil ?

– Rien.

– Les extraits d'actes de naissance des enfants ? Les actes de décès ?

– Ça bloque aussi de ce côté-là.

– Tu penses qu'on a mis un étouffoir sur le reste de la famille ?

– Trop tôt pour le dire.

Toute son enfance, Gaëlle avait entendu parler d'enquêtes marginales touchant des personnalités ou un domaine « sensibles ». Dans ce cas, personne n'avait accès aux données liées à la procédure.

– Ça pourrait concerner une affaire réservée ? risqua-t-elle.

Audrey sourit de sa naïveté. Gaëlle ne releva pas : elle essayait maintenant de faire entrer la mystérieuse épouse dans ses scénarios. À ce stade, on pouvait tout imaginer.

– Quels étaient les rapports entre les deux psys à ton avis ?

– Katz n'est pas psy.

– Disons entre les deux hommes.

Nouveau sourire, toujours condescendant – Gaëlle avait eu le temps d'exposer ses théories à Audrey.

– Oublie tes histoires d'homosexuels.

– Mais pourquoi Katz irait-il se recueillir dans ce tombeau ?

– Il appartient peut-être à la famille. Ou bien Hussenot était son patient.

– Le faux psy qui soigne le vrai ? Tu y vas fort, non ?

– C'est toi qui me contamines, rétorqua Audrey en riant. Voilà tes anges gardiens. Va dormir. Avant midi, je t'appelle avec du nouveau.

50

RUMEUR CONFIRMÉE. Les Tutsis du FLHK avaient reçu des armes la semaine précédente. Et pas quelques fusils tombés du camion : un véritable arsenal comportant mines, lance-roquettes, mortiers. *Merci, Montefiori.* En échange de quelques cuillères de coltan, les hommes de Cross avaient parlé et leurs tuyaux étaient solides : ils avaient vu passer les convois, connaissaient des soldats sur ce front. Le matos provenait du Congo même, et non du Rwanda.

Comment le Rital s'était-il démerdé ? Quelle était sa filière ? Depuis l'aube, Morvan recensait les crapules susceptibles d'avoir participé au trafic. Le Condottiere et lui avaient le même carnet d'adresses au Katanga. Il avait aussi sondé ses gars à propos du FLHK : quelques centaines d'hommes mais des tueurs d'expérience, de vrais pillards en quête de territoires. Comme on disait au Congo, où l'euphémisme est un art, de nombreux « cas d'insécurité » étaient à prévoir.

Morvan aurait pu craindre pour ses mines – il craignait surtout pour son fils. Dans quelques heures, Erwan serait au cœur du merdier. Tôt dans la matinée, des grondements sourds avaient retenti. Peut-être le début des festivités – à moins que ce ne soit simplement l'orage : trop loin pour décider. Mais ni Erwan ni Salvo ne répondait plus au téléphone. Il n'y avait plus qu'à prier…

Si ça virait au grabuge, Grégoire n'aurait pas d'autre solution que d'aller chercher son fils par la peau du slip. Il avait déjà contacté Chepik, le pilote russe, afin qu'il affrète un bimoteur. Le problème serait l'atterrissage. Les vestiges d'une piste existaient à l'ouest de Lontano mais la zone était trop dangereuse. Il faudrait se rabattre sur l'aérodrome de Kongolo ou, au pire, celui de Kalemi, près du lac Tanganyika. *Bougre de con de fils.*

Depuis l'aube, il ressassait ces possibilités sous la bâche qui lui servait de quartier général. Il essayait de se refaire du café quand un coup de tonnerre se fit entendre. Non : trop sec. Mortier ? Trop proche. Souza, avec sa tête plate comme un 33 tours, apparut sur le seuil de la tente :

– C'est tombé, patron, c'est tombé !

Morvan attrapa un chèche, un ciré et bondit dehors. La colline ressemblait à une fourmilière dans laquelle on aurait mis un coup de pied : tous les hommes sortaient des puits, dévalant au trot les flancs rouges. À mi-hauteur de la paroi, sur la gauche, une cavité crachait de la boue liquide et des mineurs titubants.

Souza à sa suite, le Vieux monta à l'assaut de la falaise :

– Combien sont-ils là-dedans ?

– Aucune idée, chef. Faudrait trouver le P-DG mais...

Un nouveau grondement les arrêta. Dans ses membres Morvan sentit la vibration de l'éboulement. Il n'eut que le temps de s'esquiver pour ne pas être emporté par les nouvelles coulées. Quelques secondes encore puis reprise de l'ascension. Il grimpait arc-bouté, à quatre pattes. Des milliers de piles bâtons roulaient sous ses pieds. Des fuyards lui passaient dessus, sur le dos, en sens inverse, les vêtements arrachés par l'effondrement.

Enfin, le palier du puits. Des fantômes en sortaient encore, reflets de boue parmi les éboulis. D'un geste, Morvan stoppa un Adam d'argile dont seuls les yeux étaient encore humains.

– Des gars sont coincés ? demanda-t-il en swahili.

En guise de réponse, l'autre eut une grimace consternée, presque méprisante.

– Ça s'est effondré à quelle profondeur ?

L'homme cracha une giclée de terre :

– Pas loin mais la terre bloque tout, tu f'ras pas trois cents mètres.

Morvan s'approcha du seuil : une gorge sanglante.

– File-moi ta lampe, ordonna-t-il à Souza en laissant tomber son ciré.

– Je… je dois venir avec toi ?

Le Noir tremblait dans la brume écarlate. Sans répondre, Morvan fixa sur sa tête la lampe frontale puis s'enturbanna avec le chèche :

– T'as une carte des galeries ?

– Une carte ?

– Laisse tomber.

Il ramassa un marteau, un pied-de-biche dans la boue et demeura paralysé au bord du trou. *Tu es claustro, Morvan.* Les souvenirs en rafales. La longère de Champeneaux. La croix gammée. *Kleiner Bastard !* Il sourit sous son turban de Touareg : il comprenait ce qui arrivait. Pourquoi il était ici, les pieds dans la mort. Pourquoi son fils n'avait de cesse d'exhumer ses secrets. Pourquoi il allait s'enterrer vivant… L'heure des comptes avait sonné.

Il plongea dans l'excavation. Tout était rouge. Sol. Parois. Hommes. Premiers signes de malaise. La peur. La nausée. La suffocation. Il ferma les yeux, baissa la tête et s'engagea dans le tunnel. Quand il les rouvrit, plus aucune lumière du jour. Seuls les faisceaux des torches lacéraient l'obscurité. Des survivants remontaient encore, l'écartant brutalement.

Morvan alluma sa lampe et plongea façon demi de mêlée, se concentrant sur les obstacles – les autres – pour ne pas penser à ce qu'il faisait : il s'éloignait de la lumière, de l'air, de la vie. À chaque pas, il sentait un peu plus la masse de la montagne sur son échine. À travers son chèche, il cherchait son rythme pour respirer, ses yeux comme frottés au papier de verre.

Pour ne pas être suffoqué par la peur, il se dédoubla mentalement, observant le tableau *à distance*. C'est un autre qui arpentait le boyau. Lui, Morvan, l'homme né de la séquestration et de l'étouffement, était resté en surface.

Il descendit encore. Pas d'étayage ici. Parfois une marche de plusieurs degrés puis de nouveau la pente. Plus ça allait, plus le plafond baissait, les cloisons se rapprochaient.

Tu n'es pas là. Seule ta conscience observe...

La chaleur donnait le vertige. Une fournaise de midi concentrée dans un corridor nocturne.

Il toussait, éructait sous l'étoffe, avançait à tâtons alors que sa torche émettait des rayons instables. Des cris, des gémissements étouffés le cernaient. Un train fantôme asphyxiant dont les apparitions étaient des torses blessés, des visages mutilés, des membres amputés... Il n'aurait pas cru que la galerie était aussi profonde – quelques semaines d'exploitation et les creuseurs avaient déjà vidé la roche sur des centaines de mètres, en pratiquant des boucles, en raclant le moindre détour de pierre, le moindre résidu de coltan.

Plusieurs boyaux face à lui. Plus personne en vue. La mine procédait comme une pieuvre enfonçant ses tentacules dans la roche. Il choisit le passage le plus large, trébucha, se rattrapa. Malgré le chèche, une odeur de gaz fermenté l'empoisonnait à chaque inspiration. La chaleur avait encore gagné plusieurs degrés. Il ruisselait de sueur et de boue. Il marchait vers le cœur brûlant de la terre, vers la gueule des enfers, vers...

– Y a quelqu'un ?

Sa tête cognait la voûte, ses épaules frottaient contre les parois. Sa lampe dessinait un halo tremblant qui semblait mener nulle part.

Tu viens de la poussière, tu y retourneras.

De nouveau, il songea à la ferme de son enfance, sa prison, son cauchemar.

Rase-moi le crâne... et aussi la chatte !

Que cherchait-il au juste ? Des blessés ? Des survivants ? Des cadavres ? Ou simplement en finir pour de bon ? Lui, le colosse qui passait à peine dans les galeries, le claustrophobe à moitié fou, le Blanc hypnotisé par ces entrailles du monde…

Des gravats obturaient le chemin. Plus moyen d'avancer.

– Y a quelqu'un ?

Sans réfléchir, il planta son pied-de-biche entre deux roches et les descella.

– Y a quelqu'un ? répéta-t-il sous une pluie de poussière.

Un gémissement. Il se glissa dans la brèche et retomba dans une nouvelle cavité. Il ne voyait plus rien, ne respirait plus mais il avait réintégré son propre corps, il était ici pour combattre. Ses pieds s'enfonçaient dans un sol marécageux. Par réflexe, il baissa la tête, et avec elle, son faisceau frontal. Des corps. Une tête broyée, une poitrine enfoncée. Quelques secondes pour saisir que c'était son propre pied à l'intérieur de la cage thoracique. Il hurla avant de l'extirper.

Avancer encore. Ne pas regarder les visages, les yeux, les bouches.

Nouveaux gravats, cette fois serrés comme un mur de moellons.

– T'es où ? hurla-t-il en swahili.

La plainte toujours, de l'autre côté des blocs. Aucune chance de déblayer le passage. Pourtant, un genou au sol, Morvan chercha une faille. Il ne souffrait plus du poids de la montagne. Il n'étouffait plus. Il n'avait plus qu'une idée : ne pas avoir ramé jusqu'ici pour laisser crever un pauvre bougre à quelques mètres de lui.

Une fissure. Pied-de-biche. Marteau. Il parvint à creuser un espace suffisant pour sa grosse carcasse. Il s'insinua, espérant que les autres rochers ne céderaient pas. Le *strong and hard punishment* comme si vous y étiez. Une fois franchi l'obstacle, le tunnel ne lui permettait que de ramper. Son seul rayon de perception était celui de sa lampe. Sans lui, il aurait pu se croire mort, ou enterré vivant. Il rampa, les deux coudes en avant, le corps engoncé dans la gangue minérale, progressant centimètre par centimètre.

Il se concentrait sur les râles de plus en plus proches alors que ses souvenirs revenaient. Il se glissait sous les déchets pour éviter les coups. Il se cognait aux murs et aux fenêtres condamnées, dans l'espoir que son propre crâne aurait le pouvoir de fendre le bois.

Il cherchait à fuir, par tous les moyens, alors que la voix déglinguée l'appelait : *KLEINER BASTARD !*

Il rugit, sanglota, hurla.

Le blessé était là, comme aggloméré à la roche. Un gamin empoussiéré, la jambe écrasée sous une pierre. À peine douze ans. Encore un affront à ses ordres. Il allait soulever le gravat quand lui revint en mémoire le crush syndrome. Un membre compressé n'est plus irrigué et produit aussitôt des toxines mortelles. En le dégageant, on libère en même temps un poison fait maison qui infecte instantanément le sang et les muscles, bloquant les reins et sans doute d'autres organes. Plus la peine de s'inquiéter pour la victime, vous venez de la tuer.

Ses notions de secourisme remontaient à des décennies mais avant de déplacer le bloc, il déboucla sa ceinture et fit un garrot autour de la cuisse du petit gars. Sa décision était prise : il sauverait celui-là et celui-là seulement. Il avait serré le garrot comme on revisse à fond les boulons d'une roue. Le creuseur s'était évanoui. Déjà trop tard ?

Il le désincarcéra – la jambe était foutue – puis le traîna en suivant exactement le même trajet. Il n'aurait su dire combien de temps dura le retour ni si son boulet était encore vivant. Pas de pensée ni de sensation. Seulement son propre souffle ensablé qu'il économisait et protégeait comme la flamme d'une bougie. Enfin, il put se remettre debout et cala le môme sur son dos.

Plus loin encore, il retomba sur les genoux, un mouvement après l'autre, chaque seconde ressemblant à la dernière. Quand sa lampe le lâcha, il ne s'en rendit même pas compte. Il n'était plus qu'un mécanisme, une poussée aveugle vers la lumière du jour...

Dehors, la pluie avait cessé. Le soleil d'Afrique l'accueillit en fanfare. Il refila son blessé aux volontaires chargés des soins et s'effondra. Il se dit, visage dans la boue, qu'il allait en engueuler quelques-uns : les ordres étaient les ordres, pas d'enfant sous la terre. Puis il éclata de rire : quoi qu'il fasse, les Noirs auraient le dernier mot.

Il se releva et vida plusieurs bouteilles d'eau purifiée mais surtout, il avala de longues goulées d'air ensoleillé. Il sentait son sang se repaître d'oxygène, retrouver une sorte d'énergie primitive. Avec la lumière, la souffrance éclatait aussi. Blessures, hématomes, entailles... Pas grave : il était vivant et victorieux.

Mission accomplie, *Kleiner Bastard*.

Deux jours avant, il avait achevé un gamin. Aujourd'hui, il en sauvait un autre. Ça confirmait sa théorie : quoi qu'on fasse, impossible d'influencer la loi des équilibres en Afrique.

51

DEPUIS LE DÉBUT de la matinée, ils écumaient les palaces de Florence.

Loïc et Sofia étaient d'accord sur ce qui avait dû se passer : Montefiori avait rencontré le matin de sa mort des partenaires ou des acheteurs dans le cadre d'un trafic d'armes lié au Congo, les choses avaient mal tourné, le Condottiere l'avait payé de sa vie. La rencontre elle-même ne s'était pas déroulée dans un hôtel florentin autour d'un brunch – on ne vend pas des armes comme des tonnes de métal ni des barils de pétrole – mais les criminels y avaient séjourné.

Voilà ce qu'ils cherchaient : des Africains descendus dans un cinq-étoiles – sans doute des généraux, des ministres ou des diplomates. En revanche, ni Kabongo ni Mumbanza ou Bisingye ne pouvait avoir participé au meurtre : vérifications faites, aucun des trois n'avait atterri en Toscane.

Depuis le début de la matinée, ils avaient sillonné les palais restaurés du centre-ville, les villas datant du XVe siècle dans lesquelles on avait construit des spas somptueux, les anciens couvents réaménagés en havres de confort et de gastronomie : pas l'ombre d'un *guest* africain ces derniers jours.

Leur enquête était particulière, ils n'avaient pas la moindre légitimité mais toutes les portes leur étaient ouvertes. Parce qu'un des deux détectives n'était autre que la comtesse Sofia Montefiori, appartenant à la célèbre famille Balducci. La ville l'avait vue grandir, admirée en tant que figure rayonnante de l'aristocratie toscane. Tous les Florentins avaient suivi ses voyages, son mariage, la naissance de Milla et Lorenzo dans les magazines people... Par ailleurs, Sofia avait joué enfant dans les jardins de ces hôtels, alors que son père y traitait ses affaires dans les salons privés, y donnait des réceptions, ou y déjeunait avec son clan.

Malgré tout, ils n'avaient pas obtenu l'ombre d'un résultat.

À 13 heures, ils commençaient à se convaincre qu'ils feraient mieux de renoncer quand un coup de chance survint. En sortant des toilettes du lobby du dernier palace – un peu d'eau froide sur la tête et des pilules pour éviter la crise qui se profilait –, Loïc découvrit Sofia en conversation avec un serveur à l'ancienne – veste crème, nœud papillon noir, maintien à l'amidon. L'homme devait avoir la soixantaine mais il paraissait aussi éternel qu'une des statues de la Piazza della Signoria.

– Je te présente Marcello, sourit Sofia. Il a travaillé pendant plus de vingt ans chez nous, à Fiesole.

Loïc le salua pour la forme. Leur investigation virait à l'album de famille et ses douleurs prenaient le pas sur toute autre considération.

– Marcello a vu quelque chose, ajouta-t-elle.

Ne pas parler, ne pas bouger. Laisser le malaise se dissoudre en lui pendant que les médocs faisaient leur effet. Il ne comprenait pas quel pouvait être ici le scoop : le concierge de l'hôtel venait de leur confirmer qu'il n'avait pas vu un citoyen africain depuis des semaines.

– Ça ne s'est pas passé ici, précisa Sofia comme si elle lisait dans ses pensées. Raconte, Marcello.

– Il était neuf heures du matin, attaqua l'Italien dans un français parfait. Je sortais de Comeana, le village où je vis, à quinze kilomètres de Florence.

– Et alors ? grogna avec impatience Loïc, qui sentait la crise empirer au lieu de se calmer.

– Aux environs de Signa, j'ai aperçu plusieurs voitures dans un sous-bois.

– Tout le monde pouvait les voir de la route ?

Marcello eut un sourire accompagné d'une courbette – dans son programme génétique, l'un n'allait pas sans l'autre.

– Au contraire, elles étaient cachées. Je vous parle d'un raccourci que je prends quand je suis en retard.

Un signe de tête : « Continue. »

– Près des véhicules, il y avait des types costauds, genre gardes du corps. Puis, plus loin, des hommes en costume qui parlaient. C'était une scène assez étrange, ces personnages bien habillés qui discutaient sous les arbres. J'ai alors remarqué une voiture que je connaissais : la Maserati du *signor* Montefiori. Je ne pouvais pas me tromper : j'en ai pris soin durant des années. Je me suis alors penché et j'ai vu, à travers les feuillages, *il Condottiere* !

Loïc tenait ses mains dans les poches pour maîtriser ses tremblements. Il avait la gorge si sèche qu'il avait l'impression d'avoir bouffé du feu. Son cœur tapait sous ses côtes – *tap-tap-tap... Du sang-froid, putain. Du sang de glace !*

– Ça va ?

Sofia venait de lui poser la main sur le bras. Il avait envie de la gifler.

– Pourquoi ça n'irait pas ?

Il se tourna vers Marcello et lui ordonna, tel un flic s'adressant à un vulgaire malfrat :

– Continue. Y avait des Noirs parmi eux ?

Le maître d'hôtel eut une expression de surprise :

– Non. Pourquoi des Noirs ?

– Les autres hommes, tu les avais déjà vus ?

– Oui, j'en connaissais un.

Loïc se cambra : on lui passait les vertèbres au mixeur. Son visage était dévoré de tics – il sentait ses traits lui échapper, partir de travers. Il avait posé la question au hasard, sans s'attendre à la moindre réponse positive.

– Qui c'était ?

Marcello eut un sourire : malgré l'attitude déplaisante du Français et la présence de la comtesse qui l'intimidait, il conservait une voix posée et dévouée.

– Florence est une petite ville. J'y suis né, j'y mourrai. On finit par connaître tout le monde…

– Qui c'était, putain de dieu !

– Calme-toi, Loïc.

Loïc essuya la sueur sur son front et fit un pas en arrière, façon de dire à sa compagne : « À toi de jouer. »

– Qui était-ce, Marcello ?

– Giancarlo Balaghino.

– Le type des déchetteries ?

– Lui-même.

Sofia se tourna vers Loïc : il avait besoin d'une traduction.

– Balaghino est très connu à Florence et il a mauvaise réputation. Il est apparu dans les années 80 en faisant fortune dans le traitement des déchets. Après plusieurs années de prison, il a engagé des anciens taulards pour collecter les ordures et travailler dans ses usines de recyclage. En apparence, un bel exemple de réinsertion, mais personne ne sait au juste ce que faisaient ces types, ni quels étaient les rapports de Balaghino avec les mairies. On a toujours parlé de pots-de-vin, de fonds publics détournés, de racket… La routine en Italie.

Tout ça ne cadrait ni avec le Congo ni avec un trafic d'armes.

– C'était un ami de Giovanni ?

– Non.

– Un ennemi ?

– Mon père n'avait ni ami ni ennemi. Seulement des partenaires.

Ces formules toutes faites semblaient particulièrement creuses maintenant que le ferrailleur était au fond du trou.

– Tu l'as déjà croisé à Fiesole ?

– Jamais. Ce type pue le soufre et même si mon père n'était pas un ange, il ne se serait jamais affiché avec une telle pourriture.

– Pourquoi a-t-il fait de la taule ?

Marcello intervint – il semblait heureux d'être tout à coup intégré à l'équipe des enquêteurs les plus chics de Florence.

– Si je puis me permettre, souffla-t-il, Balaghino appartenait aux NAR, les Noyaux armés révolutionnaires, une des branches militaires de l'extrême droite italienne pendant les années de plomb. Il était surnommé *il Nazista*. Il a été arrêté pour un hold-up à main armée. Ensuite, on a voulu lui metre d'autres coups sur le dos, comme le meurtre d'un journaliste et l'attentat de la gare de Bologne, mais il a été blanchi. En Italie, impossible de démêler le vrai de la légende.

Loïc se sentait perdu mais au moins ses courbatures et tremblements diminuaient enfin. Peut-être, après tout, ferait-il mieux d'aller piquer un somme dans un des fauteuils du hall…

– À part mon père et Balaghino, ce matin-là, qui y avait-il d'autre ? reprit Sofia.

– Un seul autre homme. Costaud. La quarantaine. Blond, la peau très pâle. On aurait dit un Suédois, quelque chose comme ça…

– Tu l'avais déjà vu ?

– Jamais.

– Que peux-tu nous dire d'autre ?

Marcello eut un sourire onctueux, celui du majordome toujours en avance d'un service :

– J'ai relevé le numéro de sa voiture.

– Comment sais-tu que c'était la sienne ?

– Au moment où je passais, il est allé chercher un dossier dans un des véhicules. Une Marea. Tout ça me semblait très… étrange.

– Tu nous le donnerais ?

Marcello sortit un petit papier plié en quatre, comme s'il le gardait dans sa veste depuis la fameuse matinée en attendant la comtesse.

– Tu témoignerais chez les flics ? demanda-t-elle en l'empochant.

– Non, vous le savez bien.

Sofia sourit et regarda Loïc : il se sentait partir. Il dut même s'appuyer à une table roulante pour conserver son équilibre.

– Merci, Marcello.

– Pour votre père…

Le maître d'hôtel allait tout gâcher avec quelque phrase convenue mais il se ravisa, se souvenant sans doute de la petite fille qui jouait dans les jardins de Fiesole – déjà pas le genre à s'apitoyer sur elle-même ni sur les autres.

Elle l'embrassa sur la joue. Loïc vit l'instant où le grand échalas allait fondre en larmes. Pour faire bonne mesure, il le salua à la dure, d'un signe du menton, en prenant l'air remonté d'un caïd. *Complètement ridicule.*

Ils sortirent du palais et marchèrent vers leur voiture, faisant crisser le gravier sous leurs pas. Malgré sa décrépitude, Loïc revit, comme un point lointain à l'horizon, ces moments féeriques qu'ils avaient partagés, elle et lui, en Toscane, goûtant ensemble cette paix antique qu'on ne trouve nulle part ailleurs.

En déverrouillant les portières, Sofia cracha :

– Soit tu te calmes, soit tu reprends de la coke, mais tu me fais plus un plan pareil.

52

– JE PEUX PAS CROIRE que j'aie fait ça, patron.

– Ça t'arrange aussi, non ?

– Chef, on risque la vie du convoi, là.

14 heures. Depuis l'attaque éclair du matin, de l'eau avait coulé sous les barges. La fusillade n'avait duré que quelques secondes et personne n'avait compris ce qui s'était passé. Selon les soldats embarqués, les Tutsis étaient à tribord du fleuve, c'est-à-dire à droite, les troupes régulières des FARDC et les Hutus à bâbord, à gauche. Au milieu, les civils allaient morfler encore une fois – à commencer par les barges qui constituaient de vrais réservoirs : vivres, victimes, richesses (relatives) à piller. Le capitaine du *Vintimille* avait fait passer le mot : pas d'arrêt à Lontano. Prochain stop cinquante kilomètres au nord.

La seule idée qui était venue à Erwan : un sabotage. Salvo prétendait s'y connaître assez en mécanique pour provoquer une panne et forcer le train flottant à s'arrêter aux environs de Lontano. Il s'était glissé dans la salle des machines et en était ressorti une heure plus tard, l'air terrifié.

– J'aime pas ça, patron. On a joué les farceurs, là, et les démons, ils…

– On va s'arrêter ou non ?

– J'ai bloqué l'arrivée d'huile. Va y avoir surchauffe. Même sur ce rafiot, les voyants vont s'allumer. De tout' façon, ça va puer la mort. Le capitaine stoppera le moteur et vérifiera lui-même.

– Combien de temps pour la réparation ?

– Avec le refroidissement des moteurs, trois heures environ.

– Il ne se laissera pas dériver ?

– Non. Lontano est connu pour ses courants : faudra qu'il mouille. J'aime pas ça, papa. J'aime pas ça…

– Arrête de gémir. Tu dois bien livrer là-bas, non ?

Salvo confirma à contrecœur. Erwan était verrouillé sur sa décision. Son père n'aurait pas hésité une seconde à mettre en péril la vie de plusieurs personnes pour faire aboutir une enquête ou réussir une opération. Ce sang implacable coulait dans ses veines.

Des cris s'élevèrent. Les passagers cachés sous les bâches depuis les coups de feu se pressèrent au bord du pont, criant, tendant leur index, se cachant les yeux. Erwan suivit le mouvement et fixa le point sur la rive qui venait de provoquer cette agitation. Rien à signaler. La berge offrait la sempiternelle ligne verte striée de noir.

Puis, soudain, il vit.

Des pieux dépassaient des joncs. Des pieux hérissés de têtes tranchées. Les gorges sanglantes dessinaient des collerettes atroces – à la manière des fraises plissées sous Henri IV. À mi-hauteur de chaque perche, des organes génitaux étaient cloués. Les corps des ennemis réduits à leur plus simple expression…

– Les Tutsis, murmura Salvo, la voix tremblante. On entre sur leur territoire.

Trop tard pour revenir sur leur projet d'abordage foireux. Erwan leva les yeux vers le four à pain rouillé qui constituait la cabine du capitaine. On distinguait derrière la vitre sa gueule de gargouille. Dans ses yeux, un éclat de satisfaction. Plus que jamais, il devait se féliciter d'avoir renoncé à la prochaine station – sans savoir ce qui l'attendait. Sans doute devinerait-il l'embrouille du

Blanc mais il serait trop tard pour s'en préoccuper. L'urgence serait de stopper les moteurs, de déjouer les courants, de réparer l'avarie.

Erwan retourna à sa place, comme tout le monde. En quelques minutes, l'Afrique et sa fournaise reprirent leurs droits. Ciel gris et brûlant. Rives molles et monotones. On aurait pu croire que les totems n'avaient pas existé, que les occupants du convoi avaient été victimes d'une hallucination collective. Bientôt, le pouvoir hypnotique du fleuve fut le plus fort. Chacun s'endormit sous sa bâche ou sombra dans une morne indifférence. L'idée même que cette foule était surexposée, que les Tutsis étaient tout proches, prêts à la prendre pour cible, était vaincue par la monotonie du voyage et la puissance de la chaleur.

Comme mû par une prémonition, Erwan se réveilla et remarqua des signes avant-coureurs de la ville ancienne. Carcasses d'avion embourbées. Ossatures de villas, couvertes de lianes et de boue séchée. Rivage jonché de poissons crevés, de filets déchirés : on aurait juré que les pêcheurs et leurs familles avaient pris la fuite quelques heures auparavant.

Salvo dormait encore.

– On arrive ! lui cria Erwan à l'oreille en le secouant.

– Et alors ? demanda le Black en ouvrant un œil.

– Et alors aucune panne à l'horizon.

– Tu sens pas l'odeur ?

Depuis deux jours, ils vivaient dans une asphyxie de gasoil : Erwan n'aurait pas détecté un cadavre en décomposition sous son cul. Mais Salvo avait raison : une puanteur de brûlé couvrait les effluves de carburant. Les moteurs chauffés à blanc devaient être au bord de l'explosion. Il sortit de l'auvent et chercha du regard le capitaine : plus là. Sans doute déjà dans la salle des machines, à essayer de détecter le problème avec son mécano.

À cet instant, le moteur vrombit, le convoi ralentit – sabotage réussi.

Tout le monde s'anima – personne ne savait si les barges allaient finalement s'arrêter mais dans le doute, on se tenait prêt. Le capitaine revint à la barre, les traits durcis par la colère. Sur sa face lacérée, Erwan lut deux vérités : la première on allait mouiller à Lontano, la deuxième on réglerait ça plus tard, avec le mzungu.

Un ponton à fleur de vase. Toujours le même modèle : mi-eau, mi-ombre, bois pourri et pilotis rongés, familles attendant les leurs, pirogues stationnant en vue d'un commerce quelconque. Aucun lien entre cette scène domestique et le danger imminent.

– Tu sais où est le dispensaire ? demanda Erwan en bouclant son sac.

Salvo serrait plus que jamais sa valise sur son torse.

– T'as pas l'air de comprendre, chef. Lontano, c'est un champ de ruines. Le dispensaire est dans la forêt. Ça veut dire qu'on doit traverser la ville, qu'on doit négocier avec les Tutsis, qu'on…

– Y a ta valise, non ?

– On sait jamais. Faut aussi espérer qu'il y a le compte à l'intérieur, qu'y sont pas bourrés, que les esprits sont avec nous…

15 h 10. Ils s'enfouirent parmi la masse qui débarquait alors que d'autres déjà essayaient de monter. On déchargeait des vivres, des barils, des caisses, des sacs à profusion. Personne n'avait l'air de se soucier de se faire repérer. À ce stade, il n'y avait plus de discrétion possible. Les Tutsis décideraient de leur sort. La roulette africaine : un barillet presque complet.

Enfin, ils sautèrent sur la berge. Tout baignait dans une lumière végétale, féerique. Les troncs des arbres, la terre, les planches du ponton, tout paraissait abriter une sève émeraude, précieuse, luminescente.

Avant Lontano, la ville morte, il y en avait une autre, bien vivante : une cité lacustre faite de pneus, de bouts de bois, de bâches plastique, tenue par des hommes amphibies. Parmi eux, quelques soldats en bottes de jardinier : péage. L'extorsion était inévitable mais Salvo s'en tira a minima. Il avait rangé son bâton : on pénétrait dans l'univers de la Kalach.

Par réflexe, Erwan jeta un regard au *Vintimille*. Aucune certitude sur la durée de réparation mais dès qu'il pourrait repartir, le capitaine mettrait les gaz sans attendre qui que ce soit. Tant pis si le Blanc n'était pas de retour. Ou plutôt tant mieux.

Ayant retiré leurs chaussures et retroussé leurs pantalons, ils s'enfoncèrent avec les autres dans les méandres marécageux. Des déchets leur fouettaient les mollets, l'eau était tiède comme de la pisse. Ils marchèrent ainsi près d'un quart d'heure, alors que leurs compagnons disparaissaient les uns après les autres, jouant les passe-murailles à travers les joncs et les feuilles. Personne ne se souciait de rejoindre la cité en ruine, droit devant, occupée par des troupes sanguinaires.

Sur un promontoire, des soldats apparurent, fusil braqué, œil dans le viseur. Salvo s'agita en criant et en montrant sa valise. Erwan suivait toujours. Un souvenir incongru sourdait dans son cerveau : Loïc, dans ses délires bouddhistes, lui répétait souvent que l'on n'est peut-être que le produit d'un rêve.

Il avait l'impression en cet instant d'être craché par un pur cauchemar.

53

ON LES LAISSA remonter la piste, sans même leur réclamer un dollar. Des vestiges d'architecture filtraient sous la végétation. Murs asphyxiés par le lierre, toits-terrasses effondrés, gravats couverts de feuilles. Des claustras découpaient les rayons du soleil en carrés ou losanges, des fragments de toitures révélaient des couleurs usées par les pluies : rose pâle, vert d'eau, bleu ciel…

Alors qu'Erwan avait cru s'éloigner du fleuve, ils se retrouvèrent à nouveau sur la berge : un sentier coincé entre arbres et roseaux formait un chemin de halage. Les bruissements de la jungle les surplombaient comme dans une gigantesque volière.

– Par là, chef.

Salvo n'avait plus de voix. Seulement un filet qui traduisait ce qui restait de sa bravoure. Bizarrement, ils avançaient seuls dans ce no man's land. Parfois, des villas fantomatiques se dressaient face aux eaux : les anciennes demeures des Blancs Bâtisseurs. Hormis les murs rongés, il n'en restait rien : stores, tuyaux, meubles, châssis, tout ce qui avait pu être volé avait disparu. Même les boîtes de climatisation avaient été dérobées – les façades portaient encore leur marque, comme des cadres monochromes délavés.

– Les derniers pillages datent des années 90, expliqua Salvo en chuchotant, quand Mobutu payait plus ses soldats. Ils ont tout pris…

Un sentier s'insinuait sous le treillis des lianes.

– Des gens habitent encore ici ? demanda Erwan à voix basse.

– Personne à part les Tutsis. Les maisons sont toutes piégées. Tu entres, une cage se referme sur toi. D'aut' fois, t'es obligé de ramper pour passer et tu restes coincé à mi-corps. De l'autre côté, le Tutsi t'étrangle si tu lui plais pas.

Un martèlement se fit entendre.

– C'est quoi ? s'inquiéta Erwan, la gorge sèche.

– Les femmes des Tutsis. Elles appellent les esprits avant le combat.

– Je croyais qu'ils étaient chrétiens.

– Rien à voir. C'est pour la bataille.

Des cris s'élevèrent, suraigus comme des sifflets, proches des youyous sahéliens. Impossible de dire s'il s'agissait de gémissements de désespoir ou de cris d'allégresse. Les arbres s'étaient refermés sur eux, ne leur accordant qu'un demi-jour glauque et mouvant. Erwan ne songeait plus à regarder sa montre. Tout était vert. Les mousses couvraient les vestiges comme une fourrure. La vie végétale circulait dans le moindre conduit, sous la moindre fondation.

Enfin, ils les découvrirent.

Elles étaient assises en rond, devant un tumulus de feuillages, psalmodiant leur prière. Un chèche noir dissimulait leurs traits. La version africaine des sorcières de *Macbeth*. Erwan imaginait que leurs bras étaient des racines, leur visage une araignée.

– T'as le fric, missié ?

Il se retourna : trois soldats impeccables le braquaient. Grands, minces, vêtus d'un uniforme kaki serré à la taille par une ceinture portant cartouchière, arme de poing et couteau. Chacun coiffé d'un béret rouge et chaussé de bottes de caoutchouc trop grandes qui prêtaient à sourire.

Mais les visages coupaient court à toute gaieté : des gueules d'os et de haine, des yeux injectés de sang qui leur sortaient littéralement des orbites. Soit ces types étaient défoncés, soit ils étaient fanatisés jusqu'à la folie. Dans tous les cas, ils avaient dépassé un point de non-retour.

– Où est le fric, missié ?

Erwan n'entendait plus les litanies des femmes. Encore une fois, son esprit avait lâché la réalité comme un alpiniste dévisse d'une paroi. Il ne sentait plus les moustiques ni la chaleur accablante, ne percevait plus les voix des soldats ni le bourdon des insectes, qui couvrait tout comme un dôme.

– Missié…

Enfin, au fond de son cerveau, un signal d'alarme s'alluma. Il manquait un élément au tableau, une pièce cruciale de la scène : Salvo avait disparu.

54

LES SOLDATS n'avaient pas écouté ses explications : on lui avait pris son sac et son passeport, lié les mains puis on l'avait invité, avec des manières et des politesses outrancières, à se mettre en marche. Erwan faisait des efforts pour se convaincre de sa situation – désespérée. Salvo s'était fait la malle avec l'argent. Pourquoi avoir attendu d'être en territoire tutsi pour disparaître ? Son plan devait être mûri de longue date et lui-même, d'une manière ou d'une autre, en faisait partie.

Il jeta un regard à sa montre – on ne lui avait pas attaché les mains dans le dos : presque 16 heures. Qu'est-ce que ça signifiait maintenant ? Avait-il la moindre chance de s'en sortir ? Si Maillot Jaune avait voulu le buter, il ne s'y serait pas pris autrement.

Ils parvinrent dans une clairière qui avait dû être la grand-place de Lontano. Au centre, un socle érodé ne supportait plus aucune sculpture. Autour, des ruines monumentales, des seuils amples aux larges marches, des galeries aux colonnades carrées… Les vestiges d'une cité antique repeints en vert. Sur une des façades, on pouvait lire, en lettres roses : LA CITÉ RADIEUSE. C'était là que son père dansait avec sa mère, chaque samedi soir, alors qu'un tueur en série terrifiait la communauté. Erwan était sur les lieux mêmes des crimes de jadis mais il arrivait beaucoup trop tard.

Des dizaines de soldats filiformes se déployaient, arme au poing. Flottant dans leur uniforme, ils semblaient aiguisés à la pierre à huile. Figure étroite, nez aquilin, pommettes en silex. Leurs yeux mangeaient toute la partie supérieure du visage. Détail surprenant : ils possédaient des fusils MK 12 Special Purpose Rifle, spécifiques aux soldats de l'US Navy.

Erwan se souvenait des horreurs qu'il avait lues sur le site de Radio Okapi ou dans les ouvrages consacrés aux guerres au Congo – viols, tortures, cannibalisme... Ces soldats ressemblaient à des étudiants disciplinés mais ils étaient capables d'actes monstrueux, en rupture totale avec toute notion d'humanité. De purs psychopathes en uniforme repassé.

Deux gradés et un homme vêtu d'un jean et d'une chemise western, tenant un bloc-notes, s'avancèrent vers lui.

– Où est mon argent ? demanda en français l'officier qui avait l'air le plus cool.

– C'est Salvo qui l'a, répondit Erwan sans réfléchir.

Le Tutsi hocha lentement la tête, alors qu'un sourire s'insinuait sur ses lèvres. Il portait aux épaules les insignes de colonel et devait posséder une solide formation universitaire. Esprit des Morts en personne. Combien de génocidaires avaient été formés à la Sorbonne ou sur les campus d'Oxford ?

– Salvo..., murmura-t-il. Comment faire confiance à un Banyamulenge ? (Il se tourna vers le cow-boy.) Combien il nous doit, James ?

Le comptable ouvrit son carnet :

– Trois cent quatre mille dollars, mon colonel.

Nouveau mouvement de la tête. Esprit des Morts feuilletait lentement le passeport d'Erwan, comme s'il s'agissait d'un livre d'images merveilleuses.

– Comment tu vas nous rembourser, chien de Français ?

– Je n'ai rien à voir avec cette histoire. Salvo était mon guide, c'est tout.

– Guide pour où ?

– Le dispensaire de sœur Hildegarde.

Le colonel éclata de rire alors que ses hommes restaient aussi sérieux que des évêques en plein concile. Aux quatre coins de la clairière, de longues boîtes métalliques s'empilaient comme des cercueils. Une d'elles, entrouverte, laissait voir un fuselage couleur kaki et une poignée de portage. Un lance-missiles. Même à cette distance, Erwan reconnaissait le profil spécifique des FGM-148 Javelin, machines à détruire américaines qui avaient fait leurs preuves contre les chars irakiens.

– Tu veux aller voir la Vieille ?

– À moins que vous l'ayez déjà tuée.

D'une manière incompréhensible, Erwan cherchait à le provoquer. Il était mal tombé : Esprit des Morts semblait très relax. Physiquement, il ne possédait aucun trait particulier. Un Tutsi ordinaire, ni plus maigre ni moins halluciné que les autres.

– On la protège. C'est elle qui nous soigne après les accrochages. C'est une sainte, c'te femme-là. Chaque dimanche, je demande à mes fidèles de prier pour elle.

– Vous… tu es prêtre ?

– Pasteur adventiste du 7e jour, fit-il avec un large sourire. C'est parce que Dieu est avec nous que nous avons pu nous imposer.

Erwan désigna les caisses :

– C'est lui qui vous a envoyé ce matos ?

Le colonel glissa le passeport dans sa poche de poitrine et cala ses poings sur ses hanches – un soldat en plastique, à échelle humaine. Son regard exprimait une malice distanciée, la certitude d'un homme qui tient le monde dans sa main.

– Pourquoi pas ? Nous menons une sainte croisade pour reprendre nos terres.

– Tu veux dire vos mines.

Esprit des Morts ne réagit pas à la nouvelle provoc et fit quelques pas, dans un sens, puis dans l'autre, à la manière d'un professeur qui réfléchit à la meilleure sanction à infliger à son élève.

– Qu'est-ce que tu cherches au juste ? reprit-il.

– Je suis flic, riposta Erwan en jouant la franchise. J'enquête sur une histoire vieille de quarante ans qui s'est passée ici même, à Lontano.

Le génocidaire fixait son interlocuteur pour capter où était le mensonge. Une fantaisie pareille ne pouvait être qu'un conte. Ou bien alors le mzungi était fou.

– Je me moque de votre guerre, insista Erwan. Je veux simplement gagner le dispensaire, interroger la sœur et remonter sur le *Vintimille* le plus vite possible.

Aucune réaction de la part du Tutsi. Ses pupilles brillaient sous ses paupières mi-closes. Erwan n'en avait plus pour longtemps et cette pression l'empêchait de penser à quoi que ce soit d'autre qu'à l'instant présent. Pas de souvenirs ni de regrets au seuil du gouffre.

– Où est Salvo, missié Morvan ?

– Aucune idée, je te le répète. Tu peux me torturer, je n'en sais pas plus.

Esprit des Morts fit un bref signe de tête. Aussitôt, son acolyte en uniforme dégaina une arme de poing et la braqua à hauteur du front du Français – Erwan crut reconnaître un Heckler & Koch USP. Qui avait vendu de telles armes à ces tueurs en série ?

– Tu viens de Tuta ? demanda le pasteur.

– Avec les barges, oui.

– T'as vu les gars du FARDC ?

– Non.

– Les Maï-Maï ?

– Non.

– Personne d'autre ?

Erwan décida d'oublier les kadogos et leurs cadavres.

– Pas un soldat depuis Tuta.

Le chef tutsi déploya un large râtelier de dents blanches. Ses gencives étaient rouges comme la pulpe d'une pastèque. Les changements d'humeur, les ruptures de tempo : Erwan commençait à avoir l'habitude.

– Y nous cherchent, patron…, susurra le colonel avec un soudain accent de broussard. Y nous cherchent mais Dieu nous cache… (Il retrouva son air grave.) Je te pose la question une dernière fois : où est Salvo ? J'ai pas trop le temps de plaisanter, là : on a une attaque à préparer.

– Vous n'allez pas utiliser les Javelin ?

Erwan venait de saisir une vérité. Ces troupes étaient sur le pied de guerre – tout ce qui pouvait tirer et détruire était de sortie. Or, les lance-missiles restaient dans leurs caisses. Les Tutsis ne savaient pas s'en servir.

Esprit des Morts haussa un sourcil. Pour une raison ou une autre, ils avaient reçu ce matériel sans le mode d'emploi – ou ils ne l'avaient pas compris.

– Tu connais ces trucs ? demanda-t-il en s'approchant.

– Avant d'être flic, j'étais militaire.

En Guyane française, il avait assisté à des séances d'entraînement impliquant ces FGM-148 propulsant des missiles Javelin à autoguidage infrarouge.

– Quelle force ?

– Paras, 6ᵉ RPIMA.

Le colonel parut réfléchir – Erwan avait peut-être trouvé de quoi survivre quelques minutes supplémentaires. Soudain, le Tutsi l'attrapa par le col et le poussa jusqu'aux caisses :

– Tu sais comment ça marche ?

– Oui.

– Montre-moi.

– Qu'est-ce que j'y gagne ?

– Tu n'es pas en position de négocier, cousin.

– Je pourrais décider de mourir sans vous expliquer quoi que ce soit.

Esprit des Morts exagéra son soupir :

– Montre-nous comment utiliser ces machins et tu pourras repartir sur ta barge. Pas question de t'avoir dans nos pattes pendant l'assaut.

Le Tutsi l'abattrait dès qu'il aurait compris comment tirer mais Erwan pouvait encore gagner quelques secondes. Il acquiesça d'un hochement de tête. D'un geste, Esprit des Morts ordonna qu'on le libère. Erwan s'agenouilla et sortit les pièces détachées. Il n'était pas sûr de se souvenir de ce qu'il avait vu à l'époque mais il misait sur son bon sens.

– D'abord fixer le CLU *(command launch unit)* sur le connecteur du FGM-148…

Encastrant le boîtier qui ressemblait à un gros appareil photo, il livrait ses explications d'une voix qui ne tremblait pas. Il n'était plus qu'une succession de réflexes, chaque geste s'enchaînant au suivant. Il indiqua comment charger le Javelin, comment ôter le cran de sécurité puis viser dans le CLU.

– Ce sont des missiles de type *fire and forget*, « tire et oublie ». Ils sont autoguidés. Quand tu as ta cible dans le viseur, tu lockes en appuyant ici et tu tires. Plusieurs technologies sont alors activées : guidage inertiel, GPS, système radar et repérage à infrarouge. En résumé, tu peux l'oublier et aller te planquer.

– On peut l'utiliser de nuit ?

– Aucun problème. L'écran du CLU a une position nocturne. Ici.

Il allait poursuivre son exposé quand Esprit des Morts lui planta son calibre sur la nuque.

– C'est bon, cousin. Pour le reste, on va se débrouiller sans toi.

– Et notre marché ? demanda Erwan d'une voix qui ne lui appartenait plus.

– Comment tu dis déjà ? « Tire et oublie »…

Un fracas annula l'instant. L'explosion emporta tout, trouant le temps et l'espace. La détonation fut aussitôt suivie d'un sifflement, à moins que ce ne soit l'inverse. D'un coup, les feuillages qui cernaient la clairière se mirent à trembler en une vague frémissante alors qu'une onde souterraine faisait voler la boue en une pluie qui partait du sol.

Erwan fut propulsé dans les airs, comme un oiseau, remarquant avec étonnement combien la mort est indolore.

55

LE CHOC DE L'ATTERRISSAGE lui fit rouvrir les yeux. L'air n'était plus qu'un brouillard écarlate. Des arbres étaient déchiquetés. Des branches volaient. Des singes bondissaient de cime en cime. Esprit des Morts se réduisait à deux jambes rattachées à un bassin sanglant : le tronc sectionné gisait à plusieurs mètres. Erwan n'entendait plus rien sinon un bourdonnement doublé d'un larsen. Les FARDC avaient pris les devants. Attaque de mortier depuis l'autre rive.

Les Tutsis couraient en tous sens sous une pluie de feuilles et de latérite, alors que des dizaines de soldats étaient déjà au tapis. Erwan réalisa qu'il était en train de les viser avec le .45 du colonel. Dans un mouvement réflexe, il l'avait arraché aux hanches orphelines. On n'en était plus là. Personne ne faisait attention à lui.

Un Tutsi titubait en bredouillant – il lui manquait un bras à la base de l'épaule. Un autre, dont les vêtements avaient été soufflés par l'explosion, tentait de se cacher parmi les lianes, le dos hérissé de débris métalliques. Un autre encore tenait ses viscères entre ses bras croisés alors qu'un liquide brunâtre lui pissait sur le froc.

Erwan ne bougeait toujours pas, les deux mains serrées sur son calibre, en position de tir instinctif. L'odeur de chair brûlée et de terre retournée lui saturait les narines. Il n'était ni horrifié ni terrifié. Ça se passait ailleurs, quelque part au-dessus de sa conscience, sans que rien se connecte à ses nerfs ni son cerveau.

Enfin, il mesura le danger. Les obus continuaient de pleuvoir – sans le son – et lui-même était tombé au milieu des caisses de missiles. Il ignorait ce que ces ogives contenaient mais des mots comme « charge creuse », « gaz incandescents », « dard de feu », « K-kill » sonnaient juste. Si un mortier touchait un des Javelin, il serait lui-même disséminé dans un rayon de plusieurs centaines de mètres.

Secoue-toi ! Il se mit en marche après s'être rapidement examiné : pas de blessures apparentes. Son ouïe revenait. Au grondement diffus du bombardement, s'ajoutaient les saccades des armes automatiques – les Tutsis ripostaient. Position d'attaque, mitrailleuses lourdes sur trépied, crépitements continus.

Accélérer le pas. Traverser la place. Retrouver le chemin du fleuve. Dès les premiers coups de semonce, le capitaine du *Vintimille* avait dû redémarrer. En courant, Erwan pouvait encore attraper les barges le long de la rive. Le sol vacillait sous ses pieds, le ciel penchait dangeureusement mais il avançait. Au bout de quelques mètres, il aperçut les lettres roses LA CITÉ RADIEUSE qui semblaient lui faire de l'œil. L'enseigne peinte provoqua un déclic.

Il fit volte-face et retourna là d'où il venait. Mourir, oui, mais en gagnant ce qu'il était venu chercher. Il ramassa son sac à dos et s'arrêta devant ce qui restait du buste d'Esprit des Morts. Retenant son souffle, il palpa ses poches de poitrine trempées d'hémoglobine et trouva son passeport. Tant qu'il y était, il rafla un fusil d'assaut, puis il plongea dans la jungle, tournant le dos au fleuve.

56

– TU ES BLESSÉ ? demanda la femme sur le seuil.

Elle était si petite, si maigre et si hostile qu'il pensa à une poupée fabriquée en barbelés. Sa robe et sa peau en avaient la couleur. En guise de réponse, il cracha par terre – des glaires noirâtres lui obstruaient la gorge.

– Laissez-moi entrer, ordonna-t-il en la bousculant pour passer.

Il avait couru d'un bosquet à l'autre, évitant les cratères des bombes, entendant siffler les balles. Il avait croisé d'autres ruines, d'autres clairières, glissé dans des ravines, roulé au fond, s'était relevé puis enfin, au bout de la ville, avait aperçu un bâtiment de ciment nu portant une croix peinte.

Elle verrouilla la porte derrière lui. Il se tenait plié en deux, les mains en appui sur les genoux. Poumons à vif, coups de boutoir dans la tête. Une douleur palpitait le long de sa jambe droite, sa bouche saignait et son bras gauche lui paraissait inutilisable – mais rien de grave, il en était certain. Enfin, il releva la tête et mit encore quelques secondes à s'habituer à la pénombre.

La pièce était occupée par une dizaine de lits vides. Trois ou quatre Blacks, en blouse blanche, étaient assis par terre. Toute perception, toute réflexion ici était altérée par une chaleur suffocante. La fournaise s'était emparée de l'endroit et l'avait soumis à sa puissance. On ne pouvait y répondre que par… dissolution.

– Tu es blessé ? répéta-t-elle.

Sœur Hildegarde avait la gueule de l'emploi. D'apparence frêle mais dure au mal, un visage minuscule lacéré de rides, comme si l'Afrique n'avait cessé de la taillader. Elle devait avoir plus de quatre-vingts ans. « La dernière des Mohicans », avait dit père Albert. Malgré lui, Erwan éprouva un sentiment de triomphe irraisonné. Il avait réussi. Il était parvenu au bout de sa quête.

– Ça va, finit-il par grogner. Vous êtes bien sœur Hildegarde ?

– Qui d'autre ? fit-elle, exaspérée. Et toi, qui es-tu ?

– Je m'appelle Erwan Morvan. Je suis flic à Paris… le fils de Grégoire Morvan.

– C'est une blague ?

– J'ai l'air d'une blague ?

– Franchement, oui, rétorqua-t-elle en le toisant. Et de mauvais goût.

Dehors, les déflagrations, les crépitements s'espaçaient.

– Laisse-moi t'examiner.

– C'est bon, j'vous dis !

Sœur Hildegarde suspendit son mouvement, l'air féroce : elle lui avait tendu la main, il la rejetait, il n'y aurait pas de deuxième chance. Elle se dirigea vers une table roulante où s'alignaient des instruments chirurgicaux à moitié rouillés.

Erwan voulut s'approcher mais elle l'arrêta d'un regard :

– Retire tes chaussures.

– Quoi ?

– Retire tes putains de chaussures boueuses !

Il s'exécuta – dérisoire mesure d'asepsie dans cette salle qui ressemblait à un hangar à vélos. Il en profita pour se délester de son MK 12 et de son sac à dos.

– Comment tu es arrivé ici ?

– Les barges.

– Quelle est la situation dehors ?

– Les FARDC ont commencé à frapper.

– Il y avait des rumeurs, dit-elle pour elle-même, mais je n'étais pas sûre… Les Congolais ont acquis de nouvelles armes.

Avec son accent germanique, sœur Hildegarde faisait marcher ses syllabes au pas, et en bottes lourdes. Réflexion faite, elle devait plutôt être néerlandophone.

– Vous vous trompez : ce sont les Tutsis qui ont reçu du matériel.

Elle rit de bon cœur. Elle avait une dentition parfaite qui tranchait avec son masque gris. En une pensée réflexe, Erwan associa ces dents superbes à une hygiène de vie à l'allemande. Baignades matinales dans la rivière, gymnastique dans la forêt.

– Les trafiquants fournissent les deux armées. Un voyage, deux paiements. On gagne sur tous les tableaux.

Il comprenait mieux la puissance de l'attaque adverse.

– Qui vend ?

– Impossible à savoir. Ici, y a pas de feu sans fumée. T'as croisé les Tutsis ?

Il acquiesça en cherchant toujours son souffle. Elle attrapa une bouteille de white-spirit et arrosa ses outils.

– Ils t'ont laissé la vie ?

– Le bombardement m'a sauvé.

– Remonte sur tes barges. Esprit des Morts ne te lâchera pas.

– Oubliez-le. Il n'a jamais si bien porté son nom.

Elle gratta une allumette et la balança sur les instruments qui s'embrasèrent d'un coup. Les flammes avaient valeur d'épitaphe.

– Qu'est-ce que tu veux ? Tu tombes au pire moment.

– Je suis venu vous poser des questions.

– Sur quoi ?

– Sur l'Homme-Clou, le meurtrier des années 70.

Elle saisit d'autres bistouris et les plaça à mains nues dans le brasier orange et bleu. Elle semblait insensible aux brûlures.

Face à son silence, Erwan continua :

– J'ai parcouru sept mille kilomètres pour obtenir ces réponses et je n'ai pas le temps de vous expliquer mes motivations.

Elle ouvrit un vieil autoclave et y fit glisser les instruments qui crépitaient comme des bananes flambées. Toujours aucun signe de douleur.

– Écoute, mon joli. Tu entends dehors ? Dans quelques minutes, le dispensaire va regorger de blessés. Si tu crois que j'ai le temps pour ces vieilles histoires…

– Quelques questions, ma sœur, et je disparais…

Elle attrapa une scie. Allumette. Autoclave. Dans d'autres circonstances, tout ça aurait prêté à rire : une petite vieille faisant sa vaisselle infernale… Pris d'épuisement, Erwan s'écroula sur un des lits de camp. Le sang et la boue se fondaient avec sa sueur en une tourbe organique.

– Vous n'avez aucun malade ? s'étonna-t-il en contemplant la salle.

– Les jours de consultation, j'ai une queue de plusieurs centaines de mètres devant ma porte, dès cinq heures du matin. Ici, tout le monde est malade, tout le monde est blessé, à l'extérieur comme à l'intérieur. Mais je ne garde personne plus d'une journée. Cette guerre est un naufrage. À chaque avarie, on écope, on colmate. Le jour suivant, une autre brèche s'ouvre et on remet ça.

Comme pour ponctuer sa phrase, une détonation fit trembler les murs.

– Vous ne vous mettez pas à l'abri ? Vous n'avez pas peur ?

– Je fais confiance à Dieu. Il m'a confié un travail, je dois le finir.

Sœur Hildegarde n'avait pas l'air au courant : Dieu avait quitté le Congo depuis longtemps.

– Les Tutsis ne vous menacent pas ?

– Menacer de quoi ? (Elle eut un rictus.) Me violer ? Me tuer ? Je les soigne. C'est moi qui pourrais les menacer.

Elle boucla l'autoclave et s'essuya les mains sur sa robe. Enfin, elle émit un soupir et parut se résigner à la présence d'Erwan. Nouvelles explosions, rafales en pointillé.

– Tu veux du café ? demanda-t-elle soudain, sur un ton plus amical.

Peut-être une invitation à poser ses questions…

– Je veux bien, merci.

Elle plaça une cafetière italienne sur un bec Bunsen qu'elle alluma avec des gestes secs et précis. Toujours blottis dans un coin de pénombre, immobiles, les Noirs en blouse semblaient attendre un signal pour s'animer. Elle revint vers le Français avec deux gobelets de métal cabossé.

– Sucre ?

– Ma sœur…

Elle s'assit sur le lit en face de lui – deux blessés de guerre qui essayaient de faire salon.

– Qu'est-ce que tu veux savoir ?

57

IL DÉCIDA de commencer par Morvan.

– Je ne l'ai pas connu... directement, répondit-elle après avoir bu une gorgée. Je l'ai aperçu au dispensaire quelques fois, rien de plus. Tout ce que je savais de lui, c'était ce que m'en disait Catherine. Il était très malade. (Elle se tapota la tempe de l'index.) Il avait des sortes de... crises. Fièvre, tremblote, et surtout violence.

– C'est durant ces crises qu'il la frappait ?

Elle alluma une cigarette épaisse – sans doute du tabac brun.

– Cathy prétendait qu'il fallait le soigner.

– Pourquoi « prétendait » ?

– Elle avait le syndrome de la femme battue. Elle lui trouvait encore des excuses, des pathologies... Selon elle, il avait des hallucinations, il entendait des voix.

– On m'a parlé d'un psychiatre.

– Michel de Perneke. J'ai repris son bureau à la clinique Stanley mais je ne l'ai jamais croisé. Cathy se méfiait de lui. Elle disait qu'il était dangereux, qu'il manipulait Grégoire, qu'il tenait Lontano dans ses mains...

Il faillit évoquer le dossier constitué par le psy, abandonné à la clinique. *Non, trop tôt.* D'abord établir un lien de confiance avec la sœur de charité.

– Elle espérait peut-être le soigner elle-même ?
– Elle était la plus mal placée pour le faire.
– Pourquoi ?
– Elle était, d'une certaine façon, sa maladie.
– Je ne comprends pas.
– Vous connaissez l'histoire de votre père ?
– De quelle histoire parlez-vous ?
– Sa naissance, son enfance, ses origines.

Il allait répondre par l'affirmative quand il se rendit compte qu'il ne possédait que quelques fragments : orphelin né dans les Côtes-d'Armor, père marin-pêcheur mort dans un naufrage, mère tuberculeuse emportée trois ans après sa naissance, en 1948. Sans doute un tissu de mensonges mais curieusement, Erwan n'avait jamais remis en cause cette partie du mythe Morvan. D'ailleurs, le Vieux n'en parlait jamais. « Aucun intérêt », précisait-il.

– Mon père est toujours resté discret sur ses premières années. Il…

Elle se leva et fouilla dans une armoire métallique bourrée de papiers poussiéreux, de dossiers vermoulus. Elle en extirpa un classeur toilé bouclé par une sangle puis revint le poser à côté de lui, sur le lit de fer.

– Ne perdons pas de temps : tout est là-dedans. De Perneke avait commandité une enquête sur votre père en France.

Erwan ne pouvait quitter des yeux le dossier : son apparition tenait du prodige. Au fond de lui, il avait toujours craint que ces documents n'existent plus.

– Je n'ai pas le temps de tout lire maintenant, balbutia-t-il.
– Prenez-le. Après tout, vous êtes de la famille.

Il posa sa main tremblante sur la couverture. Une boîte de Pandore.

Sœur Hildegarde ne s'était pas rassise.

– Maintenant, laissez-moi. (Elle dressa un index en l'air.) Vous entendez le silence ? La fête est finie. Ils vont tous débouler.
– De l'autre côté du fleuve, qui les soigne ?
– Je n'en sais rien.

– Une ONG ?

Elle eut une grimace de dégoût qui découvrit ses dents parfaites. Il réalisa, avec un temps de retard, que son visage avait dû être magnifique. Un mannequin nordique, blonde, vigoureuse, glacée. Un physique à la Leni Riefenstahl lorsqu'elle était à la fois la plus belle femme d'Allemagne et la cinéaste officielle des nazis.

– Il n'y a plus ici d'ONG ni d'aide d'aucune sorte. À l'instant où je vous parle, nous sommes les deux seuls Blancs à mille kilomètres à la ronde.

Cette remarque lui rappela sa situation. Où irait-il quand il aurait franchi ce seuil ? Il songea à son père – sœur Hildegarde ignorait qu'il y avait un autre Européen dans les environs – mais repoussa aussitôt l'idée de l'appeler à l'aide.

– Selon vous, demanda-t-il en se levant, qui a tué Catherine Fontana ?

– Tout le monde le sait : l'Homme-Clou.

– Ça ne pourrait pas être Morvan, dans un accès de fureur ?

– Je ne vois pas ce que vous voulez dire. La pauvre Cathy avait été… Enfin, elle était mutilée comme les autres.

– On aurait pu maquiller le crime. Vous ne vous rappelez pas quelque chose de suspect à propos des circonstances du meurtre ? Ou des évènements qui ont précédé cette nuit du 31 avril ?

Elle parut réfléchir.

– Non. Je me souviens de sa dernière journée : elle a quitté le dispensaire en fin d'après-midi et… mon Dieu, c'était il y a quarante ans !

Dehors, la brousse reprenait vie. Une cacophonie de cris, de bruissements, de craquements, annonçant le réveil des insectes et des animaux. Exactement comme après la pluie.

Elle se dirigea vers une autre armoire et en sortit une blouse stérile de toile plastique qu'elle enfila par le devant.

– Aidez-moi à la fermer.

Il s'exécuta avec difficulté – ses doigts tremblaient toujours.

– Il y a un homme qui pourrait peut-être vous aider, murmura-t-elle en guise de merci. Il s'appelle Faustin Munyaseza, un Hutu.

Erwan effectuait une course de relais : le témoin changeait de main mais la ligne d'arrivée restait inaccessible.

– Comment le pourrait-il ?

– À l'époque, il était le veilleur de nuit de la Cité Radieuse. On a raconté qu'il avait vu quelque chose.

– Quel rapport avec Cathy Fontana ?

– C'était une femme très secrète. Personne ne savait au juste où elle vivait, ni ce qu'elle faisait hors du dispensaire. Elle rencontrait Morvan dans cet hôtel.

– Vous voulez dire qu'ils se sont vus la nuit du meurtre ?

– Je crois. Je ne sais pas trop au juste : c'est si loin…

Un détail ne cadrait pas : l'infirmière et le flic débutant n'avaient certainement pas les moyens de se payer la Cité Radieuse. Par ailleurs, dans le contexte de terreur de l'époque, Morvan n'aurait jamais laissé Cathy rentrer seule, en pleine nuit. Ou bien avait-elle refusé qu'il l'accompagne ?

– Ce Faustin, il est resté dans le coin ?

– Et comment.

– Où je peux le trouver ?

– De l'autre côté du fleuve mais ce sera difficile de l'approcher.

– Pourquoi ?

– Parce qu'il dirige les Interahamwe alliés aux FARDC. Les mortiers de tout à l'heure, c'est lui.

Il n'en sortirait jamais : ce conflit qui ne le concernait pas, qui l'horrifiait et auquel il ne comprenait rien ne cessait de se dresser devant lui. Quelle chance de trouver une pirogue pour traverser le Lualaba ?

– Ce Faustin, il a un nom de guerre ?

– Avec son prénom, il n'a pas cherché loin : il se fait appeler Méphisto.

– Vous le connaissez ?

– Je l'ai vu grandir.

– Il répondra à mes questions ? Il se souviendra de cette période ?

– Si la drogue et les horreurs qu'il commet chaque jour ne lui ont pas détruit le cerveau, et surtout si vous avez beaucoup d'argent à lui donner.

Il songea à sa ceinture, de plus en plus mince, et à la valise de Salvo. Retrouver le salopard, l'abattre et lui piquer son fric. Erwan allait poser une nouvelle question quand la porte s'ouvrit brutalement.

Deux Noirs apparurent, en tenant un troisième, la cage thoracique arrachée. Erwan n'avait jamais vu ça : les côtes lui sortaient des chairs, la plèvre, déchirée, lui pendait sur les cuisses, les entrailles palpitaient à découvert alors que des morceaux de fer étaient fichés tout autour de la plaie béante.

Sœur Hildegarde bondit et donna un ordre en swahili. Les infirmiers s'activaient déjà. Après avoir ôté leurs bottes d'un coup de talon, les nouveaux venus posèrent le corps sur la table d'opération.

Erwan bouscula les soldats et les infirmiers pour s'approcher de la femme qui avait déjà enfilé des gants de chirurgie.

– Ma sœur, juste un mot, je vous en supplie…

Hildegarde saisit une bouteille d'alcool, en lança une giclée sur la blessure puis ouvrit son autoclave.

– Ma sœur !

– Foutez-moi la paix !

Elle pouvait encore lui révéler quelque chose, il le sentait. Il songea à l'autre sillon – le deuxième mystère de l'Homme-Clou.

– Vous connaissiez les familles qui dirigeaient Lontano ?

Pas de réponse. Les hommes tenaient la victime qui se tordait de douleur.

– Pourquoi Pharabot s'en prenait-il à elles ?

Toujours pas de réponse. La religieuse enfonçait une perfusion dans le bras de la victime.

– Pourquoi dessinait il des schémas dans la boue ?

– Des arbres généalogiques.

– Quoi ?

Des compresses apparaissaient, épongeaient le sang, essuyaient les chairs brûlées, passant de main en main comme les cartes d'un jeu mortifère.

– Votre père en avait compris le sens général. Thierry Pharabot était lié aux clans de Lontano. Peut-être même appartenait-il à ces consanguins...

– Vous voulez dire qu'il était le fils d'une des familles ?

– Foutez le camp d'ici. Laissez-moi opérer !

Elle s'empara de ses instruments au fond de l'autoclave. Sur la table, le Tutsi s'était évanoui. Ou bien il était mort. Les deux autres l'observaient, les yeux hors de la tête. Ce n'était plus une opération mais un rite animiste, une cérémonie magique.

Erwan rangea le classeur toilé dans son sac à dos, attrapa son fusil et rejoignit la porte. L'air chaud du dehors, comparé à la fournaise de la salle d'op, lui parut presque frais. D'autres miliciens apportaient sur des civières de fortune des victimes en morceaux, baignant dans une boue de sang et de terre.

Sac à dos sur une épaule, sangle de son MK 12 sur l'autre, il s'apprêtait à reprendre son errance quand il entendit la dernière chose à laquelle il s'attendait.

La corne de brume du *Vintimille*.

Même au cœur du chaos, les habitudes ont la vie dure : le pousseur repartait et il barrissait pour en avertir toute la brousse.

Erwan se mit à courir à toutes jambes vers le fleuve.

58

LE TEMPS.

Il pouvait traverser Lontano et rejoindre le *Vintimille* en dix minutes. Il retrouvait la ville de lierre et de lianes quand, une nouvelle fois, le décor vola en éclats. Il n'eut que le temps de se jeter à terre. Le blast lui arracha les tympans. La tête dans les mains, il sentit s'abattre sur lui une pluie de latérite et de feuilles déchiquetées – c'était reparti pour un tour.

Sans réfléchir, il se remit debout, ramassa son sac et reprit sa course. Les sons – *tac-tac-tac* des fusils automatiques, claquements secs des tirs solitaires – lui paraissaient étouffés. Les images aussi étaient troublées – la réalité avait été froissée par des mains géantes.

Lontano, la ville verte, était devenue rouge, de toute la latérite retournée par les obus – des pelletées sur un cercueil. Pas un Tutsi à l'horizon : où étaient-ils ? Impossible, avec son ouïe en miettes, de repérer d'où venaient les coups de feu.

Nouvelle explosion. Encore plus proche.

Un bâtiment à quelques mètres partit en flammes. Les FARDC variaient les plaisirs, passant du mortier aux missiles incendiaires. Erwan reprit sa course, un peu plus sourd, un peu plus halluciné, espérant toujours suivre la bonne route. Sans cesser de se répéter : *La berge, je peux la rejoindre en cinq minutes, la berge…*

La place de la Cité Radieuse – des cadavres, des fondrières, des armes abandonnées. Nouvelle explosion. Grêle de caillasses et d'écorces. Où étaient les Tutsis ? Un soldat apparut, tirant à tout-va, les orbites noyées d'hémoglobine. Il lui fallut ce choc pour réaliser qu'il avait perdu son MK 12. Il dégaina son .45, arma la chambre et fit sauter la tête de l'aveugle d'une seule balle. Puis il reprit son chemin d'un pas chancelant.

Où étaient-ils, nom de Dieu ? Avaient-ils tous pris la fuite ? Au bout de la place, il reconnut le sentier qui menait au rivage. Quelques pas encore et il n'en crut pas ses yeux. La ligne de front était là, le long du fleuve, à l'abri d'une levée naturelle. Des centaines de soldats côte à côte tiraient sans discontinuer, se brûlant les mains sur leur Kalach, alors que des postes camouflés abritaient des mitrailleuses lourdes, dont les douilles giclaient aussi violemment que les balles dans la fumée.

Le plus beau, c'était la rive d'en face – le ruban vert monotone qu'Erwan se farcissait depuis deux jours offrait maintenant un foisonnement continu de flammes, d'explosions, de fumée : les tirs ennemis. Impossible de passer. Il se laissa choir au pied d'un arbre. Près de fondre en larmes, il réalisa que la nuit tombait déjà. Peut-être la chance qu'il n'espérait plus…

Il se releva une énième fois et reprit sa course, oubliant ses blessures, négligeant les soldats qui lui tournaient le dos, espérant passer entre les balles d'en face. Les ténèbres lui offraient l'illusion d'être invisible et protégé.

Encore cinq cents mètres pour atteindre l'embarcadère. Il trébuchait sur des fusils brisés, enjambait des corps – il repéra une Kalach à demi immergée et la ramassa. Il attrapa aussi des chargeurs et les fourra dans son pantalon, sentant la succion tiède de la boue sous ses doigts. Il progressait maintenant plus lentement, profitant des flashs des obus pour se repérer et mesurer la distance parcourue. Les FARDC étaient passés aux lance-roquettes façon afghane, avec lesquels ils arrosaient tout le rivage.

Un miaulement lacéra l'obscurité puis l'éclair d'une explosion éblouit une fraction de seconde son environnement immédiat, révélant deux Tutsis qui marchaient dans sa direction, arme au poing. Erwan plongea sur la droite, franchit le mur de roseaux et se laissa glisser dans la flotte, son sac à dos sur la tête.

Les soldats passèrent sans le voir. Il aurait pu les abattre mais une fatigue organique, overdose de sang et de mort, le paralysait. Tenant son sac et son AK-47 dans son pli d'épaule, il se mit à nager à l'indienne, longeant toujours la berge. Cent mètres plus loin, il regagna la terre ferme et se badigeonna le visage de latérite : rouge sur noir, moins visible encore. Son acuité semblait s'améliorer, malgré le bourdonnement des oreilles. L'adrénaline boostait ses fonctions vitales, réflexes compris…

Combien de mètres à couvrir encore ? Il enfila les bretelles de son barda, passa par-dessus la sangle du fusil-mitrailleur en bandoulière et se mit à ramper le long de la levée. Enfin, après avoir vérifié que la voie était libre, il enquilla de nouveau sur son trot de souris. Il était devenu un Maï-Maï, un esprit invisible.

Il réalisa que les zébrures de la voûte céleste n'étaient plus des explosions mais des éclairs. Aussitôt, les premières gouttes s'abattirent, si violentes qu'on aurait pu les croire tirées par les Congolais d'en face.

Enfin, sous ses pieds, les planches de l'embarcadère. Il accélérait quand un choc l'atteignit en pleine poitrine. Le souffle coupé, il chuta sur le dos, rebondissant sur son sac, se cognant la nuque sur les planches pourries.

C'est fini. Il allait crever entre bois et vase, dévoré par les crocos. Quelques secondes pour prendre conscience que sa douleur faiblissait. Il porta la main à son thorax, se palpa : pas de sang. Les gouttes de pluie claquaient sur son visage comme des étincelles de pierre à briquet. Il se retourna telle une tortue sur le dos et comprit enfin : la sangle de son fusil s'était simplement prise dans un des pilotis du ponton, le stoppant net dans son élan.

Il mit encore quelques instants à se dépêtrer puis repartit en vacillant de plus belle. Le *Vintimille*… Un pas puis un autre puis un autre encore…

Il allait découvrir les barges.

Il allait se jeter sur le pont.

Il allait…

Erwan hurla sous l'averse.

La jetée était vide : le *Vintimille* était reparti vers Tuta, le laissant seul en enfer.

II
KLEINER BASTARD

59

CETTE FOIS, AUCUN DOUTE : la guerre avait repris sur le fleuve, à une cinquantaine de kilomètres au sud. C'est-à-dire à Lontano. Il avait tenté d'appeler Erwan : pas de réponse. Salvo non plus. Morvan avait aussitôt pris sa décision : aller chercher son fils sous les bombes. Une chose qu'il avait apprise avec les années : on peut toujours négocier avec des hommes – surtout quand on est blanc et les autres noirs –, pas avec des obus ou des missiles tombant à l'aveugle. Erwan avait toutes les chances d'y passer.

Il avait envoyé Michel chercher une pirogue à moteur. Il avait appelé Chepik afin qu'il vienne les prendre au plus vite à Kongolo ou Kalemi, un atterrissage à Lontano étant désormais exclu – le Russe, pas chaud du tout, avait doublé son prix. Il avait aussi prévenu Cross : « Une virée sur le Lualaba, ça te dit ? » Le Luba, titan en basalte, tenue de camouflage impeccable (il avait plusieurs femmes qui s'occupaient de sa blanchisserie), avait acquiescé du béret. On pouvait se fier à lui. Ancien légionnaire, ancien FAZ, l'homme avait le goût de la mort mais comme quelqu'un à la diète, qui s'en humecte seulement les lèvres pour se souvenir de son frisson.

Morvan ne décolérait pas. Il n'aurait jamais dû laisser Erwan s'embarquer dans cette galère. Sa quête de vérité était absurde mais crever à Lontano d'une balle perdue l'était plus encore.

Pour l'heure, à la clarté d'une lampe-tempête, il étudiait une carte du Lualaba datant de l'époque d'Elisabethville : vraiment une caricature. Distances, courants, obstacles à prendre en compte… Dès que Michel aurait déniché un bateau, il partirait avec sa bite et sa boussole – et quelques soldats. Cinquante bornes de fleuve : selon l'embarcation, il en aurait pour dix ou quinze heures, sans compter toutes les galères possibles en Afrique, à commencer par un naufrage pur et simple. Évaluant ses chances, il songea à Salvo : qu'avait-il encore trafiqué ? Pourquoi ne répondait-il plus ?

Son Iridium sonna. Erwan ? Loïc.

– On a un témoin, annonça le cadet sans même dire bonjour. Quelqu'un a vu Giovanni le matin du meurtre en train de discuter avec des hommes…

Morvan mit quelques secondes à s'adapter :

– Qu'est-ce que je t'avais dit ? J'ai pas été clair ? Fous ta famille dans l'avion et…

– Tu veux l'info ou non ?

– Accouche, soupira-t-il en éprouvant des difficultés à se concentrer.

– À 9 heures, mardi matin, Giovanni discutait avec deux mecs dans un sous-bois des environs de Signa.

– Des Noirs ?

– Des Blancs. Notre gusse a reconnu l'un d'eux : Giancarlo Balaghino. Un facho mouillé dans des affaires de corruption et…

– Je connais.

Cela n'avait aucun sens : Montefiori n'aurait jamais combiné avec des salopards qui volaient sa propre ville.

– Ton témoin, c'est qui ?

– Le majordome d'un palace de Florence. Il a travaillé vingt ans chez les Montefiori, à Fiesole.

On pouvait croire un homme qui avait bénéficié si longtemps de la confiance du Condottiere.

– Il n'a pas reconnu l'autre ?

– Non. Il a juste parlé d'un blond costaud, la quarantaine. Ils étaient entourés de gardes du corps.

Pourquoi ce conciliabule ? À propos de ventes d'armes ? D'autre chose ? Balaghino avait toujours trempé dans des affaires paramilitaires mais s'il avait voulu se débarrasser de Montefiori, il l'aurait fait plus discrètement – bain d'acide ou béton armé. Et s'il avait voulu jouer au contraire le symbole fort, il aurait utilisé la décapitation, la pendaison ou, autre classique mafieux, le fusil de chasse à canon scié.

– Avec Sofia, on a eu une idée, continuait Loïc sur un ton digne du Club des cinq. Le majordome a relevé l'immat' d'une des voitures. Une bagnole de location selon lui. Grâce à ses contacts, Sofia pense pouvoir identifier le gars qui l'a louée.

Grégoire ne sut s'il devait rugir ou éclater de rire. Un fils à papa et une comtesse sur les traces d'un arracheur de cœur. Finalement, il y avait surtout de quoi s'inquiéter.

– Je crois que j'ai pas été assez clair, tu…

– Je sais ce que j'ai à faire. On peut être plus efficaces que les flics eux-mêmes.

La connexion n'était pas bonne mais il sentait que Loïc était anormalement remonté. Morvan avait espéré que Sofia lui aurait fait descendre enfin les couilles, il s'était trompé. La mort du Rital allait peut-être jouer ce rôle… Même Loïc, au fond de lui, devait conserver cette pépite noire, dure et incorruptible, qu'on appelle la « volonté » mais qui chez les Morvan n'est que de l'orgueil.

– Rappelle-moi dès que t'as du nouveau, capitula-t-il.

Il avait à peine raccroché que l'Iridium sonna de nouveau. La Touffe.

– J'ai le bateau, patron. Avec un pilote.

– Du sérieux ?

– Extrrrrrrêmmment sérieux !

– Le moteur ?

– Enduro 40 CV.

– L'essence ?

– Faut l'apporter.

– À combien on peut voyager ?

– Trois, barreur inclus.

Michel mentait. En annonçant ce chiffre, il espérait surtout, lui, rester à terre. Morvan ne partirait pas sans Cross, sa force d'appui, ni un pilote expérimenté.

– Combien de temps pour te rejoindre ?

– Si tu pars maintenant, ti s'ras là à 22 heures.

La position de Michel était mémorisée par l'Iridium. Grégoire calcula qu'il pouvait atteindre Lontano avant midi. Si Chepik ne venait pas, il resterait simplement tanqué avec son fils mais au moins, ils seraient deux. Et ils pourraient toujours repartir par le fleuve. *Prévoir l'essence en conséquence.*

– T'as pu te renseigner sur la situation ?

Alors que tout déplacement était quasiment impossible dans la brousse, les mobiles à carte offraient une version nouvelle du téléphone arabe.

– Ça a été un feu d'artifice, chef. Des tirs de mortier, des lance-missiles. On a jamais vu ça.

– Qui a les armes, le FLHK ?

– Les deux fronts, patron. Les Hutus ont du lourd. Soi-disant du 120 mm. Les Tutsis ont des missiles autoguidés. Présentement, patron, on...

Morvan laissa aller sa pensée. Les trafiquants avaient équipé les deux armées. *Plus on est de fous...* Si ça continuait, il pouvait dire adieu à son business. Quels que soient les vainqueurs, ils remonteraient le fleuve avec leur armement, attirés par l'odeur du coltan.

– Le bilan ?

– Les FARDC ont massacré les Tutsis.

Il avait posé la question pour la forme – les infos de Michel, qui était un Luba, provenaient du front congolais ; en s'adressant à ceux d'en face, il aurait recueilli le score inverse.

– Les barges sont passées ?

– Le *Vintimille* s'est arrêté à Lontano. Y en a qui disent qu'il était en panne.

Hasard ou sabotage signé Erwan ? Le môme était capable de tout. Dans tous les cas, il avait atteint son objectif et sauté à terre. Grégoire éprouva un accès de fierté : les Morvan savaient ce qu'ils voulaient.

– Qui commande les FARDC ?

– Y a deux fronts, chef. Les Congolais sont dirigés par le général Étienne Egbakwe, les Interahamwe par Méphisto.

– Faustin Munyaseza ?

– Lui-même.

Cette fois, il avait vraiment envie de hurler : comment ce fantôme du passé pouvait-il, à cet instant précis, se retrouver en première ligne ?

– Des nouvelles de mon fils ?

– J'ai parlé, chef. J'ai posé des questions. Personne est au courant.

Nouvelle question inutile. Erwan était sur la rive tutsie, côté Lontano. Chez les Congolais, la nouvelle de sa présence aurait été relayée comme celle de l'ange Gabriel – ou d'un gibier rare à abattre. Des couilles de Blanc dans le sac à malices d'un chef de guerre, voilà un trophée de première.

– J'ai ta position. J'arrive.

– Oublie pas l'essence.

Il raccrocha et donna des ordres. Au fond, cette croisière nocturne ne lui déplaisait pas. La nuit africaine atteint des sommets d'intensité qui rendent, une fois pour toutes, le reste du monde fade et indifférent.

Il eut une pensée pour Faustin, alias Méphisto : le gamin avait fait du chemin depuis la Cité Radieuse. *Le seul à connaître la vérité sur la mort de la douce infirmière.* Il n'y avait plus qu'à prier pour qu'Erwan ne se mette pas en tête d'aller à sa recherche pour l'interroger. Grégoire était certain en tout cas qu'il avait cuisiné sœur Hildegarde. La vieille bique avait peut-être vendu la mèche…

Partir sans tarder.

Retrouver son fils.

Et, au besoin, tuer le Hutu.

60

À 22 HEURES, le sud-est du 8e arrondissement est une zone morte. La plupart des immeubles sont vides ou habités par des cadors du pouvoir. Les passants sont des plantons, les voitures ne portent plus que des plaques diplomatiques ou les couleurs de la police nationale. Chaque nuit, on referme le couvercle sur le quartier et on attend patiemment le jour, comme s'il régnait un couvre-feu.

Du haut de sa lucarne, Gaëlle faisait figure de vigie. Toute la soirée, fumant à sa fenêtre, elle avait observé les toits de zinc, silencieux et ternes comme des tombes. Une journée à mourir d'ennui. Après son escapade, Audrey et ses anges gardiens s'étaient mis d'accord sur la nouvelle ligne : aucune sortie autorisée, aucun contact, appel ou SMS, qui ne soit aussitôt vérifié.

À midi, Audrey l'avait appelée : rien de neuf. Elle avait promis un point en soirée. Et là, elle venait d'arriver en personne, un kebab bien dégoulinant entre les doigts, son ordinateur sous le bras. Face à l'excitation de Gaëlle, l'OPJ la calma tout de suite : encore chou blanc.

– Katz d'abord. J'ai remis le couvert sur tous les fronts. DCRI, offices centraux, brigades du 36 : personne n'a jamais entendu ce nom, pas un seul flic n'a réagi à son signalement. J'ai vérifié les embrouilles judiciaires où un psychiatre était impliqué, rien non plus. J'ai revu les fichiers de la Sécu, j'ai rappelé le conseil de l'Ordre, les universités : quelques médecins portent ce nom mais pas la moindre connexion avec le nôtre. J'ai utilisé un logiciel de reconnaissance visuelle et passé au crible les portraits de psys appartenant aux différentes associations : que dalle.

– Et son portable ?

Audrey mordit dans son sandwich juteux avant de répondre :

– Pas les réquises nécessaires. J'ai juste obtenu les fadettes des derniers jours parce que j'ai un bon contact chez l'opérateur.

– T'as les enregistrements ?

– Katz n'est pas sur écoute et on n'est pas près de l'y mettre. Pour ça, il nous faudrait une commission rogatoire, c'est-à-dire une plainte et une saisine en route. J'ai vérifié les numéros : sans doute des patients, des histoires de rendez-vous. Les appels ne durent jamais plus d'une minute.

– Sa femme, ses enfants ?

– Rien non plus.

– Et l'appartement rue de la Tour ?

– Il le loue à son nom. Je sais pas comment il s'est démerdé pour la paperasse. En tout cas, l'usurpation est nickel.

– Il n'y avait pas de Katz sur les boîtes aux lettres.

– Il veut rester discret. Ça t'étonne ?

Gaëlle avait l'impression de contempler un mur sans faille ni aspérité.

– Hussenot ?

– Je te confirme tout ce que je t'ai dit ce matin. Il a fini sa carrière à la clinique de Chatou. Il la dirigeait encore quand il s'est planté en voiture avec ses gosses.

Gaëlle avait ruminé ce détail : son père avait séjourné aux Feuillantines, il y avait peut-être connu Hussenot, mais pas question d'appeler le Vieux en Afrique.

– Pas de soucis avec la justice ?

– *Niente.* J'ai vérifié le bulletin numéro un de son casier judiciaire : aucune condamnation ni même le moindre PV. Hussenot était blanc comme les poches de sa blouse. Le problème avec lui, c'est sa famille.

Elle ouvrit son Mac, tenant toujours son machin dégueulasse de l'autre main. Gaëlle redoutait des taches de graisse sur sa table basse mais ce n'était pas le moment de jouer à la fée du logis.

– Quoi que je fasse, je ne récolte jamais rien sur sa femme et ses mômes. Pas de date de mariage, pas d'actes de naissance pour les enfants. J'ai juste eu un toubib de la clinique de Chatou qui se souvenait qu'Hussenot avait divorcé dans les années 2000, c'est tout. Selon lui, il ne parlait jamais de sa femme mais le gars n'est arrivé que quelques mois avant sa mort. J'ai fait aussi une recherche au Tribunal des affaires familiales sans rien dénicher non plus. Tout se passe comme si on avait bloqué les infos de ce côté-là.

Audrey avait ricané quand Gaëlle avait parlé d'« affaire réservée », mais visiblement l'idée faisait son chemin. Encouragée, celle-ci risqua un de ces scénarios dont elle avait le secret :

– Son épouse a peut-être témoigné dans une affaire criminelle. Elle a bénéficié d'un programme de protection et…

– T'as vu trop de films, ma cocotte. Depuis que j'suis flic, j'ai jamais entendu parler d'un programme de ce type.

– Et l'accident ?

– Casher, si je puis dire. Sa bagnole a fait une sortie de route sur une petite île des Cyclades, Naxos, en août 2006. Les cadavres ont été récupérés puis inhumés à Paris.

Audrey prit une nouvelle bouchée. Ses doigts ruisselaient de graisse. Gaëlle voyait le moment où les gouttes allaient lui descendre dans la manche.

– Qui s'est occupé du caveau ?

– Sais pas.

– Sur les certificats de décès, il doit bien y avoir le nom de la mère, non ?

– Non. Tout s'est passé en Grèce et l'identité du père suffisait. Il était déjà divorcé.

– T'as demandé le rapport de police de l'accident ?

– J'ai contacté l'officier de liaison de Grèce, à Paris. Il s'en occupe. T'as rien à boire ? Une binouse ?

Gaëlle se leva et alla chercher une des bières qu'elle gardait pour Erwan. Elle en profita pour attraper quelques serviettes.

– Tu m'as pas l'air pressée de trouver des infos, déplora-t-elle en disposant les carrés de papier sur la table basse.

Audrey y posa distraitement son sandwich puis s'essuya les doigts comme un mécanicien à l'heure de la pause.

– Tu comprends le français ? En l'absence de motifs d'inculpation, on ne peut rien faire de plus.

– Je vais porter plainte contre Katz pour exercice illégal de la médecine.

Audrey coinça la capsule de la bouteille contre l'angle de la table et la fit sauter d'un coup de paume, entamant le bord du plateau de bois. *Elle le fait exprès.* La fliquette but une goulée mousseuse puis rota. Elle ne daigna même pas relever la proposition. Gaëlle n'avait pas besoin de sous-titres. Comme plaignante, elle n'avait pas vraiment le profil : internements à répétition, santé psychique fragile… Par ailleurs, l'OPJ voulait coincer Éric Katz sur l'Homme-Clou et non sur une quelconque pratique illégale de la psychiatrie.

Mais la principale objection était ailleurs : les seules preuves qui reliaient Katz au tueur sorcier – coupures de presse soigneusement collectionnées, dossier de patient au nom d'Anne Simoni, coordonnées des victimes notées *avant* leur assassinat – avaient été obtenues lors d'une perquise sauvage avec effraction. Mieux valait les oublier si les deux Fantômette ne voulaient pas se retrouver inculpées.

– Je peux le revoir et me débrouiller pour collecter des échantillons d'ADN.

– Vraiment, ma p'tite, je le répète : tu regardes trop de films.

– Grâce à ces fragments, insista Gaëlle, on pourrait l'identifier.

– À condition qu'il soit fiché dans le FNAEG. Ce dont je doute fort.

– Cet homme a changé d'identité, y a bien une raison.

Audrey se leva, s'essuyant encore les doigts avant de refermer son Mac.

– J'y vais. Essaie de dormir.

Gaëlle se redressa d'un bond :

– C'est tout ? On en reste là ?

– Je continue la gamme demain. Pendant ce temps, tu ne sors pas, tu n'appelles personne.

À l'idée de passer une nouvelle journée entre ces murs, Gaëlle fut prise d'une bouffée d'angoisse.

– Et s'il avait menti ? improvisa-t-elle.

– On sait qu'il ment sur toute la ligne.

– Je te parle de Hussenot. S'il n'était pas mort dans l'accident en Grèce ? Il aurait fait signer un faux certificat de décès par un médecin marron. Il aurait rapporté les corps de ses enfants et un cercueil vide pour lui.

Audrey éclata de rire. Gaëlle eut l'impression qu'on la giflait.

– Écoute-moi ! cria-t-elle. Il revient en France, change de nom et reprend un cabinet.

– On a vu ses photos : physiquement, Katz n'a rien à voir avec Hussenot.

– Et la chirurgie esthétique ?

– Va faire dodo, conseilla Audrey. Je t'appelle demain.

– Il a la clé du caveau !

La fliquette se dirigea vers la porte mais Gaëlle lui barra le chemin :

– Toi et moi, on y va maintenant.

– Où ?

– Au cimetière des Lilas. On force le mausolée. Un des cercueils est vide, j'en suis certaine.

– T'es vraiment givrée. Laisse-moi passer.

Gaëlle ne bougea pas :

– Avec Erwan, on serait déjà en route.

Audrey fit passer la sangle de sa gibecière au-dessus de sa tête et capitula :

– Tu fais vraiment chier. Mets un jean au lieu de tes trucs ras la touffe, ça caille dehors.

61

LA NUIT ITALIENNE.

Pour Loïc, elle n'était pas chargée de souvenirs. Au contraire, c'était chaque fois un nouvel émerveillement, vierge de toute mémoire. Ce soir encore, le miracle survenait. Assis sur le balcon de sa chambre, il percevait tout : frémissement des cyprès, parfum des genévriers, de la lavande, des oliviers, mille sons de la nature, quand l'obscurité se mettait à racler, grincer, siffler – même la tiédeur du jour, il la sentait s'attarder sur la margelle de la piscine. Il avait beau n'être qu'un défoncé en manque, obsédé par sa course contre les jours, un affamé à qui il manquait dix kilos, il dérivait maintenant, immobile, dans cet immense courant bruissant et parfumé – sans doute aussi anesthésié par la rasade de médocs qu'il s'était envoyée avant le dîner.

Ils avaient contacté les agences de location, à la recherche du modèle Fiat Marea blanc que Marcello avait décrit. Les loueurs n'avaient même pas eu besoin de vérifier : le modèle ne se faisait plus depuis la fin des années 2000, pas question de proposer une telle brouette à leurs clients. Loïc et Sofia avaient fini sur cette amère conclusion : n'est pas flic qui veut et leurs limites, même pour la reine de Florence, étaient atteintes. Sans doute les marchands d'armes avaient-ils emprunté un véhicule aux sociétés de Balaghino. *Basta così.*

Ils s'étaient pourtant promis de repartir faire le tour des palaces, dès le lendemain matin, armés de ce nouveau profil : le costaud blond qui accompagnait le mafieux – mais ils n'avaient ni photo ni trait distinctif. Et les hôtels chics regorgeaient d'hommes d'affaires de quarante ans qui pouvaient répondre à ce signalement. Ils avaient décidé, s'ils ne trouvaient rien, de repartir le soir même à Paris.

– Tu dors ?

Sofia se tenait sur le seuil de sa chambre. Toujours cette manie d'entrer sans frapper. Sa première idée le terrifia : elle venait faire l'amour. La deuxième ne valait guère mieux : elle voulait faire la paix. Il ne pouvait plus goûter la moindre intimité avec elle. Leurs engueulades, leur séparation, leur guerre pour les enfants avaient ruiné toute tendresse, toute complicité. La seule chose qu'ils pouvaient partager, c'était l'amour qu'ils vouaient à Milla et Lorenzo, en veillant à rester l'un l'autre à bonne distance, comme pour un duel.

En fait, depuis la mort de Montefiori, même leur haine réciproque retombait pour laisser place à un vide qui avait un certain charme. Le renoncement du bouddhiste ? L'ataraxie des philosophes grecs ? Ils n'éprouvaient plus rien l'un auprès de l'autre et c'était peut-être la seule chose durable que l'avenir leur réservait.

– J'ai réfléchi à la Marea, dit-elle en s'asseyant à ses côtés et en coinçant ses pieds entre les colonnades du parapet.

Elle alluma une cigarette avec lenteur. Loïc fut soulagé : seulement une petite conversation d'enquêteurs.

– Cette Marea n'a pas été louée et elle n'appartient pas non plus à Balaghino.

– Qu'est-ce que t'en sais ?

– Chacun est venu au rendez-vous par ses propres moyens : mon père, Balaghino, l'inconnu.

– Et alors ?

L'odeur du tabac se mêlait aux essences de l'ombre. Il songea aux relents amers d'un feu de campagne, planant à fleur de plaine. Cette crispation de l'air calciné lui procurait toujours une jouissance étrange. *Le parfum de la mort…*

– C'est son hôtel qui a dû lui prêter la Marea. Un véhicule de courtoisie. On propose parfois ce service à Florence pour dépanner les clients. Demain matin, on se refait la tournée des palaces pour vérifier.

Il y eut un silence, scandé par le cri des crapauds. Un son grave, discordant et lugubre. Loïc redoutait maintenant que Sofia ait l'idée d'évoquer leurs souvenirs dans cette grande villa ou, pire encore, tente un geste affectueux. Une autre option, tout aussi pénible, aurait été qu'elle l'interroge sur son sevrage avec un ton compatissant.

Comme à son habitude, elle prononça la dernière phrase qu'il aurait pu prévoir :

– J'ai couché avec ton frère.

Il sursauta et la regarda enfin. Profil impassible, parfait, dessiné d'un seul geste. Et ces putains d'yeux asiatiques qui lui donnaient en toutes circonstances un air ambigu, à la fois voilé et acéré.

Tout de suite, il intégra le fait : son frère macho avait toujours craqué pour la belle-sœur inaccessible. Elle incarnait tout ce qu'il n'avait pas : noblesse, raffinement, snobisme. Mais Sofia, qu'est-ce qui pouvait lui plaire chez ce flic brutal ? Au fond, Loïc ignorait ce qu'elle aimait, *vraiment*.

– Quand ? demanda-t-il comme tous les cocus de la terre.

– En septembre dernier.

– En pleine histoire de l'Homme-Clou ?

Son silence fut une confirmation.

– Ça dure encore ?

– Non.

– C'est plié ou vous réfléchissez ?

Elle rit à voix basse. Manière de dire qu'elle ne possédait pas la réponse elle-même. Pour Loïc, aucun commentaire à faire. Ils étaient séparés, Sofia était libre, et il n'éprouvait rien à son sujet qui puisse se rapprocher d'une quelconque jalousie. Après tout, il préférait imaginer son ex entre les bras de son frangin qu'avec un de ces quadras brillants et bruyants de la jet-set italienne. Il pensait surtout à ses enfants. Si les choses prenaient une tournure sérieuse, Milla et Lorenzo verraient simplement plus souvent leur oncle, toujours maladroit avec eux mais bienveillant.

Surtout, Erwan représentait une présence solide, familière – tout ce qu'il n'était pas, lui. Au nom de ses enfants, Loïc était prêt à passer le relais. L'idée même de cette liaison le rassurait comme il avait toujours été réconforté de savoir Erwan auprès de Gaëlle, à surveiller ses frasques, à la protéger, quand lui-même était occupé à se défoncer au fond d'un squat ou à vendre son cul dans l'espoir de choper le sida.

Soudain, il comprit ce qu'il éprouvait vraiment et cela lui donna envie de vomir. Son frère était monté à bord, il pouvait donc se jeter à l'eau.

Mourir enfin.

62

IL Y AVAIT LONGTEMPS qu'elle n'avait pas passé une aussi bonne soirée.

Tout l'excitait dans cette virée nocturne. L'escapade incognito, aux côtés de cette nana habillée chez Emmaüs. La banlieue déserte qui évoquait une fourmilière coulée dans du béton. Les rues qu'elle avait sillonnées le matin même en taxi, aux trousses de Katz, et qui lui donnaient un coup d'avance sur Audrey. Même la voiture de la fliquette, une Hyundai déglinguée puant le McDo, possédait à ses yeux un certain exotisme. Seul bémol, ses cerbères leur collaient toujours au train mais après tout, elles pouvaient avoir besoin de renfort.

Sa propre tenue avait aussi valeur d'évènement : un survêtement noir qu'elle n'utilisait que pour ses séances de gym. Elle était Irma Vep, l'héroïne des *Vampires* de Louis Feuillade qui se glisse dans les maisons pour y jeter la mort et le chaos.

Et maintenant, le cimetière.

Elles dépassèrent le portail et se garèrent plus loin. Elles revinrent sur leurs pas et escaladèrent la grille sans difficulté, ignorant leurs anges gardiens qui les observaient, médusés. En quelques secondes, elles furent de l'autre côté, plongeant dans un grand bassin de pierre et de silence.

– Par là, chuchota Gaëlle.

Dans la nuit, l'uniformité du cimetière s'accentuait. Des centaines de tombes, de la même couleur morne, presque identiques. Une cité-dortoir définitive.

– Ça t'amuse tout ça, hein ? demanda Audrey avec une nuance d'agacement.

– Pas toi ?

L'OPJ ne répondit pas. Enfin, elles parvinrent près du caveau des Hussenot et enfilèrent des gants de chirurgien. Le bâtiment parut à Gaëlle plus imposant que le matin même – et surtout plus lugubre.

La porte en fer forgé, tout droit sortie d'un péplum, était ponctuée de gros rivets noirs. Audrey ouvrit sa gibecière. À l'intérieur, un fatras d'outillage que la frêle trentenaire avait porté jusqu'ici sans broncher.

– Mate s'il y a pas un gardien ou quelqu'un qui arrive.

Gaëlle s'exécuta, scrutant les allées, les zones d'ombre entre les croix. La forêt minérale lui renvoyait un regard glacé et indifférent. Pendant ce temps, Audrey tripotait la serrure en jurant à voix basse. À mesure qu'elle s'énervait, elle prenait de moins en moins de précautions, balançant le matériel inutile au fond du sac, produisant des *kling* et des *klong* tonitruants. Gaëlle avait l'impression que ces bruits retentissaient jusqu'au périph.

Enfin, l'OPJ émit un souffle rauque et la porte s'ouvrit – Gaëlle se dit qu'elle devait pousser le même genre de soupirs en plein orgasme. À l'intérieur, après quelques marches, une antichambre donnait accès à une grille aux motifs singuliers – silhouettes et symboles évoquaient des hiéroglyphes égyptiens. Les fleurs du matin trônaient devant, encore éclatantes. Gaëlle revit la silhouette de Katz portant son bouquet. Il planait sur cette histoire une odeur de mystère intense, aux confins de la folie.

La grille était verrouillée. Audrey fit de nouveau jouer ses outils. Gaëlle s'était emparée d'une torche et cherchait à apercevoir la salle funéraire entre les contours de fer forgé.

– Éclaire-moi, merde ! aboya Audrey.

Gaëlle concentra son faisceau sur la serrure. Bientôt un *clac* retentit. Les gonds ne grincèrent pas et elle en fut presque étonnée, tant les clichés étaient ici à l'œuvre. Elles s'avancèrent et découvrirent les trois cercueils – les deux petits de part et d'autre du grand, posés sur des tréteaux. Elles échangèrent un regard. Pourquoi n'étaient-ils pas inhumés sous une dalle ?

Un prie-dieu, installé en face, suggérait des heures de recueillement, un abîme de tristesse solitaire, les marques des genoux sur le velours de l'assise en guise de confirmation.

Gaëlle essayait de ne pas trop faire trembler sa lampe. En s'approchant, elle nota que les cercueils n'étaient pas en bois mais plutôt dans un matériau mat – de la pierre non polie. Sur une étagère, trois urnes s'alignaient, noires, reproduisant à leur échelle la différence de taille des bières. Glaçant. Pourtant, Gaëlle posa la main sur le cercueil le plus imposant. Première surprise : il était bien en bois mais enduit d'une peinture sombre. Deuxième choc : le couvercle bougeait.

– Putain, siffla-t-elle du bout des lèvres, il est pas fermé.

Sans réfléchir, elle coinça sa lampe entre ses dents puis poussa la partie supérieure : il y avait bien un corps dans le cercueil mais entièrement entouré de bandelettes grises. Cela semblait si cinglé qu'elle recula, récupérant sa torche entre ses doigts d'un geste réflexe. Le temps qu'elle l'oriente à nouveau, elle contemplait, incrédule, une véritable momie évoquant celles du musée du Louvre. Mêmes bandes noircies, mêmes reliefs compressés suggérant un corps étouffé, entravé, qu'on aurait empêché de grandir.

Les deux femmes restaient immobiles. La singularité de la découverte, l'atmosphère sacrée du sanctuaire, l'aspect menaçant de la dépouille, tout les sidérait. Passé l'effet de surprise, Gaëlle revint à sa première idée : ce n'était pas Philippe Hussenot là-dessous. Sans hésiter, elle se mit à palper le visage. Une bandelette se défit à hauteur des tempes : elle la saisit et la déroula. Elle devinait, de l'autre côté du cercueil, l'effarement d'Audrey

– mais pas un mot ni un geste pour l'en empêcher : elle aussi voulait savoir.

Gaëlle dénuda le front – plutôt une surface grise, lustrée par le contact des bandes – puis les yeux : deux orbites creusées d'ombre, au fond desquelles les paupières étaient cousues. Elle se pencha et obtint confirmation de ce qu'elle pressentait : on avait ôté les globes oculaires. Aussi froide que la momie elle-même, elle continua à dévoiler la figure. Parvenue au menton, elle dut se rendre à l'évidence : c'était bien l'homme de la photo. Philippe Hussenot reposait là, dans une version verdâtre et racornie. Qui lui avait infligé un tel traitement ? Katz ? L'ex-épouse ? Un autre membre de la famille ?

Elle leva les yeux vers les trois jarres posées sur la planche surélevée. Quand elle les avait aperçues, elle avait songé à des cendres. C'étaient en fait les organes qu'elles contenaient. Les anciens Égyptiens plaçaient les viscères des corps embaumés dans des vases appelés « canopes ». Elle se rappela d'autres détails (elle avait eu, adolescente, sa période « pharaons ») : comment les embaumeurs prélevaient le cerveau du disparu par les narines à l'aide d'un crochet, comment ils nettoyaient l'abdomen vidé avec du vin de palme, avant de le remplir de myrrhe broyée, de cannelle, d'autres aromates…

Elle se recula. Sa conviction était faite. Tout ce cirque était l'œuvre de Katz. Elle l'imaginait affublé d'un masque d'Anubis, une tête de chien noir aux hautes oreilles, comme les thanatopracteurs de l'époque, en train de tremper ses bandelettes dans de la gomme avant d'enserrer les corps des disparus.

Pourquoi avait-il fait ça ?

Quel était son lien avec Hussenot ?

Éclairées par en dessous par la lampe d'Audrey, les deux femmes échangèrent un regard. Sans un mot, elles se comprirent. Elles ne pouvaient quitter les lieux sans vérifier aussi les sarcophages des enfants.

63

QUAND LE SOLEIL SE LEVA, Erwan était un autre homme.

Recroquevillé au fond d'une souche pourrie, recouvert de feuilles, il ne sentait plus les piqûres de moustiques ni les insectes qui grouillaient au fond de son froc. Enveloppé dans sa cape de pluie – indispensable en Afrique –, il n'était plus qu'un élément parmi d'autres du bourbier.

Quand il avait compris que le *Vintimille* était bel et bien reparti, il avait repris sa course, mettant le plus de distance possible entre les Tutsis et lui, cherchant un coin abrité pour lécher ses plaies. Il ne pensait plus, n'espérait plus : il agissait en mode reptilien, survivre, et c'est tout. Il avait progressé ainsi plus d'une heure avant de se réfugier au fond d'un tronc parmi les racines et les roseaux, fermant la cavité avec des branches. Les coups de feu, les explosions, les cadavres, les vibrations de peur et de mort, tout ça circulait, crépitait toujours dans ses membres à la manière de décharges électriques. Il s'était blotti en attendant, simplement, que ces résonances s'atténuent et que son cerveau, enfin, fonctionne à nouveau.

Durant plusieurs heures, il n'avait plus bougé d'un millimètre, redoutant qu'on vienne le déloger de son trou. Il espérait se fondre dans le décor mais au contraire, c'est la jungle lacustre qui s'était fondue en lui. Elle l'avait imprégné, absorbé, dissous. Il était devenu sécrétions, limon, pourriture, alors même que son esprit retrouvait une certaine autonomie.

Au milieu de la nuit, une fois sûr que plus rien d'humain ne l'entourait, il avait enfin envisagé sa situation. Il devait trouver coûte que coûte une solution pour s'extraire de la zone de conflit. Mais avant cela, dénicher une pirogue pour traverser le fleuve et rencontrer Faustin, alias Méphisto, l'ancien veilleur de nuit de la Cité Radieuse. Pas question de quitter les lieux avant d'avoir obtenu les dernières réponses.

Il avait tenté d'appeler son père, aucune connexion. Puis il avait eu une inspiration : Danny Pontoizau, le commandant canadien de la MONUSCO qui l'avait reçu pour l'avertir qu'en aucun cas – « sacrament ! » –, il ne devait se rendre dans le Haut-Katanga. Erwan avait réussi à le joindre aux environs de minuit. L'accueil n'avait été que vociférations, rugissements, insultes québécoises. Quand l'officier s'était enfin calmé, Erwan avait pu décrire sa situation.

– Ça barde, là-bas ? avait demandé Pontoizau.

Le monde à l'envers. C'était Erwan, le civil, le blanc-bec, qui lui avait raconté le carnage. L'annonce de la reprise des combats n'était pas une bonne nouvelle pour l'officier.

– Les armes ?

Erwan avait évoqué l'arsenal qu'il avait vu (ou senti) : mortiers, lance-missiles Javelin, RPG, fusils automatiques – dont des MK12. Pontoizau l'avait aussi interrogé sur le FHLK et l'état de ses effectifs après l'affrontement. Réponse au jugé. Le silence au bout de la connexion en disait long : le Québécois était sonné. Erwan en avait profité pour revenir sur son cas : il ne pourrait tenir que quelques heures.

– Je veux dire : vivant.

– Bin fait pour ta gueule, tabarnak !

– C'est votre devoir de…

– Devoir, mon cul ! T'es ben cute avec tes conneries mais tu crisses qu'j'ai qu'ça à faire, là ?

Nouvelle diatribe. Le militaire gueulait si fort qu'Erwan craignait que ces vociférations ne le fassent repérer.

Puis, au moment où il n'y croyait plus, Pontoizau avait lâché la phrase magique :

– Tu bouges plus, on arrive.

– Vous voulez mes coordonnées ?

– J'les ai : ton Iridium indique ta position.

Surprise. Ainsi son père, depuis le départ, savait exactement où il se trouvait. Encore un excès de naïveté : le Vieux l'avait toujours surveillé. Un peu tard pour s'offusquer. Au contraire : il pouvait traverser le fleuve et passer en zone hutue, Pontoizau le localiserait où qu'il soit.

Moyennant encore quelques injures, l'onusien lui avait promis de ses nouvelles dans la matinée. À une heure du matin, croupissant toujours dans sa poche de boue, Erwan avait resserré les feuillages qui lui servaient de toit et s'était risqué à allumer sa lampe frontale. Il était temps de passer au deuxième acte : le dossier sur les origines de Morvan.

Voilà pourquoi, six heures plus tard, Erwan était un autre homme.

Il savait enfin qui était son père.

64

DÉBUT 71, le psychiatre Michel de Perneke avait lancé des recherches en France à propos du patient qui l'intriguait tant. Il avait dû payer un détective, solliciter un collègue psychiatre ou encore rameuter une équipe d'étudiants – toujours est-il que l'enquête était exhaustive. Rapports de police, coupures de presse, témoignages, fiches d'état-civil, bilans d'experts : le dossier contenait de quoi retracer en détail l'enfance terrifiante de Grégoire Morvan.

Tout avait commencé avec la Seconde Guerre mondiale. Non pas la guerre avortée que la France avait (mal) menée contre l'Allemagne, ni le Débarquement, ni même la lutte souterraine de la Résistance. Juste la période morne, sans histoire et pour ainsi dire banale de l'Occupation. Marché noir et uniformes verts, collaboration et compromis. On est à Champeneaux, en Picardie, près de Noyon : sept mille habitants à l'époque. Rien à signaler sinon que le village est occupé dès 1940, après l'enfoncement de la ligne Weygand. Durant quatre années, on y subit le joug allemand (Compiègne, situé à trente kilomètres, est le premier siège du haut commandement allemand) et on s'entend bien avec l'ennemi, l'administration marchant au pas, l'agriculture engraissant les Chleuhs, les habitants faisant allégeance à l'envahisseur. À la Libération, c'est la liesse générale. On a raté la guerre, on ne ratera pas la paix. Ceux qui ont courbé l'échine se découvrent des réserves insoupçonnées de patriotisme – et d'esprit revanchard. Ainsi, Champeneaux détient le triste record par habitant de femmes tondues, celles qui ont « couché avec les Boches ».

Parmi elles, Jacqueline Morvan, vingt-deux ans, secrétaire au bureau d'état-major de la Wehrmacht de Noyon. Dès la Libération, on l'arrête pour « complicité avec l'ennemi » et « collaboration horizontale », comme on dit alors. En septembre 44, on la sort de sa cellule pour la juger sous le préau de l'école. Le public est déchaîné. On la déshabille, on la tond. Des hommes lui gravent au couteau sur le front une croix gammée puis un groupe particulièrement remonté (femmes comprises) l'emmène à la sortie de la ville pour la lapider. Quand la malheureuse n'est plus qu'une plaie à vif, les gars lui pissent dessus et la laissent pour morte, au bord de la route.

Son crime : la jeune dactylo a entretenu une relation amoureuse durant deux années avec l'officier Hans Jurgen Herhoffer – écrivain de son état, capitaine attaché à l'économat de la Wehrmacht, dirigeant les services de ravitaillement des troupes allemandes en Picardie. Autant dire un Fritz parmi d'autres, ni pire ni meilleur, mais Jacqueline, durant ses années d'idylle, a mangé à sa faim.

Au printemps 44, Herhoffer est envoyé sur le front russe – on n'entend plus jamais parler de lui. Quelques mois plus tard, Jacqueline paie son péché au prix fort mais ne meurt pas. Elle se traîne jusqu'à la longère héritée de ses parents. L'histoire ne dit pas comment elle se soigne et se nourrit mais dès qu'elle est capable de se mouvoir, elle condamne les portes et les fenêtres de sa maison et s'y enferme.

Le temps passe. Pris de remords, les habitants de Champeneaux lui donnent chaque semaine de la nourriture, des vêtements, des cigarettes, du bois pour se chauffer, les faisant passer par un coin de fenêtre que Jacqueline accepte d'ouvrir pour récupérer son ravitaillement. Personne ne la voit. Personne ne lui parle. Elle est le secret du village. Un sujet de honte et de contrition. En la nourrissant, les villageois espèrent expier leur faute.

On s'habitue à sa présence. On en parle comme d'une clocharde, d'une marginale, d'un monstre. Sa longère est située dans un repli de forêt que tout le monde évite – en 47, on construit même une autre route pour s'en écarter plus encore. Parfois, au coin du feu, on raconte les anecdotes les plus tordues sur son compte. On dit qu'elle a perdu la raison, qu'elle continue de se raser la tête, qu'elle se scarifie le corps avec un couteau-serpette que son Fritz lui avait offert. On raconte qu'on peut l'entendre délirer, au fond de son antre, qu'elle chante en allemand, qu'elle rit, qu'elle pleure, qu'elle hurle.

Surtout, on dit qu'elle a un enfant.

La rumeur est née dès 45 : enceinte de son Boche, Jacqueline aurait accouché, seule, dans sa porcherie – les odeurs qui se dégagent de la maison sont pestilentielles. Certains évoquent des cris de bébé, d'autres une silhouette furtive, à l'aube, tournant autour de la bâtisse. On prétend aussi qu'elle demande des vêtements de petit garçon.

Le problème Morvan s'aggrave avec les années. À chaque conseil régional, la question de Jackie – tout le monde continue à l'appeler comme à l'époque où on lui léchait les galoches pour avoir du beurre et des produits frais – est à l'ordre du jour : faut-il pénétrer dans la baraque ? Faut-il alerter les services sociaux ? Les forces de l'ordre ?

La municipalité se décide enfin à agir... en 1952. Les gendarmes enfoncent la porte et découvrent un monceau d'ordures. La maison est entièrement remplie de détritus. Dans une pièce, un garçon muet, à peine vêtu, se tient près de sa mère morte depuis plusieurs semaines. Le corps de Jacqueline est boursouflé, verdâtre, scarifié de croix gammées. Celui de l'enfant, squelettique, couvert de croûtes et de cicatrices. Cette fois, Champeneaux ne parvient pas à étouffer le scandale. Les médias régionaux déboulent. On prend des photos. On écrit des articles.

C'était sans doute la partie de la documentation la plus pénible pour Erwan : des articles de presse jaunis, la une du journal de faits divers *Qui ? Détective*. Toute la nuit, il était revenu sur ces clichés : la dépouille de la mère, le garçon enveloppé dans une couverture, l'intérieur répugnant de la baraque. Se forçant à regarder ces images à la lueur de sa lampe frontale, il avait dû se persuader que ce cadavre décomposé était celui de sa grand-mère, que cet enfant sauvage, dont on apercevait seulement sous la couverture les yeux hallucinés, était Grégoire Morvan, *le Padre*.

Le ou les limiers de De Perneke avaient mis la main sur des comptes rendus des services sociaux, des bilans psychiatriques. On pouvait ainsi retracer les premières années de celui qui ne s'appelait pas encore Grégoire – lui-même ne se connaissait qu'un nom, donné par sa mère, Kleiner Bastard, le « petit salaud », le « petit bâtard » en allemand.

Au fil des séances avec les médecins, le gamin traumatisé met du temps à s'exprimer, dans un sabir franco-allemand. Au compte-gouttes, il livre des détails : sa mère errant dans son éternelle robe de chambre crasseuse, sa tête tondue (elle continuait à se raser avant d'obliger le gamin à le faire), sa croix gammée sur le front, croûtée, infectée, leur existence d'animaux parmi les excréments.

Jacqueline vivait dans un autre monde – un délire de vengeance contre les villageois, d'amour fou pour son Boche, d'exécration pour l'enfant qu'elle torturait mais qu'elle assimilait aussi, parfois, à son amant. On devinait, entre les mots, qu'elle l'abusait sexuellement. Certains passages des sessions étaient intolérables : comment elle le brûlait avec sa cigarette, l'entaillait, le poursuivait parmi les ordures, au fond de cette maison glacée, pour « lui faire des choses ».

L'enfant est placé sous tutelle de l'État. Les documents ne disaient pas pourquoi on l'avait appelé Grégoire. Après des mois dans un institut pédo-psychiatrique, il intègre un orphelinat près de Soissons, puis un foyer à Beauvais, avant une famille d'accueil en banlieue parisienne. Le classeur contenait quelques traces de ces années d'intégration : Grégoire s'adapte mais ne rattrape jamais son retard scolaire.

Erwan imaginait ce que pouvait être le cerveau d'un gamin qui avait enduré de telles épreuves : traumatismes, fêlures, frustrations qui ne demandaient qu'à s'exprimer dans la violence et la folie. D'ailleurs, des notes d'établissements scolaires signalaient des problèmes – vols, bagarres, injures.

Finalement, après son certificat d'études, Grégoire fait son service militaire et devient gardien de la paix – à l'époque, on dit encore « sergent de ville ». Il s'achète une conduite. Avec l'uniforme et la discipline, il revient à la normalité, du moins en apparence.

Erwan mesurait à quel point, toute sa vie, le Vieux avait menti, s'inventant des origines bretonnes, le réconfort d'une lignée, lui, le petit bâtard, l'enfant de la souillure et de la trahison. Un autre fait ajoutait à son trouble : avant lui, de Perneke avait lu ces pages et les avait criblées de notes, soulignant certains passages, ajoutant des commentaires dans la marge. Le psychiatre avait été fasciné par ce cas d'école : il avait fait de Grégoire, jeune flic perdu sous les tropiques, son cobaye, son sujet d'étude – et d'expériences.

La suite du dossier offrait moins d'intérêt aux yeux d'Erwan : il retrouvait le père qu'il avait toujours connu. L'apprenti barbouze, avide de pouvoir, prompt à utiliser les informations qu'il récoltait à droite comme à gauche. Des rapports de la DST et des RG montraient que le jeune révolutionnaire, en mai 68, avait déjà joué les agents triples entre trotskistes, SAC et flics socialistes, avant de se prendre les pieds dans ses propres rôles – sous amphètes, il s'était rué sur des militants fachos alors même qu'il combattait aux côtés de ses vrais-faux collègues du SAC. Il avait évité de justesse son renvoi de la police – grâce à des infos collectées lors d'une opération de la police parallèle – avant d'être envoyé en exil au Gabon pour former la garde rapprochée d'Omar Bongo. Le Morvan légendaire, chasseur de tueurs et barbouzard, était né.

Jusqu'à l'aube, Erwan avait ruminé ces informations, revenant toujours aux origines, au Kleiner Bastard des premières années. Pour l'instant, il n'envisageait pas les implications de sa découverte mais ses conclusions seraient bouleversantes : une nouvelle manière de considérer son père, le monstre, le bourreau de sa mère, le salopard en chef…

Il en était là de ses réflexions quand son téléphone vibra. Il mit plusieurs secondes à capter cette sensation – en position fœtale, son corps ankylosé avait perdu toute sensibilité – puis, avec lenteur, il sortit l'appareil de son sac trempé et considéra l'écran : son père.

Il allait décrocher quand il réalisa deux faits.

Le premier, le soleil était là.

Le deuxième, il pleurait à chaudes larmes.

65

TOUTE LA NUIT, Morvan avait descendu le fleuve sur sa pirogue à moteur aux côtés de Cross et d'un pilote taciturne – on aurait facilement pu l'oublier s'il n'avait su déjouer tous les pièges des courants et des rapides. Aux environs de 3 heures, Grégoire s'était aperçu que son fils avait essayé de le contacter – et il l'avait manqué ! Il l'avait rappelé, en vain, jusqu'à l'aube. Enfin, Erwan venait de répondre.

– Comment ça se passe ? attaqua Grégoire sans préambule.

– C'est chaud. Ça a pété de partout.

– On a entendu les tirs.

– C'est fini maintenant.

– Jusqu'au prochain épisode. Où est Salvo ?

– Tu connais Salvo ?

– Qu'est-ce que tu crois ? Que j'allais te laisser partir tout nu ?

Il y eut un blanc, comme si Erwan, à l'autre bout de la connexion, mesurait à quel point il s'était fait avoir. Pas de regret sur ce point – il faut toujours veiller sur les siens. D'ailleurs, lui aussi s'était fait enfumer par le Banyamulenge.

– Il a disparu. Avec une valise pleine de fric…

– Pour qui ?

– Esprit des Morts.

Aucune surprise : Salvo, en sa qualité de semi-Congolais et de semi-Tutsi, avait toujours été un messager, un go-between entre ces peuples qui se haïssaient. Il avait fait d'une pierre trois coups : après avoir pris le pognon de Morvan pour accompagner son fils, celui d'Erwan pour l'aider dans son enquête, il avait rejoint Lontano pour livrer l'argent d'un quelconque trafic et prendre sa com'. On pouvait ajouter un quatrième coup à sa partie puisqu'il s'était évaporé avec le pactole.

Erwan confirma – sa voix était à la fois haletante et épuisée :

– Je sais pas ce que ce connard cherchait… Faire toute cette route avec moi pour finalement disparaître au dernier moment. Il aurait tout aussi bien pu prendre un avion avec sa valise pour l'Europe.

Morvan, lui, devina son plan : la mort d'Erwan lui aurait servi d'écran de fumée pour disparaître – rien de mieux que le décès d'un Français pour détourner les regards. Quant aux Tutsis, ils auraient été forcés de passer ce fric en profits et pertes. *Putain de nègres… L'Art de la confusion* restait à écrire, par un Sun Tzu africain.

– Le *Vintimille* ?

– Il n'a pas attendu.

Morvan rit avec férocité :

– Eh bien ma poule, t'as de la chance que je sois en route pour te récupérer.

– Quoi ?

– Tu crois que je vais te laisser te faire bouffer par ces sauvages ?

– Épargne-toi cette peine. J'ai appelé Pontoizau, le chef d'état-major de la MONUSCO à Lubumbashi. On va m'exfiltrer dans quelques heures.

Pas si bête : dans la jungle katangaise, l'ONU, malgré le fait qu'on leur donnait des millions pour ne pas bouger, était la seule entité à qui on pouvait se fier. Morvan n'avait vu qu'une seule fois le Québécois : un gars taillé comme un coffre-fort avec une tête de riz au lait, parlant un charabia incompréhensible. Aucun moyen de savoir ce qu'il valait : on jugerait sur pièces.

Tout en réfléchissant, il admirait le paysage. Le hors-bord fendait les flots, dessinant deux ailes d'écume dorées de part et d'autre de l'étrave. Toute la nuit, il avait attendu ce moment : le lever du jour. La brousse, à perte de vue, crépitant dans une pulvérulence féerique.

– À quelle heure vont-ils débouler ?

– Dans la matinée. En hélico. Ils doivent m'appeler.

Pontoizau ne prendrait pas un Puma – trop lourd, trop bruyant –, ni un Apache ou un Tigre – trop agressifs. Plutôt un Dauphin qui donnerait à sa mission des allures de sauvetage en mer. Dans tous les cas, cela faisait cher pour un petit con qui s'était fourvoyé en zone de guerre. Sans compter qu'un allumé du RPG pouvait les prendre pour cible – sur le sol katangais, toutes les humeurs étaient possibles.

– Où es-tu planqué exactement ?

– Dans une souche.

Morvan s'esclaffa – ne jamais bouder son plaisir face à la dérision africaine.

– Tu bouges plus. Je serai à Lontano en milieu de matinée.

– Papa, j'apprécie ton effort mais tu peux retourner d'où tu viens.

– Je crois pas que tu sois en position de discuter.

– Je te dis que Pontoizau...

– On sera pas trop de deux pour te torcher le cul. Tu restes où t'es et tu m'attends tranquillement.

– Non. J'ai encore quelqu'un à voir sur l'autre rive.

Faustin Munyaseza.

– Tu serais un chien, y a longtemps qu'on t'aurait piqué. Quand tu vas t'arrêter, nom de dieu ? Tu crois que tu peux jouer au petit Maigret, vent du cul dans la plaine, pendant que les obus sifflent de partout ? Que des hélicoptères à plusieurs millions d'euros pièce se déplacent pour toi et que ton pauvre père vogue dans ta direction sur sa pirogue de merde ?

Erwan rit à son tour : le contraste entre les moyens de la MONUSCO et ceux de son père paraissait l'amuser.

– Encore une fois, j'apprécie ta volonté de…

– Qui est ton témoin ? demanda Grégoire pour la forme.

– Méphisto, le chef des Interahamwe. Je pense que le nom te dit quelque chose.

– Tu crois que tu vas en tirer quelque chose ? fit-il sans relever.

– Ça vaut le coup d'essayer.

– Comment tu comptes le trouver ?

– Je suivrai les cadavres.

– Et pour traverser le fleuve ?

Erwan ne répondit pas, réalisant sans doute l'absurdité de sa situation. Mais Morvan ne misait pas trop sur cette dernière difficulté : cette tête de bois allait encore se démerder.

– Je te conseille de rester planté dans ta souche, insista-t-il. Ne force pas ta chance. T'es déjà largement hors forfait.

Soudain, la pirogue ralentit. Ils s'engageaient sous une voûte de feuilles. Au raffut du moteur s'ajoutaient les hurlements des singes, les sifflements des oiseaux. Après les bras ouverts de Dieu, on pénétrait chez lui : dans la cathédrale. Architecture en ogives, vitraux au faîte des cimes, senteurs d'encens qui montaient de l'écorce en décomposition. La puissance de l'Afrique, quand elle passait ainsi de l'immense à l'intime, des ciels abyssaux aux lueurs de confessionnal, vous serrait la gorge. En Europe, on lisait l'avenir dans les lignes de la main. Ici, dans les nervures des feuilles.

– J'ai lu ton dossier, papa…

Le ton d'Erwan était grave, presque solennel.

– Quel dossier ?

– Celui de De Perneke.

Grégoire avait toujours su que ce document existait – il l'avait cherché durant des semaines, des mois après la fuite du salopard. Il en avait conclu que le Belge était parti avec. Une erreur de plus…

– Et alors ? demanda-t-il d'une voix atone.
– J'ai lu l'histoire de Champeneaux.
Morvan se concentra sur le paysage pour ne plus entendre. La pirogue avait retrouvé le soleil. Elle semblait s'envoler vers la lumière, comme dans une toile de Chagall. Il plissait les yeux face à la brûlure cuivrée. D'un coup, il réalisa que son fils s'était tu.
– Ne bouge pas de ta planque, répéta-t-il. Je viens te chercher.
Il raccrocha et baissa les yeux, se laissant envahir par le staccato du moteur et le bruissement des flots. Il sentait les vibrations lui passer dans les nerfs, l'odeur de l'essence s'infuser dans sa peau, l'écume lui fouetter le visage… Il allait la jouer à la Salvo. D'une pierre (au moins) deux coups : récupérer son fils et tuer Méphisto au nom du bon vieux temps. Le Hutu n'était pas seulement un témoin gênant mais aussi une pure ordure qui avait des centaines de morts sur la conscience. « Un Hutu de moins, une fleur de plus », disait un proverbe tutsi.
Il réalisa que le fleuve avait changé. Les flots étaient maintenant noirs comme un courant de goudron chaud et fumant. L'écume d'un beige sale paraissait souiller la rétine. Il releva la tête : les orages du matin arrivaient, lent cortège d'idées sombres et de présages à la Cassandre.
Il ne craignait pas de mourir. Seulement d'être jugé.
Erwan, que sais-tu au juste ?

66

ERWAN AVAIT TROUVÉ un nouveau sentier au bord du fleuve, toujours protégé par les rangs serrés des hautes herbes. Parfois il pataugeait à mi-cheville dans des mares de vase, d'autres fois la latérite retrouvait sa consistance rouge et glissante. L'air n'était plus qu'un brouillard d'eau. Sous sa capuche, il conservait les yeux baissés, attentif à l'endroit où il mettait les pieds, et discernait par moments sur sa gauche les gouttes qui crépitaient à la surface du fleuve.

Depuis qu'il s'était mis en route, il n'avait pas aperçu de pirogue ni croisé quiconque. Salvo lui avait raconté que jadis, un bac permettait de passer d'une rive à l'autre, mais c'était avant le conflit. Comment espérer franchir le fleuve à présent ? Erwan en était là de ses pauvres conjectures quand il entendit du bruit derrière les roseaux.

D'instinct, ses mains se resserrèrent sur sa Kalach. S'approchant sans bruit, il aperçut la poupe d'une pirogue légère taillée dans un tronc, équipée d'un moteur Enduro Yamaha 45 flambant neuf. Exactement ce qu'il lui fallait. Un pas encore et il eut besoin de quelques secondes pour bien saisir ce qu'il voyait.

Un Noir achevait ses préparatifs, vérifiant son chargement, l'hélice du moteur, les réserves de carburant. Il venait d'enfiler un gilet de sauvetage orange – idéal pour servir de cible des deux côtés du champ de bataille mais sans doute ne savait-il pas nager.

Ce bon vieux Salvo, fin prêt pour le grand départ…

Erwan se plaça dans l'axe du canot et arma d'un coup sec son fusil. Le Banyamulenge sursauta et manqua de tomber à l'eau.

– Patron, gémit-il en levant les bras.

– Ta gueule.

– J'ai pas pu faire autrement, j'ai…

– Ta gueule, je te dis.

Monter à bord sans glisser. Anticiper l'oscillation de la pirogue. Ne pas lâcher le Black des yeux.

– Patron, implora l'autre, toujours les mains en l'air. J'peux t'expliquer.

– Tu me raconteras ça en route.

– En route ?

Erwan était parvenu à grimper dans la barcasse.

– On va en face.

– Patron, c'est pas bon du tout, là. Les mortiers, ça va reprendre, ou bien…

Erwan s'assit parmi les sacs de Salvo, dont la fameuse valise. D'un geste, il lui ordonna de se mettre en place – à l'arrière, à la barre.

– Démarre.

Salvo s'activa en maugréant alors qu'Erwan voyait soudain la possibilité de réussir ce nouveau coup.

Une fois le moteur parti, le Noir commença à se justifier :

– J'avais pas prévu de te laisser, patron, je…

– Le fric, d'où il vient ?

– J'ai pas les noms, j'te jure. Les grandes compagnies veulent du coltan.

– Aucun rapport avec les armes ?

– Non. J'touche pas à ces trafics.

– T'étais pourtant au courant de la livraison.

– J'en ai entendu parler en route. C'est ça qui m'a donné l'idée.

– Quelle idée ? De me laisser crever chez les Tutsis ?

– Patron, à la guerre comme à la guerre. Quand j'ai compris que ça allait péter, j'me suis dit : Salvo, il est temps de te mettre à ton compte.

– Quel compte ?

– Ma propre mine, mes propres P-DG.

La misère de l'Afrique : personne ne songe à changer le système – violence, corruption, barbarie à tous les étages. Chacun vise au contraire à l'utiliser pour se tailler une place au soleil.

– Tu mens : même cette pirogue prouve que tu avais prévu ton coup.

– J'l'ai achetée hier. J'te jure !

– Avec un moteur pareil ?

– Piqué aux mines, chef.

– Pourquoi t'es pas parti cette nuit ?

– Les patrouilles, papa. Ça a pas arrêté, des deux côtés…

Salvo plissait le front avec gravité pour donner plus de crédit à ses paroles.

– Et moi ? Ça te faisait pas chier de me laisser les mains vides parmi ces bouchers ?

Le Banyamulenge secoua la tête avec véhémence – il pilotait sans pousser le moteur pour limiter son bruit. Ils naviguaient maintenant à découvert : des cibles parfaites. Erwan se cala au fond de la coque afin d'être moins visible. Salvo se tenait courbé comme s'il portait sur son dos les nuages qui refusaient de quitter le ciel.

– Patron, les Blancs, y s'en sortent toujours. Nous, comme on dit chez nous, quand Dieu nous a créés, y faisait nuit…

L'abattre au beau milieu du fleuve, le courant ferait le reste. Mais le bruit de la détonation attirerait tous les regards. En fait, le problème était ailleurs : Erwan n'était pas un tueur au sang froid, c'était plutôt le sang qui le tuait à petit feu depuis le début du voyage...

– Tes projets, c'est quoi au juste ?

– J'te dis : achcter des soldats et prendre une mine. Un p'tit bizness bien tranquille.

– Dans ce chaos ? s'étonna Erwan.

– Un jour, la guerre va s'arrêter et j'aurai les poches pleines.

Salvo avait repris de l'assurance et accompagnait ses phrases de grimaces qui lui tenaient lieu de ponctuation.

– Mon père, il t'a payé ?

– Pas beaucoup, chef. Pas beaucoup. Je devais juste t'aider.

– M'aider ou me freiner ?

– Patron, rit-il malgré lui, j'ai fait c'que j'ai pu...

Erwan finit par sourire. On aurait pu croire que dans ce monde en sursis, chaque instant se savourait avec intensité. Au contraire : la vie ici était d'une légèreté déconcertante, une monnaie qui se dévaluait à chaque seconde.

– Pourquoi tu veux aller là-bas ? reprit Salvo, l'air inquiet.

– Je dois voir quelqu'un.

– Qui ?

Toujours recroquevillé entre les sacs et les bidons d'essence, Erwan attrapa ses jumelles et observa la rive d'en face : rien ne bougeait. Il distinguait seulement des casemates grillées, des arbres arrachés, une jungle déchiquetée. Les Tutsis, avec leurs missiles, avaient fait pas mal de dégâts eux aussi. Sous ces ruines fumantes, il devinait l'autre partie de Lontano – les anciens ghettos des mineurs, bidonvilles qui paraissaient avoir mieux résisté aux années et à la jungle.

– Faustin Munyaseza, finit-il par répondre en baissant ses jumelles.

– Méphisto ? Mais t'es pas possible ! C'est le chef des Interahamwe !

Le ciel s'était dégagé et cette immense ouverture d'azur, d'un coup, le réconforta. Il comprit ce qui lui réchauffait le cœur :

le dossier qu'il avait lu et relu sur les origines de son père. Cette enfance sous le signe de l'horreur conférait à Grégoire la dernière chose qu'Erwan pensait pouvoir lui accorder : des circonstances atténuantes.

67

DEPUIS SON APPEL à son fils, Morvan était pris d'hébétude. L'orage n'avait pas encore purgé le ciel et les nuages compressaient l'atmosphère au point d'en faire monter la température à un degré infernal. D'après les calculs de Cross, ils seraient bientôt à Lontano.

Dire que Grégoire reconnaissait les lieux aurait été mentir : des légions de saisons avaient tout recouvert d'une végétation uniforme. Juste retour des choses : cette brousse avait toujours été là, avant et après le bref rêve de conquête du Blanc. D'une certaine façon, l'homme noir, avec ses guerres, ses pillages, sa violence, participait à l'ordre immuable de la nature : rien ne devait pousser ici à l'exception de cette forêt exubérante, de ce vert tendre qui se nourrissait de lui-même.

Champeneaux... Il murmurait ce nom sans vraiment se souvenir des détails. Ces syllabes n'évoquaient plus qu'un magma confus, un tissu d'atrocités avec lesquelles il avait dû, bon an mal an, négocier durant toute son existence. Qu'un de ses gosses ait pu soulever cette pierre, découvrir les monstruosités qui s'agitaient dessous, voilà qui faisait mal. Allait-il devoir le tuer lui aussi ? Il avait plutôt atteint son point limite : toute sa vie, il avait détruit ce qui pouvait réveiller le passé. Maintenant, son fils s'y mettait aussi et cela sonnait la fin de son effort dément, pathétique, pour renier ses origines.

La pirogue descendait toujours le fleuve. Une nuit avec ce moteur dans le cul, il en avait le fond de la culotte qui vibrait.

L'Iridium sonna dans sa poche. Erwan ? Loïc.

– T'es dans l'avion ? demanda-t-il aussitôt, se concentrant sur la situation à Florence.

– Non.

– Je t'avais dit que...

– J'ai du nouveau.

Morvan n'attendait rien de bon non plus de la part du cadet. Si Erwan creusait trop, Loïc creusait de travers.

– Le deuxième gars du dernier rendez-vous de Giovanni, enchaîna le gamin. Le complice de Balaghino.

Morvan mit quelques secondes pour envisager à nouveau cette scène improbable : le ferrailleur en conciliabule dans un sous-bois, avec des mafieux et quelques gros bras, à propos d'un trafic d'armes au Congo. *Tout ça pour ça...*

– Et alors ? grogna-t-il.

Loïc se lança dans des explications alambiquées où il était question d'un maître d'hôtel, d'une voiture de courtoisie de...

– Abrège.

– Tôt dans la matinée du lundi 12 novembre, la Villa San Marco a prêté une Maeva. On a vérifié : c'est bien le numéro d'immatriculation de la voiture aperçue par le maître d'hôtel dans le sous-bois.

Cette histoire de trafic d'armes, Morvan n'en avait finalement rien à foutre. Toujours les mêmes crapules, la même course dérisoire au pognon...

– À qui ? demanda-t-il tout de même.

– Un dénommé Danny Pontoizau. C'est assez étrange, il a donné une adresse à New York mais selon le concierge, il parlait anglais avec un fort accent français ou quelque chose de ce genre.

D'un coup, Morvan ne perçut plus le moteur du bateau ni les écailles lumineuses du fleuve. Une sorte d'éclair noir l'éblouissait.

– T'es en train de me dire que Pontoizau est mouillé dans la livraison du Katanga ?

– Tu le connais ?

Au fond, rien d'étonnant : le Canadien était le mieux placé pour équiper les chefs de guerre dans le Nord-Katanga. Déjà sur le terrain, armé jusqu'aux dents, il avait dû détourner quelques stocks. Dans le bourbier africain, pas si compliqué…

– C'est qui ? braillait Loïc au téléphone.

Les interférences, ajoutées au bruit du moteur, faisaient que Grégoire ne l'entendait plus – à moins qu'il n'ait plus envie de percevoir quoi que ce soit. Balaghino, Pontoizau… Montefiori aurait ironisé : « Avec des amis comme ça, plus besoin d'ennemis… »

– Accélère ! ordonna-t-il au pilote.

Erwan avait appelé à l'aide le dernier homme sur la planète susceptible de l'aider. Soit Pontoizau allait le laisser crever sous les bombes, soit il se déplacerait en personne pour faire le boulot. Après tout, Erwan était en train d'enquêter au cœur même de son trafic, interrogeant ses principaux clients : Esprit des Morts et Méphisto.

Tout bien considéré, l'officier de la MONUSCO opterait pour la solution la plus sûre. Pas question de prendre le moindre risque avec ce Français qui fourrait son nez partout. Il allait débouler en hélicoptère et détruire celui qui pouvait l'expédier en cour martiale. Et ce con d'Erwan qui l'avait contacté avec son Iridium localisable…

Pendant que Loïc continuait à s'énerver dans le combiné, Morvan se livra à une brève reconstitution des faits, furieux de n'y avoir pas pensé plus tôt. Pontoizau était le tueur à la scie circulaire. Il devait avoir un deal avec Nseko, le directeur de Coltano (jamais en retard d'une magouille). Les choses avaient mal tourné et le Québécois l'avait éliminé de manière à faire croire à un règlement de comptes entre Noirs. Le différend était remonté jusqu'à Montefiori lui-même, Pontoizau avait continué sur sa lancée, secondé cette fois par Balaghino *himself*. En poussant un peu, Mumbanza, le successeur de Nseko, devait être aussi dans le coup, ainsi que son adjoint tutsi, Bisingye. Grégoire ne devait d'être vivant qu'à son manque de perspicacité. Tant qu'il garderait la tête enfoncée dans ses mines comme une autruche, il aurait la vie sauve…

– Je compte remonter maintenant à ce type et…

– Loïc, va surtout reprendre ton avion dare-dare et rentre à Paris.

– Tu m'emmerdes avec tes ordres. J'ai passé l'âge de me faire cornaquer.

– Tu ne soupçonnes pas où tu as mis les pieds.

– Qui est Danny Pontoizau ?

Morvan soupira :

– Le chef d'état-major de la MONUSCO, chargé du maintien de la paix dans le Haut-Katanga. On peut dire qu'il a le sens de la contradiction.

– C'est lui qui vend les armes ?

– Laisse tomber. Prends tes enfants et ta femme…

– Mon ex-femme.

– Barrez-vous et ne vous retournez pas. Si Balaghino apprend que tu fouines de son côté, tu auras des ennuis. Sérieux, les ennuis.

Les crachotis viraient au larsen. Pas l'idéal pour faire la leçon à son fils mais Loïc avait dû en capter la substance. Pour preuve, sa réponse complètement à côté de la plaque :

– Le problème avec toi, papa, c'est que tu t'es trompé d'époque. *Il Padrino*, c'est fini. Y a des lois, des flics, des structures d'État. D'ailleurs, les Montefiori sont intouchables.

– Demande à Giovanni ce qu'il en pense.

– Je vais…

– Rentre à Paris et mets ta famille à l'abri. Si tu veux jouer au justicier antimafia, reviens seul dans l'arène.

L'argument parut faire mouche mais la voix de Loïc se perdit dans de nouveaux parasites. Il n'y avait plus qu'à prier pour que son gamin reprenne son vol au plus vite, avec ses enfants sous le bras.

Morvan raccrocha et cracha au pilote :

– Je t'ai dit d'accélérer !

Erwan : pas de connexion. Nouvel essai : rien. *Putain de merde*… À ce rythme, il atteindrait Lontano dans moins de quarante minutes. À temps pour éviter le pire ?

– Afrique, murmura-t-il, douce Afrique…

68

ELLE ÉTAIT VENUE ICI quand elle était petite – pour voir son père. Puis plus grande – pour venir chercher son frère. Le fameux 36 – pas de quoi se rouler par terre. Des couloirs exigus, des bureaux qui ressemblaient à des placards, des grappes de câbles collés au plafond. Retirez les flics de légende et les affaires mythiques, ne restait qu'une vulgaire officine administrative.

Elle se dirigea vers la Brigade criminelle – escalier A, troisième et quatrième étages – et chercha le bureau d'Audrey qui lui avait ordonné de rappliquer en fin de matinée. Gaëlle était venue à pied depuis le 8e arrondissement, obligeant les deux colosses à la suivre au pas – et à bonne distance. Ils auraient pu la conduire en voiture mais elle voulait exsuder sa frousse de la nuit précédente.

Pas moyen de trouver son repaire. Enfin, on l'orienta vers une salle de groupe où Audrey l'attendait. Bref salut, aucun sourire : assise à contre-jour face à son ordinateur portable, l'OPJ était enveloppée d'une auréole trouble, couleur de pierre et de pluie.

Gaëlle s'installa en face d'elle, refusa le café qu'on lui proposait et attendit la suite. Audrey avait travaillé sur les techniques d'embaumement, les produits utilisés par les thanatopracteurs, les sociétés spécialisées dans cette discipline. Visiblement, elle se consacrait désormais exclusivement à cette enquête.

Mais pourquoi n'a-t-elle pas encore arrêté Éric Katz ?

– En général, continuait la fliquette, on injecte des produits biocides, comme le formol, par la carotide, associés à des fluides d'embaumement. Ce n'est pas si compliqué et…

– Qu'est-ce que tu fous ? la coupa Gaëlle. Dès qu'on a un indice, une preuve, tu recules. Depuis deux jours, on accumule les trucs chelous sur Éric Katz et t'es pas foutue de lancer une vraie enquête.

Audrey se leva, ouvrit la fenêtre et se roula une cigarette.

– Combien de fois je dois te le répéter ? Pour démarrer une investigation en bonne et due forme, il faut une saisine du parquet, et avant ça une plainte ou un crime avéré. Pour l'instant, je n'ai rien.

– Tu peux assigner cette histoire sur un autre dossier. Toute ma vie, j'ai vu mon père puis mon frère le faire.

– Tu oublies un élément majeur. Depuis qu'Erwan est en Afrique, nous, les membres de son groupe on est répartis dans d'autres équipes. Pas moyen de magouiller quoi que ce soit.

– Si tu cherches un crime du côté de Katz, rétorqua Gaëlle avec mauvaise foi, pourquoi tu t'obstines sur cette histoire d'embaumement ? On en a rien à foutre.

– Tu as tort. Je cherche déjà à savoir qui a pu faire le boulot. J'ai passé des coups de fil auprès des boîtes spécialisées, des entreprises de pompes funèbres, à Paris et autour des Lilas, en prenant la date de rapatriement des corps. J'ai aussi appelé le cimetière mais ces infos sont confidentielles. Pour l'instant, je n'ai rien obtenu.

– Toujours la même rengaine.

Audrey fit comme si elle n'avait pas entendu. Elle alluma sa clope et souffla un trait de fumée vers la Seine.

– Y a un autre scénario possible, poursuivit-elle. L'amateur éclairé. Dans ce cas, il a acheté lui-même le matériel. J'ai contacté les fournisseurs de ce genre de produits et leur ai demandé de vérifier leurs carnets de commandes après la date de l'accident en Grèce. En général, ils ne vendent qu'à des professionnels.

Les deux enfants, noircis et desséchés sous les bandelettes, lui revinrent en mémoire. Elles n'avaient dénudé que la partie supérieure des petits visages, sans pouvoir aller plus loin.

– Et alors ?

– J'ai trouvé un seul particulier, un certain Thomas Sanzio. Il a acheté du formol, des fluides et d'autres produits biocides en septembre 2006, en répartissant ses achats sur plusieurs sociétés, comme pour se noyer dans la masse.

– Katz ?

– En tout cas, ce Sanzio n'existe pas à l'état-civil. Les gars à qui j'ai parlé n'ont eu aucun contact avec lui excepté des coups de téléphone et des virements.

– Le compte en banque ?

– J'attends les coordonnées bancaires mais je ne suis pas optimiste.

– L'adresse de livraison ?

– Le cimetière des Lilas.

Un souvenir la fit encore frissonner : elles avaient aussi vérifié les urnes avant de quitter le sanctuaire et découvert des débris organiques méconnaissables – il aurait fallu un spécialiste pour y retrouver ses petits.

L'image qu'elle avait emportée en repartant : Katz ouvrant les cercueils à chaque visite, se recueillant face aux momies, à genoux sur le prie-dieu. Un pur tableau horrifique.

Elle décida de passer la vitesse supérieure :

– Arrêtons de perdre notre temps et posons la question à Katz lui-même.

– Je t'ai déjà dit que pour le convoquer…

– Je parlais de moi. Un interrogatoire autour d'un bon dîner.

– Tu le rappellerais ?

– Pas la peine. Il m'a laissé un message cette nuit : il veut me voir ce soir.

69

LA TRAVERSÉE DU FLEUVE avait été plus compliquée que prévu. Salvo avait opéré plusieurs boucles pour éviter des courants et visiblement, il n'était pas un expert. Sans compter qu'il y mettait de la mauvaise volonté : pas du tout pressé de rejoindre la rive hutue, le Salvo…

Ils accostèrent enfin au pied d'une pente abrupte, creusée par le courant. Sur la berge, des cadavres. Des bras, des jambes se confondaient avec les racines-échasses et les palmiers-épines, des corps décapités flottaient dans des positions grotesques. Il y avait aussi du matériel, trop lourd pour être emporté – canons à demi immergés, obus enlisés, fragments de métal méconnaissables.

– Qu'est-ce qu'on fait ? s'inquiéta Salvo.

– On descend. Prends ta valise.

Salvo sauta à la baille en grimaçant et amarra la pirogue en évitant les dépouilles. L'odeur nauséabonde évoquait à la fois la fraîcheur des végétaux et la décomposition des restes humains.

Ils escaladèrent le mur de latérite et accédèrent à un sentier bordant la rive.

– D'après toi, où est Faustin ? demanda Erwan en armant son AK-47.

– Après chaque assaut, les FARDC se replient vers leur base arrière. Les Interahamwe, eux, restent dans les anciens villages des mineurs. Pour l'instant, y doivent piquer le matériel aux morts de l'armée régulière.

– Ils ne sont pas alliés ?

Salvo ne put s'empêcher de rire. Les associations ici ne duraient que le temps d'une bataille, et pas question de renoncer à une Kalach ou une paire de bottes.

– Avance, reprit Erwan d'un ton lugubre.

Passé les hautes herbes, ils découvrirent une grande clairière. Tout était noir : arbres, buissons, cadavres, latérite. Des cratères marquaient les points d'explosion. Les palmiers n'avaient plus de branches. Pas une âme qui vive. Seulement des macchabées, certains en uniforme, d'autres en accoutrements bariolés. À vue de nez, une centaine. Au-dessus d'eux, des légions de mouches formaient des nuages sombres mais la priorité était aux vautours qui se régalaient déjà, commençant par les yeux et les parties génitales.

Un peu plus loin ils croisèrent des êtres vivants, ou presque. Des zombies au pas incertain, poussant des brouettes pour récupérer armes, cartouches, bottes et uniformes. Ils volaient aussi les fétiches, les talismans au cou des morts – qui n'avaient pourtant pas l'air très efficaces.

Personne ne leur prêta la moindre attention. Enfin, ils atteignirent le village. Les toits de tôle variaient les nuances de rouille et de lichen. Les murs de planches, de parpaings ou d'adobe semblaient tenir debout par miracle. On entrait ici dans le vif du sujet. Des hurlements s'échappaient des casemates, des hommes torse nu ou en blouse chirurgicale déchirée mettaient un pied dehors pour vider des bassines remplies de sang, des femmes cagoulées, qui ressemblaient aux sorcières d'en face, portaient des instruments – scie, hache, machette – évoquant une chirurgie grossière qui n'avait qu'un ennemi : la gangrène.

Pas l'ombre d'un uniforme. Seulement des Hutus, bandits mexicains à cartouchières, pieds nus, qui pansaient leurs plaies, fumaient ou picolaient, l'œil vide. Leur fatigue allait bien au-delà du manque de sommeil ou de l'épuisement physique – c'était une sorte d'hémorragie mentale que rien ne pouvait enrayer. Pourtant, quelque chose d'autre brûlait au fond de leurs yeux, faisant redouter qu'un éclat vous saute encore à la gueule.

– Demande-leur où est Faustin, ordonna Erwan.

– Patron…

– Fais-le.

– Y sont sourds, patron. À cause des bombes.

Erwan fut soudain pris d'une envie de rire.

– T'as qu'à parler fort, fit-il pour rester dans le ton.

Salvo apostropha un groupe. Ils se mirent à brailler en swahili ou un autre dialecte. Erwan, doigt sur la détente, se répétait sa résolution comme un mantra : risquer sa peau une dernière fois – peut-être la bonne – pour les derniers fragments de vérité. Une étoile morte depuis bien longtemps mais dont la lumière pouvait encore, espérait-il, lui parvenir.

– Y disent qu'il est là-bas, traduisit Maillot Jaune. Y disent qu'y a eu beaucoup de pertes hier. Méphisto, il est trrrrrès en colère. C'est pas une bonne idée de…

Un gamin d'une douzaine d'années, portant béret et Kalach, s'était approché. Yeux mi-clos, visage émacié, l'air complètement stone.

– Le môme, expliqua Salvo, y peut nous emmener.

– On y va.

Le village minier n'était pas englouti par la végétation comme la cité d'en face – à l'évidence, on avait continué à vivre ici. Ruelles serrées, baraques de fortune, détritus sur les seuils, tout ça rappelait un bidonville de n'importe quel coin du monde.

Une impression d'irréalité enveloppait Erwan : ces guerriers harnachés, couverts de fétiches, qui se tenaient sur les perrons comme des commerçants oisifs, le sol boueux jonché de douilles et d'ordures, l'odeur des morts qui se mêlait à celles de la nature, le silence des survivants qui n'entendaient plus les gazouillements des oiseaux, les cris des singes dans les cimes…

Après plusieurs minutes dans ce dédale – de plein gré dans la gueule du loup –, ils parvinrent sur une place cernée de cabanes aux écriteaux de bois délavés.

– C'est quoi ça ?

Un groupe de soldats s'écarta pour libérer la vue à celui qui venait de poser la question – sans aucun doute Faustin Munyaseza. L'homme se tenait derrière une planche posée sur des tréteaux – son QG de campagne – où des cartes et des bouteilles de bière s'accumulaient.

Méphisto avait la gueule de l'emploi : courtaud, en débardeur et pantalon de survêtement, couvert de bijoux en or et de fétiches en os ou coquillages. Des yeux de soufre, des cicatrices plein la gueule. Difficile de lui donner un âge mais au moins la cinquantaine, ce qui lui conférait ici un air d'immortalité. Autour de lui, la moyenne ne dépassait pas vingt ans.

Méphisto était l'envers d'Esprit des Morts. Le Tutsi était grand et fin, lui était large et trapu. Le leader du FLHK avait un visage en lame de sagaie, Faustin avait une tête ronde en tôle martelée. Le premier paraissait avoir grandi dans la plaine, le second poussé dans un trou. Ils incarnaient tous deux les pires clichés sur leurs ethnies respectives.

Erwan continua à marcher, traversant le silence et l'hostilité. Il n'était plus qu'à quelques mètres de Faustin. Personne ne l'avait désarmé : il tenait son canon baissé pour signifier ses intentions pacifiques.

– Qu'est-ce qu'y veut, le mzungu ?

Mauvais français, accent qui sarclait les syllabes. Sur ce plan aussi, très différent du chef tutsi.

– Je suis venu te poser des questions.

Faustin émit un sifflement admiratif. Ses yeux étaient si rouges qu'ils paraissaient baigner dans du jus de rosbif.

– T'es journaliste ?

– Non, flic. À Paris.

– Elle est bonne !

Sa voix grave roulait comme une bétonneuse.

– Je viens d'en face, continua Erwan sans se démonter. J'ai risqué ma peau plusieurs fois pour arriver jusqu'ici. Maintenant, je veux des réponses.

– Sur quoi ?

– La Cité Radieuse, la mort de Cathy Fontana.

Il s'attendait à un éclat de rire mais le diable noir fronça les sourcils avec perplexité. Une lueur venait de s'allumer dans ses yeux de vampire.

– T'es le fils de Morvan ?

Même au cœur du chaos, sa ressemblance avec son père était son meilleur gage de crédibilité.

– Son fils aîné. Je suis né à Lontano.

Méphisto conserva un sourire goguenard aux lèvres. Le chef de guerre était doté de deux atouts : esprit vif et faculté d'adaptation.

– Pourquoi j'te répondrais ?

Erwan désigna Salvo et sa valise :

– À cause du fric d'Esprit des Morts. On est venus te l'apporter.

– Le Tutsi n'est plus de ce monde.

– Disons que c'est son héritage.

Faustin s'esclaffa, aussitôt relayé par des singes criards parmi la canopée.

– Ça, mon frère, vrrrraiment, tu…

Il s'arrêta net : un bourdonnement d'hélicoptère dans le ciel.

– Pontoizau…, murmura Erwan.

Il avait presque oublié son appel au secours. L'engin ne ressemblait pas à un appareil de sauvetage. Ses structures dotées de mitrailleuses et de lance-missiles proposaient une autre équation : cent pour cent de destruction, zéro pour cent de survie. Un Apache armé jusqu'à la gueule.

– *Nkilé* de Blanc…, glapit Méphisto en levant les yeux.

Il braqua son .45 sur Erwan qui n'eut que le temps de reculer et de se planquer derrière Salvo. La première balle atteignit le Banyamulenge au torse. Ses hommes imitèrent Faustin et tirèrent plusieurs rafales, Kalach à la hanche. Salvo et sa valise partirent en charpie. Erwan fit glisser son canon sous le bras de Maillot Jaune et arrosa sans viser. Au même instant, l'appareil se mit à canarder toute la clairière, la transformant en un geyser de boue.

Comme si tout ça ne suffisait pas, la valise de Salvo s'ouvrit et cracha des milliers de billets de banque dans l'air empuanti de poudre. Soudain indifférents aux balles de l'Apache, les Hutus se jetèrent à terre pour en ramasser des poignées.

Erwan recula et laissa tomber Salvo, sans croire au spectacle qui s'offrait à lui : les soldats qui rampaient parmi les dollars, la tourbe et leur propre sang, Faustin Munyaseza qui s'enfuyait à toutes jambes dans le dédale de la ville minière.

70

ERWAN S'ÉLANÇA à sa poursuite dans le réseau des cahutes et des baraques bricolées. Ni soldats, ni autochtones, ni même aucun blessé en vue. Seulement des ruelles étroites comme des canalisations, encombrées de pneus, de sacs plastique, de gravats, de douilles… Méphisto courait là-dedans comme un rat dans sa décharge – avec lui, ça faisait deux : « Takes Two to Tango », dit la chanson. Erwan tenait toujours son AK-47 et sentait son sac à dos ballotter au rythme de sa course. Contact rassurant : Iridium, passeport, classeur…

– Faustin ! hurla-t-il, mais le vrombissement de l'hélicoptère les talonnait.

Persuadé que Pontoizau en personne était venu l'exfiltrer, il n'avait plus qu'une crainte : que le Canadien élimine le chef hutu dans la foulée.

– FAUSTIN !

Des rafales prirent le relais du grondement des pales. Le chef de la MONUSCO avait bien décidé de se faire Méphisto. Après la disparition d'Esprit des Morts, le meilleur moyen de chasser le conflit vers d'autres terres.

– Faust…

Nouveau tir sifflant entre les murs. Erwan se jeta au fond d'une cabane. Il devait faire comprendre à Méphisto qu'il représentait sa seule chance de survie. Si le Noir le laissait le rattraper, il serait sauvé : Pontoizau ne prendrait pas le risque de blesser l'homme qu'il venait chercher.

Le Français sortit de sa planque et essuya une nouvelle décharge. À se demander où le canonnier avait appris à tirer. Aucune trace de Faustin. Erwan n'avait pas fait trois pas qu'une nouvelle salve dévastait le décor. Il plongea au sol et regarda derrière lui : des ombres zigzaguaient de casemate en casemate. *Bordel de Dieu.* Des fidèles de Sa Seigneurie l'avaient pris en chasse.

Erwan balança une rafale, se releva, atteignit une nouvelle ruelle. Toujours pas de Faustin. Il partit à droite, à l'instinct, évitant une masure qui s'écroulait devant lui. Il enjamba les décombres et accéléra avec toujours l'espoir d'apercevoir le diable en débardeur. Nouvelle rasade venue du ciel. Soit les gars de la MONUSCO devaient s'acheter des lunettes, soit ils le visaient, lui…

Il se carapata encore. Les tirs en tous sens, le quartier en fumée, la puanteur de la poudre… Un air de déjà-vu avec un petit quelque chose en plus : le sentiment d'être acculé dans un piège. Il roula sur le côté, s'abrita sous un toit de tôle. Les balles le poursuivirent, trouant son abri, levant la terre comme une pâte…

Cette fois, plus de doute : la cible, c'était lui. *Pourquoi ?* Il tenta une sortie. Accueil salé sur le seuil. Il recula en serrant son fusil, tétanisé : sa planque n'allait pas tarder à céder. Il devait sortir de là, il devait…

Une explosion mit tout le monde d'accord. Erwan traversa un mur de plâtre. Dans un brouillard de poussière, il se releva, hagard. Il n'aurait pas su dire qui avait tiré – ceux du ciel, ceux du fond –, mais tous voulaient sa peau. Nouvelle artère. Plutôt une tonnelle faite de pneus, de toile et de branches. Quelques secondes à l'abri. Un bonheur n'arrive jamais seul : Méphisto dans son champ de vision, à cinquante mètres.

– Faustin ! hurla-t-il, récoltant deux coups de feu en réponse. Attends-moi !

Il reprit son sprint, slalomant parmi les ruelles, essuyant les balles du haut, les tirs du bas, les éclats de tous côtés. Méphisto avait disparu. Les Hutus s'appelaient d'un boyau à l'autre en swahili – Erwan n'y comprenait rien mais « Tuez le Blanc ! » ne devait pas être loin de la traduction littérale. Au-dessus d'eux, l'ombre des pales les suivait comme un gigantesque bourdon.

– Faustin ! cria-t-il encore à l'aveugle. Je dois te parler !

Appels absurdes : quel marché avait-il maintenant à proposer ? Quelle protection pouvait offrir la véritable cible de tout ce barouf ? Il ne parvenait pas à saisir pourquoi de naufragé à sauver, il était devenu l'homme à abattre.

Méphisto réapparut – dos trempé de sueur – sur sa droite. Erwan bifurqua, se cogna contre un amas de planches, trébucha et se retrouva face à une poignée de Hutus. L'un portait un lance-roquettes, deux autres des Kalachs, un quatrième un fusil de précision. Ces engins pointés vers lui possédaient une vraie dimension comique – une vignette de bande dessinée – mais Erwan tomba à genoux, vaincu.

Mains croisées sur le visage, il perçut son propre sanglot quand un rugissement assourdissant vint tout balayer. Il leva les yeux et vit l'hélicoptère achever sa révolution, mitrailleuses armées, pilote et canonnier au taquet. Il aperçut même la gueule de singe blond de Pontoizau derrière le vitrage blindé du cockpit.

Il y eut deux explosions concomitantes, une au sol, l'autre dans les airs. Elles-mêmes subdivisées en deux temps : boule blanche, crash rouge. Le souffle brûlant des impacts projeta encore une fois Erwan en arrière. Quand il releva la tête, les portes des enfers s'étaient ouvertes. Le Hutu au lance-roquettes titubait près d'un cratère en éruption tandis qu'au loin l'appareil chutait au ralenti.

Les tirs s'étaient croisés, l'homme au RPG avait visé l'Apache qui déjà balançait son missile. Erwan rampa pour s'éloigner du brasier, redoutant que les charges à bord de l'hélicoptère n'explosent. Aspergée de kérosène, la ville partait en flammes. Ses petites cellules grises convergeaient vers un seul mot : le fleuve. L'atteindre avant que la marée incandescente ne l'emporte. Une voie plus large, puis une autre. Couvert de boue, son col de chemise relevé sur sa bouche, il était le Golem, le colosse de Prague, la statue d'argile née de la magie des hommes.

Il essaya d'accélérer encore quand Méphisto, de dos, surgit cent mètres devant lui. *Un dernier effort.* Non pas le rattraper mais simplement le suivre : le Hutu, lui, savait où était le Lualaba. Ils se traînèrent ainsi durant quelques secondes, ou plusieurs siècles, sans que Faustin se retourne une seule fois.

Soudain, sans doute mû par l'instinct, le Hutu fit volte-face. Erwan s'arrêta net. Derrière le Black s'ouvrait le fleuve – placide et boueux, indifférent à l'incendie.

Méphisto déroulait déjà le bras pour appuyer sur la détente. Seul un clic lui répondit.

Chargeur vide, mon canard.

Par réflexe, le Hutu palpa sa ceinture mais Erwan braqua son fusil :

– Laisse tomber, Faustin.

L'autre balança son arme sans hésiter et leva les bras comme l'enfant dresse son pouce pour arrêter le jeu.

– La vérité, haleta Erwan. Après ça, tu pourras retourner à ta guerre.

– Quelle vérité ?

Le Hutu était à bout de souffle mais son visage congestionné, couvert de sang et de cendre, hurlait qu'il pouvait encore encaisser. C'était son boulot depuis sa naissance.

– La nuit du 30 avril…, prononça Erwan d'une voix sifflante. La Cité Radieuse…

Autour d'eux le feu formait un cercle mortel. Des hurlements provenaient des cases crépitantes – les blessés brûlaient vifs. Même sur le fleuve, des flaques huileuses se répandaient autour des pirogues, et s'embrasaient, faisant craquer les racines et les coques comme des os.

– T'es bien le fils de ton père…, haleta le Noir. Tu…

La balle lui traversa les carotides, provoquant deux jets simultanés, de part et d'autre du cou. Il tomba face contre terre, mains serrées sur sa gorge. L'orage déchira le ciel. Les nuages crachèrent une pluie fine qui ondula aussitôt comme un rideau de perles dans le vent. En état de choc, Erwan ne bougeait plus.

Un bruit de moteur. Un bateau à travers les flammes. À son bord, Morvan en gilet balistique, un fusil de précision à la main.

– Si t'as des questions, hurla-t-il à son fils, c'est à moi que tu dois les poser !

71

CE RENDEZ-VOUS, Gaëlle ne le sentait pas.

Elle avait imaginé une rencontre intime avec Katz, les yeux dans les yeux, mais Audrey avait exigé d'encadrer l'entrevue avec ses collègues. La fliquette craignait que le psy ne se soit aperçu de la fouille de son cabinet et qu'il soupçonne Gaëlle d'être dans le coup. À ce dispositif s'ajoutaient ses deux fidèles gardes du corps. Elle voulait un rendez-vous galant, elle risquait d'avoir un coup de filet façon BRI.

L'esplanade du Centre national Georges-Pompidou, vaste et en pente, permettait de voir sans être vu, même quand il y avait foule. Gaëlle avait fait promettre à Audrey de ne pas intervenir – elle se sentait capable de tirer seule les vers du nez à Éric Katz. Elle comptait lui proposer un restaurant tranquille dans une impasse perpendiculaire à la rue du Renard, juste derrière le musée.

Postée au coin de la rue Saint-Martin, accoudée à la rambarde qui cerne le parvis, elle grelottait mais se sentait déterminée. Seul le micro qu'elle portait fixé sur sa poitrine la contrariait. D'abord parce qu'elle avait dû s'habiller comme une nonne – col cheminée blanc, pull noir –, ensuite parce qu'elle allait être sur écoute durant son numéro de charme.

Nouvelle cigarette. Elle se demandait si le psy allait venir. Repérerait-il le comité d'accueil ? Les hommes d'Audrey, ainsi que son tandem préféré, déployés aux quatre coins de l'espace, lui semblaient aussi visibles que des gardes républicains. Fait aggravant, un poste de police se trouvait un peu plus loin, dans l'immeuble en briques d'anciens bains-douches municipaux.

Toujours pas de Katz. Elle se prit à détailler la façade bigarrée du musée. Elle adorait ce site bizarre, avec ses airs d'usine loufoque, ses cheminées coudées qui sortent du sol et ses croix de Saint-André peintes comme des jouets.

Soudain, elle l'aperçut. Mains dans les poches, sous l'immense affiche de l'expo Salvador Dalí, Katz se tenait devant l'entrée principale.

Elle balança sa clope et se dirigea vers lui. Toujours ces fringues singulières, à la fois démodées et stylées, et cette manière si personnelle de les porter. La ceinture de son trench, trop serrée, lui donnait à la fois une taille de guêpe et un air de gestapiste. Comment pouvait-il espérer séduire une it-girl dans son genre ? Mais cherchait-il vraiment à la séduire ?

Alors qu'elle n'était plus qu'à quelques mètres, elle le revit fouiller dans son sac ou marcher d'un pas martial dans le cimetière. Par déclics, elle songea aussi aux momies du caveau, au mystérieux Thomas Sanzio acheteur de produits d'embaumement, à l'identité trouble du psychiatre. Elle lui fit signe en pensant : *Qui es-tu, fils de pute ?*

– Bonsoir. (Ni bise ni poignée de main.) C'est gentil d'être venue.

– C'est gentil de m'avoir invitée.

– Vous avez proposé ce lieu : vous voulez voir l'exposition ? Elle ne ferme que dans une heure.

– J'y suis déjà allée, merci. On a qu'à se promener un peu. On dînera ensuite.

– Comme vous voulez, concéda-t-il en écartant ses mains restées dans ses poches, amplifiant d'un coup sa silhouette.

Gaëlle éprouva encore une fois une drôle d'impression à le voir ainsi, dans le civil, lui qui pendant plus d'une année n'avait été qu'une voix et un homme-tronc. Il ne gagnait pas au change : il semblait inadapté à la vie contemporaine, déplacé dans le quotidien parisien.

Pour se donner une contenance, elle ralluma une cigarette et ils se dirigèrent vers la fontaine Stravinsky. Katz jetait des coups d'œil autour de lui. S'était-elle trahie ? Avait-il flairé le piège ?

– Vous avez contacté mon collègue ? demanda-t-il d'une voix mal assurée.

– Ça ne vous regarde plus, monsieur le psy.

– Vous avez raison.

– Je ne l'ai pas encore appelé. Je dois m'habituer à l'idée de changer d'oreille.

– Mais... comment vous sentez-vous ?

– Je peux encore tenir le coup quelques semaines, je pense.

– Très bien.

Son timbre démentait son affirmation. Ou était-ce sa parano personnelle ? Elle était convaincue que les psys, comme les dealers, aiment sentir leurs patients accros.

– Comment va votre famille ? attaqua-t-elle, bille en tête.

– Ma famille ? répéta-t-il, surpris. Mais... très bien.

Les sculptures mécaniques de la fontaine se détachaient dans la nuit, avec leurs couleurs vives et leurs reliefs laqués. Malheureusement, le bassin était vide et les automates avaient les pieds au sec.

– Je ne me souviens pas, insista Gaëlle, votre femme travaille ?

– Oui... Enfin, non..., balbutia-t-il en fuyant son regard. Elle a une formation de psychologue. Elle participe de temps en temps à des séminaires.

– Depuis combien de temps êtes-vous mariés ?

– Il y a longtemps que je ne compte plus. Une vingtaine d'années je pense...

Elle faillit lui balancer : « Pourquoi tu mens, mon salaud ? » Elle se contenta de demander, sur un ton mi-badin, mi-provocateur :

– Et elle vous laisse sortir le soir avec une jeune femme ?
– Je vous l'ai déjà dit, nous n'avons pas ce genre de rapports.
– Quels rapports avez-vous ?
Katz agita les bras en signe de défense – son visage androgyne, se détachant sur les sculptures modernes et les fenêtres gothiques de l'église Saint-Merri, constituait vraiment un spectacle étrange.
– Je vous en prie, protesta-t-il en riant, je ne suis pas venu subir un interrogatoire !
Au lieu de la jouer plus en douceur, elle repartit pour une nouvelle salve :
– Vous vous souvenez comment ont commencé nos séances ?
– Mais... je crois que vous m'avez contacté.
– Je ne me rappelle pas.
– Vraiment ? Ça pourrait être un blocage qui...
– S'il vous plaît, pas ce soir.
Il rit encore, de plus en plus crispé, accélérant le pas.
– On s'est peut-être rencontrés dans une soirée, reprit-elle, alors que j'étais défoncée ou bourrée, non ?
– Je ne crois pas que nous fréquentions le même genre de soirées.
– Quelles soirées fréquentez-vous ?
Elle avait posé sa question d'un ton si agressif que Katz s'arrêta net.
– Vous êtes sûre que vous aviez envie de me voir ce soir ?
– Excusez-moi, répondit-elle plus calmement.
Nouvelle cigarette. La fumée qu'elle expira lui parut soudain très blanche. *Relâche la pression.*
Elle choisit un nouveau cap, sur un ton qu'elle voulut léger :
– Vous avez suivi l'affaire de l'Homme-Clou ?
– Pourquoi cette question ? se raidit-il plus encore.
– Vous savez à quel point j'ai été impliquée dans cette histoire.
– Et alors ?
– J'aurais aimé avoir votre avis de psy sur ce tueur.
– D'abord, de quel Homme-Clou parlez-vous ? Celui de 1970 ? Ou celui qui a terrifié Paris il y a deux mois ?

Au moins, il ne feignait pas l'ignorance. D'un coup, tout lui parut clair. Katz s'intéressait à elle à cause de sa proximité avec les deux affaires. Après tout, elle était la fille du flic qui avait arrêté le premier tueur et la sœur de celui qui avait identifié le deuxième. *Mais c'est moi qui l'ai tué*, se répéta-t-elle comme pour se persuader qu'en cas de besoin, elle saurait se défendre.

Le psy reprit sa marche, d'un pas si saccadé qu'il paraissait boiter.

– Je ne sais pas quoi vous dire. J'ai lu pas mal de choses dans la presse et...

– Et ?

Il resta silencieux. Elle attrapa son regard et cette fois, elle en fut certaine : il venait de repérer Audrey. Elle-même se retourna et faillit hurler : la fliquette, avec son allure de SDF, venait d'être interpellée par des îlotiers en uniforme. Le temps qu'elle montre son badge, la scène avait vendu la mèche.

– Vous avez eu tort, murmura Katz.

– Éric, implora-t-elle machinalement, je...

Il tourna les talons vers la rue du Renard. Gaëlle eut un moment d'hésitation. Audrey se précipita vers elle, ses hommes dans son sillage. Dans la pagaille, les flics en uniforme suivirent.

Sans réfléchir, Gaëlle partit à la poursuite du psy. À cet instant, il balança un regard par-dessus son épaule puis se mit à courir. Gaëlle l'imita.

Parvenu rue du Renard, Katz hésita – les passants observaient avec curiosité cette grande asperge qui avait l'air de fuir son ombre –, puis il traversa en pleine voie en piquant un nouveau sprint. Des bagnoles pilèrent, des klaxons hurlèrent, un scooter l'évita de justesse.

L'instant d'après, il était sur le trottoir d'en face, trottinant en direction de la rue de Rivoli. Gaëlle, qui s'était arrêtée elle aussi face au trafic, se lança à fond (par chance, elle avait choisi des chaussures à talons plats), provoquant un nouveau concert d'avertisseurs. Elle se retrouva devant la piscine Saint-Merri puis longea la rampe du souterrain des Halles alors qu'un car de flics arrivait à contresens, sirènes à fond.

Le fourgon acheva de paniquer Katz. Il fit demi-tour et plongea dans le tunnel d'où les voitures sortaient à pleine vitesse. Au moment où Gaëlle contournait la rampe à son tour, un hurlement de freins – ou un cri humain ? – jaillit de la gueule de béton.

Elle sut que tout était fini.

Elle se planta devant le car qui s'apprêtait à s'engouffrer dans le passage à contresens, l'obligeant à piler, puis elle descendit la pente à bout de souffle. Dans le souterrain, des voitures étaient à l'arrêt. Un nuage de fumée et une puanteur de caoutchouc brûlé stagnaient entre les murs crasseux. Une giclée de sang lézardait le bitume, prenant sa source sous le pare-chocs d'un 4 x 4. Katz avait été projeté dix mètres plus loin, aux pieds de Gaëlle qui, prise par son élan, faillit trébucher dessus.

Elle poussa un cri bref, presque un hoquet. La silhouette du psy, toujours serrée dans son imper, ne lui avait jamais paru aussi fragile. L'angle de sa nuque révélait une torsion impossible, une brisure nette au niveau des cervicales.

Elle s'agenouilla. Les conducteurs sortaient de leurs voitures et s'approchaient alors qu'elle entendait les flics débouler derrière elle, sans doute arme au poing. Les secondes ressemblaient à des coups de boutoir, pressant son cœur, ses idées, sa vie. À l'encontre de tous les préceptes de secourisme, elle glissa sa main sous la nuque du psy – poisseuse de sang, étrangement légère – et lui releva la tête.

Katz essaya de parler mais il ne put que cracher des mucosités rougeâtres. Gaëlle pensa à ses premières séances rue Nicolo. Son amour naissant pour ce toubib énigmatique. Ses ruses pour le séduire. Ses coups de cafard face à sa froideur. Elle pleurait à chaudes larmes.

Les flics, les automobilistes, Audrey et ses sbires formaient maintenant un cercle autour d'eux mais personne n'osait avancer.

Katz continuait à balbutier. Sa bouche n'était qu'un trou sombre ponctué de dents brisées. Gaëlle se pencha encore et ne put saisir que ces derniers mots :

– L'Homme-Clou n'est pas mort…

72

TOUT L'APRÈS-MIDI, Erwan était resté prostré.

Après l'apocalypse hutue, Morvan l'avait attrapé par le colback, lui avait mis d'office un gilet pare-balles assorti d'une chasuble de sauvetage et l'avait jeté dans sa pirogue. À bord, un Noir patibulaire à la barre et un colosse armé en back-up – les premiers visages locaux sur lesquels Erwan ne lisait ni peur ni folie. Il s'était recroquevillé au fond du bateau et s'était fermé au monde extérieur. Les flammes léchaient la coque, le fleuve se consumait en convulsions blanches, l'averse crépitait et lui attendait simplement que la fin du monde les engloutisse.

Le pilote avait mis les gaz, Morvan était resté à la proue, prêt à balancer quelques rafales sur les survivants qui leur demanderaient des comptes. Plus question de décoller dans cette région à feu et à sang. Selon son père, il fallait retourner plein nord, dans la zone mystérieuse des mines où Chepik – le pilote du zinc avait compris Erwan – avait accepté d'atterrir.

Après ça, plus aucun souvenir. Sans doute le soleil était-il réapparu dans l'après-midi. Sans doute avait-il dormi. Il n'avait rien vu, rien entendu. Quand il rouvrait les yeux, il n'apercevait qu'une chose : son père à l'avant, MK 12 au poing, immobile. Guerrier blanc dans un monde noir – le Vieux ne lui avait jamais paru aussi réel, aussi cohérent.

À 18 heures, extinction des feux. La nuit et son étrange douceur les avaient frappés comme une maladie insidieuse. Erwan attendait toujours que sa conscience ressorte de son trou. Pour l'instant, il n'obtenait que des éclats de panique dans son cerveau, des secousses dans sa chair.

– On va dormir ici, annonça son père alors que le bateau accostait une rive obscure. On est à mi-route.

– Mi-route de quoi ? parvint-il à prononcer comme on cherche un crachat au fond de sa gorge.

– La piste d'atterrissage. Pas besoin de nom. D'ailleurs, ce coin-là n'en a pas. Si tout se passe comme prévu, on y sera demain midi et Chepik nous embarquera. La fête est finie, mon garçon.

Le Padre ordonna à ses hommes d'installer le campement sur la rive, près du bateau. Il fila des nouvelles frusques à son fils et sortit le classeur du sac à dos. Il le feuilleta rapidement puis le balança dans le fleuve où il coula à pic.

Erwan n'eut même pas la force de protester. Il n'était plus un enquêteur mais un mendiant de vérité. Il prendrait désormais ce qu'on voudrait bien lui donner.

– Viens avec moi, lui ordonna Morvan.

Les deux Noirs allumaient un feu sous une chape de feuilles – les averses du soir avaient commencé.

– On reste pas avec eux ?

– Viens, je te dis.

Se redressant douloureusement, il suivit son père : le Vieux avait emporté le strict minimum pour établir un deuxième bivouac dans la forêt. Le carré VIP, sans doute. Ils s'arrêtèrent dans une clairière abritée. Morvan disparut ramasser du bois sec et Erwan se blottit au pied d'un palétuvier, cherchant d'instinct la même position que la nuit précédente. Tout autour, le harcèlement de la pluie se resserrait.

Avec la lucidité, des noms, des visages revenaient. Salvo, mort sous une tempête de dollars, Méphisto, tué pour une vérité vieille de quarante ans, Pontoizau voulant l'abattre pour une raison inconnue avant d'exploser en vol, tous les blessés anonymes qui avaient grillé dans le bidonville flambé au kérosène. Le grand vainqueur de cette bataille était Morvan lui-même. Il avait repris la main sur son passé.

Erwan ouvrit les yeux. Le Padre avait allumé un feu et placé une casserole sans manche sur le foyer. Il y vidait maintenant une boîte de sauce tomate. Totalement surréaliste.

– Qu'est-ce qu'on mange ? demanda Erwan sans ironie.

– Du singe. Mais va falloir le faire bouillir au moins une demi-heure pour ramollir la carne.

Morvan se mit à couper des oignons. De nouveau, Erwan éprouva cette certitude : la jungle était le biotope naturel de son père. On s'était toujours trompé sur lui, lui prêtant des ambitions compliquées, des calculs retors. *Le Machiavel de la place Beauvau, tu parles.* Le Vieux était une bête farouche, un prédateur qui aimait la solitude, le grand air et l'immédiateté de l'existence animale. Survivre, oui. Se souvenir, non.

Le chef cuistot posa la seule question qui vaille :

– Qu'est-ce que tu veux savoir au juste ?

Sous sa cape de pluie, Erwan n'était plus qu'une voix dans l'obscurité :

– Qui a tué Cathy Fontana ?

– Moi.

Déception. Depuis longtemps déjà, il avait deviné que c'était la violence de son père – cette brutalité qui leur avait pourri la vie, à lui, son frère, sa sœur, et surtout sa mère – qui avait coûté la vie à l'infirmière. Mais il présageait une histoire *forcément* plus tordue.

Comme s'il avait perçu ses doutes, Morvan ajouta :

– J'ai été l'arme du crime, mais ce sont Maggie et de Perneke qui l'ont prémédité. Ils ont utilisé ma folie pour parvenir à leur but. (Il cala de nouvelles branches sur les braises puis, dans un geste comiquement théâtral, regarda ses mains cuivrées par la lueur du feu.) N'empêche : ce sont ces sales pattes d'assassin qui ont fait le boulot…

Erwan avait envie de rire mais ses cordes vocales étaient douloureuses – trop hurlé dans la ville minière, trop bouffé de boue, trop respiré de fumée.

– De Perneke était un jeune psychiatre qui n'avait rien à faire à Lontano, enchaîna le Vieux. J'ai jamais su pourquoi il s'était retrouvé dans ce trou mais à mon avis, il avait déjà eu des ennuis en Belgique. Il avait une manière bien à lui de pratiquer son métier. Efficace, mais il voulait être payé en retour – et pas seulement en pognon : pouvoir, femmes, sang. Il voulait aussi y gagner un savoir scientifique : on était tous ses cobayes. Il tenait Lontano : confidences des épouses qui couchaient à droite à gauche, hommes hantés par la mégalomanie, le remords ou la haine des Noirs, névrosés de toutes sortes, psychotiques, obsédés… Il recueillait les révélations de chacun, organisait ses petits chantages, amassait l'argent et gagnait de l'influence. Il contrôlait également la jeune génération – surtout les Salamandres, en leur fournissant leur drogue psychédélique qu'il fabriquait dans les sous-sols de la clinique Stanley. Il en distribuait aussi gratuitement, jouant au psy à la coule et couchant avec toutes celles qui étaient reconnaissantes. Mais l'âne veut toujours la carotte qu'on lui refuse. Ce con bandait pour Maggie qui n'avait d'yeux que pour moi…

– Alors que tu avais retrouvé Cathy…

Morvan ne répondit pas, sombrant dans ses pensées, puis s'ébroua et reprit :

– J'y reviendrai plus tard. La situation était la suivante : Maggie me voulait, de Perneke voulait Maggie, et moi, j'étais à la merci du psy. T'imagines pas mon état à cette époque : je souffrais d'hallucinations, j'entendais des voix. Même Mai 68 m'avait rejeté comme un chien qui a la rage. Au Gabon, je m'étais un peu calmé mais quand j'ai rencontré Cathy, mes crises ont repris de plus belle. Je ne savais plus ce que je faisais. Je la frappais, je voulais la balafrer, je l'étranglais. Je l'aimais et la détestais en même temps. Plusieurs fois, à Port-Gentil, di Greco est intervenu pour éviter le pire.

Di Greco : Erwan avait presque oublié ce vieux fantôme. Il faisait pourtant partie, à sa façon, des victimes de l'histoire.

– L'Homme-Clou m'a offert une porte de sortie. J'ai bouclé mes valises et je me suis enfui au Congo pour trouver la paix, pour épargner la femme que j'aimais. Les Salamandres m'ont fait du bien. Il y a eu Maggie, puis de Perneke : ses pilules, son écoute… Même l'enquête qui n'avançait pas m'éloignait de mon mal : le tueur m'obsédait et me détournait de ma propre folie. Jusqu'à la Saint-Sylvestre 70.

– Et le retour de Cathy.

Morvan hocha la tête – il venait de jeter les oignons dans la casserole.

– En fuyant, j'avais voulu la préserver, la protéger de mes crises, et la voilà qui rappliquait. Elle avait encore l'espoir de me guérir. Elle ignorait qu'elle-même était ma maladie…

Sœur Hildegarde avait déjà prononcé cette phrase mystérieuse. Que voulaient-ils dire ?

– Quand elle est apparue à Lontano, j'ai été heureux de la retrouver mais aussi terrifié à l'idée de lui faire à nouveau du mal. Très vite, j'ai recommencé à lui taper dessus.

– Et le traitement de De Perneke ?

Morvan touillait lentement sa mixture. Les pattes griffues du singe émergeaient de temps à autre parmi les bulles rouges.

– Cet enfoiré savait y faire mais je me refusais toujours à lui raconter mon enfance. Elle était si enfouie en moi qu'il aurait fallu un cric pour l'exhumer. Or, selon lui, aucun progrès n'était possible sans exorciser ce passé qui était la cause de tout. Aux médocs, aux séances d'analyse, il a ajouté l'hypnose, mais ça ne sortait toujours pas. Alors il a contacté je ne sais qui en France pour mener l'enquête. Son gars lui a envoyé un dossier complet.

En vérité, rien n'était secret. Je n'avais même pas changé de nom. Quand il a découvert toute l'histoire, de Perneke a su exactement comment l'exploiter…

Erwan l'arrêta d'un geste :

– Je ne pige plus. Qu'est-ce qu'il y avait à utiliser au juste dans tes origines ? Et pour en faire quoi ? Quel rapport avec Cathy ?

– C'est qu'il te manque la pièce maîtresse du dossier.

– Laquelle ?

– Celle que j'ai volée à l'époque à de Perneke.

Le Vieux glissa sa main dans sa poche de poitrine et en sortit une photo d'identité – un cliché anthropométrique qui datait apparemment d'un tribunal d'épuration à la Libération.

– Je te présente Jacqueline Morvan…

Erwan demeura stupéfait en découvrant le visage de sa grand-mère : le sosie de Catherine Fontana. Même visage ovale, même yeux papillons. Pas besoin de s'appeler Freud pour comprendre pourquoi le Kleiner Bastard aimait et haïssait à la fois Cathy Fontana. Elle était l'incarnation ressuscitée du cauchemar de son enfance.

– Le plus étrange, continua le Padre, c'est qu'à l'époque, j'avais tellement refoulé ces années de merde que je ne voyais pas cette ressemblance. En revanche, quand de Perneke a reçu ce portrait, il a compris la clé de ma relation infernale avec Cathy. Il a même échafaudé un plan, inspiré par Maggie.

– Quel plan au juste ?

– Maggie était la reine de Lontano. On ne lui avait jamais rien refusé. L'outrage qu'elle avait subi le soir de la Saint-Sylvestre – Cathy m'avait récupéré sans le moindre effort – lui était insupportable. Elle voulait effacer cette fille, par n'importe quel moyen. Or, elle pouvait tout demander au psy, en échange de ses faveurs.

– Tu veux dire…

– Ils ont conclu un pacte : une nuit avec elle contre la peau de Cathy. De Perneke lui a d'abord vendu qu'il pouvait me forcer à rompre avec elle. Maggie attendait de voir. Il a resserré ses séances, il m'a confronté à cette photo de ma mère, m'a soutenu que le problème ne venait pas de moi mais de Cathy, que je devais chasser cette image qui ranimait mes souffrances de jadis… Quand il a fini par comprendre qu'il ne parviendrait pas à me faire accepter la vérité, il a opté pour les grands moyens et nourri cette haine qui me dévastait. Il ne me parlait plus que de catharsis. Il m'a persuadé que je devais détruire ce visage, balayer cette image qui était la source même de ma folie. Je me souviens encore de sa voix qui murmurait : « Tu dois trouver ta catharsis, Grégoire… »

Il se tut quelques secondes puis reprit, d'un ton presque rêveur :

– Tu sais ce qu'écrivait Freud à Sabina Spielrein, la maîtresse de Carl Jung ?

– Non.

– « Je crois que vous aimez encore le docteur Jung, d'autant plus puissamment que vous n'avez pas mis en lumière la haine que vous lui portez. » Je ne cherche pas d'excuse mais ce qui devait arriver arriva. Cette fameuse nuit d'avril, j'ai eu une crise plus violente que les autres. J'ai étranglé Cathy avec la conviction que ma libération était à ce prix. J'ai serré mes doigts autour de son cou en l'entendant hurler : « Kleiner Bastard ! » Je voulais la faire taire, je voulais l'empêcher de me faire du mal, de…

Le Vieux reprit son souffle et poursuivit, pianissimo :

– Tout s'est passé dans une chambre de la Cité Radieuse. J'avais installé mon QG là-bas. Des voisins ont entendu des cris, ils ont alerté le veilleur de nuit.

– Faustin Munyaseza ?

– Lui-même. Il m'a surpris le couteau à la main alors que j'avais déjà tondu le crâne de Cathy et que je lui gravais une croix gammée sur le front. Il a réussi à me maîtriser et a appelé de Perneke.

Erwan comprit un détail insoupçonné de l'affaire : Thierry Pharabot, le véritable Homme-Clou, n'avait jamais rasé le crâne de ses victimes mais la légende avait retenu ce trait particulier à cause du meurtre de Cathy. Une autre vérité découlait de ce premier fait : Kripo, le deuxième Homme-Clou, connaissait cet aspect de l'affaire – et pour cause, il assistait, enfant, le meurtrier durant ses sacrifices –, il savait que Pharabot ne pratiquait pas ce rite ; or il avait tout de même rasé ses victimes en septembre dernier, façon pour lui de signifier à Morvan qu'il savait *tout*.

Son père était plongé dans une rêverie taciturne, tournant toujours sa cuillère dans la casserole comme s'il préparait quelque potion maléfique.

Il frissonna et reprit :

– De Perneke s'est radiné avec Maggie à la Cité Radieuse.

– Pourquoi Maggie ?

– Jamais il n'aurait pu gérer seul une telle situation. Or, Maggie était la seule au courant.

– Cela aurait été plus simple de te faire arrêter.

– T'as vraiment les neurones encrassés. De Perneke voulait coucher avec Maggie qui voulait me récupérer. Il fallait donc faire porter le chapeau du meurtre au seul suspect possible : l'Homme-Clou.

– Comment avez-vous embarqué le corps ?

Grégoire se leva. Avec sa tignasse crépue et son poncho de pluie, il ressemblait à un aventurier mythique. Un homme qui a taillé sa légende à coups de machette et de pépites.

– On verra demain. Pour l'instant, tu bouffes ton singe et tu dors. Les FARDC doivent être déjà de retour. Ils vont penser que le carnage d'aujourd'hui est un coup des Tutsis. Dans quelques heures, ça va péter de partout. On doit repartir à l'aube.

Erwan accepta sa gamelle : des morceaux de viande baignant dans une sauce qui piquait les yeux. La gueule racornie du macaque paraissait reprendre son souffle à la surface. Aucun problème : il aurait avalé un pneu. Il mangea comme au temps des cavernes, avec les mains, puis s'endormit sans même avoir le temps de ruminer les aveux de son père.

73

TROIS HEURES DU MATIN. Service de réanimation de l'Hôtel-Dieu.

Après la catastrophe de Beaubourg, Gaëlle et Audrey avaient suivi l'ambulance jusqu'aux urgences de l'île de la Cité, de l'autre côté de la Seine. D'autres voitures de police leur filaient le train, bourrées de flics qui se demandaient ce qui s'était passé au juste et quelles étaient les emmerdes à venir.

Gaëlle était furieuse et bouleversée, rejetant la responsabilité du fiasco sur Audrey. Pourquoi ne pas l'avoir laissée mener cette soirée en solo ? À quoi la fliquette rétorquait qu'elle avait rameuté l'équipe d'Erwan – un colosse qu'on appelait Tonfa et un kakou gominé du nom de Favini – par précaution. Le reste, les flics du poste de police, le fourgon qui s'en était mêlé, c'était la faute à pas de chance.

Elles s'étaient engueulées tout le trajet et avaient fini sur un *statu quo* dans la cour intérieure de l'hôpital. Plus tard, elles s'étaient fait refouler par les urgentistes – personne au bloc – et s'étaient installées dehors, dans des fauteuils roulants qui traînaient là, grillant clope sur clope.

Gaëlle avait prié en silence – non pas Dieu, le destin : Éric Katz devait vivre. Pour répondre à leurs questions bien sûr mais aussi parce que l'existence du psy ne pouvait s'achever d'une manière aussi stupide. Malgré les soupçons qui pesaient sur lui, elle conservait une espèce de tendresse pour ce type bizarre. Elle refusait de se l'avouer mais ses séances avec lui – en dehors de ses délires sentimentaux – lui avaient fait du bien. Elle s'en souvenait maintenant comme d'un ressac régulier qui lui avait apporté soulagement et quiétude.

Les médecins leur avaient laissé peu d'espoir. Le psy s'était pris de plein fouet la calandre du 4 x 4. Le choc avait provoqué une hémorragie au thorax et à l'abdomen. Les cervicales avaient également morflé et le pronostic vital était sérieusement engagé.

Durant la nuit, Gaëlle et Audrey n'avaient parlé à personne du service hospitalier ni obtenu la moindre information supplémentaire. Elles ne pouvaient que fumer sur leurs espèces de chiliennes morbides, en regardant passer les urgences du samedi soir et les inculpés en route pour l'unité médico-judiciaire de l'Hôtel-Dieu.

Sur le coup de 2 heures, Gaëlle s'était décidée à révéler le secret qu'elle avait sur l'estomac – la phrase chuchotée à son oreille par Katz : « L'Homme-Clou n'est pas mort... » Aucune réaction de la part d'Audrey. Sans doute la confirmation de ce qu'elle redoutait : un lien direct avec l'affaire de septembre, voire celle des années 70. À qui d'ailleurs Katz faisait-il allusion ? À Philippe Kriesler, alias Kripo, reconnu coupable des meurtres de cet automne ? Ou au fantôme de Lontano, Thierry Pharabot, qui avait sévi dès 1969 dans le Haut-Katanga ? Aucune hypothèse n'avait de sens. Pharabot était mort d'un AVC dans un institut psychiatrique en 2009. Quant à Kripo, c'était Gaëlle elle-même qui lui avait tranché la gorge le 20 septembre dernier.

Enfin, un homme squelettique, portant encore sa blouse de papier vert, vint à leur rencontre. Abaissant son masque, il révéla un visage long aux yeux mélancoliques. Malgré ses traits tirés par les heures d'opération, il irradiait une forme d'énergie sombre, comme puisée à même la fatigue et la fébrilité.

– Je suis désolé, dit-il en sortant un paquet de cigarettes, c'est fini.

– Il est mort ? demanda stupidement Gaëlle.

Le médecin tiqua puis prit le temps d'allumer sa clope.

– Le cœur a lâché. L'hémorragie avait déjà noyé les organes. On a tenté l'impossible mais c'était perdu d'avance.

– Il n'a rien dit avant de mourir ? demanda Audrey.

De nouveau, le chirurgien la regarda de biais – son visage fatigué possédait un charme ensorcelant.

– Tout s'est passé sous anesthésie.

Elles reculèrent entre les fourgons de police et les ambulances du SMUR. Elles allaient se tirer quand le toubib les apostropha :

– Vous avez rempli les papiers d'admission ?

– On ne sait rien sur lui.

– Sa Sécu ? Sa famille ?

– On vous dit qu'on sait rien ! s'énerva Gaëlle. J'avais juste rendez-vous avec lui ce soir. Il a paniqué, pour des raisons qui seraient trop longues à vous expliquer, et s'est mis à courir, se jetant sous les roues du 4 x 4.

Le médecin fit un pas vers elle. Sa belle gueule affichait les tourments de la nuit.

– Vous vous foutez de moi ou quoi ?

– Quoi ? fit Gaëlle un ton plus haut encore. Qu'est-ce qu'il y a ?

Il les considéra d'un air consterné.

– Pourquoi vous dites « lui » ? reprit-il en allumant une nouvelle Marlboro à la précédente.

Gaëlle lança un regard à Audrey et eut une fulgurance : elles n'avaient rien compris à l'histoire.

– Qu'est-ce qu'il faudrait dire ?

Le médecin cracha sa fumée avec une rancœur sourde.

– La victime que vous nous avez amenée était une femme.

74

– BIEN DORMI ?

Six heures du matin. Erwan essaya de se lever mais il était coincé entre les racines qui lui avaient servi de lit, sans compter l'eau boueuse qui faisait ventouse et son gilet balistique qui formait sous son ciré une carapace, modèle scarabée. Enfin, après plusieurs essais, il réussit à se désencastrer de la fourche verdâtre.

Les pluies de l'aube étaient déjà passées. En cherchant la bonne exposition, il pourrait sécher en moins d'une heure. Il ôta sa cape de pluie, le gilet pare-balles et s'étira. Il était presque surpris, après le cataclysme de la veille, que le soleil soit au rendez-vous. Lumière, parfums, raffut animal : tout était en place. Une nouvelle fois c'était, dès le premier battement de cils, la naissance du monde qui s'écrivait.

Morvan alimentait le feu – à croire qu'il ne l'avait pas laissé s'éteindre.

– P'tit déj.

Aucun souvenir du moindre rêve. Seuls des mots de la veille flottaient dans son esprit – la confession de son père, le meurtre à l'ombre d'autres meurtres, la folie manipulée par une autre folie… Morvan préparait un *chikwangue*, cette boule de manioc aux relents d'excréments qu'Erwan avait déjà goûtée sur les barges.

– Assieds-toi.

Erwan s'installa sur une pierre. La clairière était striée de rais éblouissants où passait toute la trame de la forêt : poussière, pollens, insectes… Au loin, les oiseaux et les singes se renvoyaient la balle, nourrissant un contrepoint qui pouvait facilement rendre fou si on y prêtait l'oreille.

– J'attends la fin de l'histoire, fit Erwan en arrachant un fragment de *chikwangue* et en le trempant directement dans la sauce réchauffée de la veille – lui aussi devenait africain.

Morvan sourit. Traits détendus, il semblait libéré par ses confidences. Depuis plus de quarante ans qu'il vivait avec ce secret, sa seule façon d'en parler avait été les coups donnés à son épouse, en souvenir du bon vieux temps.

– Je n'ai plus grand-chose à raconter, répondit-il en portant à son tour un morceau à ses lèvres. Cette nuit-là, de Perneke m'a fait une piqûre et je me suis endormi dans la voiture de Maggie. Quand je me suis réveillé, le lendemain matin, j'étais toujours sur la banquette arrière, au bord du fleuve.

– Où précisément ?

– Les de Creeft avaient une remise à bateaux à trois kilomètres de Lontano. C'est là-dedans que Maggie et de Perneke se sont enfermés pour mutiler le corps.

– Maggie aussi ?

– Maggie *surtout*. De Perneke était un froussard. Il ne supportait ni la violence physique ni la vue du sang. Je peux te certifier que c'est elle qui a fait le boulot. Elle a planté les clous, les tessons, arraché le foie et les reins, découpé la vulve. Elle connaissait parfaitement le modus operandi de l'Homme-Clou : avec moi, elle était aux premières loges.

– Tu crois… enfin… qu'elle y a pris du plaisir ?

– Elle en a mouillé sa culotte tu veux dire.

Deuxième boulette de manioc. *Pas question de vomir*. Erwan sentait déjà sous ses pieds la glaise qui tiédissait et se raffermissait. À midi, elle serait dure comme de l'asphalte.

– Et vis-à-vis de De Perneke, elle a honoré… sa promesse ?

– Maggie avait eu ce qu'elle voulait : ils ont couché ensemble la même nuit, au fond d'un des bateaux du hangar, après avoir balancé le corps de Cathy au bord d'une piste. À quelques mètres de là, je dormais dans la bagnole, drogué jusqu'à l'os. Ta famille te plaît, mon grand ?

Erwan aurait dû être horrifié, il était simplement épuisé. Le mal, c'est comme le reste : au-delà d'un certain seuil, on est anesthésié.

– À ton réveil, comment tu as réagi ?

– Maggie s'est donné le beau rôle en prétendant avoir maquillé le corps pour m'innocenter mais je ne voulais pas de cette combine. J'ai décidé d'aller me livrer. Mais avant, je voulais voir de Perneke pour comprendre comment j'avais pu perdre à ce point les pédales. Quand il m'a vu rappliquer, il a paniqué et m'a balancé toute l'histoire. Comment il m'avait conditionné, inculqué la certitude que la mort de Cathy serait ma libération, comment avec ce mot-clé, « catharsis », il m'avait imprimé un ordre meurtrier au fond de la tête. Pour sauver sa peau, il m'a aussi révélé que derrière tout ça, il y avait Maggie : c'était elle qui avait planifié la mort de Cathy. Je n'y croyais pas. Il m'a alors donné les détails : leur deal secret, la nuit qu'ils avaient passée ensemble alors qu'ils venaient d'abandonner la dépouille dans la brousse. Je l'ai tabassé à mort mais pas tout à fait. Je voulais un châtiment durable, pas la peine capitale. Je suis retourné voir Maggie pour lui infliger la même raclée. Elle ne s'est même pas défendue. Ensuite, j'ai marché dans la brousse, sans but ni raison. Ma vie était foutue : j'étais condamné à vivre dans le remords et la rage éternelle… J'ai voulu me foutre en l'air mais j'avais une mission : arrêter l'Homme-Clou – le vrai. Personne d'autre que moi ne pouvait le faire. Je devais bien ça aux victimes, et même à Cathy. Finir le boulot avant d'en finir avec moi-même. J'ai repris l'enquête, faisant mine d'inscrire la mort de Cathy au compteur de l'autre. De Perneke a disparu pour de bon et Maggie a été discrètement hospitalisée. J'étais hagard, défoncé aux médocs, mais des problèmes plus sérieux encore sont venus des de Creeft… Quand le père de Maggie a découvert dans quel état j'avais laissé sa fille, il a mis un contrat sur ma tête. J'ai pas eu le temps de te présenter celui qui deviendrait mon beau-père mais le pedigree était sérieux : violent, sadique, autoritaire, partisan de l'inceste modéré pour protéger sa race, plaçant les Noirs en dessous des singes dans l'échelle de l'évolution, exerçant un pouvoir féodal et meurtrier sur ses terres… Une vraie caricature. Bref, avec les Blancs Bâtisseurs au cul, je n'avais aucune chance. Ils étaient chasseurs, armés jusqu'aux couilles, et connaissaient la brousse presque aussi bien que les Blacks. Mon sort était réglé.

Erwan écoutait à la manière d'un enfant subjugué par un conte – continuant machinalement à avaler des bouchées à l'odeur de bouse.

– Comment tu t'en es sorti ?

– J'avais deux monnaies d'échange. D'abord, en fouillant leur passé, j'avais découvert pas mal de secrets sur leurs familles – des atrocités qu'il ne valait mieux pas divulguer, ni auprès de Mobutu ni dans la presse internationale. Mon autre atout, c'était ma connaissance du dossier de l'Homme-Clou. Même si je ne l'avais pas encore identifié, il était évident que j'étais le seul à pouvoir le choper. Les Blancs m'ont épargné en échange de deux promesses : la première, exécuter le tueur quand je l'aurais trouvé ; la deuxième, épouser la fille de Creeft une fois l'affaire close. On imprimerait les bans avec le sang du féticheur.

Erwan s'arrêta de manger : l'histoire, même complètement cinglée, avait sa propre logique, or ses rouages venaient de se bloquer.

– Pourquoi voulaient-ils que tu épouses Maggie ?

– Parce qu'elle le souhaitait et que pour son père, ses désirs étaient des ordres. Pour en revenir à l'Homme-Clou, il a fallu encore deux homicides pour que je découvre ce dément qui se faisait vacciner contre le tétanos après chaque victime. Le meurtre de Cathy avait rendu Pharabot fou de rage. Il s'est mis à tuer n'importe qui – Colette Blockx et Noortje Elskamp n'appartenaient pas aux familles des Bâtisseurs – et, si c'est possible, avec plus de barbarie encore. Quand je me suis retrouvé face à Pharabot au fond de la brousse, je n'ai pas pu le tuer. La solidarité des chiens enragés sans doute. J'ai eu pitié de ce pauvre mec givré. Comme moi, il n'était qu'un gosse abandonné qui avait été abusé sexuellement et torturé par les adultes. Au fond, je ne valais pas mieux que lui. Je l'ai remis aux autorités de Lubumbashi pour éviter son lynchage et j'ai épousé Maggie. Les Blancs Bâtisseurs ont renoncé à leur projet d'exécution quand ils ont su que Pharabot ne dirait rien sur eux. Ou du moins que personne ne le croirait. Le nganga allait finir exécuté ou enfermé à vie dans un asile, ce qui revenait au même. Il n'y avait plus qu'à organiser un beau mariage.

Morvan se tut et attrapa une gourde d'eau purifiée. À mesure qu'il parlait, sa voix changeait, devenant de plus en plus rauque. Il en vida une bonne moitié d'un trait.

– J'ai d'autres questions, risqua Erwan.

Grégoire était déjà debout, regardant sa montre :

– Désolé, mon garçon, mais ça devra attendre. Il faut absolument se mettre en route si on veut choper l'avion de Chepik.

– T'es sûr qu'il sera là ?

Le Vieux ramassa sa casserole puis s'accroupit pour la laver dans une flaque. Une vraie fée du logis.

– On verra bien.

– Et après ?

– Après ? répéta-t-il en éteignant le feu d'un coup de talon. On prend le premier vol pour Kinshasa et je te fous dans le suivant pour Paris. Tu voulais la vérité ? Tu l'as eue. Maintenant, c'est : « terminé les conneries » et « retour à la case départ ».

Erwan songea au jeu de l'oie :

– Sans passer par la case prison ?

– Pour qui ? Pour moi ? On va essayer d'éviter le puits et le labyrinthe, répondit son père en lui faisant un clin d'œil, ça sera déjà pas mal.

75

D'UN COMMUN ACCORD, ils avaient décidé que Sofia rentrerait ce matin à Paris avec les enfants. Les mises en garde du Vieux l'avaient suffisamment effrayé pour que Loïc leur réserve une place dans le vol de 9 h 45, mais pas assez pour qu'il se résigne, lui, à abandonner l'enquête. Il voulait en savoir plus sur le rôle de Balaghino et de Pontoizau dans le trafic d'armes et le meurtre de Montefiori.

Le réveil avait été dur. Malgré les somnifères, il avait lutté toute la nuit pour ne pas rejoindre Sofia dans sa chambre et pleurer dans ses bras. *Pas le moment de flancher*. Son sevrage redorait son blason aux yeux de la comtesse et même s'il s'en moquait, cela ne pouvait pas nuire à leurs relations.

À 8 heures, on avait placé les bagages dans le coffre, dit adieu à la reine mère et aux sœurs orphelines. Ils avaient dû sortir par le portail du personnel afin de tromper les reporters toujours en faction devant la villa. De ce côté, les routes pour descendre la colline étaient étroites et tortueuses, ouvertes sur l'à-pic de la pente : quand il croisait un autre véhicule, Loïc devait reculer jusqu'à trouver une place sur le bas-côté afin de céder le passage. Souvent, il devait même se glisser sous le porche ouvert d'une villa.

Il avait les nerfs à vif et regrettait de ne pas avoir pris ses médocs avec son café. Détail aggravant, il conduisait une des

Jaguar du Condottiere. La voiture d'un mort d'abord. Un engin hors de prix ensuite. À chaque manœuvre, il sentait ses testicules se compresser au fond de son scrotum. Le bruit des herbes sur la carrosserie, la proximité des murs d'enceinte ou du vide, l'espace à peine suffisant pour laisser deux voitures se croiser lui collaient des suées. Il avait l'impression que Montefiori, assis à l'arrière, guettait le moindre de ses mouvements.

Le paysage était pourtant serein. Ruban d'ardoise de la route, parcs déployés en terrasses, cyprès à flanc de coteau jouant leur rôle de brise-vent, villas, plus hautes encore, offertes aux rafales – en été, leur fraîcheur était recherchée. En contrebas, le village de Fiesole se lovait comme un soldat endormi, avec le campanile du Duomo en guise de fusil.

Trêve de poésie à deux balles : il n'en menait pas large – la voiture, le manque, l'idée de se retrouver bientôt seul là-haut, cerné par les deux sorcières hystériques et la belle-mère dépressive. En même temps, les résultats de leur enquête le galvanisaient. Eux qu'on avait toujours pris pour des gamins insouciants, nés avec une cuillère de platine dans la bouche, ils avaient découvert les assassins du Condottiere et leur mobile !

– J'ai mal au cœur..., gémit Lorenzo à l'arrière.

– Moi aussi, le rassura Loïc.

Le ristretto qu'il avait bu avant de partir lui restait sur l'estomac.

– Je vais passer à l'arrière, décida Sofia.

Elle détacha sa ceinture, s'arc-bouta dans l'habitacle et se glissa entre les deux sièges, distillant un sillage parfumé qui rappelait à Loïc quelque chose sans qu'il puisse dire quoi. *Putain de cerveau cramé.*

Au sortir d'un virage en épingle à cheveux, nouvelle voiture. Pas moyen de passer. Le véhicule fit marche arrière mais ne s'engagea pas dans le portail ouvert sur sa droite. Sans doute à Loïc de le faire. Il manœuvra en apnée, le cœur à l'arrêt, pénétra dans la cour tandis que la bagnole repartait dans son dos.

Il enclenchait la marche arrière quand il vit dans son rétroviseur deux hommes se précipiter sur les portes du porche, les enfermant dans le patio.

– Qu'est-ce que…

L'instant d'après, un cerbère frappait à sa vitre, tout en écartant sa veste sur un calibre glissé dans un holster. Dans sa grande innocence, Loïc crut qu'il s'agissait de la police.

– Descends, ordonna l'homme en italien.

Loïc ne bougea pas. Encore une fois, son père avait eu raison. Encore une fois, il le comprenait trop tard.

– Sors, je te dis…

L'homme parlait doucement mais son accent sicilien donnait une violence souterraine à ses paroles. Le vent âcre et sanguinaire des terres du Sud soufflait par sa bouche. Loïc s'exécuta tandis qu'un autre mafieux ouvrait la portière arrière et arrachait son portable à Sofia. Milla et Lorenzo sanglotaient, se serrant contre leur mère qui se retenait elle-même de hurler.

– Ne leur faites pas de mal, bredouilla Loïc.

L'homme sourit et le saisit par la nuque comme un braconnier aurait attrapé un lièvre. Avec un peu de chance, il s'en tirerait avec un passage à tabac. Quand ils le forcèrent à s'agenouiller devant la calandre de la Jaguar, il comprit qu'ils allaient le tuer sous les yeux de sa femme et de ses enfants.

Une exécution en règle, qui servirait de leçon aux Montefiori.

Il n'eut que le temps d'apercevoir Sofia, à l'intérieur de l'habitacle, obligeant les enfants à se pencher en avant afin qu'ils ne voient pas la cervelle de leur père éclabousser le pare-brise. Cette dernière attention l'émut aux larmes.

Il s'attendait à découvrir la gueule noire d'un calibre, l'homme se contenta d'ouvrir sa braguette.

– On s'est renseignés sur toi, *garrusu*, souffla-t-il en sortant son sexe en érection. Il paraît que t'adores ça…

76

ISABELLE BARRAIRE, ex-Hussenot. Quarante-sept ans, divorcée, psychiatre. Décédée le dimanche 18 novembre 2012 à 2 h 47, à l'Hôtel-Dieu, Paris.

La morte avait été identifiée le plus simplement du monde : par ses empreintes digitales. Arrêtée pour troubles sur la voie publique et agressions durant les années 2000, elle avait été plusieurs fois placée en garde à vue – et donc fichée.

À partir de là, il avait suffi de dérouler le fil. En quelques heures, Audrey avait pu dresser son profil. État civil. Bulletin numéro un du casier judiciaire. Tribunal des affaires familiales. Témoins au saut du lit. Audrey n'avait fait ni dans la dentelle ni dans la légalité. Elle avait menacé, gueulé, fait jouer ses contacts. Et utilisé tous les moyens en son pouvoir pour décrocher le plus vite possible le maximum d'informations sur cette femme qui, à quarante ans passés, s'était transformée en homme.

Audrey jouait la montre : dans une poignée d'heures, elle serait mise à pied. Elle avait déjà essuyé deux savons en arrivant au 36 : Jean-Pierre Fitoussi d'abord, patron de la Crime, puis Patrick Abreu, son nouveau chef de groupe. De simples hors-d'œuvre avant le plat de résistance servi par l'IGS. Le dessert, ce serait la commission disciplinaire qui la mettrait en disponibilité sine die.

Gaëlle était rentrée dormir quelques heures. Trop de pensées contradictoires, trop de remords, trop de fatigue. À 10 heures, Audrey l'avait réveillée pour la convoquer une nouvelle fois au 36 en vue d'un briefing. Gaëlle avait sauté dans un taxi. Plus les jours passaient, plus elle était impressionnée par cette nana mal fagotée qui ne semblait vivre – mal – que pour son boulot.

Cette fois, le rapport était complet et détaillé.

Isabelle Barraire naît à Clermont-Ferrand en 1965 au sein d'une famille fortunée (depuis le XIXe siècle, les Barraire possèdent des laveries qui ont essaimé à travers toute la France). Après une scolarité brillante, elle suit des études de médecine à Paris, obtient son diplôme en 1992, choisit la psychiatrie. Interne à l'hôpital Sainte-Anne, elle rencontre Philippe Hussenot, son aîné de cinq ans, qu'elle épouse en 1994. Un premier enfant, Hugo, en 1995. Puis Noah, en 1998. Séparation, divorce prononcé en 2002.

À première vue, l'itinéraire classique d'un couple dans une capitale occidentale. Coup de foudre, mariage, boulot, enfants, puis lassitude, ennui, ressentiment… jusqu'à la rupture. On reprend sa liberté et on recommence, un peu plus loin, un peu plus vieux. Mais l'histoire des Hussenot était plus compliquée.

Depuis l'adolescence, Isabelle souffre de troubles mentaux : comportement agressif, scandales sur la voie publique, harcèlement… Elle est internée à différentes reprises à Maison-Blanche, l'institut psychiatrique prenant en charge les malades habitant dans le Nord-Est parisien (elle habite durant ses études près de la place Saint-Georges).

Audrey avait consulté des rapports d'experts. Il y était question de schizophrénie, d'obsessions paranoïaques, de bipolarité – la sauce habituelle, mais dans une version très relevée. On ne comptait plus les épisodes psychotiques d'Isabelle : hallucinations, voix intérieures, actes violents…

Malgré tout, la jeune femme réussit le concours de médecine à Paris – ce qui tient du prodige. Durant une période de rémission, elle rencontre Hussenot et fait illusion – pour un psychiatre, on ne peut pas dire qu'il ait eu beaucoup de flair. Elle vit alors sous neuroleptiques : c'est à ces traitements qu'elle doit de ne pas moisir *ad aeternam* dans un asile. Vers la fin des années 90, alors même qu'elle exerce à l'hôpital Paul-Guiraud de Villejuif, Hussenot demande le divorce – il ne supporte plus les crises de sa compagne. Finalement, virage à cent quatre-vingts degrés : ils font un deuxième enfant. Peine perdue : le couple se sépare deux ans plus tard. La partie devant le juge est serrée. Pas question de conciliation. Suite à une expertise psychiatrique, Hussenot obtient la garde exclusive de ses fils – Isabelle ne pourra les voir que deux fois par mois.

À cette époque, elle n'exerce plus et passe plutôt ses nuits à l'I3P (infirmerie psychiatrique de la préfecture de police), dans le 14e arrondissement, en tant que patiente. En 2002, elle est arrêtée déguisée en officier nazi (elle a déjà les cheveux courts), drapée dans une cape noire. Un peu plus tard, elle est interpellée sous les fenêtres de Philippe – elle hurle qu'il est impuissant et qu'il n'est pas le père de ses enfants. La même année, elle est surprise en train de foutre le feu à un foyer d'immigrés du 20e arrondissement (elle a pris en grippe ce quartier de Paris depuis ses séjours à Maison-Blanche). Avocats, experts, clinique : les Barraire étouffent le coup.

Après le fascisme, Isabelle se passionne pour la calligraphie japonaise : elle s'y adonne à l'excès, s'y brûle les yeux. Elle habite à l'époque rue du Faubourg-du-Temple. Elle insulte les Maghrébins, les Noirs dans la rue. Elle prétend qu'elle est vierge, que ses enfants ne sont pas les siens – que Hussenot les a achetés en Albanie et qu'il pratique des expériences médicales sur eux. En 2003, épuisée, désespérée, elle se tranche la gorge au couteau – elle est sauvée *in extremis* mais ses cordes vocales sont endommagées. Elle en garde un timbre atone et métallique.

Enfin, elle rentre en Auvergne et semble calmée – moins de mains courantes, plus de pilules – mais en 2006, Philippe meurt avec ses enfants dans un accident de voiture en Grèce. Isabelle disparaît des radars.

Malgré ses efforts, Audrey n'avait pas réussi à retrouver sa trace – pas de Sécu, pas de PV, aucune carte de crédit ni activité repérable. Au sens strict du terme, Isabelle Barraire n'existait plus. Où avait-elle été alors soignée ? Quand était-elle devenue Éric Katz ? Celui-ci avait ouvert son cabinet en 2009. Audrey, après l'Hôtel-Dieu, s'était payé une nouvelle virée là-bas, inspectant les archives et piquant des dossiers : au point où elle en était… Elle avait découvert qu'Isabelle avait surtout récupéré des patients de son ex. Ce qui confirmait un scénario latent : en changeant de sexe et de personnalité, l'ex-Mme Hussenot avait fait sa propre catharsis. Elle était devenue un avatar de son ancien mari.

Un évènement particulier avait favorisé cette métamorphose : la mort de son père en 2008. D'un coup, Isabelle avait perdu son seul soutien moral mais avait hérité d'une fortune. À partir de là, sa démence avait eu le champ libre, sur tous les plans.

Tout en intégrant ces éléments, Gaëlle ne quittait pas des yeux un portrait anthropométrique d'Isabelle Barraire, pris une dizaine d'années auparavant, lors d'une de ses gardes à vue. Malgré ses cheveux courts, sa féminité ne faisait encore aucun doute. Plus tard, ses traits s'était durcis, jusqu'à exprimer une virilité ambiguë.

– Café ?

– Non.

On était dimanche midi et Gaëlle et Audrey n'avaient déjà plus grand-chose à se dire. Tristesse face à cet accident stupide. Frustration de se retrouver encore une fois au pied du mur. Désarroi face à tant de questions sans réponse. Quels étaient les liens entre Isabelle Barraire et l'Homme-Clou ? De quel assassin s'agissait-il au juste ? L'Africain ? Le Parisien ? Pourquoi avait-elle eu Anne Simoni comme patiente ? Pourquoi possédait-elle aussi un dossier sur Ludovic Pernaud ? Avait-elle attiré, d'une façon ou d'une autre, Gaëlle dans son cabinet ? Était-elle aux ordres d'un personnage de l'ombre ?

L'Homme-Clou n'est pas mort…

Elles devaient repartir de zéro. Découvrir de qui avait voulu parler la psy. Pour l'instant, il n'y avait aucune raison de remettre en cause les résultats de l'enquête d'Erwan qui avait démontré la culpabilité de Kripo. Il fallait plutôt intégrer la psychiatre démente dans la boucle. Connaissait-elle Philippe Kriesler ? Ou un des quatre suspects qui s'étaient pris pour l'Homme-Clou après s'être fait greffer sa moelle osseuse ? L'investigation avait révélé tant de cinglés dans le sillage du nganga...

Au-delà de ces interrogations, un fait troublait Gaëlle en profondeur. Un déchirement intime, presque physique. Savoir qu'elle s'était confiée, durant plus d'une année, à un imposteur – une femme en l'occurrence, qui l'écoutait, accueillait ses révélations, ses confessions, comme une araignée englue sa proie dans ses fils poisseux. Pour enfoncer le couteau dans la plaie, elle se repassait les signes de féminité qui l'avaient toujours frappée chez Katz : ce visage ambigu, ces cols montants qui lui donnaient l'air d'un comptable à l'ancienne et qui dissimulaient sans doute les cicatrices de son suicide raté, ces mains trop longues, évoquant les serres d'un rapace, cette voix détimbrée qui semblait n'avoir jamais choisi entre les graves et les aigus... Comment avait-elle été si aveugle ? Éric Katz avait tout du travelo – sauf que l'inversion était... inversée.

Elle essayait d'imaginer la vie secrète d'Isabelle Barraire, les coulisses de sa folie. Elle la voyait s'introduire dans le caveau des Hussenot aux Lilas, exhumant les corps, puis les éviscérant, les embaumant, les roulant dans des bandelettes trempées de résine, associant ses connaissances médicales aux informations qu'elle avait pu glaner sur l'ancienne Égypte. Elle l'envisageait aussi recueillie, sur son prie-Dieu, après qu'elle avait ouvert, comme à chaque visite, les cercueils.

Le pire était qu'elle ne se sentait pas si éloignée de cette désaxée. Elle aussi avait fini plusieurs fois à l'I3P, pour se retrouver ensuite à l'hôpital Henri-Ey, ses chambres d'isolement, ses lits à sangles. Elle aussi avait été internée par son père dans les cliniques les plus chics, notamment les Feuillantines.

Et maintenant ?

La situation était vite vue. Audrey ne disposait plus d'aucun moyen pour enquêter et Gaëlle était remise à sa place : à la marge. Elle n'espérait plus que deux choses : le retour de son frère aîné et une nouvelle catastrophe, quelle qu'elle soit. La peur, c'est comme le froid, il faut bouger, s'agiter pour ne pas se laisser emprisonner par elle.

Quoi qu'il arrive, Gaëlle était preneuse.

77

À MIDI, COMME PRÉVU, ils atteignirent la région des mines. Une matinée en pirogue à trancher les flots bruns comme un cutter des blocs de cannabis – et pour Erwan, à se triturer le cerveau sur les aveux de son père. Pas question de l'arrêter au sens judiciaire du terme. Tout s'était passé sur le territoire du Congo-Kinshasa. Et quarante ans auparavant : autant dire, du point de vue de la loi, plusieurs siècles. Mais surtout, il n'avait pas l'ombre d'une preuve, excepté ces aveux que le Vieux ne répéterait pas.

La vraie question était ailleurs : coupable ou non coupable ? Erwan était seul juge – à la fois président du tribunal, avocat général, avocat de la défense et jury. Quand il se lançait dans ce jeu de rôle, sa tête lui paraissait près d'éclater. Le plus inattendu, c'était que le procès avait basculé. Son père, personnage honni, tueur et barbouze, bourreau de leur mère, était devenu une victime – de son enfance, de ses troubles mentaux, d'un duo de détraqués pervers… *Coupable ou non coupable ?*

– On y sera bientôt, annonça Morvan. Remets ton gilet pare-balles.

Erwan, crevant de chaud, et déjà affublé d'une chasuble gonflable, ne bougea pas. En réalité, il n'avait plus assez de jus pour s'inquiéter de quoi que ce soit.

– Mets-le, insista Grégoire. C'est pas le moment de se relâcher.

– On a signalé aussi des troupes dans ce coin ?

– Pas celles que tu connais. Des Maï-Maï, des kadogos, tout aussi dangereux mais moins visibles. Ils seraient ravis de nous cueillir à l'embarcadère…

Erwan leva les yeux, redoutant en prime l'arrivée d'un nouvel hélicoptère de la MONUSCO. Les Casques Bleus allaient sûrement organiser des représailles après la mort de leur chef.

Cette perspective lui rappela une autre question : pourquoi Pontoizau avait-il voulu le buter ?

– Le Québécois était le trafiquant d'armes, expliqua Morvan avec un sourire funeste. Il a été le grand ordonnateur du carnage des deux derniers jours en équipant ces sauvages. Je ne sais pas comment il s'est démerdé mais il a détourné ses propres stocks au profit des bandes armées. C'est lui aussi qui a tué Montefiori, impliqué dans ce trafic. Tu as appelé à l'aide ton pire ennemi. Tu n'étais pour lui qu'un témoin à abattre.

Encore une révélation à digérer, encore des masques qui tombaient dans cette saga de plus en plus chaotique.

– Comment tu sais tout ça ?

– Ton frère. Il a décroché ce scoop à dix mille kilomètres d'ici.

Erwan ne voyait pas le rapport entre l'enfer du fleuve et Loïc mais il s'abstint de développer. Après tout, ce n'était pas cet épisode qui l'intéressait.

– Combien de temps avant d'arriver ? demanda-t-il.

– Une demi-heure.

Assez pour revenir à l'Homme-Clou :

– Raconte-moi le reste.

– Quel reste ?

– Ce matin, tu m'as dit : « Les Blancs Bâtisseurs ont renoncé à leur projet d'exécution quand ils ont su que Pharabot ne dirait rien sur eux. » Que savait-il au juste ? D'après sœur Hildegarde, il appartenait lui-même à ces clans fondateurs…

– Je te l'ai déjà dit, soupira Morvan. À l'époque, j'ai gratté sur ces familles. J'ai pu mesurer leur violence, leur cruauté. J'ai découvert aussi que ces tarés croyaient en la sorcellerie yombé. Ils étaient complètement bouffés par l'animisme et se croyaient maudits. Quand ils ont quitté le Bas-Congo, ils ont conclu un pacte avec les sorciers pour avoir la paix ailleurs.

Erwan éprouvait une sorte d'ivresse. Cette affaire agissait comme une drogue, ou un alcool. Plus on en prenait, plus on perdait pied… Et plus on en redemandait. Jusqu'où irait cette histoire ?

– Quel genre de pacte ?

– Ils devaient donner un enfant. Une demande classique des féticheurs. Le tribut aux magiciens se paie en chair fraîche.

– Tu veux dire…

– Avant de quitter le Mayombé, ils ont abandonné un de leurs gamins. Le futur Thierry Pharabot.

– C'était le fils de qui ?

– J'ai jamais pu savoir. J'ai retourné l'état-civil de chaque famille mais au Congo…

– Comment l'as-tu compris ?

– Grâce à de Perneke. La nuit où je lui ai pété la gueule, il a essayé de s'en sortir en me balançant, entre autres, cette info. Les femmes du clan vivaient dans ce remords et lui avaient tout raconté. Elles pensaient que le fantôme du petit garçon revenait les hanter. Elles avaient raison, mais pas comme elles le croyaient.

– Les sorciers n'avaient pas tué le gamin ?

– Ils l'avaient initié au contraire. Je n'ai eu les détails que bien plus tard, quand j'ai interrogé Pharabot en taule. Tout le monde le croyait incohérent. Ce n'était pas vrai. Il était fou mais ses souvenirs étaient intacts, et précis. Comme dans un conte pour enfants, les hommes du clan l'avaient abandonné en pleine forêt avec son vélo. Le gamin a roulé sur les pistes sans se méfier. Quand il est revenu, les siens avaient disparu. Il s'est mis à appeler, à hurler, jusqu'à se bousiller les cordes vocales, en vain.

La nuit est tombée. Les ngangas sont venus le chercher. Pharabot ne m'a rien dit sur sa formation mais tu en sais assez aujourd'hui pour imaginer ses souffrances. Il avait des dons qui n'ont fait que croître avec son apprentissage. Adolescent, il est devenu un féticheur redoutable.

Les faits ressemblaient à Pharabot lui-même : cohérents dans le délire. À la psychose paranoïaque du possédé s'était ajoutée la froide détermination de l'enfant abandonné.

– Comment s'est-il libéré des sorciers ?

– Je ne sais pas. Des années plus tard, il a été récupéré dans le Kasaï-Occidental par des jésuites qui l'ont baptisé Thierry Pharabot et lui ont permis de rattraper son retard scolaire. C'est sous ce nom qu'il a intégré la faculté de Lontano, en géologie, minéralogie et gîtologie. En réalité, il observait, comme on dit, « sa seule famille, ses seuls ennemis »... Dès son premier meurtre, il a laissé auprès de la victime un schéma, un arbre généalogique. Un signe destiné aux fondateurs de la ville : le fils prodigue était de retour.

– Ils ont capté le message ?

– Non. Ils pensaient que les féticheurs du Mayombé n'avaient pas tenu parole et avaient libéré une sorte de démon incarné dans un ouvrier. C'est pourquoi ils voulaient tuer tous les immigrés du Bas-Congo. Ils croyaient à la magie noire, mais plus encore à la blanche, c'est-à-dire au .375 Holland & Holland Magnum.

Soudain, le bourdonnement d'un avion s'ajouta au râle du moteur.

– Chepik, commenta Morvan en levant les yeux vers la minuscule silhouette d'un bimoteur, perceptible dans le ciel blanc. Dans un quart d'heure, on est à bord.

Une fois à terre, plus question d'interroger son père. Le Vieux se refermerait comme un piège à loup. C'était sa dernière chance de moissonner des réponses.

– De Perneke, reprit Erwan plus fort pour couvrir le grondement du moteur Enduro, tu l'as revu ?

– Non. Après avoir balancé les Blancs Bâtisseurs, il n'avait pas intérêt à moisir dans les parages. Il craignait aussi d'être découvert dans l'affaire de Cathy.

– Pourquoi ne t'a-t-il pas dénoncé ?

– T'es con ou quoi ? Il aurait plongé avec moi pour complicité de meurtre.

– T'as jamais eu de nouvelles ?

– Une carte postale, tu veux dire ? Non. Et j'ai jamais cherché à en avoir. Je sais qu'il a mené sa carrière de psy quelque part en Wallonie. Il est mort y a quelques années. Cancer généralisé.

Restait Maggie. Erwan pouvait admettre que Morvan l'ait épargnée et qu'il ait craint la colère des familles, mais pourquoi l'avoir épousée ? Fonder un foyer avec une Gorgone qui l'avait manipulé ? Parce qu'elle l'avait demandé, vraiment ? Parce qu'il redoutait les Blancs Bâtisseurs ? *Ça ne colle pas.*

Le rivage approchait : Cross avait saisi l'amarre, Morvan, qui avait ôté son gilet de sauvetage, attrapait déjà les sacs, prêt à débarquer.

– Tu ne m'as pas tout dit, relança Erwan en l'agrippant par le bras.

– Quoi encore ?

– Pourquoi t'es-tu marié avec Maggie ? Pourquoi tu ne t'es pas plutôt livré une fois l'Homme-Clou arrêté ? Tu as beaucoup de défauts mais jamais tu ne te serais défilé.

Morvan s'arrêta et lui offrit son plus large sourire. Sur ses traits de buffle passaient à la fois le soulagement et la victoire. Après tout, il avait ouvert son cœur et exfiltré son fils. Que demander de plus ?

– Je savais qu'en commençant l'histoire, il faudrait, d'une manière ou d'une autre, la finir…

– Réponds-moi : pourquoi ce mariage ?

Le Vieux enjamba la barque et mit un pied à l'eau – Cross était déjà sur la berge, le pilote avait coupé le moteur. Ils s'étaient débarrassés de leur brassière orange mais avaient conservé leur gilet pare-balles.

Morvan tendit la main à son fils et le fit passer du côté de la terre ferme.

– Cathy vivait dans une villa excentrée où personne n'était jamais allé. Le lendemain du crime, avant même qu'on découvre le corps, j'ai dégoté son adresse et j'y suis allé. Je voulais vérifier qu'il n'existait pas là-bas d'indice contre moi.

– Tout le monde savait que vous étiez ensemble.

– Je te parle de mes… problèmes. Je voulais être sûr que rien ne traînait chez elle, genre journal intime, je sais pas quoi… J'ai été servi.

– Qu'est-ce que t'as trouvé ?

– Un bébé. Deux mois auparavant, Cathy avait accouché d'un enfant dont j'étais le père. C'est pour ça qu'elle était venue à Lontano : pour me l'annoncer.

– Un… un bébé ?

– À aucun moment, elle n'avait trouvé le moyen ni le courage de me l'avouer. Peut-être que ça aurait tout changé… J'ai toujours pensé qu'elle m'avait donné rendez-vous à la Cité Radieuse, la dernière nuit, pour me le dire enfin. Mais ma dinguerie a été la plus forte.

– Un bébé ?

Erwan était bloqué en mode *repeat*. Les roseaux chatoyaient autour d'eux à la manière d'un grand rideau de théâtre, la pièce était finie mais l'acteur ânonnait toujours la même réplique.

– Je faisais à peu près la même tête que toi quand j'ai découvert le nourrisson, poursuivit Morvan. À partir de là, tout s'est passé très vite. D'une certaine façon, cet enfant balayait tous les doutes, toutes les questions. C'était mon fils : j'allais l'assumer et aussi fou que cela puisse paraître, Maggie, celle qui avait fomenté le meurtre de sa mère, s'est tout de suite proposée pour l'élever. Je la revois encore avec sa gueule fracassée et ses pansements, tenant le bambin dans ses bras, me proposer ce deal hallucinant : si je l'épousais, elle s'en occuperait jusqu'à sa mort comme si c'était le sien.

Cross, de l'autre côté des buissons lacustres, les rappela à l'ordre.

– Magnez-vous, fit-il en français. Je le sens pas, là.

Morvan parut ne pas l'entendre.

– Elle est partie à Kisangani, dans la région des Grands Lacs, sous prétexte de se remettre de ses émotions. Neuf mois plus tard, elle annonçait à tous qu'elle avait accouché. Entre-temps, nous nous étions mariés. Nous ne sommes jamais retournés à Lontano.

Erwan demeurait planté sur la berge, aussi raide qu'un pilotis.

– Cet enfant, c'était qui ?

Morvan lui empoigna la nuque dans un geste affectueux :

– À ton avis ?

78

À CET INSTANT, des coups de feu éclatèrent. Chacun se jeta à terre.

– *Ni nani ?* hurla Morvan à Cross, toujours posté en avant parmi les broussailles.

– *Maï-Maï.*

Le mercenaire, arme au poing, paraissait impossible à ébranler. Erwan tourna la tête et remarqua que le pilote, allongé près de lui, tenait aussi un MK12. Sans doute un des fusils de Pontoizau. *Prélèvement à la source.* Pour ne pas être en reste, il dégaina son Glock et fit monter une cartouche dans la chambre. Il ignorait si son père allait ordonner de riposter ou essayer de passer entre les balles.

Pour l'heure, le silence régnait. Même les oiseaux et les insectes s'étaient tus. Seul le bourdonnement du Cessna se rapprochait. L'avion de ces messieurs était avancé – mais comment l'atteindre ?

– T'en vois combien ? demanda Morvan cette fois en français.

– Au moins une dizaine.

Le Vieux jura mais ne parut pas étonné. Pour ces pillards, Morvan, seul ou presque, à bord d'une pirogue sur le fleuve, ce n'était plus une opportunité mais une offre qui ne se refuse pas. Erwan mesurait les risques que son père avait pris pour le sauver.

Nouvelles rafales. Tous s'aplatirent encore, nez dans la glaise. Grégoire ne cessait de lancer des regards circulaires, craignant sans doute une attaque à revers, côté fleuve. Les balles sifflaient, décapitant les roseaux, se perdant dans la laque bleue du ciel.

Erwan prit une inspiration et leva la tête. C'était sa troisième bataille et il commençait à s'y faire. Et même à en profiter. Les écailles du fleuve qui brasillaient, le ruban vert du rivage qui se détachait sur la toile d'azur, l'air chaud, brillant, saturé d'humidité et de vie exacerbée, les détonations mêmes, avec leur rythme, syncope, contrepoint, chantant un hymne percussif à la mort, tout ça lui semblait d'un coup magnifique et étrangement vierge. Mais peut-être était-ce lui qui était vierge, comme purifié par ces deux jours où il n'avait cessé de mourir…

– Cross, ordonna enfin Morvan, tu nous couvres jusqu'à ce qu'on soit dans le zinc. Toi (le pilote ne semblait pas avoir de nom), tu retournes au bateau et tu mets les gaz. Vous regagnez les mines par le nord. Vous tenez quelques jours avec les gars. Je reviendrai avec du renfort.

Les acolytes ne répondirent pas – sans doute une forme d'assentiment dans l'armée de terre de Morvan. En guise de point final, de nouveaux tirs firent voler des éclats de feuilles et d'écorce, alors que la boue jaillissait en petits geysers furtifs.

Erwan n'avait aucun repère mais le vrombissement de l'avion fut soudain si proche qu'il lui sembla s'élever du sol. Ils n'étaient donc qu'à quelques mètres de la piste d'atterrissage. Courir parmi les buissons : jouable. Trottiner à découvert sur la terre battue du tarmac : beaucoup plus risqué.

– Suis-moi !

Morvan endossa son sac, se releva et s'enfouit dans un sentier qu'Erwan n'avait même pas vu. Il lui emboîta le pas. Petites foulées, chaleur inhumaine, lumière hachurée à travers les feuilles. Le moteur du Cessna, toujours plus proche, ronronnait au-delà des taillis. Erwan se surprit à espérer. Quitter cette terre maudite. Retrouver sa lucidité. Jouir des enseignements de…

Il ne vit pas l'attaque venir : Morvan déchargea une rafale à travers les arbustes. Des soldats en treillis tressautèrent sous les impacts, à quelques mètres seulement, libérant soudain le champ de vision – inespéré : une piste de latérite, où tremblait le Cessna, comme impatient de s'arracher du sol.

Morvan s'avança jusqu'à la lisière des bois, balayant du regard les alentours, et murmura :

– On y va.

Ils s'élancèrent. Erwan s'attendait à recevoir une balle d'une seconde à l'autre, et cette probabilité lui paraissait augmenter à mesure qu'il se rapprochait de l'avion – un bimoteur cabossé qui semblait avoir fait toutes les guerres du Congo.

Cent mètres. Cinquante. Trente…

La porte de l'appareil s'ouvrit. Rien pour monter. Morvan fit la courte échelle à Erwan qui roula à l'intérieur et se retourna aussitôt, à quatre pattes, pour tendre la main à son père. Des Maï-Maï couraient dans leur direction, mitraillant sans prendre le temps de viser.

Pas moyen de soulever le Vieux : un vrai mammouth. Erwan s'arc-bouta encore et tira de toutes ses forces tandis que l'odeur de kérosène vrillait l'air en colonnes brûlantes. Le Cessna se mit en mouvement alors que Morvan avait encore les jambes dans le vide.

– La porte ! hurla le pilote.

Erwan se laissa tomber en arrière afin d'attirer complètement son père. Ils roulèrent ensemble dans l'habitacle : pas de siège passager, pas de casque, rien d'autre qu'un sol en fer ondulé prêt à accueillir des sacs de coltan. Sans reprendre son souffle, Erwan revint vers la porte, tendit le bras et réussit à la fermer, apercevant une dernière fois la piste qui défilait.

Il verrouilla la poignée et pivota pour voir son père qui se relevait, les yeux fixés sur un type assis aux côtés du pilote – un Tutsi à tête de sabre, en uniforme, à demi retourné vers lui.

– Bisingye ? Qu'est-ce que tu fous là ?

– Mumbanza pense à toi.

Le militaire tira deux balles à travers le siège. Le sang gicla au plafond tandis que Grégoire se recroquevillait au fond de la cabine sans un cri. Erwan tenait toujours son 9 mm. Il déroula son bras et appuya sur la détente, faisant exploser le crâne du Tutsi contre le pare-brise du cockpit.

– *SOUKA !* hurla le Russe.

Erwan plaqua sa main gauche sur le cou de son père bouillonnant d'hémoglobine tout en enfonçant son calibre dans la nuque du pilote :

– Décolle, nom de dieu ! Décolle ou on y passera tous !

Le Cessna prit encore de la vitesse et finit par quitter le sol. Erwan baissa les yeux vers son père et comprit. Il s'effondra, serrant contre lui ce corps inerte, alors que l'appareil filait vers des cieux sans issue.

79

LE VIOL N'AVAIT PAS DURÉ LONGTEMPS.

Chaque salopard y était passé et aucun, heureusement, n'avait eu de problème d'érection ni d'éjaculation. *Tout est bon dans le giton.*

Loïc avait vécu la scène dans une sorte d'absence – peut-être enfin le détachement enseigné par Bouddha ? Plutôt l'horreur abyssale qui avait fait reculer sa propre conscience. Tout au long du sacrifice, il s'était accroché à cette idée : ses enfants ne devaient pas voir ça. Sofia avait joué son rôle à la perfection en les empêchant de relever la tête et en leur murmurant des mots d'apaisement.

Les Siciliens l'avaient laissé filer : simple avertissement. Titubant, souillé, il avait attrapé le volant et repris la route tortueuse qui menait à l'aéroport alors que Sofia lui balançait des lingettes. L'enquête venait de recevoir son coup de grâce. Pas question non plus de porter plainte ni d'épiloguer sur cette terre de barbarie. Il avait acheté une place dans le même avion que sa famille et tous étaient rentrés à Paris.

Durant le vol, pas un mot. Même silence dans le taxi qui les avait ramenés place d'Iéna.

– Tu veux rester avec nous ? demanda Sofia au pied de son immeuble.

Il pouvait sentir ses tremblements sous son manteau mais elle sauvait la face pour les enfants. En cet instant, c'étaient eux et eux seuls qui leur permettaient – leur ordonnaient – de tenir debout.

– Non merci.

– Ça va aller ?

Faible sourire qui signifiait : « J'en ai vu d'autres. » C'était vrai et faux à la fois. Il avait failli mourir à plusieurs reprises dans des conditions abjectes qui valaient bien la séance du matin. Mais c'était toujours à cause de la drogue, dans un état second. Le junkie espère toujours que chaque nouveau shoot sera fatal, pour en finir pour de bon. Et il sait que si c'est le cas, il ne s'en rendra même pas compte. Un drogué ne meurt pas, il s'envole.

– Je t'appelle ce soir, promit-il en évitant d'embrasser les enfants.

Il s'était rincé la bouche dans la voiture puis à l'aéroport de Florence-Peretola, puis encore à deux reprises dans l'avion et enfin à l'aérogare de Paris. Sans doute n'en finirait-il jamais d'effacer l'outrage, insinué sous ses gencives, sa peau, son âme. Pour l'heure, il ne voulait pas s'attarder. Impatient d'affronter seul à seul ce souvenir atroce comme on veut en finir au plus vite avec une tâche pénible mais nécessaire.

Il remonta l'avenue du Président-Wilson, mains dans les poches (il n'avait même pas voulu retourner chercher ses affaires à la villa de Fiesole), nez au vent, presque distrait. Entre les immeubles massifs du début XXe et les bâtiments plus imposants encore de l'Exposition universelle de 1937, il marchait à la manière d'un promeneur d'une toile de De Chirico, perdu dans un décor qui n'était pas à sa mesure. Il ressemblait au Loïc de tous les jours, flottant dans la lumière, mais c'était un autre homme qui rentrait chez lui. Un homme minuscule, détruit, dévasté.

Il composa son code et pénétra dans l'immeuble qui jouxtait l'École française d'Extrême-Orient. La chaleur du hall l'enveloppa ainsi que l'odeur familière de poussière des tapis. Sensation rassurante, mais plus rassurante encore était sa détermination. Au fond, il y avait un moment que ça mûrissait en lui.

Après le sevrage, l'étape suivante : l'action. Agir. Frapper. S'imposer sur le terrain de la violence.

La leçon de ce voyage n'était pas que Montefiori était au moins aussi pourri que son propre père sinon plus, ni que le malheur qui l'unissait désormais à Sofia formait un lien étrange et familier, comme disait Verlaine, désormais plus solide que n'importe quelle passion, amour ou haine compris. La morale du périple à Florence était que l'heure avait sonné.

Celle de devenir un vrai Morvan.

80

TOUT AVAIT COMMENCÉ ICI, sur le tarmac de Lubumbashi. Tout y finirait aujourd'hui, bouclant le dernier cercle de l'enfer.

En cours de vol, Erwan s'était arraché à sa propre tétanie et avait repris le contrôle du présent. Il avait abaissé le siège du Tutsi, traîné le cadavre à l'arrière puis, ouvrant la porte latérale, l'avait balancé dans le vide. Ensuite, il s'était installé aux côtés du Russe pour le cuisiner à coups de crosse dans la gueule. Tout en pilotant son épave, Chepik avait avoué en cyrillique et finalement fourni des réponses qui sonnaient juste.

Nseko, Pontoizau, Montefiori et un autre mafieux dont il n'avait pas retenu le nom avaient organisé un trafic d'armes, d'abord au Kivu puis au Katanga, sur le dos de la MONUSCO – Chepik se chargeait des convois. Il suffisait de quelques opérations hasardeuses en brousse pour qu'on ne sache plus trop, dans le feu de l'action, ce qui avait été perdu ou volé par l'ennemi. Des assauts imaginaires, des officiers corrompus, des complicités à tous les étages et le tour était joué. Les zones de guerre n'avaient qu'un seul avantage : personne ne voulait y fourrer son nez. Cet argent facile était monté à la tête de Pontoizau qui avait décidé de faire cavalier seul sur son territoire, en association avec les mafieux de Florence. Il avait buté Nseko puis Montefiori, utilisant la bonne vieille sauvagerie africaine pour tromper son monde.

Parallèlement, ces intrigues de broussards avaient placé à la tête de Coltano Trésor Mumbanza, également candidat au poste de gouverneur de la province. Le Luba, lui aussi grisé par l'altitude, s'était dit qu'il pourrait, grâce à ses troupes armées et aux moyens techniques de Coltano, exploiter pour son compte les nouvelles mines de Morvan… si elles existaient. L'arrivée de Grégoire à Lubumbashi le lui avait confirmé. Il avait suffi de le suivre pour localiser les filons. L'expédition du Vieux offrait un autre avantage : il s'exposait dangereusement. Sans doute Mumbanza espérait-il que le conflit sur place se chargerait de l'éliminer. Dans une région bourrée de Tutsis, de Hutus, de Maï-Maï, de kadogos, une balle perdue était plus vite attrapée que la chiasse ou le palu. Malheureusement, le mzungu avait la peau dure. Il avait survécu à tout, même au sauvetage de son fils fouille-merde, au cœur des combats. Mumbanza avait envoyé son tueur accrédité, Bisingye, pour finir le boulot. Chepik était chargé de ramener le cadavre du Français à Lubumbashi – peu importait qu'en montant dans l'avion, Morvan soit encore vivant. La version officielle aurait été qu'il avait pris des risques inutiles par cupidité et péri dans une embuscade quelconque.

Durant le vol de retour, Erwan s'était raccroché à cette histoire, aux noms, aux circonstances, aux desseins souterrains de chacun – tout plutôt que de réaliser la disparition de son père. S'il s'y était arrêté ne serait-ce qu'une seconde, une trappe se serait ouverte sous son siège. Quel que soit le sentiment que Morvan lui avait toujours inspiré – admiration, haine, dégoût, respect, affection –, c'était ce colosse qui l'avait maintenu à flot. Erwan n'avait ni femme ni enfant. Seulement un métier qu'il aimait mais qui était un cauchemar. Et un modèle : son père.

Le fait qu'il ait agi dans sa vie autant par réaction que par imitation du vieux salaud importait peu. Les fondations étaient brisées, les colonnes du temple effondrées : comment s'en sortir ? Il avait ruminé ces pensées, tremblant, couvert de sang, percevant en même temps le charabia du Russkoff, les yeux rivés sur le pare-brise souillé de particules de cerveau et d'éclats d'os de Bisingye, sans même oser tourner la tête vers la dépouille de Morvan.

Le Cessna 310 avait rejoint Lubumbashi en moins de deux heures. Erwan avait chargé Chepik de trouver un cercueil au sein de l'aéroport, même s'il fallait pour ça virer un corps d'une boîte. Il l'avait aussi menacé de foutre le feu à son avion et de le dénoncer pour trahison d'État s'il ne revenait pas avec de quoi vêtir proprement son père. Le Russe ne s'était pas fait prier.

Étape suivante : appeler l'ambassadeur de France – le numéro de son mobile était dans le sac à dos de Morvan. Erwan connaissait la procédure pour rapatrier le corps d'un ressortissant français – il avait été chargé plusieurs fois, en tant que commandant de police, de superviser ces démarches à l'étranger. Le diplomate se montra d'abord méfiant, puis inquiet et enfin affolé. La mort de Grégoire Morvan sur le territoire de la RDC, vraiment pas un cadeau !

Erwan ne lui laissa pas le temps de se défiler :

– Je veux que vous établissiez un acte de décès local, que l'identité du défunt soit clairement établie. Officiellement, mon père a fait un AVC.

Un mensonge inspiré par Thierry Pharabot, mort d'un accident vasculaire à l'institut Charcot en novembre 2009.

– Mais votre père n'est pas décédé à Kinshasa !

– Peu importe : vous trouverez les tampons. Le cercueil sera fermé.

– Il me faut un certificat de décès signé par un médecin !

– Trouvez-le aussi. Au Congo, tout est à vendre.

– Je ne peux pas faire ça.

– Bien sûr que si. Vous vous souvenez de Dieuleveult ?

– Taisez-vous.

Philippe de Dieuleveult était un animateur de la télévision française disparu en 1985 sur le fleuve Congo. Près de trente ans plus tard, les mystères autour de sa mort alimentaient encore les rumeurs les plus délirantes.

– Ce sont les autorités consulaires qui…, protesta faiblement le diplomate.

– Débrouillez-vous avec elles.

– Et l'autopsie ?

– Pour un AVC ? Mon père avait soixante-sept ans : un âge raisonnable pour mourir. Trouvez un toubib qui signera le permis d'inhumer. Transcrivez l'acte de décès dans le registre d'état civil français. Je serai à Kinshasa en fin d'après-midi. Rejoignez-moi sur le tarmac de Ndjili avec les copies de l'acte certifiées conformes à l'original et l'autorisation de transfert du corps. Je veux prendre l'avion pour Paris de 22 heures, avec la dépouille de mon père. Je ne passerai pas une nuit de plus en RDC. Personne n'a intérêt à faire traîner cette affaire.

Le diplomate gardait le silence mais cette pause était un assentiment.

– Surveillez l'arrivée du vol et soyez au pied de l'appareil, conclut Erwan.

En raccrochant, il vit arriver le Russkoff accompagné de deux Noirs portant une sorte de long cageot en bois mal profilé qui pouvait passer pour un cercueil.

81

AU FIL DE SA CARRIÈRE, Erwan avait croisé assez de macchabs pour connaître précisément les étapes de la décomposition corporelle : acidification du sang, autolyse des tissus, rigidité puis lividité cadavériques, alors que les bactéries et les champignons s'en donnent à cœur joie, provoquant la formation de gaz à l'origine de la coloration verdâtre et du gonflement de la dépouille jusqu'à la putréfaction. Sans compter le rôle accélérateur des légions de la mort : les insectes nécrophages.

Erwan se doutait qu'avec cette fournaise tout se passerait à une vitesse galopante. Inutile de chercher une chambre froide dans l'aéroport de Lubumbashi : on transporta le corps dans un entrepôt destiné aux marchandises organiques – un espace carrelé, fissuré de partout et tapissé de poussière rouge, qui puait les fruits gâtés. Après avoir posé une planche sur deux barils de fuel vides, il demanda des seaux d'eau et du détergent pour les sols.

– Cassez-vous, ordonna-t-il à Chepik et aux Blacks après qu'ils eurent allongé le corps de son père.

Il le déshabilla puis, éponge en main, se mit au boulot. Il ignorait ce qu'il faisait au juste – peut-être cette eau croupie allait-elle encore renforcer le processus de pourrissement. Peut-être le produit nettoyant allait-il attaquer les chairs de son père.

Il n'avait qu'une certitude : il devait en effacer le sang coagulé avant de le mettre en bière.

Il commença par les pieds puis remonta vers les jambes. Tout en frottant, il se livra mentalement à une oraison funèbre. Nul n'avait jamais soupçonné les motivations cachées de Morvan. À chaque seconde de son existence, c'était le Kleiner Bastard qui avait réagi et combattu. C'était l'assassin de Cathy qui avait frappé toute sa vie sa propre épouse, lui faisant payer, encore et toujours, la nuit du 30 avril 1971. C'était le flic psychotique, en proie aux voix intérieures et aux hallucinations, qui avait navigué à vue dans les bas-fonds de la politique, draguant les eaux les plus sombres de la France et de l'Afrique pour y collecter l'argent destiné à ses propres enfants.

Le torse. Erwan s'appliquait sur chaque centimètre sans jamais regarder l'ensemble – peau grise et flasque, masse avachie aux plis d'éléphant. Il était en pilotage automatique. Le vrai Erwan laissait dériver ses pensées et tentait d'y intégrer les autres révélations du jour. *Pas facile.* Lui-même n'était donc pas le fils de Maggie mais celui d'une infirmière tuée par son propre père, manipulé par une hippie hystérique et le psy cinglé qui bandait pour elle. *Vraiment pas facile.*

Les bras, les épaules – il redoutait d'en venir aux blessures elles-mêmes, crevasses aux bordures noires de la gorge. Erwan avait grandi auprès des assassins de sa mère – comme les enfants des dictatures argentines, adoptés par les bourreaux de leurs parents. Au fond de lui, il n'était pas étonné par cette histoire extravagante – en tout cas, elle expliquait le chaos qui avait présidé à son éducation. Violence de son père. Soumission de sa femme. Refus de Morvan de donner le moindre détail sur ses origines tout en revendiquant des pseudo-racines bretonnes. Qu'on croie à l'intuition ou non, qu'on s'intéresse à l'inconscient ou qu'on n'en ait rien à foutre, Erwan avait toujours pressenti, derrière l'enfer de son foyer, un lourd secret. À son insu, il n'était pas seulement parti chercher en Afrique la vérité sur Cathy

Fontana mais aussi sur les racines de sa propre famille. Le réveil était dur. Une pure gueule de bois.

Le cou. Il plongea son éponge dans les eaux souillées du seau puis ferma les yeux pour nettoyer les plaies coagulées. Il se força à songer à son retour à Paris. Il ne savait pas ce qu'il éprouvait. Ce n'était pas des vérités mais des blocs de glace qui lui étaient tombés sur les épaules. Il était comme ces alpinistes qui, après un éboulement, ne ressentent aucune douleur et croient avoir échappé au pire – alors qu'en réalité, ils sont coupés en deux.

La toilette du mort était achevée. *Pas mal.* Il fallait maintenant le mettre en boîte sans traîner : la chaleur paraissait redoubler dans cette salle confinée. Par contrecoup, il se demanda si la soute de l'avion – le vol pour Kinshasa décollait à 17 heures – serait pressurisée. Dans le cas contraire, c'était un coup à congeler le corps, ou à le faire éclater. Il préférait ne pas imaginer la scène.

Trempé de sueur, il se déshabilla et renonça à se nettoyer : l'eau du seau était noire de sang. Il enfila une chemise et un jean apportés par Chepik. Pour son père, il restait un pantalon de mauvais tergal, trop court, et une chemisette à motifs africains. Il l'habilla maladroitement et s'y reprit à deux fois pour « accorder Paul avec Jacques », comme disait Maggie quand il était petit.

Malgré l'heure qui tournait, il prit le temps de contempler ce spectacle inouï : son père, yeux clos, peau terne, vêtu de fringues mal ajustées, pieds nus. Un péon victime d'une révolution sud-américaine. Plus précisément, Erwan songeait aux photos du cadavre du Che en Bolivie, torse nu, regard vide, avant qu'on ne lui coupe les mains pour prouver sa mort. Morvan, héros révolutionnaire ?

Il se concentra sur le cercueil posé sur le sol. De grossières planches de guingois qui semblaient directement sortir de la jungle. Une sépulture de guerre qui convenait bien à son père. Le problème était d'y placer la dépouille – au moins cent kilos de viande morte. Chercher de l'aide ? *Non : affaire privée.* Il plaça la bière parallèlement à la planche puis poussa le cadavre de manière à le faire rouler puis tomber dans la caisse.

Bruit sourd qui en provoqua d'autres – fissures et craquements. Dans un nuage de poussière rouge, Erwan toussa, agita les bras puis contempla le tableau. Les clous n'avaient pas tenu : les planches étaient éparses autour de la carcasse. Seul point positif, le Padre avait bien roulé à trois cent soixante degrés et était de nouveau sur le dos. Le vrai Erwan aurait peut-être pleuré, prié ou se serait recueilli quelques instants mais l'autre, le pilote automatique, ne fit que saisir les pointes de métal et le marteau que Chepik lui avait laissés, se demandant s'il y en aurait assez pour rafistoler la boîte.

Il s'activa, sans ménager sa peine. En quelques minutes, tout fut bouclé, couvercle compris. Désormais, c'était sa version à lui, et à lui seul, qui ferait autorité jusqu'à Paris – *un AVC et basta*. Il en livrerait une autre au 36, à l'abri – qu'il n'avait pas encore établie mais qui serait plus proche de la réalité : balles sifflantes et mort violente.

Il fallait maintenant arroser les bonnes personnes, signer la paperasse, puis placer le colis en soute. Enfin, il embarquerait. Quand Mumbanza apprendrait qu'il était encore vivant, il avait intérêt à ne plus être à portée de tir.

Mais le plus dur restait à faire : prévenir les autres.

82

C'ÉTAIT ELLE, et elle seule, qu'Erwan avait appelée. Gaëlle aurait presque été flattée de l'attention (elle était la plus forte) si cela n'avait pas signifié prévenir Maggie et Loïc.

Grégoire Morvan, mort… Au téléphone, elle n'avait pas vraiment mesuré l'ampleur du tremblement de terre. Erwan avait réduit les informations au minimum : leur père avait été tué lors d'une fusillade sur fond de brousse congolaise. Pas un mot de plus. Gaëlle aurait tout le temps de cuisiner son frère à son retour. D'ailleurs, la nouvelle n'était pas surprenante. Depuis le départ, ce périple au Katanga sonnait comme le coup de trop.

Cette fin, elle en avait souvent rêvée et avait toujours pensé qu'ils fêteraient ça en famille. *Eh bien pas du tout.* Le choc était à l'image du Vieux. Il les avait terrifiés toute sa vie. Il allait les traumatiser encore avec sa mort.

Gaëlle avait téléphoné à Loïc puis ils s'étaient précipités pour annoncer la nouvelle à Maggie. Plus tard, Sofia les avait rejoints avenue de Messine. Ils étaient maintenant assis en cercle, silencieux, dans le vaste salon, comme une bande d'ivrognes repentis lors d'une réunion des Alcooliques anonymes.

Une vraie veillée funèbre, à ce détail près qu'ils n'avaient pas le corps.

Gaëlle ne pouvait s'empêcher de penser qu'on était dimanche et que d'une certaine manière, la tradition était respectée. Les déjeuners que leur mère avait fait perdurer malgré les coups, les engueulades, les haines tenaces se bouclaient ce soir, dans ce salon que personne n'avait osé allumer. Hagard, comme soufflé par la nouvelle, chacun ruminait ses souvenirs et ses perspectives d'avenir.

Grégoire Morvan n'avait pas été qu'une ordure. Il avait aussi joué le rôle du pilier de famille, le tronc d'un arbre foudroyé. Il avait assuré une mission de mentor auprès du fils aîné, de protecteur auprès du cadet et... Gaëlle n'aurait su dire ce qu'il avait été au juste pour elle. Il avait voulu l'éduquer, la cadrer, la préserver. Échec sur toute la ligne mais cette autorité avait fini par la définir a contrario. Elle ne s'était formée qu'en réaction à lui – ses conseils, ses souhaits, ses espérances.

Elle était la colombe de Kant qui « fend l'air dont elle sent la résistance » et qui « pourrait s'imaginer qu'elle réussirait bien mieux encore dans le vide » – alors qu'au contraire, seule la force opposée des vents soutient l'oiseau et lui permet de planer. Gaëlle avait toujours lutté contre son père et c'était ce combat qui lui avait permis de vivre.

Mais s'était-elle jamais envolée ?

Elle avait arrêté de se nourrir. Tenté de se suicider. Fait la pute. Tout cela en son honneur. Elle avait réussi à lui pourrir la vie mais s'était détruite elle-même. Maintenant, la situation allait encore empirer : elle n'avait même plus de cap auquel tourner le dos. Son tour du monde à l'envers était achevé.

Sinistre consolation : les autres allaient devoir affronter le même vide. Sa mère, tunique mauve, écharpe de soie verte, avait peu de chances de survivre à son mari. Morvan avait été à la fois son dieu et son démon, son totem et son bourreau. Avenue de Messine, le syndrome de Stockholm avait tenu lieu de relation conjugale. Avec ses mains tavelées sur ses genoux et ses yeux exorbités, Maggie paraissait déjà morte.

Loïc, c'était une autre histoire. Il avait essayé de substituer à cette tyrannie un autre esclavage : l'alcool d'abord puis la drogue. Son père mourait alors même qu'il essayait de se passer de coke. Cela allait faire beaucoup de vide autour de lui.

Mais ce soir, Gaëlle discernait autre chose. Dans le demi-jour du salon, le beau visage de Loïc, livide et tendu, brillait d'une aura particulière.

Elle connaissait son frère par cœur. Le plus intelligent, le plus sensible, le plus tourmenté de la famille. Or, il ne paraissait ni abattu ni bouleversé. Il semblait au contraire remonté, déterminé à on ne savait quoi. Avait-il repris la coke ? Non, les symptômes du manque étaient toujours là : tremblements, fébrilité, anxiété. Considérait-il la mort du père comme une libération ? Ou au contraire un évènement qui réclamait vengeance ? Elle doutait qu'il ait décidé de prendre les armes pour livrer bataille au Congo…

Quelque chose était survenu en Italie.

En quelques jours, les patriarches étaient décédés, et tous deux de mort violente. « On chie comme on dîne », aurait dit Morvan. Existait-il une connexion entre les deux assassinats ? Loïc avait-il appris un scoop durant son séjour ?

Instinctivement, Gaëlle se tourna vers Sofia. La présence de l'Italienne était une confirmation. Elle n'était pas là pour Morvan mais pour Loïc – le soutenir, l'épauler, dans un projet ou une épreuve qui n'avait rien à voir avec la disparition du Padre. Gaëlle sentait chez elle la même volonté mêlée de frousse.

Que s'était-il passé à Florence ? Qu'avaient-ils découvert ?

Soudain, elle fut prise d'une douleur qui la cassa comme une vitre. Elle s'agita sur sa chaise afin de dissimuler l'éclair qui l'avait traversée.

« L'Homme-Clou n'est pas mort. » La voix atone d'Isabelle Barraire-Hussenot, alias Éric Katz, résonnait au fond de son crâne. Et si c'était un avertissement ? S'il existait encore une menace ? Quelque chose qui relierait tous ces morts, en en attendant d'autres ? Gaëlle engloba les autres d'un regard et comprit enfin la vraie catastrophe : le Vieux n'était plus là pour les protéger.

83

DORMIR SOUS STILNOX. Se réveiller sous amphètes. Conduire jusqu'à Roissy. Attendre devant le portique des arrivées. Pas de problème, à condition de ne pas réfléchir ni se projeter dans le moindre futur. *Une action après l'autre, s'il vous plaît.*

Les passagers du vol Kinshasa-Paris n'en finissaient pas de défiler devant lui et toujours pas d'Erwan – sans doute retenu à remplir des formalités pour la levée du corps. Il s'efforçait de rester distrait, en suspens – de flotter sans envisager le fait principal : Erwan revenait avec le cadavre de leur père dans ses bagages.

Enfin, il apparut. Blafard, presque gris, il avait perdu sa carrure et n'avait plus que la peau sur les os. Détail comique : il portait une chemise bigarrée dans le style Kinshasa. Un gringalet de quarante-deux balais, coupé en brosse et rasé de frais, revenant d'une mission humanitaire qui aurait mal tourné. La vérité n'était pas si différente, même s'il n'avait toujours pas pigé ce que le frangin était parti foutre au Congo.

Erwan, qui avait pour tout bagage un sac à dos, s'excusa de son retard et confirma qu'il avait dû signer des kilomètres de paperasse dans les bureaux des douanes.

– Qu'est-ce qui se passe maintenant ? demanda Loïc. Je veux dire… pour le corps ?

– Ils vont le placer en quarantaine puis le transférer à l'IML. Après ça, une boîte que je connais s'occupera de la mise en bière.

Le mot « boîte » lui parut malvenu mais il ne fit aucune réflexion.

– Le cimetière, l'inhumation… On va opter pour quoi ?

– Je vais voir ça avec maman. Le mieux serait de l'incinérer, et au plus vite.

– Y aura pas d'autopsie ?

Erwan planta ses pupilles dans celles de Loïc. La maigreur de son visage agrandissait démesurément ses yeux.

– Si, mais c'est une connerie. J'étais là quand il a été tué. Pas besoin de lui ouvrir le ventre pour savoir ce qui est arrivé.

Il parlait calmement mais les os de son crâne s'activaient sous sa peau comme les mécanismes d'une arme. La tension accentuait l'acuité de ses traits, lui conférant une violence sous-jacente, angoissante à contempler. Surtout, il tremblait de froid, à tel point que Loïc dut lui passer son manteau.

– Comment ça s'est passé au juste ?

– Je t'expliquerai dans la bagnole. Où t'es garé ?

Il aurait voulu trouver une vanne pour détendre l'atmosphère – panne sèche.

– Au parking, fit-il simplement, en jouant avec ses clés.

Sur l'autoroute, Erwan lui raconta les faits d'une voix éraillée, grelottant toujours. Ses cordes vocales ne semblaient plus tenir qu'à un fil. Il essaya d'abord de lui résumer le conflit en RDC – du moins celui qui sévissait dans la région de Lontano. Loïc fut vite perdu. Il se concentrait sur la route, les minutes qui passaient. Pas de coke, pas de panique.

L'aîné passa à l'épisode central. Une fuite en pirogue, une embuscade de rebelles, une course vers un avion, une fusillade dans le cockpit… Tout ça sonnait comme un roman d'aventures mais la voix d'Erwan tenait plutôt du reportage. À force de détails, il devenait de plus en plus difficile à suivre. Il accumulait les personnages, certains connus, d'autres non – Bisingye, Mumbanza, Pontoizau, Salvo... –, les lieux – Muyumba, Tuta, Ankoro, Lontano... Impossible de s'y retrouver.

Loïc s'engagea sur le périphérique, se disant que ces explications cadraient finalement bien avec le profil de leur père : circonstances ténébreuses, magouilles occultes, faits bruts. Porte d'Asnières, le silence s'imposa dans l'habitacle. Loïc ne posa pas de question. Il préférait considérer les fragments du puzzle sans chercher à les assembler, comme on admire une fresque abstraite.

– Où tu vas ? demanda soudain Erwan alors qu'il sortait porte Maillot.

– Chez Maggie, non ?

– Non. Faut que je passe au 36.

Loïc emprunta l'avenue de la Grande-Armée. L'urgence était sans doute de rédiger au plus vite un rapport officiel sur les évènements – le frangin avait intérêt à être plus clair que dans la voiture.

Mais Erwan prononça une phrase inattendue :

– Je dois vérifier quelque chose. Gaëlle m'a parlé d'un truc bizarre.

Loïc devinait de quoi il s'agissait – elle lui en avait aussi touché deux mots la veille au soir : une histoire de psychiatre androgyne, une femme qui s'était fait passer pour un homme et était morte renversée par une voiture samedi soir, à la suite d'une filature qui avait mal tourné. *Rien compris non plus.*

Depuis son retour d'Italie, il avait plus que jamais le sentiment d'être l'idiot de la famille mais peu lui importait. Au contraire : il aimait cette impression confuse, feutrée, où le monde lui parvenait dans une rumeur inintelligible.

En s'engageant sur les quais, il se décida pourtant à passer à l'attaque :

– Où tu t'entraînes au tir ?

– Quoi ?

– Tout le monde sait que t'es un champion : tu dois bien t'entraîner quelque part.

– Tu veux t'y mettre ? demanda Erwan avec méfiance.

– Le plus vite possible.

– J'espère que t'as pas une idée de vengeance ou une connerie de ce genre.

– J'ai arrêté la coke. D'une manière ou d'une autre, je dois me défouler.

– Tu ferais mieux de te remettre au squash.

– Tu connais un centre ou non ?

– File-moi ton portable.

Loïc s'exécuta, sans lâcher le volant. Erwan enregistra un numéro dans le mobile. Ils traversaient le pont Neuf qui paraissait pétrifié par le froid. Une légère poussière de givre couvrait les rambardes de pierre.

– C'est à Épinay-sur-Seine. Un centre de tir sportif. Le patron s'appelle Gérard Combe.

– Tu ne m'envoies pas dans un site d'entraînement de la police ?

– Pourquoi ? Tu veux un badge et un calibre aussi ?

Loïc rempocha son téléphone sans répondre puis prit à gauche, quai des Orfèvres. Ils étaient arrivés et l'essentiel était sauf. Ils avaient tenu tout le trajet sans dire un mot sur leur douleur ou même leur état d'esprit face au deuil. Quoi qu'ils fassent, ils n'étaient que deux solitudes claquemurées et c'était cette distance qui les rapprochait le plus sûrement.

Il n'y avait qu'une manière d'être un Morvan : Être seul à plusieurs.

84

ERWAN FUT HEUREUX de retrouver le 36. Atmosphère de bureau, collègues, machine à café, phrases toutes faites du lundi. Ce qui lui foutait d'habitude les nerfs en pelote lui paraissait aujourd'hui réconfortant et chaleureux. La nouvelle de la mort de Morvan avait déjà fait le tour des couloirs. Pas question de raconter à quiconque son voyage mais justement, le drame lui-même le protégeait des attaques extérieures. Il lui suffisait de serrer les mains, d'acquiescer aux condoléances, d'afficher un regard noir du genre *No comment* – et de repartir sans un mot.

Une fois dans son bureau, il verrouilla la porte. Première urgence : des fringues chaudes. Depuis qu'il avait posé le pied sur le sol parisien, il grelottait de froid et avait mal au bide. Il dégota deux pulls dans son placard et les enfila l'un sur l'autre, en priant pour ne pas avoir chopé le paludisme ni une quelconque saloperie africaine, genre amibes ou shigellose.

L'atterrissage en France était rude. Les problèmes avaient commencé à Roissy : avec une certaine naïveté, Erwan pensait ne pas avoir à ouvrir le cercueil de Morvan et s'en tenir à sa version AVC. Face aux douanes, la partie avait été plus compliquée. Pas question de laisser entrer un cadavre sur le territoire sans procéder à des analyses médicales. Pas question d'éviter une période de quarantaine. Du coup, pas question de persister dans ses mensonges quand la dépouille s'avérerait trouée de balles.

Erwan avait rempoché ses certificats bidon, résumé les circonstances de la mort de son père et admis qu'il avait menti aux autorités congolaises pour quitter la RDC au plus vite – on réglerait ce problème plus tard, avec le Quai d'Orsay. Pour l'heure, tout ce qu'il avait obtenu était que l'autopsie soit effectuée à l'institut médico-légal de Paris par Riboise.

Il devait maintenant mettre au point avec ses supérieurs la version officielle de la disparition de Grégoire Morvan – on diffuserait une annonce aux médias dans la journée et ses chefs se chargeraient de le couvrir auprès du ministère des Affaires étrangères : sa fuite de RDC avec un cadavre dans le tiroir allait provoquer un tsunami diplomatique.

Durant le trajet en bagnole, il avait tenté de résumer l'histoire à Loïc : échec complet. Mais Erwan était surtout taraudé par une autre confrontation : Maggie. Il n'avait pas décidé de la ligne à tenir. La serrer dans ses bras ? Lui passer les menottes ? Les deux ? Ou ne plus jamais la voir.

Il se fit un café puis alluma son téléphone portable. Déjà un paquet de messages. Au troisième, il n'écouta plus et lut seulement les noms associés aux appels. La crème de la PJ, les huiles de la Place Beauvau, les chefs de cabinet, conseillers, préfets… Même l'Hôtel de Brienne – le ministère de la Défense – s'était fendu d'un coup de fil. Les syndicats policiers étaient aussi de la fête, les directeurs du GIGN, du RAID, des brigades en veux-tu en voilà…

Erwan ignorait que son père avait autant d'amis. Côté SMS, c'était la même bousculade : des journalistes, des bloggeurs, des fouille-merde en tous genres se rappelaient à son bon souvenir. Il se demandait comment tout ce petit monde avait eu son numéro. Certains se présentaient en « alliés », d'autres en « vieux compagnons ». *Jamais entendu parler.*

Il avait déjà décidé de ne rappeler personne. Il décrocha son poste de bureau et questionna la standardiste : le cirque avait aussi commencé de ce côté-là. Il ne demanda même pas la liste des messages et donna des instructions : il n'était pas arrivé, personne ne savait où il était, sa ligne était fermée pour la journée.

Puis il considéra l'écran noir de son ordinateur : pas le cœur de vérifier sa boîte mail, sans doute déjà pleine elle aussi, pas question non plus de consulter les réseaux sociaux ni les sites d'information qui allaient raconter n'importe quoi et colporter les pires rumeurs. Il s'envoya son Nespresso, prit une profonde inspiration et sortit pour se coltiner sa seule obligation avant de voir son équipe : Fitoussi.

Le divisionnaire l'attendait en compagnie du patron de la DCPJ. Erwan les salua, écouta leurs brèves condoléances puis ouvrit le canon à conneries : il ne parla ni des mines ni du trafic d'armes, encore moins de Cathy Fontana, seulement d'un voyage de prospection pour Coltano auquel il avait décidé de participer pour mieux connaître ce versant des activités de son père. Morvan avait succombé au tir d'un Tutsi au statut mal identifié. Il débitait ses fadaises d'un ton neutre, usant d'un verbiage administratif, assistant à la scène comme un spectateur extérieur, derrière un miroir sans tain.

Les flics écoutèrent en silence puis lui proposèrent une version plus soft encore. Une balle perdue lors d'une échauffourée entre milices sans préciser lesquelles, d'ailleurs personne ne les connaissait. La priorité était d'exonérer le gouvernement de Kabila de toute responsabilité : pas le moment d'envenimer les relations diplomatiques avec la RDC – il fallait surtout leur faire avaler la fuite d'Erwan avec son cercueil. Important aussi de laisser entendre que Morvan avait joué les têtes brûlées – qu'on ne pense pas que la France était incapable de protéger ses ressortissants. En conclusion, le moins de détails possible, et surtout pas de mots qui fâchent : coltan, MONUSCO, aide française aux Hutus, noms d'ethnies, etc.

C'était le Big Boss qui parlait tandis que Fitoussi acquiesçait, l'air grave. Le taulier était incapable de la moindre décision. Une blague circulait dans les couloirs du 36 : « Si vous rencontrez quelqu'un dans les escaliers et que vous êtes incapable de dire s'il est en train de monter ou de descendre, alors vous venez de croiser Fitoussi. »

Erwan approuva la mouture qu'on lui proposait. De toute façon, l'inhumation de son père serait accompagnée d'une chiée d'hommages, de discours creux, de mensonges qui ne rendraient absolument pas compte de ce qu'avait *vraiment* été Morvan. Pas grave. Le Vieux s'était toujours considéré, à tort ou à raison, comme au-dessus, ou à côté, des lois et des hommes. Même au fond de sa tombe, il répondrait à tous ces officiels par le mépris.

– Vous avez besoin de quelques jours pour vous occuper des obsèques ?

– Je préfère reprendre le boulot aussitôt que possible.

Les flics échangèrent un coup d'œil : si Erwan y tenait, il réintégrait son poste. *Effet immédiat.* Il salua la compagnie comme un bon petit soldat et rejoignit son groupe dans la salle de réunion de la BC. Entrant sans frapper, il découvrit Audrey, Tonfa et Favini en plein conciliabule.

Et aussi, assise dans un coin, Gaëlle.

– Qu'est-ce que tu fous là ? demanda-t-il sans préambule.

– Je t'attendais.

Il considéra ses collègues d'un air interrogateur. Il lut seulement dans leurs yeux la consternation face à sa maigreur et sa tronche livide.

– Pour cette histoire de psy ? revint-il vers Gaëlle.

– Pour connaître le nom de l'assassin de mon père.

85

UN SIGNE AUX AUTRES : « Laissez-nous. » Personne n'avait eu le temps d'exprimer une parole de sympathie. *Tant mieux.* Une fois la porte refermée, Erwan fixa sa petite sœur crispée sur sa chaise. La comparaison avec Loïc n'était pas flatteuse – *pour lui.* Le petit frère était froissé comme du papier d'alu, Gaëlle était taillée dans de l'acier trempé, renforcé au cadmium. Une sculpture de Brancusi, fine, polie et acérée, aussi douce au toucher que dangereuse au contact.

– Qui a tué papa ?

– Le coupable n'est plus de ce monde, si ça peut te soulager.

– Tu l'as eu ?

– Oui.

– Qui c'était ?

– Un colonel tutsi passé du côté de l'armée congolaise.

– Comment s'appelait-il ?

– Qu'est-ce que ça peut te foutre ?

– Donne-moi son nom.

– Laurent Bisingye.

– Il était aux ordres de qui ?

Erwan soupira et attrapa une chaise. Loïc qui voulait apprendre à tirer, la frangine qui projetait une blitzkrieg contre le Katanga.

D'une certaine façon, cet accueil lui faisait chaud au cœur : toujours aussi cinglés.

– Tout ça s'est passé à sept mille kilomètres d'ici, soupira-t-il. En pleine guerre, dans un monde que tu ne soupçonnes pas.

– Qui est derrière le Tutsi ?

– Des siècles de haine, deux décennies de guerre et cinq millions de morts.

– Réponds à ma question.

Il fixa la Seine à travers les fenêtres grillagées (elles l'étaient toutes à l'étage depuis le suicide de Richard Durn en 2002). Comparé aux flots noirs du Lualaba, le fleuve parisien lui rappelait plutôt la gargouille de Briançon.

– Je pense que Bisingye a agi pour le compte d'un dénommé Trésor Mumbanza, capitula-t-il. Un général luba du Katanga devenu le directeur de Coltano après la mort de Nseko. Un homme qui a de fortes ambitions, financières et politiques.

– Pourquoi a-t-il fait tuer papa ?

– Je viens de te le dire : le fric, le pouvoir. Nseko était mouillé dans un trafic d'armes qui a mal tourné. Il s'est fait descendre en septembre dernier. Mumbanza a pris sa place à la tête de Coltano. En même temps, il a entendu parler des nouveaux gisements. Il s'est dit qu'il pouvait faire d'une pierre deux coups : se débarrasser du fondateur historique de la boîte et mettre la main sur les filons.

Erwan surprit une lueur de remords dans les iris couleur de givre bleuté de sa sœur. C'était elle qui avait balancé le tuyau sur les mines, provoquant une réaction en chaîne désastreuse et précipitant la décision de Morvan de se rendre au Katanga. Tout était de sa faute. C'est du moins ce qu'elle devait penser…

En réalité, elle n'y était pour rien. Pas plus que lui-même. Personne n'aurait pu influencer le destin de Morvan – surtout pas le dernier modèle : soixant-sept ans, cent kilos et quelques, quarante ans de magouilles africaines et de barbouzeries sanglantes Un train d'acier, chargé d'idées noires, lancé à pleine vitesse dans l'enfer congolais.

– Papa, il trempait dans le trafic d'armes ?

– Pas du tout. Mumbanza non plus d'ailleurs. Tout est affaire d'opportunités.

Gaëlle semblait enregistrer chaque élément dans un compartiment particulier de son cerveau. Que mijotait-elle ?

– Mumbanza, il vient parfois à Paris ?

– Je préfère pas répondre.

– Il vient ou non ?

– Tu veux l'interviewer ? Lui faire la peau ? Le remercier ?

Elle ne répondit pas, boudeuse. Erwan se leva et commença à marcher le long des fenêtres. Il se sentait oppressé et malgré ses pulls, frissonnait toujours.

– Il vient régulièrement à Bruxelles, répondit-il enfin. Selon papa, c'est un gros queutard qui aime la chatte blanche et qui a ses habitudes en Europe. Qui sait, tu l'as peut-être rencontré dans ton boulot.

– Connard.

Il regrettait sa dernière réflexion mais elle avait le don de le foutre en rogne.

– Excuse-moi, fit-il plus calmement. Mais ne te mêle pas de ces histoires.

– Je suis pas assez grande pour comprendre ?

– C'est un autre monde. Un monde que papa connaissait bien et dont, tacitement, il acceptait les règles. Je sors de ce cauchemar et je vais tout faire pour l'effacer de ma mémoire.

– Mumbanza a ses habitudes à Paris, oui ou non ?

Erwan se planta devant elle, mains dans les poches.

– Merde, quand est-ce que tu vas t'arrêter ? explosa-t-il. T'en as pas marre de nous emmerder ? Les seuls répits qu'on a eus, c'est quand t'étais à l'asile !

Trop tard pour rattraper ce nouveau dérapage. Comment en arrivaient-ils là à chaque fois ? *Irrécupérables.*

– T'as toujours pas répondu à ma question, siffla-t-elle entre ses dents serrées.

– Mais j'en sais rien, moi ! Avant d'aller au Katanga, j'ignorais même son existence.

À ce moment, il comprit ce qui était en train de se passer. Dans ce naufrage, chaque Morvan allait s'accrocher à un morceau de l'épave. Lui à la moindre procédure qu'il pourrait glaner au 36. Son frère à son sevrage et à un pseudo-entraînement au tir. Gaëlle à un obscur projet d'enquête sur Mumbanza. Tout ça pour ne pas crever. Seule Maggie se laisserait couler à pic.

– T'en fais pas, ajouta-t-il finalement en s'accroupissant à sa hauteur. Il va y avoir une enquête. Mumbanza va tomber : Kabila ne le soutiendra pas. Il sera déchu de ses fonctions chez Coltano. Il n'aura plus aucune chance sur le terrain politique. Il se fera arrêter et même extrader, pourquoi pas. Dans ce cas, le TGI le foutra sur le gril pour un tas d'autres crimes. Papa, c'est le mort qui cache le charnier.

Gaëlle sortit une cigarette en silence. La salle était non fumeur mais ce qu'Erwan concédait aux assassins en passe d'avouer, il pouvait l'accorder à sa petite sœur.

– Et toi, reprit-elle après avoir soufflé une bouffée, tu vas rester les bras croisés ?

– Ce n'est plus mon problème.

– On te les a coupées là-bas ou quoi ?

Il se releva et balaya la fumée d'un geste agacé. Le périmètre de sécurité spécial Morvan : des insultes, des provocations, mais pas l'ombre d'un partage ni d'une parole de solidarité.

– Parle-moi plutôt d'Isabelle Hussenot, ordonna-t-il pour changer de sujet.

Elle eut un bref haussement d'épaules puis exhala encore un nuage de fumée, comme une bulle de bande dessinée résumant son épuisement, son dégoût, son amertume.

– Je l'ai connue sous le nom d'Éric Katz. Elle se faisait passer pour un psychanalyste.

– Comment l'as-tu rencontrée ?

– Pas moyen de me rappeler. Je l'ai consultée pendant une année environ, entre 2010 et 2011.

– Et tu l'as recontactée récemment ?

– Non. C'est lui, enfin elle… qui m'a téléphoné. Elle voulait soi-disant prendre de mes nouvelles.

Gaëlle lui raconta alors une curieuse histoire, en la ponctuant de gestes nerveux et de panaches de Marlboro. Un psy qui l'invitait à dîner, fouillait dans son sac, se rendait à l'aube dans un caveau… Pas de quoi fouetter un chat.

Avec Audrey – elle ne perdait rien pour attendre, celle-là –, elles avaient forcé son cabinet et découvert un book archivant tous les articles sur l'Homme-Clou parisien ainsi que les coordonnées d'Anne Simoni et de Ludovic Pernaud, inscrites dans un agenda et datées d'*avant* les meurtres. Anne était même une patiente de la vraie-fausse psy. Pour finir était survenu le fiasco de Beaubourg où l'androgyne avait pris la fuite et percuté une voiture. À l'agonie, Isabelle Barraire-Hussenot avait murmuré : « L'Homme-Clou n'est pas mort. »

Qu'est-ce que c'est que ce nouveau bordel ? Ni les faits ni leur signification – un possible retour du cauchemar de septembre – ne le convainquaient mais il y avait de quoi être troublé.

Dans tous les cas, il venait de trouver sa propre bouée de sauvetage. Régler cette affaire et, au moins durant quelques jours, ne plus penser à la mort du père.

– J'appelle les autres, conclut-il.

86

LA FINE ÉQUIPE, égale à elle-même.

Audrey, cheveux ternes, veste de treillis, faisant profil bas. Favini, le dragueur marseillais, surnommé la Sardine, visiblement surexcité par la présence de Gaëlle. Tonfa, inamovible dans son costume noir, grave et solennel comme le glaive de la justice.

En quelques mots, Erwan résuma son voyage – après Loïc, Fitoussi et sa sœur, il commençait à prendre le coup : concision, ellipses et ton glacé. Il exposa les circonstances de la mort du Vieux mais pas un mot sur la *vraie* raison de son propre voyage ni sur ses découvertes – le dossier Cathy Fontana, archivé pour toujours dans sa mémoire.

Ensuite, quand il évoqua l'étrange cas du docteur Isabelle Barraire-Hussenot, ce fut au tour de ses gars de parler. Ils avaient mis à profit leur dimanche pour glaner des infos étayant les premières recherches d'Audrey. Erwan les écouta, feuilletant le dossier qu'ils avaient constitué.

– On a contacté la famille ? demanda-t-il à la cantonade.

– Les parents sont décédés mais j'ai trouvé le frère aîné, Olivier, répondit Audrey. Il vit à Clermont-Ferrand et dirige la société Domanges.

– C'est quoi ?

– L'entreprise familiale. Une chaîne de pressings. Une centaine en France, avec franchises et tout. Un bon business.

– Qu'est-ce qu'il t'a dit ?

– Rien. Il avait totalement coupé les ponts avec sa sœur depuis des années.

– Pourquoi ?

– À cause de ses troubles mentaux. À l'idée d'évoquer les problèmes qu'elle leur avait causés, le gars avait l'air au bord de vomir. Si j'ai bien compris, y a eu aussi un souci du côté de la succession mais il est pas entré dans les détails.

– Elle a des parts dans la boîte ?

– J'en sais rien. En tout cas, elle n'a jamais été déclarée irresponsable ni mise sous tutelle.

– Très bien. Je le rappellerai plus tard.

Audrey grimaça : elle détestait qu'on repasse derrière elle.

– Qu'est-ce qu'ils vont faire du corps ?

– Olivier est arrivé à Paris hier soir. Il a signé pour la levée. Il veut la ramener à Clermont-Ferrand et l'enterrer dans le caveau familial.

– Tu l'as vu ?

– Non.

– Il a l'intention de nous poursuivre ?

– Y a aucune raison de…

– Il pourrait penser qu'il y en a une, asséna Erwan. Et même plusieurs. Harcèlement policier. Violation de la vie privée. Enquête illégale. (Il fixa tour à tour Audrey et Gaëlle, qui n'avait pas bougé de sa chaise.) S'il a un peu de jugeote, il pourrait même ajouter vol avec effraction…

Le silence pesait des tonnes dans la salle.

– S'il fait ça, se permit de répliquer Gaëlle, il soulève un lièvre : sa sœur exerçait sous une fausse identité. Je suis plutôt la victime de…

Erwan l'arrêta d'un geste menaçant. Audrey intervint pour calmer le jeu :

– Au téléphone, j'ai surtout eu l'impression qu'il avait depuis longtemps passé sa sœur par pertes et profits. Elle était rentière. Elle faisait ce qu'elle voulait de son fric et basta.

– T'as quelque chose à ajouter ? demanda-t-il sans quitter des yeux sa sœur.

– Non.

– Alors, casse-toi.

– Mais…

– T'as rien à foutre ici : c'est une réunion d'OPJ de la Brigade criminelle. Disparais, avant que je fasse le point sur toutes les conneries que tu as faites pendant mon absence.

Gaëlle se leva sans moufter.

– Tu me raccompagnes ?

Elle avait posé la question d'un ton sans appel. Ils descendirent les escaliers et sortirent dans la cour en silence.

– Pour mes anges gardiens, demanda enfin Gaëlle en s'arrêtant près des sas de sécurité, qu'est-ce qu'on fait ?

– Je ne vois pas de quoi tu parles.

– Papa m'avait encore foutu deux lascars aux basques.

– Où ils sont ?

– Dehors, fit-elle en désignant le quai des Orfèvres de l'autre côté du porche.

– Ils savent que papa est mort ?

– Bien sûr. Je leur ai déjà dit de rentrer chez eux mais ils bougent pas. De vrais chiens de berger. Ils attendent des ordres mais ils ne savent pas de qui.

– Reste là.

Erwan franchit les portiques en s'interrogeant : Gaëlle était-elle encore en danger ? Elle paraissait remise de ses pulsions suicidaires mais l'apparition d'Isabelle Barraire dans le tableau allumait un nouveau voyant. *L'Homme-Clou n'est pas mort…*

Finalement, il décida de libérer les deux cerbères mais les regarda partir en regrettant déjà son choix. Impossible de faire confiance à cette gamine à moitié cinglée. Pour se rassurer, il se dit qu'il passerait la voir ce soir, après l'inévitable visite à Maggie.

Il fit raccompagner Gaëlle chez elle par un OPJ en voiture banalisée et remonta au pas de course.

– On reprend le merdier de zéro, annonça-t-il dans la salle. Je veux qu'on trouve la connexion entre Isabelle Barraire et l'Homme-Clou. Le détail des coordonnées des victimes est plus qu'inquiétant, sans compter cette manière plutôt zarb de rôder autour de Gaëlle.

Un sourire joua sur les lèvres d'Audrey : elle ne s'était donc pas trompée sur l'importance du coup.

– Vous bouclez vos PV dans vos groupes respectifs, continua Erwan, et on récupère quelques dossiers ronronnants à notre compte : de quoi nous occuper officiellement. Je vous donne vingt-quatre heures pour clarifier le profil de Barraire. Favini, tu remontes l'histoire du couple et tu me détailles toutes les hospitalisations de la timbrée. Tonfa, tu te concentres sur son activité de faux psy d'une part, et sur Clermont-Ferrand et les pressings d'autre part. Je veux connaître l'origine de chaque euro qu'elle touchait.

– Et moi ? demanda Audrey.

– Toi, tu gères nos affaires courantes. T'as fait assez de conneries comme ça.

– Mais…

– Réquisitionner des collègues sans saisine ? hurla-t-il soudain, libérant la colère qu'il retenait depuis son arrivée. Les impliquer dans une affaire qui n'existe pas ? Provoquer la mort d'un témoin ? Forcer sa porte ? Voler des documents ? Sans compter que tu as mis en danger ma sœur qui n'a besoin de personne pour se foutre dans la merde.

– Je…

– Ta gueule. Tu attends gentiment ici ta convoc à l'IGS. Après le souk de Beaubourg, c'est déjà incroyable qu'on t'ait pas mise à pied aussi sec.

Elle parut encore vouloir répondre mais se maîtrisa. Erwan fourra sous son bras le classeur contenant les informations acquises sur Isabelle Barraire.

– Dernière chose, fit-il avant de sortir. Gaëlle m'a parlé d'« affaire réservée » : qui a lâché ce mot ?

– Elle-même, siffla Audrey. Elle avait l'air familière du terme.

– Une spécialité de mon père. D'où lui est venue cette idée ?

– On a eu du mal à dégoter certaines infos.

– Lesquelles ?

– Tout ce qui pourrait relier Philippe Hussenot à Isabelle Barraire. Aucune trace de leur mariage ni de leur divorce. Pas d'actes de naissance pour les enfants. Après l'accident de Hussenot en Grèce, pas une ligne sur la mère. Même le dossier d'assurances ne la mentionne pas. Tout se passe comme si on avait voulu empêcher de joindre les deux noms.

De telles données ne pouvaient avoir disparu sans un sérieux coup de pouce. Après la saisine, seuls le parquet, le juge d'instruction ou le commandant responsable de l'enquête pouvaient décider du caractère sensible de l'enquête et opter pour un tel verrou. Dans ce cas, plus aucun moyen de savoir qui s'occupait du dossier ni même si ce dossier existait.

– Favini, laisse traîner une oreille dans les couloirs et vois ce que tu peux nous ramener à ce sujet. Le point ce soir à 19 heures.

– Et les… enfin, l'enterrement ?

Erwan s'aperçut qu'il avait oublié sa propre priorité : les obsèques de son père.

– Je sais pas encore. Je vous tiens au jus.

Il s'esquiva et claqua la porte pour couper court à toute condoléance.

87

DIX-HUIT HEURES, bar de l'hôtel Meurice. Espace intime, lumières brisées, rideaux de velours et tableaux anciens. Que du chic, du bon, du chaud : un nid de confort et de paix pour boire des cocktails, refaire le monde ou se trouver un partenaire pour la nuit.

Aussitôt rentrée chez elle, Gaëlle avait contacté Michel Payol, le maquereau du 16e arrondissement. Elle s'était fait recevoir : l'homme aux dents de chameau n'avait pas oublié l'interrogatoire d'Erwan qui lui avait coûté un doigt.

– Tu manques pas d'air de me rappeler (Il parlait trop près du combiné et son souffle avait quelque chose d'obscène.) J'ai rien à foutre de petites-bourgeoises qui se prennent pour des putes ! J'ai plutôt l'habitude du contraire.

– On peut discuter affaires ?

– Certainement pas.

– Dans ce cas, je vais l'dire à mon grand frère, comme à la cour de récré.

Après un bref silence, il lui avait donné rendez-vous. Elle avait choisi le lieu. En avance, elle s'installa dans un angle, au creux d'un fauteuil de cuir, et commanda une coupe de champagne. Un peu tôt mais c'était un jour particulier.

Elle se sentait endolorie, courbaturée par le séisme qui venait de survenir. Son monde, patiemment construit, de haine, de colère et d'autre chose qu'elle ne parvenait pas à définir venait de s'écrouler. Elle était comme une pauvre Sicilienne qui, après un tremblement de terre, réalise sous les décombres qu'elle est vivante mais qu'elle a perdu toute raison de survivre.

Allons, il m'en reste au moins une…

À ce moment, Payol apparut sur le seuil : blazer croisé, pochette rouge, mocassins à glands… Son élégance tapageuse détonnait dans cette atmosphère feutrée. *J'aurais dû lui donner rendez-vous au Costes.* Il s'assit en face d'elle, sans sourire, agité. Le majeur de sa main droite s'arrêtait à la première phalange : il ne portait plus qu'un simple pansement.

– Qu'est-ce que tu veux ? attaqua-t-il sèchement.

– Commande d'abord.

Après une hésitation, il fit signe au serveur et demanda un café serré. Gaëlle laissa courir les secondes. Elle savourait la nervosité du connard, qui n'était qu'une forme à peine contrôlée de pure trouille.

– Trésor Mumbanza, dit-elle enfin.

– Quoi, Mumbanza ?

– Je me souviens que tu fourgues des filles aux riches Africains.

– Et alors ?

Elle but une goulée – crépitation glacée au fond de sa gorge, délicieuse, en totale contradiction avec la surchauffe du face-à-face.

– Mumbanza est un de tes clients réguliers quand il passe à Paris.

Gaëlle bluffait mais Payol ne démentit pas. Il avait toujours sa tête de dromadaire, visage étroit plein de morgue, mâchoires proéminentes avec des dents plantées trop haut.

– Il a quelque chose à voir avec la mort de ton père ?

Les médias avaient déjà diffusé la nouvelle et Payol savait additionner deux et deux.

– Qu'est-ce que tu sais sur lui ? insista-t-elle en ignorant sa question.

Payol se leva :

– Je me demande pourquoi je suis venu.

Elle ouvrit son sac, saisit son portable, pianota puis le braqua comme une arme. Malgré lui, le proxo se pencha, ajustant ses lunettes en direction de l'écran scintillant.

– C'est quoi ?

– Les filles que tu emploies dans le 8e. Un mot de moi et cette liste est sur le bureau du patron de la BRP, avec mon frère en back-up. Il revient d'Afrique, notre père est mort et il est de très mauvaise humeur.

Payol se rassit. Son café arriva. La tasse, entre ses longs doigts noueux, paraissait minuscule.

– Qu'est-ce que tu veux au juste ?

– Réponds d'abord à ma question : Mumbanza, quel profil ?

– Un dictateur africain à l'ancienne, répondit-il en haussant les épaules. Bourré de cash, toujours en rut, aucun scrupule.

– Dis-moi quelque chose de spécifique.

Payol posa les coudes sur la table et avança son cou télescopique.

– Il est réputé être séropositif mais il n'aime que le bareback, le sexe sans capote. Il paie double, voire triple, toutes celles qui sont prêtes à prendre le risque.

– C'est tout ?

Payol eut une grimace hargneuse : ses gencives rouges ressemblaient à une plaie à vif.

– On raconte qu'il a fait tuer toutes les putes qui auraient pu le contaminer. Par ailleurs, il refile ses escorts à ses gardes du corps, la même nuit, et s'assure qu'elles ont bien été consommées par tous les trous. Il appelle ça « colmater les brèches ».

– Parfait.

– Quoi, parfait ?

– Ton gars me plaît. La prochaine fois qu'il t'appelle, tu me mets sur le coup.

– Pas question. Je ne sais pas ce que tu magouilles mais je ne serai pas mêlé à une quelconque vendetta.

Gaëlle savoura brièvement l'ambiance ouatée qui les entourait. Lumières douces, cliquetis d'argent, cuir souple et bois verni. Ce qu'elle appréciait par-dessus tout, c'était la proximité des chambres, juste au-dessus de leurs têtes. Elle avait l'impression que les plafonds s'abaissaient à mesure que la nuit tombait. Les grandes ailes du vice…

– Mumbanza n'a rien à voir avec la mort de mon père : il s'agit d'héritage.

– Quel héritage ?

– Le mien. Celui de mes frères et de ma mère. Mumbanza dirige Coltano, une boîte qui a été fondée par Morvan et qui exploite des mines de coltan. Je ne veux pas d'embrouilles au moment de la succession.

– Pourquoi tu n'envoies pas tes avocats ?

– Une grande partie de ce qu'il nous doit est off. Tu penses bien que mon vieux avait prévu l'éventualité de sa propre mort. Je dois voir ce type et lui expliquer certaines modalités.

Le mensonge était crédible, et suffisamment vague pour que Payol morde à l'hameçon. Il l'observa un instant, perplexe.

– Tu tombes à pic, lâcha-t-il après avoir éclusé son café.

– Mumbanza est à Paris ?

– À Bruxelles. Demain, il sera à Lausanne. Il veut de la compagnie.

Sa présence là-bas n'était pas un hasard. Le général planquait sans doute un paquet de fric en Suisse avant que les Morvan et leurs avocats lui tombent dessus et mettent leur nez dans les comptes de Coltano. En même temps, il s'éloignait prudemment du barouf que la mort du Padre allait provoquer au Katanga.

– Il veut une vraie blonde, mais épilée de la tête aux pieds.

Gaëlle se leva, après avoir ramassé son portable.

– Tu peux dire que c'est le diable qui m'envoie.

88

IL AVAIT CONSACRÉ l'après-midi à son père et aux problèmes liés à sa mort. Il avait réquisitionné un véhicule au 36 puis s'était déplacé en personne à l'IML pour s'assurer que c'était bien Riboise qui ferait le boulot. Il avait demandé au légiste de ne pas s'appesantir sur la distance du tir – Bisingye avait abattu Morvan à moins d'un mètre, ce qui ne cadrait pas avec le scénario de la balle perdue en pleine bataille. Riboise l'avait rassuré : il ne ferait pas dans le détail.

Ensuite, il avait couru quai d'Orsay. Réunion de crise au ministère des Affaires étrangères. Le gouvernement congolais appréciait moyennement son départ en douce avec un cadavre dans ses valises Et encore moins de voir cette histoire diffusée par les médias français – le grand déballage avait commencé : radio, TV, Internet, et demain dans tous les journaux... Erwan avait dû rédiger un mea culpa en bonne et due forme, dicté par les spécialistes de l'Afrique au ministère, fins bretteurs de la dentelle diplomatique – le tout avait été adressé à l'ambassadeur de la RDC, cours Albert-Ier, dans le 8e arrondissement. On attendait que le soufflé retombe.

Côté funérailles, les décisions lui filaient aussi entre les pattes. Son idée de crémation était déjà oubliée. Le protocole de la cérémonie avait été fixé en haut lieu : messe à Saint-Louis des

Invalides, parade militaire dans la cour d'honneur avec éloge funèbre prononcé par le ministre de la Défense (ou de l'Intérieur, on hésitait...), inhumation au cimetière Montparnasse, dans le caveau familial. Le grand jeu. Erwan avait la nausée à l'idée des hommages et autres oraisons qui allaient en sortir. Le héros de la France. Le superflic. Le grand commis de l'État. Personne n'était peiné par sa mort mais chacun redoutait les conséquences de cette disparition – l'émergence des fameux dossiers. Par superstition, on voulait éteindre la mèche sous les ors et les discours. Précaution inutile. Erwan connaissait assez son père pour savoir qu'il n'avait rien laissé derrière lui. Cela aurait été faire trop d'honneur à tous ces cadors de pacotille. À ses yeux, l'homme était un animal vil et médiocre, dont la classe politique constituait une sous-espèce plus basse encore.

Côté médias, Erwan avait choisi pour l'heure une solution intermédiaire et obtenu l'aval de sa hiérarchie : ni silence total ni conférence de presse mais communiqué laconique à l'AFP. Après diffusion, il avait mis son portable en mode avion et s'était résolu à regarder enfin sa montre : 19 heures. Impossible de retarder encore la visite à Maggie. *Andiamo*.

Avant de se mettre en route, il alla discrètement voir Audrey qui boudait dans son bureau. Erwan avait marqué le coup devant les autres mais il n'était pas certain d'avoir eu raison. En revanche, ce dont il était sûr, c'était que sa cinquième de groupe était son meilleur élément et qu'il avait du boulot pour elle. Après des excuses du bout des lèvres, il la chargea de reprendre de A à Z le dossier d'enquête sur le deuxième Homme-Clou, Philippe Kriesler. Sept classeurs déjà archivés qui retraçaient par le menu la série des meurtres de septembre dernier.

Erwan ne pouvait admettre qu'ils n'aient jamais croisé le nom d'Isabelle Barraire ni celui d'Éric Katz au cours de leur investigation. La cinglée était l'analyste d'Anne Simoni. Elle possédait l'adresse de Ludovic Pernaud. Elle rôdait sur le territoire de chasse de l'Homme-Clou. Connaissait-elle Kripo ? Avait-elle eu des contacts avec les quatre greffés – ceux qui avaient voulu devenir, au fond de leur moelle, l'Homme-Clou ? À Audrey d'éplucher le moindre PV, le moindre détail, pour trouver la trace de cette ombre entre les lignes.

Il lui confia également une mission plus délicate : fouiner autour des adresses de Katz – rue Nicolo, rue de la Tour –, interroger le voisinage, les commerçants afin d'essayer de retracer le quotidien du psy et, pourquoi pas, ses faits et gestes durant la période cruciale des meurtres. Audrey accepta sans desserrer les dents. *Ça ira mieux demain.*

Il prit un taxi, récupéra sa voiture au parking de la rue Bellefond puis s'achemina vers l'avenue de Messine, la trouille au ventre. Il ne savait toujours pas quelle attitude adopter face à Maggie. Il ignorait même ce qu'il éprouvait à son égard.

Il passa par l'entrée de service pour échapper aux photographes stationnés devant leur adresse. Loïc lui avait donné les clés de l'appartement. *Procédure de crise.* Tout était plongé dans les ténèbres. Il traversa la cuisine puis emprunta le couloir qui menait aux pièces de réception.

– Maggie ?

Pas de réponse.

– Maggie ?

Ses yeux s'accommodèrent à l'obscurité. Elle se tenait dans le salon, assise derrière un guéridon. Plusieurs fois dans la journée, il avait essayé de la joindre. En vain. Il ne s'en était pas formalisé : Maggie n'était pas une fanatique du portable – trop de mauvaises ondes, trop de paroles inutiles. Aujourd'hui, elle avait même dû débrancher sa ligne fixe.

Lourds rideaux fermés sur un silence plus lourd encore. Immobilité des ombres et des objets. Odeur d'encaustique évoquant le mobilier astiqué d'une église. Malgré lui, il savourait ce calme de tombeau. Il devinait la rumeur autour de l'appartement. Les tentatives d'appels des politiques, des journalistes, les dépêches radio, les flashs info, l'activité survoltée des comptes Twitter, des connexions Facebook... Rien ne parvenait jusqu'ici.

Il attrapa un fauteuil, le plaça en face de Maggie, de l'autre côté de la petite table, et se racla la gorge. Il n'était même pas sûr qu'elle soit éveillée.

– Tu veux boire quelque chose ?

Il sursauta à la question. Elle avait sa voix apeurée, celle dont elle usait quand Morvan était dans les parages.

– Ça ira, merci, répondit-il en s'asseyant.

– T'es sûr ?

Il distinguait seulement le contour de son visage : ovale opaque, masque qui aurait fondu sous la morsure du feu. Si Maggie ne lui avait rien proposé, cela aurait signifié qu'elle était définitivement perdue.

Par quoi commencer ?

Il opta pour les faits, façon flic :

– Je peux te dire comment les choses se sont passées. C'est le nouveau directeur de Coltano, à Lubumbashi, qui...

– Je ne veux pas savoir.

Le silence retomba sur leurs épaules.

– Je peux allumer ?

Pas de réponse. Erwan grelottait toujours : s'il n'avait pas réussi à se réchauffer dans son bon vieux bureau, entouré par ses collègues qui formaient sa vraie famille, ce n'était pas ici, dans ce sanctuaire, qu'il allait le faire.

– La cérémonie aura lieu à Bréhat, lâcha-t-elle soudain.

– À Bréhat ? Mais on parle d'obsèques nationales, on...

– Ton père votait là-bas. Il a droit à sa place dans le cimetière. Il a toujours voulu y être enterré, en toute intimité.

– Et le caveau de Montparnasse ?

– Un leurre. Une ruse de Grégoire, va savoir pourquoi.

Un jour, dans une crise de folie, Morvan y avait enfermé Maggie une nuit entière.

– Et... tu sais qui contacter ? reprit Erwan machinalement.

– La paroisse de Paimpol : ils nommeront un prêtre pour le service. Je ne veux aucun invité : on restera entre nous.

Ses paroles semblaient humides de trop de salive – sans doute les neuroleptiques ingurgités depuis la veille. La plupart du temps, ces médocs assèchent la bouche mais chez Maggie, bizarrement, ils provoquaient une élocution de limace.

– Bien sûr, l'info ne doit pas filtrer.

Erwan imaginait le clan, aussi gris que le granit, serré sous la pluie drue de l'hiver autour de la sépulture – ses frissons redoublèrent.

– Il t'a parlé, non ? reprit-elle au bout de plusieurs secondes.

Sa voix produisait toujours le bruit d'une nage nocturne dans des flots glacés. Maggie remontait le courant.

– Il a pas eu le choix, répondit-il, jouant soudain au fier-à-bras pour ne pas montrer sa faiblesse. Mon enquête sur Cathy Fontana…

Il s'arrêta net : Maggie venait d'éclater de rire.

– Tu trouves ça drôle ?

– Excuse-moi…, murmura-t-elle. Je ris parce que la vérité n'existe pas. Ou disons qu'elle n'existe plus…

– Tu te trompes. Je reviens de…

– Je t'ai élevé comme mon fils, Erwan. Je t'ai aimé comme Loïc et Gaëlle. Sans doute même un peu plus. J'ai toujours considéré que j'avais une dette envers toi…

– Parce que tu avais organisé la mise à mort de ma mère ?

Maggie releva soudain la tête. Dans la pénombre, ses yeux exorbités se fixèrent sur lui.

– Ton père ne t'a dit que ce qu'il savait…

89

– TON PÈRE ÉTAIT FORT, courageux, volontaire, attaqua-t-elle sur un ton morne, mais il était resté, au fond de lui, un enfant apeuré. Le visage de Cathy l'effrayait et l'attirait en même temps. À ses yeux, il symbolisait la pire des menaces mais aussi ce qu'il n'avait jamais eu et toujours désiré : l'amour d'une mère. Une partie de son être réclamait sa tendresse, son affection. Une autre voulait la détruire.

Erwan n'était pas venu pour écouter une psychanalyse à deux balles.

– T'as pas besoin de le défendre, répliqua-t-il. J'en sais assez sur lui pour avoir mon propre jugement.

– Non. Tu ne sais pas. Tu…

– Tu as revu de Perneke ?

La question lui avait échappé. Pour sortir une affaire, il faut en finir avec chaque protagoniste – c'est-à-dire le loger, de ce côté-ci de la vie ou de l'autre.

– Mon chéri, fit-elle d'une voix douce, il faut que tu comprennes… Ce ne sont pas des bons souvenirs.

Tu m'étonnes.

– Tu l'as revu ou non ?

– Non. Mais je l'ai contacté plusieurs fois, sans le dire à ton père.

– Pourquoi ?

– Au sujet de Grégoire, justement. Lui seul connaissait l'origine de sa psychose.

Erwan avait du mal à imaginer ce traitement à distance suggéré par un complice assassin.

– Il a donc soigné papa par ton intermédiaire ?

– Non. Je te parle de quelques coups de fil, sur des décennies. Quand Grégoire refusait de consulter à Paris, j'appelais de Perneke pour avoir un conseil…

– Combien de temps ce petit jeu a-t-il duré ?

– J'ai cessé tout contact dans les année 90.

– Tu sais ce qu'il est devenu ?

– Il a poursuivi sa carrière en Belgique. Il est mort en 1997, à Namur. Mais ce n'est pas lui l'important.

Erwan était d'accord. Pourtant, il ne parvenait pas à lâcher ce sujet :

– Tu l'aimais ?

Elle gloussa d'une manière sinistre : dans l'obscurité, ce bruit évoquait le gargouillis d'un reptile au fond d'une mare saumâtre.

– Tu n'as donc rien compris… Seul Grégoire comptait pour moi. De Perneke n'a été qu'un moyen pour le récupérer.

L'aube du 1er mai 1971. Morvan abruti de psychotropes, dans la voiture, sous une pluie battante. Maggie transperçant le corps de Cathy de clous et de tessons, opérant seule, comme un équarisseur dans un abattoir. Elle et de Perneke partant sur les pistes larguer le corps et faisant ensuite l'amour dans le hangar à bateaux. Pour la fête du Travail, la petite équipe n'avait pas chômé…

– Après toutes ces années, reprit-elle comme si elle avait suivi exactement le même fil de pensée, je n'ai toujours pas expié mon crime.

Son sixième sens de flic le prévint que Maggie allait encore lui en sortir une sévère.

– Elle n'était pas morte, murmura-t-elle. Je veux dire : dans le hangar…

Il ferma ses sens au monde extérieur comme on bloque ses poumons sous l'eau. Il attendit ainsi plusieurs secondes avant de laisser revenir à lui la voix diabolique.

– Je suis restée longtemps à l'observer. J'étais fascinée par ce corps, ce visage. Une chose que tu sais sans doute : ton père lui avait rasé la tête. Il avait commencé à lui graver une croix gammée sur le front. Dans son délire, il avait transformé Cathy en Jacqueline Morvan. On n'a jamais su ce qu'il lui avait fait d'autre quand elle était inanimée mais on peut tout supposer…

Morvan faisant l'amour avec le corps inerte, celui de sa maîtresse adorée et de sa mère honnie, à la manière d'un de ces serial-killers dont parlent les livres spécialisés. Comment un tel homme avait-il pu mener ensuite une vie apparemment normale ? Comment avait-il pu diriger des services de police, résoudre des enquêtes criminelles, commander des opérations d'intérêt national ?

– C'est toi qui l'as tuée ? demanda-t-il soudain.

– Je pourrais te dire que je n'avais pas le choix, que Cathy allait témoigner contre Grégoire, mais ce n'est pas vrai. Elle lui aurait encore pardonné, j'en suis sûre. Je l'ai achevée par pure jalousie. Quand je l'ai vue revenir à elle, la haine et la fureur ont jailli au fond de moi. Cette salope était donc increvable. Elle allait me voler ma vie, les enfants que je devais avoir avec Morvan… J'ai attrapé un marteau et l'ai frappée à la tête. À la poitrine. Dans les côtes. Cette fois, elle ne bougeait plus. J'ai pris des clous et les lui ai enfoncés dans les tempes. Elle s'est agitée à nouveau. Je l'ai attachée, je l'ai bâillonnée et…

Elle s'arrêta comme pour reprendre son souffle mais c'était sa propre raison qu'elle cherchait. À l'évocation de cette nuit, son esprit se perdait à nouveau.

– Je te passe les détails, reprit-elle finalement. J'ai fait ce qui devait être fait…

Elle tendit le bras et se mit à caresser le crâne d'Erwan, à la manière d'une araignée aux pattes silencieuses. Il ne réagissait plus : ses nerfs étaient comme sectionnés.

« Je te passe les détails… » Lui revenaient pourtant des passages du rapport d'autopsie rédigé par un médecin de la clinique Stanley. Un tesson encastré lui avait fait sauter l'œil gauche. Un clou avait déchiré la joue droite jusqu'à la gencive. L'éviscération avait été complète et la plaie de l'abdomen était si basse qu'elle avait rejoint le sillon de l'urètre. Maggie de Creeft avait surpassé Thierry Pharabot sur son propre terrain. En réponse, l'Homme-Clou s'était déchaîné à son tour : Colette Blockx, Noortje Elskamp… Sinistre surenchère.

– Pour l'enfant, braqua-t-il d'un coup, comment avez-vous fait ?

Impossible de superposer ce « il » avec un quelconque « je ».

– Ça n'a pas été si compliqué. Après la raclée que Morvan m'avait foutue, je me suis installée à Kisangani, dans la région des Grands Lacs. C'est difficile à imaginer aujourd'hui mais à l'époque, c'était une ville paisible aux grandes artères, aux villas fleuries. Je t'ai emporté avec moi. Morvan a repris son enquête et a enfin arrêté l'Homme-Clou. Les choses se sont tassées. Il m'a épousée et nous avons pu annoncer ta naissance en trichant sur les dates. Ce n'était pas le conte de fées dont rêvent les jeunes filles mais je m'en suis accommodée.

Maggie avait le sens de la formule. Un enfant né d'un père dément, élevé par la meurtrière de sa propre mère, sur fond d'homicides en série. *Je vous présente Erwan Morvan.* Quarante-deux ans de cauchemars et de non-dits, compressés tant bien que mal entre un 9 mm et une coupe en brosse.

Il essaya de se redresser. Ses courbatures lui rappelèrent qu'il avait encore une existence physique – dans ces ténèbres, hypnotisé par cette voix désincarnée, il avait fini par perdre toute conscience de son corps.

– Je te demande de ne pas me juger.

– Tu as perdu pied, Maggie. On est au-delà du jugement ou du châtiment. Tu as simplement tué ma propre mère !

– C'était une autre époque.

Il éclata de rire à son tour – ce rire lui lacéra la bouche comme un rasoir.

– Tu dois te faire soigner.

La main-mygale s'écarta, il put enfin se mettre debout. À présent, il distinguait nettement Maggie, les doigts en suspens. Maigre silhouette de baba cool vieillie, aussi desséchée que les idées qu'elle prétendait défendre. Il ne savait pas que le Flower Power incluait aussi l'assassinat et la barbarie...

– Tu ne comprends pas ce que je veux dire, souffla-t-elle sans le regarder. Je te parle du lieu et du moment. À Lontano, on a tous été pris dans un tourbillon. L'Homme-Clou a été le catalyseur de toutes les folies latentes. L'Afrique, la malédiction de notre clan, l'argent des mines, la violence, le racisme...

Erwan capitula. Il était vide. Plus de colère ni la moindre énergie pour condamner Maggie, la dénoncer ou l'absoudre. Avant de partir en Afrique, il avait dit à son père : « La prescription, c'est pour les juges, pas pour les hommes. » Il avait tort. La prescription était inscrite dans les tables de l'univers. La prescription, c'était l'oubli. Non pas celle des mémoires, mais celle des corps : plus d'hormones ni d'adrénaline pour se révolter.

– Pourquoi me parles-tu maintenant ? demanda-t-il à bout. Parce que papa l'a fait ? Jusqu'à la fin, c'est lui qui décide ?

Elle conserva le silence, tête baissée. On aurait pu croire qu'elle pleurait ou qu'elle se recueillait. Erwan devinait qu'elle se moquait plutôt de sa naïveté.

– Aujourd'hui qu'il n'est plus là, plus rien n'a de sens. En tout cas moi, je n'ai plus de sens...

90

QUAND IL SE RETROUVA chez lui – murs blancs, odeurs d'eau de javel, frigo vide : sa version personnelle du foyer –, il n'éprouvait toujours aucun sentiment : il était dans le même état qu'à l'aéroport de Lubumbashi. Assommé, abasourdi. Pour tenter de retrouver un sujet d'intérêt, il appela son équipe. Rien de neuf. Audrey était sur messagerie. Favini travaillait à identifier les hostos où Isabelle Barraire avait été soignée – la liste était longue. Tonfa avait contacté des patients d'Éric Katz et s'était fait recevoir. Il recherchait maintenant des infos sur la famille Barraire et ses pressings. Chacun lui promit un rapport écrit dans la nuit mais Erwan avait déjà compris qu'il n'y avait pas grand-chose à espérer avant le lendemain matin.

Il se fit un café et reçut une visite qu'il n'attendait pas : l'Afrique. Non pas celle de Cathy Fontana et de Maggie de Creeft, mais la sienne – celle des derniers jours. Il lâcha sa tasse et s'effondra sur une chaise, encaissant la première rafale d'images : fleuve mordoré, bichromie rouge et vert des rives, kadogos éventrant leurs victimes avec des gants de caoutchouc, Esprit des Morts coupé en deux, ghetto de Soso en feu…

Il avait espéré laisser derrière lui ces traumatismes. Il avait eu l'illusion que le retour à la civilisation agirait à la manière d'une ardoise magique. Il était comme ceux qui pensent avoir échappé à la malaria ou aux amibes parce qu'ils rentrent en forme, sans se douter qu'ils sont contaminés à vie et abritent les germes dans les replis de leurs entrailles. Désormais, les forces obscures de l'Afrique n'allaient plus cesser de se rappeler à son bon souvenir comme les crises de fièvre paludéenne qui terrassent les Noirs eux-mêmes.

Quand les visions parurent se calmer, son père avec la gorge arrachée jaillit au fond du cockpit. Erwan se plia en deux. Il ne pleurait pas, il étouffait. Il n'était pas bouleversé, il luttait contre l'évanouissement. Les souvenirs africains, plutôt un corps-à-corps qu'une mélancolie rêveuse. Curieusement, son esprit se focalisa sur la poussière de coltan dans les rainures de la cabine. Ce gros plan lui offrit une porte de sortie : l'héritage. À aucun moment, il n'y avait songé. Une fortune certes, mais sans doute agrémentée de secrets et de mauvaises surprises – son père avait le chic pour vous préparer des petits plats bien salés dans les fourneaux du diable.

À qui reviendraient les parts de Coltano ? À Loïc, comme cela avait été prévu du temps de Sofia ? Le Vieux avait-il révisé sa copie et redistribué ses biens en perspective de leur divorce ? Non. Erwan se souvint qu'il avait vendu toutes ses actions en septembre dernier pour se sortir d'un guêpier financier auquel lui-même n'avait personnellement rien compris. Restait le cash. Et sans doute pas mal d'autres « biens mal acquis », comme on disait au Congo.

Erwan s'était toujours juré de renoncer à sa part mais le paysage avait changé : il avait vu son père à l'œuvre, il avait pu mesurer les risques qu'il prenait au fin fond du Katanga pour léguer encore plus à ses enfants. Il ne s'agissait pas d'héritage mais de l'effort d'une vie… *On verra bien.* Mais l'idée de contacter le notaire, de se plonger dans ces questions de fric et de succession lui filait des crampes d'estomac.

Loïc fera ça très bien. Il l'appela mais le frangin l'envoya chier. Erwan monta le ton et le chargea dans la foulée d'organiser les obsèques à Bréhat. Après tout, le marin de la famille, c'était lui.

Finalement, Loïc accepta en maugréant – Erwan le trouvait de plus en plus bizarre. Le plus étrange est qu'il ne semblait pas avoir peur, alors que la mort violente de Montefiori et le meurtre de Morvan auraient dû le pétrifier – Loïc, c'était plutôt : « Courage, fuyons ! » Que mijotait-il ?

En parlant de trouille, Erwan aurait bien fait de s'inquiéter de son propre sort. Après ce qu'il avait vu et vécu au Katanga, il devenait un témoin à éliminer d'urgence. Qui devait-il craindre ? Mumbanza ? Les associés de Pontoizau ? D'autres tueurs encore ?

Son téléphone sonna : Audrey. Elle tombait à pic.

– Où t'en es ? demanda-t-il aussitôt.

– Je relis le dossier de Kriesler.

– Alors ?

– C'était nébuleux y a deux mois, ça l'est toujours.

– Pas de lien avec Isabelle Barraire ?

– Peau d'zeb. Kripo avait suivi pas mal de traitements psy avant d'entrer chez les flics. J'ai la liste des instituts. Il faudrait comparer avec ceux de Barraire mais je doute qu'ils se soient croisés en camisole. À l'époque, elle vivait encore à Clermont Ferrand…

– Quand vous avez forcé le cabinet, vous n'avez rien découvert de suspect ?

– Tu sais très bien ce qu'on a trouvé.

– À part les coupures de presse et les adresses.

– Y avait aussi le dossier d'Anne Simoni.

– Où est-il ?

– Dans le classeur qu'on t'a donné.

– Rien d'autre ?

Audrey réfléchit quelques secondes puis :

– Dans sa bibliothèque, il y avait plusieurs bouquins sur la magie africaine.

– Sur les ngangas ?

– On était stressées, répliqua la fliquette sur un ton d'excuse. J'ai pas approfondi.

– Et le porte-à-porte, rue Nicolo, rue de la Tour ?

– Demain matin. Je peux pas tout faire.

Audrey connaissait son boulot : elle se fondrait dans la vie quotidienne des quartiers, cafés, concierges, commerçants, à l'heure où tout ce petit monde se réveille à la vie.

– Je te laisse bosser, conclut-il.

– Tu veux que j'y retourne ? proposa-t-elle.

– Où ?

– Chez Katz.

– T'es malade ou quoi ?

Audrey ne répondit pas. Elle était malade en effet, et c'est pour ça qu'elle était la meilleure.

– Pas question, renchérit-il pour lui-même comme pour se convaincre. Trop risqué. Continue d'éplucher la procédure. On doit faire avec ce qu'on a. Tu sondes le quartier demain mais je ne veux plus entendre parler d'effraction. Tout le service t'a à l'œil, nom de dieu !

Il raccrocha et se fit un nouveau café. Son ventre brûlait de sucs gastriques mais il comptait bosser toute la nuit. Installé sur son canapé, il se décida à ouvrir, enfin, le dossier Isabelle Barraire.

Ses flics avaient fait du bon boulot. Ils avaient ratissé tout ce qu'ils avaient pu sur cette psychiatre aussi givrée, sinon plus, que ses patients. En suivant ses aventures (Isabelle avait le sens du délire), Erwan songeait à Otto Gross, le meilleur des disciples de Sigmund Freud, mais dément et toxicomane, finalement mort de froid dans la rue. Erwan était fasciné par le cliché du psychiatre fou – il y voyait la même logique que dans son métier : pouvait-on être un bon flic sans être un criminel potentiel ? Il fallait connaître ces abîmes pour les sonder ou du moins s'en être approché de très près. Morvan disait toujours : « Ils sont le mal, nous sommes le vaccin : nous portons les mêmes germes. »

Le dossier contenait des photos. La beauté d'Isabelle était sombre et inquiétante. La même grâce mystérieuse persistait au fil des looks, des coupes de cheveux, des maquillages différents.

Cela allait de la jeune étudiante, mèches électriques, regard trouble et traits de poupée, à la tête de mort androgyne de la fin – celle d'Éric Katz. Un cliché anthropométrique était particulièrement flippant : elle y arborait les cheveux courts et un uniforme nazi (on voyait les galons sous la cape noire). Cette photo lui rappela un film des années 70, *Portier de nuit*, qui raconte les rapports SM entre un officier allemand et une déportée juive. Isabelle semblait jouer les deux rôles. Elle était à la fois Charlotte Rampling et Dirk Bogarde, la victime et son bourreau.

Que voulait cette folle à Gaëlle ? Quelle était sa connexion avec l'Homme-Clou ? Pourquoi et comment avait-elle récupéré Anne Simoni comme patiente ? Où avait-elle déniché l'adresse de Ludovic Pernaud ? Le mercenaire facho, barbouze et tueur à ses heures, n'était pas le genre de gars qu'on trouve dans l'annuaire.

Il passa à la documentation générale. Les Barraire étaient une grande famille de Clermont-Ferrand. Propriétaires de laveries puis de pressings depuis des générations. Aujourd'hui, ils étaient à la tête d'un empire – une centaine d'enseignes dans toute la France. Plusieurs coupures de presse signalaient leurs démêlés avec des associations écologistes et des syndicats à propos du perchloréthylène, solvant utilisé pour le nettoyage à sec, cancérigène et polluant.

Erwan piquait du nez – tout ça n'était pas passionnant – quand il se souvint que le frère d'Isabelle, Olivier, était à Paris pour récupérer le corps de sa sœur. Il feuilleta les liasses et trouva son numéro de portable griffonné dans un coin de PV.

91

Erwan avait l'espoir de le rencontrer en personne mais à son ton, il comprit qu'il devrait se contenter de quelques réponses au téléphone. Il se présenta, expliqua qu'il avait besoin d'informations pour boucler le PV judiciaire relatif à la disparition d'Isabelle et obtint un oui réticent. Il adoucit considérablement les questions qu'il avait prévues.

– Depuis quand n'aviez-vous pas vu votre sœur ? commença-t-il d'un ton plein de sollicitude.

– Dix ans. Sa maladie… Disons que nous avions coupé les ponts.

La brouille après le décès des parents évoquée par Favini, sans doute à propos de la succession.

– Isabelle était-elle toujours actionnaire de votre société ?

– Ça ne vous regarde pas. Que cherchez-vous au juste ? Ça ne vous suffit pas d'avoir provoqué sa mort ?

Resserre tes questions : ton temps est compté.

– Avant de décéder, reprit Erwan d'une voix plus ferme, Isabelle a tenu des propos qui pourraient la relier à une de nos enquêtes.

– Ma sœur souffrait de graves troubles psychiques. Ce qu'elle pouvait dire ou ne pas dire n'avait aucune signification… raisonnable.

– Elle détenait pourtant des informations précises, plutôt troublantes, concernant une affaire criminelle. Je voudrais vérifier quelques faits avec vous.

Un soupir fataliste qui pouvait passer pour un assentiment. Olivier Barraire s'était toujours attendu à une catastrophe du côté de sa sœur. Sa mort rue du Renard, écrasée par une voiture alors qu'elle était déguisée en homme, n'était qu'une option parmi beaucoup d'autres.

– Elle avait perdu son mari et ses deux enfants en 2006..., reprit Erwan.

– Philippe n'était plus son mari. Ils étaient divorcés depuis quatre années.

– Mais vous aviez été informé de l'accident ?

– Bien sûr. Toute la famille était présente aux funérailles. Les pauvres gosses...

Une inflexion dans sa voix incita Erwan à demander :

– Isabelle était là ?

– Non, admit l'autre après une brève hésitation.

– Où était-elle ?

– Impossible de savoir.

Erwan imagina le cimetière des Lilas, le mausolée où la psychiatre avait embaumé son ex-mari et ses enfants à l'égyptienne. Elle n'avait pas assisté à l'enterrement mais était revenue, de nuit, pour exhumer les corps et les traiter à sa façon. Pour l'heure, personne n'était au courant de ce versant de l'affaire.

Changement de cap :

– Vous saviez qu'elle avait repris ses... consultations ?

– Non.

– Qu'elle exerçait sous un faux nom ?

– Absolument pas.

– Qu'elle se faisait passer pour un homme ?

– NON ! En quelle langue je dois vous le dire ? Ni moi ni personne de notre famille n'avions plus de contact avec elle. Elle nous avait rejetés. Elle ne voulait plus entendre parler de nous...

– Pourquoi ?

L'homme soupira :

– Des délires paranoïaques. Elle pensait que nous voulions la tuer, la spolier, l'interner, ça dépendait des jours. Ma sœur était… malade. Terriblement malade. Il est tard, commandant.

Le chef d'entreprise avait un léger accent auvergnat mais surtout un ton qui vous donnait l'impression qu'il vous parlait du haut d'un des volcans de sa région.

– Vous êtes passé à son cabinet ? essaya encore Erwan.

– Non. Je suis venu régler pour l'instant les modalités du transfert. Nous tenons à ce qu'Isabelle soit enterrée, malgré tout, dans notre caveau familial, à Clermont-Ferrand.

– Vous n'êtes pas allé voir où elle vivait, rue de la Tour ? Récupérer ses affaires ?

– Je reviendrai après l'inhumation. Bonsoir, commandant.

– Attendez.

– Quoi encore ?

– Une dernière chose. Votre sœur louait, sous le nom d'Éric Katz, à la fois son cabinet et son appartement. Pourtant, compte tenu de votre fortune familiale, je suppose qu'elle avait hérité de biens immobiliers à Paris ou acheté un appartement après son divorce.

Olivier admit, après quelques secondes de réflexion :

– Il y a la maison de Louveciennes qui appartenait à mes parents. Isabelle en a hérité. Après son divorce, elle y a brièvement vécu. Elle avait l'espoir d'y accueillir ses enfants mais… ça n'a pas marché.

– Je peux vous demander l'adresse ? Simplement pour boucler notre dossier.

Ce mensonge ne rimait à rien et l'autre ne fut pas dupe :

– Vous racontez n'importe quoi. Isabelle a été victime de vos méthodes brutales et maintenant, vous prétendez me soutirer des informations d'ordre privé ? Vous n'avez aucun droit, aucune légitimité. Si une enquête doit être ordonnée, ce sera contre vous !

Les flics n'ont pas de superpouvoirs mais ils ont un joker, la menace :

– Je vous demandais plutôt cela pour vous éviter les ennuis.

– Pardon ?

– Votre sœur louait la rue de la Tour sous le nom d'Éric Katz, avec de faux papiers. Ce qui constitue un délit. Elle louait aussi un bail professionnel rue Nicolo…

– Isabelle n'a jamais été radiée du conseil de l'Ordre !

– Elle n'exerçait pas sous son identité. Deuxième délit, beaucoup plus grave. Ce n'est de l'intérêt de personne d'ouvrir une procédure post mortem. Si ses patients apprennent la vérité, ils attaqueront votre famille au nom du préjudice moral et financier…

– Quel rapport avec Louveciennes ?

– Je préférerais la domicilier sur mon rapport à une adresse légale.

Tout ça était absurde – impossible en France de poursuivre un prévenu décédé. Mais cinquante pour cent de la force des flics est fondée sur la méconnaissance des lois chez le péquin moyen.

– C'est au 82, rue des Domaines, près de la Seine, cracha enfin Olivier. Ne vous avisez pas de…

– N'ayez crainte : c'est juste pour la paperasse. En revanche, lorsque vous reviendrez à Paris, j'aimerais vous rencontrer et…

– On verra.

Barraire coupa sans même lui demander ses coordonnées.

Erwan était tenté de foncer sans attendre à la villa : Isabelle y avait peut-être laissé des éléments décisifs. *Arrête de déconner.* Une telle expédition signifiait : effraction d'un domicile privé, fouille illégale, vol d'objets et de documents… Dans tous les cas, rien d'utilisable aux yeux de la loi, sauf contre la BC elle-même.

Malgré ça, l'idée le taraudait. En réalité, pour une telle opération, il ne voyait qu'une seule personne : Audrey.

– Tu te fous de ma gueule ? s'étrangla-t-elle après qu'il lui eut expliqué son projet au téléphone.

Cette fois, il fut bien obligé de lui accorder de franches excuses. Audrey n'attendait que ça pour se jeter dans une nouvelle expédition criminelle – elle tenait plus du rapace nocturne que du fonctionnaire policé.

– Mais je ne peux pas te couvrir sur ce coup…, prévint-il.

– Sans blague ! Je vais jeter un œil. Je te rappelle demain matin.

Erwan raccrocha, vaguement inquiet. Il se décida à consulter enfin ses mails – ou du moins leurs expéditeurs. Toujours aussi nombreux. Maintenant qu'il était mort, Morvan faisait l'unanimité. Même au-delà des frontières françaises. Ministres italiens (qui devaient aussi s'être rendus, quelques jours plus tôt, aux funérailles de Montefiori), diplomates allemands, anglais, américains et, bien sûr, cohorte de personnalités africaines…

Dans la mêlée, Erwan repéra le nom de Trésor Mumbanza – le salopard n'avait pas froid aux yeux. Par pur masochisme, ce fut le seul mail qu'il ouvrit. Le Luba exprimait en phrases alambiquées sa tristesse et son admiration à l'égard de Morvan, le fondateur de l'empire Coltano. Un bref instant, Erwan fut tenté de repartir là-bas, pour buter purement et simplement l'enfoiré. Mais ces paroles fielleuses avaient une autre signification : si Erwan s'en tenait à sa version officielle, le grand Noir lui foutrait la paix. On pouvait s'arranger sur la tombe du Padre.

Il ferma sa boîte aux lettres en se disant qu'il devait changer au plus vite d'adresse – celle-ci s'était refilée plus vite qu'une IST. Maggie avait raison : des funérailles « dans la plus stricte intimité » s'imposaient, ça couperait l'herbe sous le pied à tous ces faux culs. L'image qui l'avait pétrifié tout à l'heure – les Morvan cloués sous la pluie bretonne, au bord d'un trou de granit – lui parut d'un coup réconfortante.

Le tintement particulier des SMS de son groupe retentit. Favini lui envoyait la liste complète des endroits où Isabelle Barraire-Hussenot avait été internée depuis les années 90. Un clic, un coup d'œil : plus rien après 2003. Plutôt étonnant : au moment de son divorce, Isabelle devait toucher le fond. Où avait-elle été soignée ? Erwan chassa de son esprit des scénarios de mauvais thrillers, avec clinique secrète et emprisonnement abusif...

Il se concentra plutôt sur les noms, les dates et les adresses des établissements. La psychiatre avait passé un tiers de sa vie d'adulte derrière les murs aveugles des asiles. Sans compter le temps où elle avait exercé, disons, du bon côté de la ligne. Son frère prétendait qu'elle n'avait jamais été radiée du conseil de l'Ordre. À vérifier mais plausible. Un médecin qui avait régulièrement changé d'équipe : un jour toubib, le lendemain patiente...

Erwan tressaillit : il venait de reconnaître une adresse. La clinique des Feuillantines à Chatou. C'était là-bas que Morvan avait envoyé Gaëlle, après la nuit meurtrière de Sainte-Anne. Or, le Vieux y avait été lui-même soigné. Se pouvait-il qu'Isabelle et lui se soient croisés là-bas ? *Les dates.* L'héritière y avait été hospitalisée trois fois : un mois au printemps 1996, cinq semaines à partir de novembre 1997, plus de deux mois début 2000. Des picotements sur tout le corps. Erwan ignorait quand son père y avait séjourné mais cela méritait d'être vérifié. En admettant qu'ils se soient connus là-bas, Morvan devenait d'un coup le chaînon manquant entre la paranoïaque qui s'habillait en officier nazi et le nganga tueur de femmes. *Un comble.*

Dans tous les cas, Barraire et Morvan avaient côtoyé les mêmes psychiatres – ce qui pouvait constituer une autre connexion, quoique indirecte et lointaine, mais Erwan était preneur du moindre détail.

Il décrocha son téléphone et tomba sur une infirmière de permanence – il était plus de minuit. Il se présenta d'un ton sec et demanda qu'on lui communique sur-le-champ la liste des médecins en fonction aux Feuillantines aux dates qui l'intéressaient.

– C'est impossible, commandant, minauda l'infirmière pour qui ce coup de fil était une distraction inespérée. Je ne peux rien vous fournir par téléphone, vous le savez bien. Je vous conseille de rappeler demain matin et de parler au directeur de…

– J'arrive.

92

SOUS LA PLUIE, la D13 se déroulait vers les bois de Saint-Germain-en-Laye comme un fleuve gris vers une mer émeraude. Il avait l'impression d'avoir déjà vécu cette scène. Peut-être quand il cherchait sa sœur dans les profondeurs de Bièvres, en pleine partouze satanique. Ou quand il s'acheminait vers la clinique de la Vallée en Suisse, sur la piste des fanatiques qui s'étaient fait greffer la moelle osseuse de l'Homme-Clou.

Il ne pensait plus à l'enquête ni à l'Afrique. *Plus la force.* Un boxeur au vestiaire, groggy, qui ne sait même plus s'il a gagné ou perdu. Il ne songeait pas non plus à la disparition de son père. *Encore moins l'énergie.* Pour l'heure, son esprit était seulement effleuré d'ombres. Inquiétudes, prémonitions, intuitions vagues. Encore une fois, il suivait les traces de son père. Encore une fois, son nom allait lui servir de clé pour ouvrir une nouvelle brèche…

Au-delà des essuie-glaces, les stries de l'averse s'alignaient sur les arbres rectilignes de la route. Il ne voyait pas grand-chose et suivait les indications de son GPS comme un aveugle est cramponné à son chien guide. La faim le torturait depuis un bon moment. Il stoppa dans une station-service, fit le plein et s'acheta une barre chocolatée. La jouissance du sucre lui colla un véritable vertige : au moins, il n'était pas anesthésié de ce côté-là.

GPS, de nouveau. Après Rueil-Malmaison, il quitta la nationale et remonta les berges de la Seine jusqu'à un dédale de pavillons et de jardins richement boisés. La clinique des Feuillantines se trouvait rue de l'Asile. *Ça ne s'invente pas.* Il s'arrêta devant la grille pleine en tôle noire, surmontée d'une frise de pics acérés. D'instinct, il préféra se garer à l'extérieur plutôt que de jouer, à minuit, les visiteurs bienvenus.

Il sonna à la petite porte qui jouxtait les doubles battants – ceux des arrivées en fanfare, voiture ou ambulance. Le seuil s'éclaira brutalement et une voix féminine résonna dans l'interphone :

– Vous êtes le flic qui a appelé ?

Erwan se souvint du ton mielleux de l'infirmière et la joua séducteur.

– Je tiens toujours mes promesses, susurra-t-il en montrant son badge à la caméra.

L'autre gloussa et lui ouvrit. Remontant l'allée éclairée par des projecteurs enfouis dans les pelouses, il se conditionnait pour convaincre la fille du standard – sans doute seule, à moins qu'elle n'ait déjà appelé les flics de Chatou. Sa carte tricolore n'y suffirait pas : vu sa clientèle, la clinique était certainement la cible des paparazzis, faux flics inclus. Tout ce qu'il possédait comme argument supplémentaire, c'était son charme naturel.

Au bout de l'allée apparut un imposant hôtel particulier en meulière. Avec ses tours de fenêtres blancs, la façade évoquait les tons d'un court en terre battue.

L'intérieur tranchait avec les murs ocre du dehors : immaculé, clinquant, aveuglant. La femme en blouse derrière son comptoir était tout sourire :

– Qu'est-ce que vous voulez au juste ?

– Consulter vos registres des années 90.

– Vous avez une commission rogatoire ? Quelque chose ?

Erwan sourit. Les civils utilisent toujours des termes inappropriés tout droit sortis de téléfilms. Parfois amusant, souvent lassant. *Joue-la franco.*

– Je n'ai ni commission ni aucune légitimité. Il n'y a même pas d'enquête officielle. La seule chose dont je peux vous assurer, c'est que cela ne concerne en rien vos patients actuels. Les faits qui m'intéressent remontent aux années 90 et 2000.

– Quels faits au juste ? demanda-t-elle en se penchant sur le comptoir, blouse entrouverte sur une paire généreuse.

Pas d'humeur à batifoler : il préféra en revenir au rôle qu'il connaissait le mieux – le flic à poigne qui n'a pas de temps à perdre.

– Au moins une douzaine d'homicides, avec tortures, mutilations, éviscération et vol d'organes. Le tueur utilise des clous et des tessons pour transformer ses victimes en fétiches africains. Si vous voulez plus de précisions, je serai obligé de vous convoquer au 36.

La femme devint livide et plaqua sa main sur ses seins. Un tour de vis et elle serait à point.

– Le meurtrier dont je vous parle a fait des petits et il n'est pas exclu que certains d'entre eux aient séjourné chez vous. Encore une fois, je jette un œil sur vos listes et je disparais.

L'infirmière s'était déjà levée : au moins, elle était vive d'esprit.

– Passez derrière le comptoir. On peut tout consulter depuis mon ordinateur.

Il fit une recherche conjointe « Isabelle Barraire-Hussenot, Grégoire Morvan ». Aucun résultat. Il essaya encore avec « Isabelle Barraire » puis « Isabelle Hussenot ». Associé à son père, ça ne donnait rien. Le Padre et la psy n'avaient jamais séjourné en même temps aux Feuillantines.

Il vérifia alors les séjours d'Isabelle. Les dates de Favini se confirmaient : mai 1996, octobre 1997, juillet 2000. Erwan les mit en parallèle avec l'histoire du couple. La première HDT (hospitalisation à la demande d'un tiers : on avait interné de force Isabelle) était survenue quelques mois après la naissance de Hugo, l'aîné des enfants. L'hospitalisation suivante, toujours forcée, un an avant celle de Noah. Le dernier internement marquait le déclin définitif du ménage, deux ans avant le divorce officiel.

Alors qu'il passait à Grégoire, Erwan remarqua que l'ordinateur lui proposait d'autres occurrences au nom de Hussenot. Pas du côté patients mais de celui des psychiatres. Comment avait-il oublié ce fait ? Philippe était le directeur des Feuillantines. Au mépris de toutes les règles déontologiques, il y avait fait interner sa propre épouse. Au stade où il en était, Erwan avait le choix : médecin compatissant gardant sa femme auprès de lui ou docteur Mabuse l'enfermant par sadisme, jalousie ou paranoïa.

Mais toujours pas de lien avec l'Homme-Clou.

Avant de repartir, il tapa le nom de son père et n'obtint que deux résultats : il avait été interné en 2004 et 2007 (Erwan n'avait aucun souvenir de ces absences), après la période Barraire-Hussenot. Impossible qu'ils se soient croisés à Chatou.

Une heure du matin. En ce moment même, Audrey n'était qu'à un ou deux kilomètres de là, à Louveciennes, en train de fouiller la villa des Barraire. Devait-il la rejoindre ? Plus judicieux de lui foutre la paix : autant laisser faire la nature…

Dernière recherche pour la route. Il retourna sur la page d'accueil en quête d'informations sur la clinique elle-même : histoire, propriétaires, activités. Un encadré portait sur ses fondateurs. Il cliqua dessus et fit un bond en arrière. Dans la vie de flic, il y a une jouissance profonde à voir ses tâtonnements récompensés. Les fondateurs des Feuillantines, en 1994, n'étaient autres que Philippe Hussenot et… Jean-Louis Lassay.

Erwan n'aurait pu rêver plus belle connexion : Jean-Louis Lassay, l'actuel directeur de l'UMD Charcot, là même où Thierry Pharabot avait fini ses jours. Le scénario s'imposait de lui-même. Lassay connaissait Philippe Hussenot, ainsi que son épouse, Isabelle. Ils avaient sans doute gardé le contact après le départ du premier – l'organigramme ne le mentionnait plus à partir de

1998. Isabelle la psychotique avait entendu parler de l'Homme-Clou par Lassay lui-même.

L'image du directeur de l'UMD, grand play-boy aux allures de collégien anglais, malgré sa soixantaine bien tassée, lui apparut. Il n'aurait pas cru le revoir de sitôt. Il n'attendit pas d'être dans sa voiture pour checker sur son portable les vols du lendemain matin pour Brest.

Philippe Hussenot et Isabelle Barraire morts, un seul être vivant sur cette terre pouvait lui répondre : Lassay en personne.

93

– POUR AMÉLIORER la prise de l'arme, j'ai installé un beavertail et évasé le puits de chargeur. Le calibre convient aux droitiers et aux gauchers.

Gérard Combe lui avait donné rendez-vous à huit heures du matin, dans un parking d'Épinay-sur-Seine. Loïc avait eu du mal à se lever – en réalité, à se coucher. En vue de sa première leçon de tir, il n'avait pris aucun médoc pour être en forme dès l'aube. Résultat, il n'avait sommeillé qu'une heure ou deux et avait la tête dans un bloc de polystyrène.

Le moniteur manipulait le pistolet semi-automatique comme s'il s'agissait de la huitième merveille du monde. Il n'avait pas précisé le nom du modèle et Loïc n'osait pas le demander. Étant recommandé par son frère, on le créditait d'un minimum de connaissances.

– J'ai poli chaque pièce, continuait l'autre, avec du papier de carrossier que j'enduis d'huile pour assouplir les mécanismes…

Loïc écoutait distraitement. D'ailleurs, les mots qu'il attrapait ne lui disaient rien : « bec de gâchette », « rampe d'alimentation », « queue de détente »…

Enfin, Gérard le fixa droit dans les yeux comme s'il lui livrait le secret du Graal :

– Ce qu'il faut, c'est travailler chaque spire du ressort. Après ça, graisser, régler, tirer des milliers de coups, graisser encore... Alors seulement, on peut commencer à parler de souplesse...

Pour couper court à tout malentendu, Loïc révéla l'ampleur de son ignorance :

– Ce genre d'armes, ça tire combien de coups ?

L'expert ouvrit des yeux ronds, réalisant d'un coup qu'il parlait depuis le départ une langue que son interlocuteur ne maîtrisait pas.

– Passons à la pratique, répondit-il d'un ton sec.

Ils se trouvaient dans un long bunker bas de plafond aux murs de béton brut. Exactement le lieu que Loïc avait imaginé : à plusieurs dizaines de mètres, des cibles de forme humaine, noires sur blanc, les menaçaient en position de tir.

Combe ne gaspilla pas sa salive. En quelques gestes, il indiqua à son élève comment armer la chambre, viser, tirer puis, une fois le chargeur vidé, comment lui présenter le calibre en toute sécurité.

Pistolet en main, Loïc récolta enfin ses propres informations : le logo sur la crosse, souligné par les lettres R BERETTA, les inscriptions sur le canon, US 9 mm M9-P BERETTA – 65 490 – sans doute un « 9 mm Parabellum ». Le poids lui révélait qu'il n'avait pas affaire à une arme en polymère mais en acier – l'engin devait peser plus d'un kilo. Surtout, son design lui rappelait de nombreux films d'action qu'il avait regardés étant môme. En fait, il connaissait ce flingue pour une autre raison : c'était celui que son père portait et planquait dans son bureau avant de venir dîner. Il y avait une variante : quand il dégainait en pleine table en menaçant de tuer sa femme si elle ne fermait pas sa gueule. *Ça vous fait des souvenirs...*

Loïc refusa le casque antibruit et se mit en place – « position d'attente ». D'après ce qu'il avait compris, Combe avait appartenu à des brigades d'intervention type RAID. Son vocabulaire n'avait rien à voir avec le sport : il n'était question que de « contact hostile », de « décision d'engagement », de « tourelle de char ». Parfait : exactement ce qu'il était venu chercher.

Pointer le canon à quarante-cinq degrés vers le sol. Se placer dans l'axe du tir probable. Désengager la sûreté et tendre son index le long du pontet. Au signal de Gérard, il arma la culasse et fit face aux cibles. Position weawer. La meilleure pour les NTTC (Nouvelles techniques de tir de combat). Arme tenue à deux mains. Trois quarts face. Bras fort tendu, bras faible en support.

L'armurier ajouta encore quelques recommandations mais Loïc appuyait déjà sur la détente. Il ne respecta aucune des consignes de Combe. Pas de respiration coupée. Pas d'attitude bloquée. Au contraire : il absorbait la force de recul avec souplesse puis détendait ses bras avant de tirer à nouveau. Chaque détonation donnait l'impression de briser la réalité et d'y laisser une brèche noire et fumante. Il adorait ça. Cette faille, c'était comme la dope. Se tirer une bonne fois pour toutes par la sortie des artistes…

Loïc était beaucoup plus costaud qu'il n'en avait l'air. Dix ans de voile intensive lui avaient forgé un corps d'athlète. Ses galères d'héroïne en auraient laissé un autre à l'état de squelette ou de bibendum, lui avait gardé une armature de muscles en parfait état de marche.

L'arme palpitait entre ses doigts et il ne savait plus ce qu'il visait *vraiment*. L'injustice qui avait tué son père ? Certainement pas. La douleur lancinante du manque ? Non plus. La violence abjecte qu'il avait subie sous les yeux, ou presque, de ses enfants ? Même pas. Il tirait sur sa position de frère cadet, son rôle d'éternel second, bon pour les corvées et les tâches de troisième ordre. Il tirait sur son aîné qui l'avait appelé hier soir pour le charger de contacter le notaire et d'organiser les funérailles à Bréhat. *De la merde.*

Plus que jamais, sa famille l'insupportait. Erwan qui se prenait déjà pour le chef de clan. Sa mère qui après s'être fait tabasser toute sa vie s'installait déjà dans son rôle de veuve éplorée. Seule sa petite sœur trouvait grâce aux yeux de Loïc – si belle, si tourmentée, si haineuse, et en même temps la seule à son chevet quand il vomissait son manque et hurlait sa faim de coke.

Le clic de la chambre à vide le stoppa dans sa fureur. Sa position s'était crispée : plus ramassée, plus engagée, Loïc s'était penché en avant, bras droit en barre à mine, bras gauche en retrait. Sourire. Il éprouvait le sentiment d'avoir fait ça toute sa vie.

Il y eut un silence, vibrant encore des déflagrations. L'odeur de poudre brûlée planait comme une vague menace. Les convulsions de l'arme couraient encore dans ses bras. Il avait chaud, il était aussi vidé que son chargeur, il était bien. Il mit plusieurs secondes pour réaliser que Gérard était bouche bée, et quelques autres pour saisir la raison de sa stupeur. Il avait placé toutes ses balles – au moins une quinzaine – au centre de la cible. Le torse de la silhouette de carton n'était plus qu'un trou calciné.

– Un autre, ordonna le novice.

Combe attrapa le calibre avec précaution, éjecta le chargeur puis en replaça un. Loïc l'observait : son rôle de maître était tombé à ses pieds comme une pelure, l'ancien combattant se demandait sans doute si ce gringalet s'était moqué de lui – un Morvan entraîné par son père. Mais le Vieux n'avait jamais parlé de flingues à son deuxième fils ni ne l'avait incité à s'en servir – même s'il avait été un des meilleurs tireurs de sa génération, le Padre détestait les armes à feu. L'ironie avait simplement voulu que Loïc hérite, c'était une première, des dons du clan.

Combe lui tendit le Beretta, l'œil méfiant. Loïc le saisit de la main gauche et sourit. C'était lui maintenant qui allait donner une leçon. D'un claquement sec, il arma la culasse de la main droite et tira plus vite encore, sans s'arrêter, pressant la détente à seize reprises vers la nouvelle cible. Il ne pensait plus, ne visait même pas. Il était à l'écoute de son corps qui fusionnait avec l'arme. Sa main brûlait. Ses oreilles bourdonnaient. Son corps était lové autour du feu destructeur. Sensations tonitruantes qui dépassaient, et de loin, sa fragile stature humaine.

Lui, l'ex-alcoolique, le drogué, le yuppie, le bouddhiste, était fait pour ça. Les gènes des Morvan couraient en lui et révélaient sa vraie nature.

Éjection du chargeur. Cœur de cible ravagé. Gérard, furieux, lui arracha le Beretta des mains :

– J'aime pas trop qu'on se foute de ma gueule.

– Je ne me moque pas de vous.

Après l'avoir vérifiée, le maître rangea l'arme dans son coffret de polypropylène noir et leva la tête :

– Ah ouais ? Et t'as jamais tiré, c'est ça ?

– Jamais.

– Et tu fais mouche à chaque fois ? De la main droite comme de la gauche ?

– Je suis ambidextre.

– Et moi je suis Spiderman.

Loïc plaqua ses doigts sur le coffret marqué du logo BERETTA.

– Combien pour le calibre, la valise et plusieurs chargeurs ?

94

ERWAN AVAIT PRÉVENU sa hiérarchie : les funérailles de Grégoire Morvan ayant finalement lieu en Bretagne, il était parti là-bas pour en régler les détails. En réalité, il ne savait pas trop ce qu'il allait chercher à Charcot mais la perspective d'une nouvelle entrevue avec le professeur Lassay valait le détour – à condition qu'on le reçoive.

Pour l'heure, installé dans la cabine sur son siège trop étroit, écrasé contre le hublot, il réfléchissait à un tout autre problème – Sofia. Depuis qu'il était rentré, pas un signe de sa part. Ni coup de fil ni SMS de condoléances. D'un geste réflexe, il sortit son portable et le contempla comme on considère une charge de plastic munie d'un détonateur. Devait-il faire le premier pas ? Il hésita encore puis le bon vieil orgueil ranci des hommes, celui qui achève la plupart des liaisons mal engagées, vint à son secours. *Pas question.* Après tout, c'était lui dont le père venait de mourir.

Il allait ranger son mobile quand il réalisa qu'elle aussi avait perdu le sien, et avant lui encore. Or, il ne s'était pas manifesté. Pas un mot, pas un appel. L'idée ne l'avait même pas effleuré. Certes, il avait des circonstances atténuantes, entre missiles Javelin et Noirs éventreurs. Mais à son retour ?

Nouvelle hésitation. N'était-il pas trop tard pour se réveiller ? Dire qu'à son âge, il se prenait encore la tête pour des questions dignes d'un adolescent acnéique. Au fond, dans ses rapports avec les femmes, il n'avait jamais dépassé ce stade.

Sur ce constat pseudo fataliste, il rangea son téléphone comme on planque de la poussière sous un tapis, invoquant mentalement tout ce qui pouvait lui servir d'excuse : la mort du Vieux, les nouvelles énigmes autour de l'Homme-Clou, les traumatismes du Congo, les révélations sur ses origines... N'importe quoi plutôt que tendre une main qui pouvait être rejetée.

Histoire de clore le débat, il alla feuilleter près du cockpit les quotidiens du matin. Sur chaque une, la tronche de Morvan était en bonne place. Les articles retraçaient sa carrière, évoquant son dévouement pour la France mais aussi le halo de soufre autour de son nom. On glissait sur les circonstances exactes de sa mort – personne ne les connaissait et le seul nom du Congo jouait les écrans de fumée. En revanche, tous revenaient sur son dernier fait d'armes – le Fort Chabrol de Locquirec où il avait tué, seul et à soixante-sept ans, trois forcenés armés comme des commandos.

Erwan lisait ces lignes avec un sentiment mitigé. Injustice vis-à-vis de sa famille – Morvan n'était qu'un salopard à moitié fou qui avait passé sa vie à torturer son épouse et terrifier ses enfants. Trahison par rapport à ce qu'il avait réellement fait pour son pays – la plupart de ses actions avaient été des magouilles, des chantages, des meurtres autant que des actes d'héroïsme qu'il avait toujours entrepris au nom de la raison d'État, dans le plus grand secret. Il s'était sali les mains pour sauver l'honneur de la France. Il s'était roulé dans la fange pour racheter les péchés des politiques, leurs crimes, leurs mensonges, leurs combines. Morvan, colosse dément, manipulateur meurtrier, se voyait comme un martyr de la Cinquième République.

Pas un mot là-dessus, bien entendu, et ce silence aurait plu au Vieux. Le don de soi, pour être total, doit être ignoré de tous. Grégoire réglerait ses comptes dans l'au-delà, quel que soit le tribunal qui l'y attendait. D'ailleurs, son plus grand crime (le seul en tout cas dont il accepterait de répondre) était le meurtre de Cathy Fontana. Or, il ne l'avait pas commis.

– Il faut aller vous asseoir, monsieur. Nous allons atterrir.

Erwan s'exécuta en souriant. Il savourait d'être loin de Paris, incognito parmi ces voyageurs de commerce attendus dans des salles de réunion aux murs en plastique et à la moquette épuisée. Le bureau qui l'attendait ne valait guère mieux.

Choc du tarmac. Dehors, la pluie, le froid, le bitume. Sombres retrouvailles. Il avait du mal à se convaincre qu'il débarquait pour la quatrième fois à Brest. Comme les autres passagers, il se jeta sur son portable et vérifia ses messages – rien d'important. Du moins aucun appel de son équipe. Pas même de nouvelles d'Audrey… Son silence l'inquiétait. N'avait-elle rien trouvé à Louveciennes ? Ou au contraire rencontré un problème ? Ou simplement enchaîné ce matin sur l'enquête de voisinage rue de la Tour ?

Il allait l'appeler quand il repéra le visage égaré du lieutenant-colonel Verny derrière les vitres des arrivées. On pouvait encore apercevoir le pansement autour de sa gorge, sous le col roulé – il s'était pris une balle à Locquirec, juste au-dessus du col de son gilet balistique.

À le voir ainsi, dans son éternel ciré noir, Erwan ressentit une détresse furtive. Le dernier des trois mousquetaires : Archambault avait été tué lors de l'assaut, Le Guen, de l'état-major de Kaerverec, avait désormais d'autres chats à fouetter. Seul le gendarme était fidèle au poste. Erwan écrivit rapidement un SMS à Audrey – « Rappelle-moi » – puis fourra son téléphone dans sa poche.

À son sourire inquiet, Erwan comprit que l'officier s'attendait au pire (il ne lui avait pas expliqué la raison de sa visite). Brève poignée de main. Banalités sur le voyage et la météo. Cette fois, il n'était question ni de café ni de Brioche dorée. Le briefing aurait lieu dans la voiture, sur la route de l'UMD.

Erwan se souvenait d'un paysage gris et vert, il avait droit aujourd'hui à la version hivernale, gris de gris. Il pleuvait de la limaille de fer sur les plaines qui semblaient avoir été grattées jusqu'à révéler leur plaque rocheuse. Après la rouille de l'automne, l'hiver scintillait sous l'averse comme du métal poli.

En quelques mots, il résuma l'affaire Katz-Barraire. À la fois rien et beaucoup. Une ombre persistante dans un tableau déjà pas très clair. Cela valait le coup d'approfondir la question. Verny ne mouftait pas, les yeux fixés sur les essuie-glaces qui dansaient sous l'orage. Enfin, les murs aveugles de l'institut Charcot, cernés par des enclos et des douves, se découpèrent sur la lande détrempée.

– Vous les avez prévenus de notre visite ?

– Non, fit Verny. J'aurais dû ?

– Surtout pas.

Ils passèrent les contrôles de sécurité, larguèrent armes et documents d'identité au premier check-point puis gagnèrent l'enceinte de l'UMD.

Verny sortit enfin de son mutisme avant de franchir le seuil d'acier blindé :

– Qu'est-ce qu'on cherche au juste ?

– Aucune idée. Mais plus qu'une réponse, j'espère que ce sera un point final.

95

– COMMENT AVEZ-VOUS connu Philippe Hussenot ?

– J'étais son prof à l'université Paris-Descartes, en thérapies comportementales et cognitives.

– En quelle année ?

– 1986 ou 1987, je ne sais plus.

– Quel âge aviez-vous ?

– La quarantaine.

Jean-Louis Lassay les avait fait poireauter près d'une heure. C'était de bonne guerre : Erwan rendait tout au plus au psychiatre une « visite amicale ». Ils étaient installés dans son bureau exigu, bourré de dossiers et de livres qui formaient des murs, paravents, colonnes aux quatre coins de la pièce.

Le toubib était toujours vêtu comme un collégien anglais, blouse blanche ouverte sur gilet preppy et chemise oxford, ce qui offrait un curieux mélange avec ses cheveux gris et sa gueule de vieux play-boy. Pour une obscure raison, le psy avait laissé Verny dehors.

– Quelques années plus tard, vous avez fondé ensemble la clinique des Feuillantines à Chatou. Comment avez-vous obtenu les fonds ?

– Philippe s'était chargé de l'apport. Avec mon expérience, les banques nous ont suivis.

– D'où sortait-il le fric ? De sa femme, Isabelle Barraire ?

Un sourire échappa à Lassay : ce seul nom expliquait ce nouvel interrogatoire – celle par qui le scandale arrivait.

– Isabelle, oui… Elle appartenait au départ au directoire de la clinique.

Ironie du destin : les psychiatres avaient monté leur clinique grâce au fric de celle qui deviendrait une de leurs pensionnaires régulières.

– Ils étaient déjà mariés ?

– Oui.

– À la fin des années 90, vous avez quitté la clinique. Pourquoi ?

– Nous n'étions plus d'accord sur l'orientation à prendre. Philippe transformait les Feuillantines en refuge pour riches névrosés. Je n'étais pas intéressé par ce genre de… business.

Erwan fit un signe vers la fenêtre – au-delà du gazon verdoyant, les barbelés, les portes sécurisées, les vitres blindées.

– Vous préfériez les criminels ?

– Exactement.

– Vous avez vendu vos parts ?

– Quand je suis parti, les Feuillantines ne valaient pas grand-chose. Aujourd'hui, c'est un institut réputé.

– Vous êtes directement venu ici ?

– Non, j'ai dirigé plusieurs services psychiatriques dans le public. En 2005, on m'a proposé ce poste. Une vraie chance.

Erwan faillit faire une remarque cinglante sur les tarés meurtriers. *Ne joue pas au con agressif.*

– Parlez-moi d'Isabelle. Vous l'avez bien connue ?

– Oui. À la fin des années 80, nous étions amis.

Sans savoir pourquoi, Erwan eut l'idée d'un ménage à trois.

– Vous êtes marié ? demanda-t-il par contrecoup.

– Non. Je ne vois pas ce que vous cherchez.

– Revenons aux Hussenot. Leur couple marchait bien au début ?

– On ne peut pas dire ça. Ils s'aimaient mais la santé mentale d'Isabelle posait trop de problèmes. Isabelle correspondait malheureusement au cliché du psychiatre aussi dérangé que ses patients. Pourquoi ces questions au juste ?

Lassay l'avait accueilli sans la moindre réticence, Erwan lui devait bien cette info :

– Isabelle Barraire est décédée dans la nuit du 17 au 18 novembre dernier.

– Assassinée ?

– Pourquoi cette idée ?

– Vous travaillez bien à la Brigade criminelle, non ?

– Elle s'est fait renverser par une voiture, près de Beaubourg, à Paris.

– Suicide ?

– Non. Simple accident.

– Vous en êtes sûr ?

– Oui, et je ne suis pas ici pour ça. (Malgré lui, il reprenait son ton de flic autoritaire.) Revenons à la santé mentale d'Isabelle. D'après mes renseignements, elle a été plusieurs fois hospitalisée aux Feuillantines.

– Je n'étais pas d'accord. Cela ne me semblait pas, disons… déontologique. Philippe m'a convaincu. Il disait qu'il la soignerait mieux si elle était près de lui. Il avait toujours l'espoir qu'elle puisse reprendre l'exercice de la médecine.

– Mais ça ne s'est pas arrangé.

– Isabelle souffrait de plusieurs psychoses mais le problème majeur était une schizophrénie à tendance paranoïde.

– Comme Thierry Pharabot ?

– Pourquoi me parlez-vous de lui ?

– On y viendra. Continuez.

– Les traitements avaient des résultats aléatoires. D'ailleurs, la plupart du temps, elle ne les suivait pas.

– Pour un psychiatre, Hussenot n'a pas eu beaucoup de flair en l'épousant.

– Qu'est-ce que vous insinuez ? On ne peut aimer que les gens en pleine santé ?

– Vous savez très bien ce que je veux dire. Philippe aurait dû deviner que la vie avec Isabelle serait impossible.

– Il y a cru… (Sa voix devenait résignée.) On y croit toujours…

– Lors de notre premier rendez-vous, vous m'avez dit qu'on ne guérissait jamais d'une maladie mentale.

– Exact. On peut juste envisager une… amélioration.

– Pourquoi alors a-t-il fait des enfants avec elle ?

– Toujours la même raison : l'espoir que ça s'arrangerait.

– Il pensait que la maternité la soignerait ?

– Jamais de la vie. Nous sommes psychiatres. Nous sommes payés pour ne pas croire à ce genre de foutaises…, protesta-t-il avec une hargne étrange, comme si, à une époque lointaine, il avait été lui-même victime de ces idées reçues. Non, il pensait qu'ils réussiraient, tous les deux, à fonder une famille, il…

Le bellâtre s'arrêta.

– À quoi rime cet interrogatoire à la fin ? s'écria-t-il en manipulant un bloc-notes sur le bureau. Vous allez me dire pourquoi vous êtes ici, à me tirer les vers du nez au sujet de personnes que je n'ai pas vues depuis plus de dix ans ?

Erwan aurait voulu esquiver toute explication mais il n'était pas en position de force et il avait encore pas mal de questions. Il se racla la gorge et se décida pour un petit briefing :

– Au moment de son accident, Isabelle se faisait appeler Éric Katz et pratiquait la psychanalyse à Paris, déguisée en homme. Elle avait récupéré des patients de son ex-mari. On peut même supposer qu'elle se prenait plus ou moins pour lui. Ça vous étonne ?

– Non.

– Comment peut-on laisser de telles personnes dans la nature ?

– Je refuse de discuter avec vous de tels problèmes, cingla Lassay en reprenant une inflexion hautaine. Vous êtes en train de juger un siècle de recherches, d'expertise, de connaissances psychiatriques et…

Erwan sourit – il avait des munitions :

– Par ailleurs, nous avons découvert qu'Isabelle, qui n'était pas présente aux obsèques de son ex-mari et de ses enfants, est revenue plus tard au cimetière pour exhumer leurs corps.

– Qu'est-ce que vous racontez ?

– Elle les a éviscérés puis les a embaumés à l'égyptienne, à coups d'onguents et de bandelettes. Elle allait les visiter régulièrement, dans leur caveau des Lilas.

Le psychiatre plongea la tête entre ses mains dans un geste un peu trop théâtral.

– Pourquoi me racontez-vous tout ça ? fit-il en relevant les yeux.

– Quand avez-vous vu pour la dernière fois Isabelle Barraire ?

– Dans les années 2000… au moment de leur divorce.

Cela n'avait duré qu'une micro-seconde mais Lassay avait hésité. Il mentait et c'était derrière ce mensonge que se cachait l'information qu'Erwan était venu chercher.

– À ce moment, où était-elle soignée ?

– Mais… je n'en sais rien.

Erwan devina soudain ce qui s'était passé : après Hussenot qui avait interné son épouse dans sa propre clinique, Lassay l'avait accueillie dans son UMD.

– Vous le savez très bien, hurla-t-il en frappant la table du plat de la main, pour la simple raison que c'est vous qui vous êtes occupé d'elle, ici même, à Charcot !

Lassay se rencogna dans son fauteuil et vira au rouge. Erwan tenait sa connexion entre la cinglée nazie et le nganga blanc.

– C'est Philippe qui m'a demandé de la prendre en charge après le divorce, murmura enfin le médecin. Elle devenait dangereuse pour les enfants.

– Quand est-elle entrée ici ?

– En 2003.

– Combien de temps y a-t-elle séjourné ?

– Je dirais… trois années.

Erwan était sidéré : plus rien d'étonnant à ce que tout ce petit monde se connaisse.

– Elle a fréquenté Thierry Pharabot ?

– Bien sûr que non !

Lassay s'était redressé, comme propulsé par l'indignation. Le psychiatre en faisait décidément beaucoup. Quelques secondes passèrent, dans un silence quelque peu ridicule.

– Je vous l'ai dit, reprit-il plus calmement, Pharabot n'avait pas de contact avec les autres patients. D'ailleurs, Isabelle n'était pas soignée du côté des malades dangereux. Elle est toujours restée à l'hôpital proprement dit : où nous sommes maintenant.

Nouveau mesonge. *Resserre la bride.*

– Docteur, nous avons la preuve qu'Isabelle connaissait Thierry Pharabot. Et sans doute l'homme qui a tué à Paris en septembre.

– C'est impossible.

– Plus tôt vous me direz la vérité, plus vite on limitera les dégâts.

Lassay s'était de nouveau ratatiné dans son fauteuil, au point de disparaître derrière ses piles de dossiers.

– Docteur, répéta Erwan plus fort. Tôt ou tard, j'obtiendrai ces infos. Autant gagner du temps et que ce soit vous qui me les donniez. Ça constituera un gage de bonne volonté.

– Vous m'accusez de quoi au juste ?

– De rien encore mais si vous continuez à me balader, je pourrais vous coller sur le dos une complicité de meurtres…

L'autre secoua la tête, l'air perdu :

– Dans notre domaine, les recherches avancent parfois très vite. Les molécules…

– Pas de digression.

– C'est le cœur de l'histoire. Grâce aux médicaments, Isabelle a montré des signes d'amélioration et je… j'ai fini par la prendre à mes côtés.

Erwan marqua sa surprise :

– Elle a travaillé avec vous à Charcot ?

– C'était très informel… Mais sa collaboration donnait d'excellents résultats. Isabelle était une psychiatre brillante. Son approche était…

– C'est comme ça qu'elle a connu Pharabot ?

– Je n'étais pas toujours avec elle, éluda le psy. Thierry était un cas particulier et très peu de membres du personnel avaient le droit de l'approcher. À la faveur des visites, peut-être…

Lassay essayait de noyer le poisson mais Erwan laissa courir. Le médecin avait pris des risques inconsidérés. Provoquer une rencontre entre Barraire et Pharabot, c'était craquer une allumette dans un arsenal de poudre.

À partir de là, on pouvait tout supposer. Fascination d'Isabelle pour l'Homme-Clou. Réveil du monstre au contact de la belle. Initiation à la magie yombé. Conspiration fétichiste derrière les barbelés de Charcot. Et même aller plus loin. Avait-elle été approchée par Kripo pour faire passer des messages au détenu ? Le contraire ? L'Homme-Clou avait peut-être, par l'intermédiaire d'Isabelle, piloté une nouvelle série de meurtres. Ceux de septembre ? Non. Pharabot était mort en 2009. Mais Barraire constituait tout de même une fenêtre ouverte sur un nouveau cauchemar. *Admirez la vue.*

– Jusqu'à quand est-elle restée près de vous ?

– 2006. Quand Philippe s'est tué en voiture avec ses enfants, elle a disparu.

– Vous n'avez pas cherché à la revoir ?

– Bien sûr que si. J'étais inquiet. Je vous l'ai dit : grâce à un protocole spécifique, elle allait mieux mais à la mort de ses enfants, elle a stoppé son traitement. Je l'ai appelée, cherchée, j'ai fait tout ce qui était en mon pouvoir pour renouer avec elle. Elle n'a jamais répondu…

Une nouvelle évidence s'imposa à l'esprit d'Erwan :

– Depuis quand couchiez-vous avec elle ?

Lassay se mit debout comme si son fauteuil était un siège éjectable. Tremblant de colère, les poings serrés, il semblait chercher quelque chose à casser. Il paraissait en même temps d'une grande vulnérabilité. Erwan avait touché la corde sensible.

– Je... je vous interdis..., bredouilla le médecin.

– Je vous pose simplement une question.

Le psy se mit à marcher dans son petit bureau : trois pas dans un sens, trois dans l'autre...

– Je ne sais pas, je ne sais plus.

Erwan n'insista pas. D'ailleurs, Isabelle n'avait dû lui céder que pour servir ses intérêts. Mais quels intérêts au juste ?

– Elle n'a pas réapparu à la mort de Pharabot ?

– Non. Croyez-moi : j'ai tout essayé pour la localiser. Je vous le répète : j'étais angoissé à son sujet et... aussi très attaché à elle.

Le flic se leva à son tour. Gorge sèche. Taux d'hygrométrie à zéro. Il était venu chercher ici un point final et on venait de repasser à la ligne pour une nouvelle histoire.

– Pourquoi ne m'avez-vous pas parlé de ça la première fois ?

– C'était il y a des années : je n'y ai pas pensé...

– Alors qu'on cherchait un tueur qui imitait Pharabot ?

– Qu'est-ce que vous insinuez ? Isabelle aurait tué en septembre ?

Erwan repoussa l'hypothèse d'un geste épuisé : ce n'était pas son idée. Entre la schizo et le nganga, il y avait eu un autre homme – Kripo, ou quelqu'un d'autre encore...

Il prit son ton officiel pour en finir :

– Le lieutenant-colonel Verny et ses hommes vont interroger vos patients et le personnel soignant. Je veux savoir avec qui Isabelle s'était liée d'amitié, si quelqu'un a noté à l'époque une anomalie, si...

– Une anomalie ? Vous oubliez où nous sommes.

– Plusieurs années après avoir quitté Charcot, et malgré sa folie, ses enfants morts, son usurpation d'identité, Isabelle n'avait pas oublié Pharabot. Elle avait peut-être des complicités ici. Des patients ont pu être libérés et…

– Je vous l'ai déjà dit : nos malades sont incurables.

– Ils meurent tous entre ces murs ?

– Ou ils sont transférés ailleurs mais votre idée d'une Internationale de l'Homme-Clou est ridicule.

Erwan imaginait en effet Isabelle comme un relais. Pharabot ne parlait à personne sauf à cette psy qui à son tour parlait aux autres. Elle avait fini par quitter l'asile et peut-être conservé des liens avec d'autres patients qui, n'en déplaise à Lassay, étaient sortis à leur tour. Ou bien au contraire elle avait été approchée par des adeptes de l'Homme-Clou à l'extérieur. Erwan songea à di Greco, Lartigues, Redlich, Irisuanga mais il ne sentait pas un lien de ce côté. D'autres encore ? Vision terrifiante : des disciples imprégnés du mal se répandant parmi la société humaine. Une sorte de secte qui pouvait se déployer encore… et frapper.

Lassay avait ouvert sa porte : fin de l'entrevue. Le play-boy ne semblait plus en colère, plutôt abattu. Toutes ces idées, il les avait sans doute déjà eues mais la présence d'Erwan leur donnait d'un coup une réalité dangereuse.

– Vous ne m'avez toujours pas dit le principal, commandant. Quel est le lien entre la mort d'Isabelle et les meurtres de l'Homme-Clou ?

Aucune raison de ne pas partager cette menace avec Monsieur Oxford :

– Ses dernières paroles ont été : « L'Homme-Clou n'est pas mort. »

– Elle ne parlait pas de l'être humain, rétorqua Lassay sans hésiter, mais de son esprit, de son influence.

– Peut-être, mais ça reste une mauvaise nouvelle. (Il franchit le seuil.) En gardant ici Pharabot, vous avez fait incuber un virus qui n'a pas fini de se propager.

Le psychiatre vira au livide :

– Vous voulez dire… que les meurtres vont continuer ?

Erwan partit sans répondre. Sa soif ressemblait à une brûlure. Une vision cauchemardesque passa devant ses yeux. Un train bringuebalant dans la nuit, aux compartiments trop éclairés. À l'intérieur, une légion de dingues, les poches pleines de clous et de tessons, l'esprit farci de croyances yombé.

96

GAËLLE ÉTAIT DÉJÀ VENUE à Lausanne pour voir une exposition consacrée à Arnold Böcklin, le peintre de *L'Île des morts*. Le rendez-vous avec Mumbanza était prévu au Château Rappaz, un grand bâtiment du XIXe à l'architecture néoclassique, dans le quartier d'Ouchy – un de ces palaces suisses où les personnalités les plus futées avaient attendu que les deux guerres mondiales se terminent avant de réapparaître, la mine enfarinée. L'hôtel offrait la paix et la sérénité cadrées à la suisse : en largeur le lac Léman, en hauteur les Alpes, au milieu les brumes. Il n'y avait plus qu'à se laisser bercer par le cliquetis des voiliers de la marina qui tanguaient sous vos fenêtres.

Son père lui avait souvent dit, paraphrasant Edgar Allan Poe : « La meilleure technique pour ne pas être vu, c'est de ne pas se cacher. » Elle avait pris le TGV de 8 h 02 en direction de Lausanne et avait franchi la douane trois heures plus tard. On avait vérifié son passeport, ouvert son sac. Aucun problème. Elle avait emprunté les papiers d'une copine qui lui ressemblait et s'était fait un look banal d'it-girl parisienne : caban bleu marine, jean et bonnet, avec lunettes noires Tom Ford, *s'il vous plaît*. Des filles comme elle, il en passait une cinquantaine dans la journée. Des petites putes en vadrouille ou de jeunes épouses qui transportaient le cash de leurs millionnaires de maris.

11 h 30, taxi. 11 h 45, check-in à l'hôtel. Le trajet en voiture avait suffi pour qu'elle retrouve cette ville plate et rectiligne qui, bien que descendant en pente douce vers le lac, affichait toujours un air raide et hautain que rien ne pouvait atténuer. Gaëlle aimait la Suisse. Le pays était paré à ses yeux d'une sorte de pureté : celle du fric, de l'altitude, de l'égoïsme fait loi. Elle y voyait une sincérité, une franchise à l'égard de la nature humaine, taillées dans la pierre et l'ardoise.

Pourquoi s'installer dans le même hôtel que l'autre ordure ? Encore son père : « Le meilleur moyen pour qu'on ne te voie pas arriver, c'est d'être déjà là. » Une fois dans sa chambre, elle avait viré le larbin avec un billet de cinquante francs suisses – quasiment l'équivalent en euros – et ouvert sa fenêtre pour respirer à pleins poumons le bon air helvétique.

Elle déjeunerait dans sa chambre puis ferait du shopping dans le quartier du Flon, la nouvelle zone branchée de la ville. Elle traînerait ensuite au spa de l'hôtel en commentant ses emplettes avec les esthéticiennes. Douce, huilée, innocente. Enfin, elle se perdrait un peu dans les couloirs et les étages, afin de repérer les caméras de sécurité de l'hôtel.

Alors 18 heures sonneraient.

L'heure du goûter, mon trésor...

97

SUR LA ROUTE du retour, Erwan ne desserra pas les dents. Il ruminait les infos qu'il venait de recueillir et tentait de les faire coïncider avec son enquête de septembre. Pas moyen. Insensiblement, Philippe Kriesler sortait du cadre. S'était-il trompé cet automne ?

L'Homme-Clou n'est pas mort.

– On est arrivés.

À travers le pare-brise se découpait l'aérogare dont la toiture ondulée évoquait une grande raie grise. Il pleuvait toujours – le crépitement des gouttes avait la régularité obstinée d'un chronomètre. En sortant de la voiture, Erwan briefa Verny : trouver une escouade de gendarmes, interroger patients et infirmiers de Charcot sur leurs liens et contacts avec Thierry Pharabot et Isabelle Barraire.

– Lassay est d'accord ?

– Il a laissé exercer dans son hosto une psychiatre aussi dingue que ses patients, peut-être complice du tueur de septembre. Pour ne rien arranger, il couchait avec elle. Il n'est pas en position de faire le malin.

Verny ne paraissait pas convaincu.

– Vous savez que j'ai toujours accepté de vous aider, risqua-t-il sur un ton prudent. Même quand nous sommes sortis de la légalité…

– Et alors ? s'impatienta Erwan.

– À l'époque, il y avait tout de même une procédure. Aujourd'hui, il n'y a rien. Pas de délit, pas d'enquête. Comment voulez-vous que je réquisitionne des hommes ? Que je prenne du temps sur mes affaires en cours ?

– Vous me faites confiance ou non ?

– Bien sûr mais…

– Choisissez vos meilleurs gars : retournez l'UMD, secouez le personnel, les patients. Pressez-leur le citron. Voyez aussi du côté des appels, d'Internet. Quelles infos sortent de l'institut et à qui elles sont adressées. Un truc pas clair s'est goupillé entre ces murs et on doit le trouver avant que ça nous pète à la gueule.

Ils se tenaient devant l'aérogare, sous l'avancée du toit qui les protégeait de la pluie. Droit dans le vent, mains dans les poches de son ciré, Verny acquiesçait, sans enthousiasme.

– Surtout, insista Erwan, ne lâchez pas Jean-Louis Lassay.

– Vous le soupçonnez de quoi au juste ?

– Soit d'être très con, soit de nous cacher encore quelque chose.

Verny alluma une cigarette sous sa capuche.

– Vous prêtez beaucoup d'intrigues à cet institut.

– On ne prête qu'aux riches et Charcot a du potentiel. Ils ont abrité un meurtrier à part, une espèce de… (Erwan chercha ses mots, craignant de tomber dans un cliché de série TV, puis y sauta à pieds joints) gourou du mal.

Le gendarme ne bougeait pas, affichant toujours le même scepticisme. Pourtant, il n'avait sans doute pas oublié l'affrontement de Locquirec et la mort d'Archambault. L'idée d'une source noire dans la région sonnait plutôt juste.

– Faites le maximum, conclut Erwan en lui frappant l'épaule amicalement. Je vous rappelle ce soir. De toute façon, je dois revenir très vite en Bretagne.

– Pour quoi ?

– Pour enterrer mon père.

Il pénétra dans l'aérogare et, se dirigeant vers les comptoirs d'enregistrement, composa un numéro sur son portable. Dans la conspiration souterraine de Charcot, il venait de se souvenir d'un acteur possible – une pièce de choix.

– Tonfa ? Erwan. Comment ça se passe ?

– Je n'arrête pas de me faire envoyer chier par des patients de Katz.

Impasse totale. Ces gens étaient protégés par la confidentialité des séances – le conseil de l'Ordre appelait ça le « secret professionnel absolu ».

– Laisse tomber. On a déjà assez merdé. La famille Barraire ?

– Pas passionnant non plus. T'as peut-être déjà vu des enseignes « Domanges » à Paris. C'est quasiment eux qui ont inventé le procédé du nettoyage à sec, au milieu du XIXe siècle, en utilisant d'abord du pétrole puis du trichloréthylène.

À chaque mot, Tonfa semblait au bord du bâillement. Erwan compatissait : même avec un enthousiasme de puceau, on ne pouvait rien foutre avec des informations pareilles.

– Le seul point intéressant est qu'Isabelle Barraire était toujours actionnaire du groupe.

– À combien ?

– Pas moyen de savoir : société anonyme. Mais ses décisions étaient prises en compte.

Ça ne collait ni avec le profil de la psy ni avec le témoignage de son frère, qui avait prétendu ne plus avoir aucun contact avec elle. L'idée qu'elle ait pu participer à une quelconque réunion familiale ou une assemblée générale déguisée en homme paraissait absurde.

Erwan passa à la véritable urgence :

– J'ai du boulot pour toi. En septembre, on a arrêté un des infirmiers de l'UMD Charcot, un dénommé José Fernandez.

– Plug ? Je m'en souviens parfaitement.

Un complice secondaire de la combine des greffes médullaires. Celui qui avait prélevé les cellules sur le cadavre de Thierry Pharabot avant son incinération.

– Je veux savoir s'il est toujours incarcéré ou s'il a été libéré. Aux dernières nouvelles, il avait été transféré à Fleury avant comparution.

Erwan était convaincu que Plug avait lui-même assassiné Thierry Pharabot en novembre 2009, l'étouffant dans son lit pour faire croire à un AVC. Mais sans preuve pour ce délit, on avait dû se contenter d'une mise en examen pour « vol illicite de cellules sur un cadavre » – ce qui ne pétait pas loin. Et encore, ces aveux lui ayant été arrachés sous la violence, un avocat ne ferait qu'une bouchée de cette accusation.

– Y a du nouveau de ce côté ? demanda Tonfa qui paraissait se réveiller.

– Sais pas. Isabelle Barraire avait séjourné à Charcot. Y a sans doute eu un sac de nœuds là-bas. Trouve-moi l'enfoiré et démerde-toi pour que je l'interroge le plus vite possible. Des nouvelles d'Audrey ?

– Non. Elle est pas venue ce matin. Mais avec le savon que tu lui as passé hier…

Personne n'était au courant de la mission qu'Erwan lui avait confiée cette nuit. Si quelque chose avait mal tourné de ce côté, il ne se le pardonnerait jamais.

Autant jouer franc jeu avec Tonfa. En quelques mots, il lui expliqua l'histoire de la villa de Louveciennes. Peut-être rien du tout, peut-être le repaire secret de Katz-Barraire.

– Je l'ai envoyée là-bas cette nuit, avoua-t-il.

– Seule ?

Erwan ne répondit pas. *De la pure inconscience*. Personne ne savait au juste jusqu'où la folie de la psy avait pu aller ni si elle s'était fait des complices. Il avait envoyé Audrey dans la gueule du loup. Une Audrey gonflée à bloc qui voulait faire la preuve de ses compétences à la marge…

– Note l'adresse, souffla-t-il enfin. 82, rue des Domaines. Tu lâches tout et tu fonces y jeter un œil.

– Je prends du monde avec moi ?

– Favini. Vous me rappelez aussi sec.

– À quelle heure t'atterris ?

– À 17 h 40.

– On sera là pour t'accueillir. Avec Audrey, ajouta Tonfa, sans doute pour alléger l'atmosphère.

En raccrochant, Erwan s'aperçut qu'il venait de recevoir un SMS. Riboise. L'autopsie du Padre était terminée. Sa version confirmée. *Bon pour inhumer.*

16 heures. Les passagers de son vol embarquaient. Il se pressa en se disant qu'il serait de retour dans les deux jours avec la dépouille de Morvan. Le Vieux leur avait toujours bourré le mou sur leurs prétendues racines celtes. À force de cadavres, Erwan allait finir par devenir breton pour de bon.

98

CHÂTEAU RAPPAZ, 18 heures. Gaëlle prit l'escalier de service pour monter les deux étages qui la séparaient de la suite de Trésor Mumbanza. Pas de frais de toilette : le meilleur était à l'intérieur. Robe fourreau en stretch noir, talons hauts et boucles d'argent, pochette en strass.

Elle portait également un manteau : ni Mumbanza ni ses hommes ne devaient soupçonner qu'elle séjournait à l'hôtel. Elle était censée venir de l'extérieur, passer le comptoir sans se présenter et monter directement à la chambre. Sa visite était confidentielle – personne ne se doutait à quel point.

D'après ce qu'elle avait pu observer (sa fenêtre donnait sur l'entrée principale du palace), Mumbanza était arrivé avec sa clique aux environs de 16 heures. Monsieur voyageait en grande pompe : une femme ou deux, plusieurs enfants, des nounous, des caméristes, une bardée de gardes du corps – dont, d'après Payol, deux Luba qui ne le quittaient pas d'une semelle. La smala s'était installée au deuxième étage – celui de Gaëlle : elle les avait entendus débarquer dans un vacarme de fanfare. Le général en revanche s'était posé dans une suite du quatrième, la 418, avec vue panoramique sur le lac et les Alpes.

Entre Gaëlle et le Boss (son surnom à Lubumbashi), aucun contact. Payol avait payé Gaëlle à Paris – la moitié des trois mille euros prévus, le reste à son retour. Si on était content de ses prestations, on pouvait toujours lui filer une rallonge de la main à la main.

Quatrième étage. Elle n'était ni nerveuse ni oppressée. Les tentures carmin du couloir lui rappelèrent les décors de *Cris et chuchotements* d'Ingmar Bergman – le réalisateur suédois disait que le rouge était la couleur de l'« intérieur de l'âme ».

La 418, couvrant l'angle ouest de l'étage, était proche de l'escalier de service. Pas une caméra de sécurité pour croiser sa route. Deux mastards montaient la garde, l'air de s'ennuyer à mourir. Son arrivée leur offrit une distraction. Ils la fouillèrent sans ménagement, la pelotant longuement et goulûment – après tout, eux aussi avaient droit de goûter à la marchandise.

Un des cerbères ouvrit son sac et en extirpa une enveloppe en plastique.

– On a dit : pas de capote.

– Ce sont des gants de chirurgien.

– Pour quoi faire ?

– À ton avis ?

Le Black gloussa. Il lui rendit sa pochette tout en frappant à la porte. Mumbanza vint ouvrir en personne. Portable en main, il fit entrer Gaëlle sans un mot, visiblement de mauvaise humeur. Elle se mit au diapason et ôta son manteau en silence.

Elle avait enquêté sur le général et vu ses photos sur Internet. La version en trois dimensions était beaucoup plus effrayante : au moins un mètre quatre-vingt-dix pour cent vingt ou cent trente kilos. Elle connaissait ce format – son père – mais le mastard dans sa suite en imposait. En costume sombre, il produisait en se déplaçant des bruits feutrés d'étoffe et des cliquetis discrets – sans doute les clés de tout un tas de coffres. Ses pieds, gainés de chaussures pointues, lui parurent immenses.

Mumbanza pianotait sur son téléphone sans lui prêter la moindre attention. La lumière de l'écran dansait sur ses traits de basalte. Gaëlle ne put se retenir de jouer la provocation :

– Si c'est comme ça, je peux me regarder un film ?

Le Noir parut se souvenir d'elle. Dans ces moments-là, Gaëlle remerciait le ciel d'avoir si longtemps haï son corps. Pas à pas, elle avait vaincu ce mal et gagné sa propre estime. Aujourd'hui, elle aimait le moindre millimètre de ses formes. Ou plutôt elle en était sûre comme un soldat est sûr de son arme. Elle en connaissait l'attrait, la puissance, la violence enjôleuse.

Elle crut que le général allait gueuler mais son visage se froissa en une grimace qui pouvait passer pour un sourire.

– Tu manques pas d'air, toi.

– On a pas tout l'hiver, si ?

Ricanement. Ça y est, l'Africain avait compris à qui il avait affaire. La petite pute blanche insolente qu'il faut mater. Il en salivait déjà.

– Tu veux boire quelque chose ? proposa-t-il en empochant son mobile.

– Champagne.

Il montra la table basse devant le canapé de velours : un seau à glace y était disposé, contenant une bouteille perlée d'éclats scintillants. Au-delà, un lit se déployait, immense comme une arène.

– J'm'en occupe ! fit Gaëlle en saisissant le millésime.

Mumbanza paraissait apprécier les manières de cette fille mais une lueur de sadisme brillait au fond de ses pupilles. Une cruauté nourrie par des siècles d'esclavage, de mépris, de racisme. Gaëlle, avec son petit corps potelé couleur de lait, allait payer pour l'arrogance blanche. Mumbanza n'était pas du genre à lutter pour son peuple. Il voulait simplement retourner le rapport de domination du Blanc à son avantage. Son regard disait : « Je vais te défoncer le fion, cousine, et ça sera à la santé de l'ONU. »

Elle dénoua le fil d'acier qui enserrait le bouchon, feignant une gaieté soudaine :

– Y sont armés tes chiens de garde ?

– Bien sûr.

– Ils peuvent passer la douane avec leurs calibres ?

– Je suis congolais, ma belle.

– Et toi, t'es armé ?

Mumbanza plaça sa main sur sa bite :

– T'en doutes, ma jolie ?

– Non. Je veux dire… vraiment.

La question de trop. Un éclair de méfiance s'alluma dans les yeux du Black.

– Qu'est-ce que tu cherches, cocotte ?

– On m'a dit que t'étais général.

– Et alors ?

– T'es pas en uniforme ? T'as pas de décoration ?

Il écarta le pan de sa veste, révélant un holster de cuir dans lequel était glissé un pistolet semi-automatique.

– C'est ça qui t'excite ? Tu en mouilles ta culotte ?

Elle se passa la langue sur les lèvres.

– Hmmmmm… J'adore…, roucoula-t-elle, en faisant sauter le bouchon.

Elle aimait se rouler dans la vulgarité la plus stupide, la plus abjecte. Surtout aujourd'hui. À chaque fois, elle pensait à son père. À ses efforts de despote pour faire d'elle une jeune fille éduquée et raffinée. Elle avait ruiné ses espoirs, bousillé ses rêves. Elle s'était évertuée au pire, en serrant les dents, certaine de sa revanche. Aujourd'hui, c'était le contraire : elle n'était pas là pour l'offenser mais l'honorer. Elle allait le venger, tout simplement. Comme quoi tous les chemins mènent au père…

Le champagne coulait dans les coupes. Mumbanza retira sa veste puis déposa son arme sur un fauteuil, à bonne distance de Gaëlle. Histoire de l'effacer définitivement, Gaëlle fit glisser la bretelle de sa robe le long de son épaule. Pour séduire un homme, pas besoin de s'embarrasser de savants calculs. Le mâle est une science exacte. Sa prévisibilité une valeur sûre.

Mumbanza, toujours debout, la contemplait avec gourmandise. Sa coupe dans la main droite, il malaxait de l'autre son sexe à travers son pantalon, sans la moindre gêne.

Elle fit rouler son rire dans sa gorge comme on secoue des dés dans un gobelet et lui envoya un clin d'œil. La peur commençait à s'insinuer dans ses veines à la manière d'une perfusion glacée.

Contre sa paume, elle serrait le bouchon de liège.

L'arme du crime.

99

QUELQUES MINUTES PLUS TARD, enfermée dans la salle de bains, Gaëlle se préparait pour la petite orgie de *Son Excellence.*

Une légende tenace assure que durant la guerre d'Algérie, les femmes du bled, pour se protéger contre les viols des militaires français, glissaient une lame de rasoir dans une pomme de terre qu'elles s'enfonçaient dans le vagin. Vraie ou fausse, la rumeur migra vers l'Asie : pendant la guerre du Vietnam, les femmes vietminhs faisaient soi-disant la même chose. Plus récemment, en RDC – un viol par minute en 2007 –, on prétendait encore que des victimes utilisaient cette technique avec des fruits à noyau – ce dernier bloquant la lame au moment de l'acte.

Il faudrait penser à ajouter la Suisse à la liste.

Gaëlle venait d'extraire de son poudrier une demi-lame de rasoir. En opérant un mouvement rapide de va-et-vient, elle l'enfonça dans le bouchon de liège puis cracha dans sa main pour s'humecter la vulve. Fermant les yeux, elle y inséra l'objet qui y trouva une place quasi naturelle et remonta sa culotte.

Quelques pas pour vérifier sa liberté de mouvement. *Parfait.* Elle s'observa dans le miroir et vit que la peur ne cessait de gagner du terrain : elle était livide. Son corps était enduit d'une petite sueur perlée qui la picotait de partout. Ses gestes frémissaient de tremblements légers. Elle tendit ses muscles : ne pas laisser la trouille l'envahir. *Surtout pas.*

Quand elle sortit de la salle de bains, parfumée, dévêtue – dessous blancs rehaussés de paillettes (c'était ce qu'il fallait à Mumbanza : du chic, du pétillant, du sexe version Cristal Roederer) –, elle offrait toutes les apparences de la décontraction la plus salace. Le colosse eut un grognement de satisfaction. Il avait gardé sa chemise et son pantalon mais sorti son sexe monstrueux, retroussé comme un cor de chasse. Avec son gland rose qui pointait, on aurait dit un *golliwog*, ces poupées noires du XIXe siècle aux grosses lèvres de clown dont il existait une variante en biscuit.

Justement, il ordonna :

– Viens me sucer, salope.

Regard vitreux, bouche tremblante, le sang lui pissait littéralement du blanc des yeux. Gaëlle sentit la peur lui dévorer l'estomac. D'un geste, elle exhiba sa vulve imberbe et gonflée.

– Et si on inversait les rôles ? ricana-t-elle. *All you can eat*, mon salaud.

Il lui balança une gifle et l'envoya valdinguer sur le lit. En grognant, il l'immobilisa sur le dos et lui arracha sa culotte, lui écartant les cuisses comme pour un échauffement des petits rats de l'Opéra.

– Sale pute blanche, rugit-il, tu vas goûter mon sida…

Il la pénétra avec violence et s'arrêta net, semblant s'étouffer avec son propre cri. Des deux pieds, elle le repoussa de toutes ses forces. Mumbanza rebondit contre le mur, sa tête heurtant l'écran plasma suspendu. Il beuglait maintenant comme un porc qu'on égorge, les deux mains plaquées sur son entrejambe. Déjà, les gardes du corps cognaient à la porte.

Quelques secondes.

Gaëlle courut dans la salle de bains, enfila ses gants de chirurgien et, de retour dans la chambre, saisit sur le fauteuil le calibre de Mumbanza qui se tordait toujours à terre, la bite en sang. En une fraction de seconde, absurdement, elle mémorisa les initiales de l'arme : HK USP

Les cerbères tentaient maintenant d'enfoncer la porte – *vlam, vlam, vlam !* Encore quelques coups d'épaule et le verrou sauterait. Elle ôta le cran de sécurité du 9 mm, fit monter une balle dans la chambre – depuis septembre dernier, elle avait appris à manier ce genre de flingues – et se précipita vers la porte qui vibrait sur ses gonds à chaque poussée. Postée à gauche du châssis, elle tendit sa main libre et déverrouilla la serrure.

Les deux Luba se ruèrent dans la pièce, arme au poing, manquant de trébucher contre la table basse. Elle fit feu dans la tête du premier. Le temps que le second se retourne, elle lui tira une balle en plein visage. Tout s'arrêta – ou du moins c'est ce qu'il lui sembla. Trou noir dans le temps et l'espace.

Elle se reprit et évalua les dégâts. Deux géants en costume impeccable, magma de crânes ouverts et de morceaux de cervelle, empêtrés au pied d'un couvre-lit à fleurs, parmi des coupes brisées et des glaçons éparpillés. Au fond de la pièce, Mumbanza se traînait contre le mur façon limace.

Elle balança le HK USP sur le lit, se plaça à califourchon sur le Luba le plus proche du général. De ses deux mains gantées, elle saisit les doigts du mort toujours serrés sur son arme. Elle leva le bras inerte, vérifia que le calibre était armé, cran de sécurité baissé, et glissa son index dans le pontet. L'odeur de poudre et de sang l'enivrait comme un sniff de coke.

Mumbanza l'implorait de ses yeux rouges. Il se tordait comme un monstrueux ver coupé en deux, un rictus incrédule sur ses traits luisants de sueur.

Elle sourit et murmura, le canon braqué sur lui :

– Je suis la fille de Morvan, connard…

L'expression de stupeur sur sa face de fonte : elle la garderait en mémoire comme on conserve un précieux talisman. Elle appuya sur la détente. La première fois pour lui faire sauter la bite. La deuxième pour lui exploser le cœur. La dernière pour le défigurer. Elle laissa retomber la main du cadavre, récupéra le HK sur le lit, le plaça dans la paume du général et tira une nouvelle fois sans viser – des résidus de poudre brûlée sur les doigts du Congolais attesteraient que c'était lui qui avait fait feu, par trois fois.

Elle bondit dans la salle de bains, lava son visage éclaboussé de sang, enfila sa robe noire sans zip ni agrafe – elle avait prévu le coup –, récupéra ses affaires et se précipita dans le couloir tout en arrachant ses gants.

Personne. Il régnait encore entre ces murs un silence stupéfait. Elle gagna l'escalier de service, dévala les deux étages. Elle savait qu'aucune caméra ne l'avait filmée. Que la scène de crime évoquerait un règlement de comptes entre maître et esclaves. Qu'on ne pourrait pas la soupçonner, elle, plus qu'un autre dans ce palace.

Plutôt moins, même.

Au deuxième, on commençait à s'agiter. Elle fit mine de paniquer elle aussi. Des clients s'interrogeaient sur leur seuil, des garçons d'étage couraient. Elle regagna sa chambre sans attirer le moindre coup d'œil. Une foule effrayée regarde partout à la fois mais ne voit rien en particulier.

Elle referma sa porte avec son dos et attendit que son cœur reparte. Elle avait toujours le bouchon de champagne entre les cuisses. Elle n'avait plus qu'à prier pour ne pas avoir chopé le virus.

100

LE RETOUR à Paris avait viré au cauchemar.

Ce genre de rêves où tout se précipite et où on est impuissant à endiguer quoi que ce soit. Aux arrivées d'Orly, Tonfa, la mine décavée, porteur d'une nouvelle sidérante : à Louveciennes, au 82, rue des Domaines, il avait découvert le cadavre d'Audrey Wienawski. Gorge ouverte, yeux crevés. Sans doute surprise dans la nuit par l'habitant de la villa. Elle n'avait même pas eu le temps de dégainer – son Glock avait d'ailleurs disparu.

Erwan n'avait plus rien entendu du trajet. Ni le deux-tons hurlant, ni les commentaires débités à bout de souffle par son collègue, ni les appels qui fusaient de la hiérarchie. Au fond de son crâne palpitait cette unique vérité : c'était lui, et lui seul, qui avait envoyé Audrey au casse-pipe. Il l'avait exposée au danger dans le cadre d'une mission illégale. Pire encore, il s'était trouvé, aux mêmes heures, à quelques bornes de la villa. S'il l'avait rejointe, aurait-il pu la sauver ?

La demeure d'Isabelle Barraire s'ouvrait de plain-pied au fond d'un parc mal entretenu, aux côtés d'un étang. Une bâtisse en longueur qui semblait posée sur la pelouse comme une immense caravane. Elle en avait la couleur – blanc cassé – et l'aspect précaire. Malgré tout, l'architecture style Trianon persistait : un seul étage, une toiture plate cernée par une balustrade à l'italienne. La façade était fissurée d'un bout à l'autre et le lierre s'était invité autour des fenêtres, prêt à ronger tout ce qui lui passerait sous les racines.

– On a touché à rien, avertit Tonfa en empruntant l'allée déjà encombrée de véhicules de police. On attend la substitute. Riboise est aussi prévenu.

Ils se garèrent sur les pelouses et finirent à pied : le périmètre de sécurité couvrait un rayon de cinquante mètres autour du bâtiment. Les lumières au xénon des gyros pulsaient sous les arbres avec la régularité lancinante d'un rythme cardiaque. Éclaboussée par ces éclairs, la chorégraphie des techniciens scientifiques en combinaison blanche s'imprimait sur la rétine alors que les autres uniformes se fondaient dans le décor.

Erwan aperçut Levantin, le coordinateur de l'IJ, qui s'affairait sous sa capuche de papier. D'autres gueules connues. Flics du 36, bricards, croque-morts des Pompes funèbres générales. La ronde de nuit familière.

– On a qu'une certitude, dit Tonfa avant qu'ils n'entrent dans la maison, quelqu'un vivait ici.

– Isabelle Barraire ?

– Non. Plutôt un squatteur.

Audrey surprenant un vagabond qui lui aurait tranché la gorge ? Ça ne tenait pas debout. Elle venait elle-même du pavé et tenait ses réflexes de la rue. Jamais elle n'aurait été prise au dépourvu. En outre, une telle coïncidence, dans la maison même d'une suspecte, était de l'ordre de l'impossible.

Ils enfilèrent des surchaussures et des gants de latex dans le vestibule puis s'engagèrent dans le couloir principal : des croix de rubalise barraient chaque châssis de porte, les lustres, lampes et autres abat-jour projetaient une lumière crue sur un décor vieillot et poussiéreux. Un mobilier pseudo-Louis XV de piètre qualité, des moulures et des lambris écaillés, des tapis et des rideaux élimés. L'ensemble confirmait l'impression de l'extérieur : un lieu vétuste et négligé. Ni habité ni abandonné.

– C'est au fond, indiqua Tonfa qui marchait devant.
– T'as prévenu Fitoussi ?
– Bien obligé : t'étais dans l'avion.
– Comment t'as expliqué qu'on l'ait retrouvée si vite ?

Le flic balança un bref sourire par-dessus son épaule. Le sourire malheureux de l'homme parvenu à sauver sa boîte à photos dans l'incendie qui a tué sa famille.

– J'ai allumé son portable en arrivant et j'ai prétendu l'avoir géolocalisée.

Le bobard permettrait – à condition de ne pas être trop regardant sur les horaires – de sauver les miches d'Erwan. Version officielle : Audrey, du genre tenace, avait découvert l'adresse secrète d'Isabelle Barraire et voulu aller y jeter un œil en solo.

Erwan se décida dans la seconde. Laisser courir et se dédouaner, pour l'instant, de toute responsabilité : c'était le seul moyen de mener son enquête dans les règles. S'il disait la vérité, on lui retirerait aussitôt la saisine et, au lieu de poursuivre l'assassin de sa collègue, il se faderait les interrogatoires au long cours de l'IGS.

Ils pénétrèrent dans la pièce du crime. Les murs étaient tapissés de livres, des fauteuils de cuir et un petit secrétaire en bois verni avaient été poussés dans les coins. Bizarrement, la première chose qui frappa Erwan était que, comme d'habitude, cette pièce qui exhibait la réalité la plus crue – la mort violente – avait des airs de plateau de cinéma. Projecteurs, câbles au sol, gusses de l'IJ s'affairant avec leurs cavaliers et leurs pipettes, tout ça évoquait l'atmosphère d'un tournage.

Le deuxième fait était qu'on avait campé ici : un sac de couchage se tortillait dans un angle, des restes de bouffe pourrissaient à même le parquet, des oripeaux traînaient sur les fauteuils.

Mais le point fort du tableau – son point de terreur – était le corps d'Audrey, allongé sur le dos en travers d'une flaque lie-de-vin. Sa posture, avant-bras relevés et poings serrés, évoquait celle d'un bébé endormi. Seul défaut, sa jambe gauche, ramassée selon un angle impossible, le pied au niveau de la hanche, résumait son agonie.

Vingt ans de meurtres, de macchabs et d'actes sadiques en tous genres, ça vous verrouille les nerfs. Le commandant s'approcha et observa la plaie sous le menton qui s'étirait d'une oreille à l'autre. La main du tueur n'avait pas tremblé. Un expert aux gestes sûrs et glacés.

– On a l'arme ? demanda Erwan d'une voix étrangère à lui-même.

– Non.

Il imagina le couteau qui avait servi à cette boucherie. Le même, aucun doute, qu'on avait utilisé pour les yeux. *Encore un effort, c'est ton boulot…* Il se concentra sur les orbites violentées et crut s'évanouir. Ces paupières, globes, muscles sectionnés, labourés, déchiquetés lui retournaient le cœur.

Rien qu'à la quantité d'hémoglobine, on devinait qu'Audrey était encore vivante à ce moment-là – la pulsation cardiaque, même diminuée, avait vidé ce qui restait au fond des artères par ces cavités béantes.

Mais il y avait pire.

Un détail aberrant marquait la gorge : le tueur avait étiré la langue vers le bas, la faisant sortir par la blessure, en une grimace abjecte, horriblement sarcastique.

Erwan quitta la pièce et chercha les toilettes. Des portes, des recoins, des angles morts. Il trouva enfin des chiottes tapissées de velours qui ressemblaient à un boudoir puant les eaux usées. En jaillissant, la bile lui brûla l'œsophage jusqu'aux sinus.

Il se passa la tête sous la flotte – un minuscule lavabo complétait le décor – et s'observa dans le miroir. Il n'y vit que le reflet rouge et palpitant de sa propre image de coupable. Encore un coup d'eau glacée et il se ressaisit. Il devait une enquête objective et professionnelle à la môme à la gibecière. Quand il aurait mis la main sur le salopard, il avouerait ses fautes et révélerait sa responsabilité dans ce carnage.

De retour dans la pièce du meurtre, il était de nouveau le commandant Morvan, chef de groupe au 36, taux d'élucidation record pour les trois années précédentes. Un fonctionnaire du crime, routinier du mal, condamné aux mêmes gestes, aux mêmes paroles, chopant les assassins sans jamais rattraper le sang perdu.

Il balaya du regard la scène et cette fois, ce furent les signes d'occupation sauvage qui retinrent son attention. Duvet crasseux et fripé. Restes moisis de nourriture – chips, jambon, camembert... Frusques dégueulasses éparpillées. Finalement, d'accord avec Tonfa : un clodo avait vécu ici. Un squatteur ou un protégé d'Isabelle Barraire ? Avait-elle accordé l'asile à un vagabond sadique et dément ? Un ancien patient ? Un vieux camarade d'HP ? Pourquoi l'avoir installé dans la bibliothèque ?

– Vous avez trouvé d'autres traces ailleurs ?

– Dans la cuisine. Isabelle Barraire avait une piaule mais la poussière sur les meubles montre qu'elle n'y avait pas foutu les pieds depuis des lustres.

Sa conviction se renforça, elle planquait un pensionnaire dans cette villa où elle ne vivait plus.

– On a aussi dégoté ça, près du duvet, fit Tonfa en attrapant un sac plastique sur le secrétaire qui servait de plan de travail aux techniciens – ils y déposaient chaque pièce à conviction.

Le pochette contenait des centaines de pilules, gélules, flacons, sans nom ni étiquette. Des médocs anonymes comme on en donne à l'hôpital. Sans doute les munitions du taré oubliées dans sa fuite. Le scénario imaginé par Erwan gagnait des points. Un aliéné qu'on tente de maîtriser à coups de cachetons pour qu'il cesse de faire du mal...

QUI ?

Éric Katz avait donné une réponse : « L'Homme-Clou n'est pas mort. »

Erwan s'ébroua pour chasser cette hypothèse : Thierry Pharabot toujours vivant, caché depuis septembre chez la psychiatre. Il leva les yeux et comprit, intuitivement, une autre vérité : c'était l'« invité » qui avait choisi cette bibliothèque. *Pour les livres.* Son profil contradictoire se dessinait : un homme qui vivait dans un hôtel particulier mais se terrait dans une seule pièce, un sauvage qui bouffait avec les doigts mais lisait avec avidité, un psychopathe qui vous tranchait la gorge quand vous le dérangiez mais méditait sur les *Essais* de Montaigne.

– Vous me paluchez tous les bouquins, ordonna-t-il. Je veux l'analyse de la moindre empreinte que vous y trouverez.

Nouvelle déduction : sans visite d'Isabelle – elle était morte trois jours plus tôt –, le cinglé avait paniqué quand Audrey avait déboulé. Il n'avait pas fait dans la dentelle : neutralisation de l'ennemi au couteau, charcutage et mutilations rituelles.

L'HOMME-CLOU N'EST PAS MORT.

Avaient-ils tout faux depuis le départ ?

Une seule façon de le savoir :

– Fouillez toute la baraque.

– On a déjà…

– Non, vous la retournez de fond en comble, de la cave au grenier. Vous la mettez en pièces jusqu'à ce qu'on y trouve ce qu'on doit y trouver.

– Quoi au juste ?

– Des minkondis.

Tonfa, pas de la première vivacité, demanda :

– Tu veux dire les trucs africains ?

– Explosez cette putain de maison et dégotez-moi ces sculptures.

Le flic géant s'agita dans ses surchaussures :

– Ça signifie un max de paperasse. Je suis pas sûr qu'on…

– Avec une flic égorgée dans la place ? S'il le faut, on obtiendra l'autorisation de raser le quartier !

Favini, qui venait de les rejoindre, posa sa main sur l'épaule d'Erwan pour l'inviter à sc rctourncr :

– Tu vas pouvoir en parler toi-même. La substitute est là.

101

– NOUS ALLONS FERMER le cercueil, vous pouvez voir une dernière fois le corps.

Loïc ne voulait prendre aucun risque :

– Il est présentable ?

– Bien sûr. Enfin, il y a les sutures…

Le médecin légiste, Yves Riboise, observait Maggie assise sur un des sièges du hall de l'IML. Machinalement, Loïc suivit son regard. Tassée sur elle-même dans ses oripeaux de baba cool, elle tenait à deux mains son sac en toile de jute posé sur ses genoux. *Une vraie SDF.*

Voilà ce qu'elle était en effet depuis vingt-quatre heures. Une âme errante, expropriée de sa propre vie. Durant toutes ces années, elle n'avait eu qu'un point de repère : Morvan. Avec sa mort, elle perdait tout.

Loïc l'avait appelée dans la matinée et lui avait promis de venir la chercher quand la dépouille serait visible. Il l'avait trouvée assise dans le noir, rideaux tirés. Sans doute n'avait-elle pas bougé depuis la veille.

Lui en revanche s'était activé toute la journée. Démarches pour le transfert du corps. Palabres avec la mairie de Bréhat. Coups de fil à la paroisse de Paimpol. Prise de rendez-vous avec le notaire pour la semaine suivante. En prime, rédaction de la notice nécrologique à paraître dans *Le Monde*. Tout ça la rage au cœur. Il était le grouillot du clan. Le passe-plat de la famille.

– Vous confirmez la version de mon frère ?

– Absolument. Je lui ai envoyé un message. Deux balles dans la gorge. Le rapport balistique précisera le calibre. Les carotides ont été perforées, provoquant l'hémorragie externe et des lésions internes fatales.

Les mots d'Erwan. Le cockpit du Cessna. Le Tutsi assis à l'avant. Les coups de feu à travers le siège. Loïc ne se souvenait même plus si son frère avait finalement tué le meurtrier.

– Vous avez rédigé le permis d'inhumer ?

– Voilà.

Riboise lui tendit la feuille sans manifester la moindre émotion. Pourtant, d'après ce que Loïc avait compris, le médecin avait souvent bossé avec les deux Morvan, père et fils. Indifférence ? Flegme professionnel ? Sans doute plutôt de la lassitude. Le toubib avait fini par regarder les flics comme des clients ordinaires.

C'était un petit homme carré d'une soixantaine d'années, empaqueté dans une blouse de papier vert. Il portait de grosses lunettes et un nœud papillon. Sans savoir pourquoi, Loïc se dit que ces détails appartenaient à sa corporation, comme pour les gardes suisses du Vatican leur béret alpin et leur hallebarde.

– Elle tiendra le coup ?

Riboise fixait toujours Maggie, immobile sur son siège. Placée dans l'axe des bustes des anciens directeurs de l'Institut médico-légal, elle semblait appartenir à la série. Un masque de plâtre parmi d'autres.

– Vous en faites pas, assura Loïc avec une pointe de cynisme qui signifiait : « Elle en a vu d'autres. »

Il alla la chercher, regrettant illico sa remarque et craignant qu'elle s'effrite entre ses mains. Depuis la nouvelle, elle avait pris dix ans – des années de solitude et de déclin, payées d'avance. Tous deux suivirent Riboise dans un couloir étrangement frais et aéré. Rien à voir avec la touffeur d'un hôpital : on était plus proche ici des allées du cimetière des Allori, quand Sofia et lui se faisaient cuisiner par l'*ispettore superiore* Sabatini.

En cet instant, il ne pensait ni au décès de son père ni à celui de Montefiori. Il ne pensait pas non plus au chagrin de sa mère. Ce qui l'obsédait, c'était sa séance de tir. Cette puissance qui avait explosé dans sa main, cette habileté qui s'était révélée au bout de ses doigts. Comment mettre à profit ce nouveau pouvoir, cette nouvelle peau ? Retourner en Italie pour buter Balaghino ? Cela aurait été lui faire trop d'honneur. Filer en Afrique pour venger son père ? Si Erwan était rentré, c'était que le boulot était fait – ou que ça n'en valait pas la peine non plus. *Attendre encore.* La malédiction du clan lui offrirait bien une opportunité de tuer, aucun doute là-dessus.

– Après vous.

Riboise venait d'ouvrir une porte frigorifique. Loïc se glissa avec Maggie dans la pièce carrelée de blanc. Au centre, le corps était allongé sur une civière métallique, couvert par un drap. Le légiste, avec des gestes précautionneux, presque liturgiques, écarta le tissu et révéla la gueule de lion vaincu de Morvan.

Aucune réaction dans la salle. Loïc découvrait ce visage comme à travers un étau – ses tempes lui paraissaient compressées par l'appréhension, la peur, l'émotion. Maggie demeurait immobile, avec ses yeux qui lui sortaient de la tête et lui donnaient l'air d'un lézard aux aguets.

– Je vous laisse quelques instants, fit Riboise en consultant son portable. J'ai reçu des appels.

Loïc contemplait la tête et les épaules de son père comme on passe un vernis rapide sur un meuble moisi au fond d'une brocante. Il essayait, mentalement, d'en ranimer la splendeur. En vain. Ce n'était pas seulement la vie qui avait quitté cette carcasse mais la noblesse, la puissance, la superbe. Restait une dépouille sans valeur ni charisme.

Le chagrin finit par le gagner. Une aiguille perçant les couches cotonneuses de son cerveau. Il allait éclater en sanglots quand un choc sourd lui fit lever la tête. Maggie avait disparu. Il contourna la table et la découvrit sur le sol, au pied de la civière, prise de convulsions.

Manquait plus que ça. Il se précipita et plaça sa main sur la gorge fripée de sa mère. Rien qu'au toucher, on pouvait sentir le sang lui cogner dans les artères comme des gants de boxe. Il se pencha sur sa poitrine : le cœur s'emballait.

Il se redressa et appela à l'aide, hurlant dans la salle vide. Il ne connaissait qu'une seule urgence médicale : l'overdose. Rien à voir avec cette crise d'épilepsie. Maggie suffoquait alors que ses lèvres tremblaient comme les membranes d'un sifflet.

Il criait toujours. Personne en vue. *Putain de dieu.* Il se leva et bondit vers la porte, se cognant contre la civière, attrapant la poignée sans parvenir à l'actionner. Durant un bref instant, il se vit enfermé pour la nuit avec sa mère agonisante et son père froid comme la faïence.

Un *memento mori* de cauchemar.

Enfin, il réussit à ouvrir.

– Y a pas un vrai toubib ici pour soigner un vivant ? gueula-t-il dans le couloir.

Aucune réponse. Tout était désert. En sueur, haletant, Loïc attrapa son portable et choisit le dernier numéro qu'il se serait attendu à composer : Sofia.

102

LES DISCUSSIONS avec la substitute du procureur avaient duré plus d'une heure et pris un tour inattendu : la victime étant un membre du groupe d'Erwan, la magistrate souhaitait saisir un autre commandant pour éviter toute implication personnelle. Erwan avait riposté avec un argument de poids : que ce soit lui ou un autre, l'affaire prendrait forcément un tour personnel. « On a buté une flic, nom de dieu ! » Tout ce qui respirait et portait un uniforme en Île-de-France allait vouloir fumer l'assassin d'Audrey Wienawski, trente-deux ans, morte dans l'exercice de ses fonctions. La substitute, jeune femme assez terne qui bizarrement ressemblait à Audrey, avait encore tergiversé. Une fois n'est pas coutume, Erwan avait appelé à la rescousse Fitoussi, lui-même contactant les huiles au-dessus de lui : Police judiciaire de Paris, Direction centrale de la PJ à Nanterre, place Beauvau.

Finalement, on s'était rendu aux arguments du commandant Morvan mais alors qu'il envisageait une enquête serrée sur Isabelle Barraire et son passé de psy, c'était l'option « coup de filet » qui avait été privilégiée. L'hypothèse d'un SDF squattant l'hôtel particulier et surprenant Audrey prévalait. Pour l'heure, personne ne s'attardait sur les motivations de la fliquette pénétrant par effraction et fouillant en toute illégalité la maison d'une morte. On n'en était plus là. L'urgence était d'arrêter le forcené qui, pour ne rien arranger, avait volé le calibre de sa victime.

Pour cette chasse à l'homme, on avait distribué les rôles et réparti les tâches. Louveciennes était déjà bouclé : de Port-Marly au nord à la N186 à l'ouest et de la D913 et la Seine à l'est jusqu'à la forêt domaniale au sud, tout le secteur était passé au crible. On avait fait flairer à des chiens les fringues trouvées dans la bibliothèque. Étaient aussi à pied d'œuvre policiers municipaux, membres de la BAC, flics en uniforme de tout poil, escadrons de gendarmes mobiles… Pour le porte-à-porte – audition des voisins, interrogatoire des commerçants, visionnage des bandes de vidéosurveillance du quartier –, les OPJ des commissariats de Rueil-Malmaison, Saint-Germain-en-Laye et Nanterre assureraient le boulot.

Chacun avait en tête un clochard meurtrier, un Francis Heaulme en maraude, Opinel en poche, plutôt qu'un assassin civilisé qui se fondrait dans la masse et volerait une voiture pour disparaître. Pourtant, des barrages routiers s'étaient également organisés sur les axes principaux des environs – autoroutes, nationales, départementales… Des patrouilles quadrillaient la banlieue ouest, de Versailles à Saint-Germain-en-Laye. Des brigades territoriales, des pelotons de surveillance et d'intervention (PSIG) de la Gendarmerie nationale étaient venus en renfort – leurs hélicoptères se tenaient prêts. Même la Brigade fluviale patrouillait le long de la Seine, au cas où la bête aurait tenté de fuir à la nage.

Erwan avait perdu la main. Commissaires, commandants, lieutenants-colonels de gendarmerie s'étaient invités dans les jardins de la villa transformés en QG de campagne. Certains voulaient lancer un appel à témoins – mais témoins de quoi ? D'autres préconisaient une analyse des mains courantes des dernières semaines aux alentours – la proie avait peut-être déjà fait des siennes dans le secteur. Quant au procureur de la République, qui avait fini par débouler en personne, il n'était préoccupé que par des problèmes de communication : rédiger un message aux médias, limiter les rumeurs sur Internet, organiser une conférence de presse à la première heure le lendemain matin…

Erwan rongeait son frein. Selon lui, cette agitation était inutile : le tueur avait frappé la veille au soir, soit vingt-quatre heures auparavant, il était déjà loin. La clé de son identité se trouvait dans le passé d'Isabelle Barraire. Personne n'avait squatté sa baraque. C'était la psy, et elle seule, qui avait accueilli le dément dans ses murs. Erwan avait déjà son idée – *L'Homme-Clou n'est pas mort* – mais cette thèse était trop folle, pas question d'en parler avant d'avoir du solide. Du reste, la proie pouvait aussi se prendre dans les toiles du dispositif – sans argent ni contacts, santé mentale défaillante et look de clodo : on pouvait espérer mettre rapidement la main sur un oiseau pareil.

Deux heures étaient passées et toujours pas de Riboise. Personne ne comprenait pourquoi Erwan refusait de réquisitionner un médecin standard pour délivrer le « bleu ». Non : il voulait que Riboise et lui seul lui confirme que la mort d'Audrey était « constante et effective ». Il comptait aussi sur lui pour remarquer des détails in situ. Il avait fait éteindre les projecteurs et stopper les opérations d'analyse, de peur que la chaleur autour du corps accélère sa décomposition et brouille la datation de la mort.

À 21 heures, tous les responsables reprirent leur voiture, se promettant de s'appeler mutuellement au fil de la nuit – Erwan acquiesçait mais s'en foutait déjà : il avait passé le relais à un divisionnaire de Versailles, Pierre Sandoval, qui connaissait son boulot.

Il serra des mains, nota des numéros, salua la compagnie comme après un barbecue. Il ne tremblait plus mais ce n'était pas bon signe : il était passé au stade du refroidissement interne – on perd un degré toutes les trois minutes, le cœur se ralentit, les membres ne sont plus irrigués, c'est le temps de la paralysie et des engelures. Erwan se sentait d'autant plus mal qu'il percevait, comme à l'extérieur de lui-même, qu'il ne faisait pas si froid que ça. Ce n'était pas la nuit qui était hostile mais son propre corps.

Par ailleurs, une migraine s'insinuait sous son crâne et ses paupières brûlaient. Depuis deux heures, les jardins n'étaient éclairés que par les gyroleds à éclats, les feux à iode et les rampes des bagnoles et des « boîtes de six ».

Finalement, il rameuta ses gars au pied d'un chêne, près de l'étang, et put enfin organiser sa guérilla personnelle. Ses troupes se limitaient désormais à Tonfa et Favini mais ils connaissaient déjà la vie d'Isabelle Barraire. Ils pouvaient la fouiller de nouveau, voir si un malade mental avait été libéré d'un des hôpitaux où elle avait exercé ou avait été soignée – notamment aux Feuillantines : Chatou n'était qu'à un kilomètre de Louveciennes.

Mais d'abord, Erwan voulait régler une question cruciale :

– Qui prévient la famille d'Audrey ?

– Elle n'avait personne, fit Favini. En tout cas, elle n'en a jamais parlé.

Le Marseillais disait vrai : d'origine slave, Audrey se présentait toujours comme une orpheline et n'avait jamais caché ses années sombres, à la limite de la cloche.

– Vérifiez tout de même.

Les hommes acquiescèrent, sinistres, alors que feuillages et buissons frissonnaient autour d'eux. Leurs pieds s'enfonçaient dans la glaise humide des bords de l'étang.

– La fouille, qu'est-ce que ça donne ? relança Erwan.

– Pour l'instant rien mais les collègues continuent.

Dans un mouvement réflexe, il eut un regard vers la bâtisse : il l'imaginait s'effondrer en un tas de gravats et révéler son secret dans un nuage de plâtre.

– Retournez rue Nicolo. Défoncez la porte, raflez tous les dossiers des patients. Allez aussi rue de la Tour. Collectez tout ce qui pourrait nous renseigner sur Katz. À chaque fois, vous y allez avec un serrurier et une escouade, une balle dans le canon. Plus question de prendre le moindre risque. Je n'exclus pas que notre client se soit planqué dans un de ces apparts.

– Je comprends pas, intervint Tonfa, il aurait les clés ?

Erwan s'abstint de répondre – aucune certitude.

– Repassez aussi au crible ses appels, ses messages.

– Isabelle Barraire n'avait plus d'abonnement, répliqua Favini.

– Je parlais du compte de Katz.

– On a déjà vérifié : tous les appels concernent ses patients.

– Je parle français ou quoi ? L'assassin peut être l'un d'eux ! Je suis certain qu'elle a soigné ce fêlé.

Favini haussa les sourcils. Tonfa risqua :

– On a aucune commission pour…

Le mal de tête, de plus en plus lancinant. *Ces lumières, nom de dieu…*

– Une fois pour toutes, notre commission, c'est notre délai de flagrance. Les précautions, c'est fini. On entre partout, on fouille où ça nous chante.

– La famille de Barraire va…

– Je les emmerde. Isabelle planquait un cinglé dont le nom se trouve dans ses dossiers.

À cet instant, un des flics de la brigade de Rueil arriva, gants de latex et traits tirés, tendant un objet :

– On a trouvé ça dans la cave, planqué sous la chaudière.

Erwan enfila de nouveaux gants et saisit la curiosité. Une statuette sculptée dans de la boue représentant un personnage d'une vingtaine de centimètres de hauteur, dans le style naïvo-expressionniste africain. Le fétiche était hérissé de clous rouillés et de tessons de verre.

Un nkondi tout juste sorti des mains de son créateur. Une effigie qui avait valeur de signature.

Un silence mortifié accueillit la trouvaille. Pour Tonfa et Favini, c'était comme si on les replongeait dans un cauchemar qu'ils s'efforçaient d'oublier depuis deux mois.

Pour Erwan, c'était différent : il ne s'était jamais réveillé.

S'il lui fallait une preuve du pire, il la tenait entre ses doigts. Un nouveau candidat à la succession du tueur du Katanga. Ou, encore plus fou, Thierry Pharabot en personne, revenu d'entre les morts.

– Fous-moi ça dans un sac à scellés, ordonna-t-il au flic de Rueil.

L'OPJ disparut. Les deux autres se taisaient. Leurs visages s'incrustaient dans l'obscurité, au rythme des avertisseurs lumineux : bleus, blancs, orange...

– Donnez-moi une seconde.

Il s'écarta et composa le numéro du lieutenant-colonel Verny. Le gendarme eut à peine le temps de décrocher qu'Erwan exigeait un point sur les interrogatoires du personnel et des patients de l'UMD Charcot.

– Pour l'instant, rien. On a auditionné environ la moitié de...

– Vous y êtes encore ?

– Non, tout le monde est rentré chez soi. Il est plus de 21 heures. On y retourne demain. Le professeur Lassay est plutôt conciliant et...

– Vous foncez là-bas et vous le foutez en garde à vue. Maintenant.

– Quoi ? Pour quel motif ?

Erwan eut un ricanement de cinglé :

– Disons : dissimulation de preuves, entrave à la bonne marche de l'enquête, faux témoignage et, pourquoi pas, kidnapping et usurpation de cadavres.

– Je comprends rien à ce que vous racontez.

– Pas grave. Gardez-le-moi au frais.

– Vous allez revenir ?

– Chopez-le cette nuit. Je vous rappelle demain matin pour vous dire quand j'arrive. Foutez-le au trou, nom de dieu !

Il raccrocha en se disant que, malgré les nombreuses incohérences de l'histoire, une logique pointait. Tout ramenait à l'UMD Charcot. Isabelle Barraire y avait été soignée au début des années 2000 avant d'y exercer. Thierry Pharabot y avait – soi-disant – fini ses jours en 2009. Quatre cinglés y avaient volé – ou cru voler – les cellules du tueur en série. Un disciple ancien du nganga – Kripo – avait rôdé autour du site jusqu'à se prendre lui-même pour son mentor.

Au cœur de l'UMD, Pharabot rayonnait. L'étoile noire autour de laquelle gravitaient les autres planètes. La concrétion d'instincts primitifs et de pulsions meurtrières qui attirait les mauvaises volontés comme un aimant les particules de fer.

Au plus profond de lui, Erwan sentait cette attraction. Ce sombre magnétisme qui ordonnait toute l'affaire.

Il revint vers ses hommes, en trébuchant contre des mottes de terre. Il avait l'impression de descendre d'un simulateur de vol.

Il trouva tout de même quelques restes de sang-froid pour demander à Tonfa :

– Et José Fernandez, tu t'es rancardé sur lui ?

– Qui ?

– Plug. L'infirmier de Charcot.

Le flic se frappa le front, l'air sincèrement désolé :

– Merde, j'ai oublié ! Avec l'histoire d'Audrey, je…

– Fais-le. Maintenant. Je veux lui parler demain matin, qu'il soit en taule, en Bretagne ou sur Mars.

Officiellement, dans la nuit du 23 novembre 2009, Thierry Pharabot était mort d'un AVC. Un médecin de la Cavale blanche était venu rédiger le certificat de décès. À l'aube, José Fernandez et un collègue avaient emporté la dépouille au crématorium de Brest, dans la zone d'activité du Vern. Juste avant l'autodafé, Plug avait prélevé des fibroblastes sur les cuisses du cadavre en vue de greffe de moelle osseuse. Ensuite, l'Homme-Clou était parti en fumée.

Tout ça était faux.

Le nerf de l'affaire tenait dans ces quelques heures. Secouer Plug. Retourner en Bretagne. Interroger Lassay. Remettre la main sur le toubib qui avait signé le permis d'inhumer. Retrouver, un à un, les protagonistes de cette imposture.

Erwan, bras croisés sur la poitrine, marmonnait tel un fou, et se frappait les épaules pour se réchauffer quand Riboise apparut enfin. Le commandant fit un pas vers lui et aboya sans préambule :

– Putain, mais qu'est-ce que tu branles ? Ça fait deux heures qu'on t'attend !

Le médecin légiste, cartable en main, ne répondit pas. Sur son visage de bouledogue, la stupéfaction de trouver Erwan ici.

– Je comprends pas, répondit-il. T'es pas au courant pour ta mère ?

103

Le DIABLE est avec moi.

Chaque étape après la corrida de la suite 418 le lui avait démontré. D'abord, la direction du Château Rappaz avait demandé aux clients de rester dans leur chambre jusqu'à ce qu'on les convoque dans une des salles de conférence du palace. Le personnel évoquait, du bout des lèvres, un « accident » au quatrième étage.

Avant 19 heures, on l'avait guidée jusqu'au rez-de-chaussée dans un climat d'effroi contenu – elle avait suivi le mouvement, alternant questions timides et récriminations (après tout, elle était cliente de l'hôtel et ne comprenait pas ce barouf). Elle s'était concentrée sur son rôle pour ne plus penser au carnage. Elle était en salle de réveil. Rien n'était clair encore, sa lucidité revenait mais elle la maintenait à distance.

Son interrogatoire s'était réduit à une formalité. Pas plus curieux que des douaniers dans un aéroport, les flics lui avaient posé des questions basiques sans même lever les yeux de leur listing qu'ils surlignaient consciencieusement. Passeport. Motif du voyage. Résumé de la journée et de son emploi du temps à l'hôtel.

En plus de lui ressembler, la fille à laquelle Gaëlle avait emprunté son passeport avait un autre avantage : elle était membre de plusieurs associations écologiques dont l'une, visant à protéger les espèces menacées des forêts d'Europe, siégeait à Lausanne. Gaëlle avait prétendu qu'entre deux shoppings (elle avait donné l'adresse de chaque boutique et les horaires de ses visites), elle s'était rendue dans les bureaux de l'association pour présenter un projet de conservation du gypaète barbu. « Faut continuer la lutte ! » Pour donner corps à son mensonge, elle avait sorti de son sac une brochure qu'elle avait imprimée la veille sur ce rapace en voie de disparition. Les deux flics s'étaient regardés : une fille à papa qui n'a rien d'autre à foutre que de protéger des rapaces inconnus. Coup de Stabilo. « Merci, mademoiselle. »

Gaëlle avait poussé l'insolence jusqu'à demander à quitter l'hôtel au plus vite. Permission accordée. L'enquête était de pure routine. Tout démontrait qu'un attentat à l'encontre de Trésor Mumbanza, personnalité influente au Katanga, futur candidat à la gouvernance de la province, avait tourné au massacre. Pourquoi soupçonner cette écervelée ?

Le diable est avec moi.

Elle avait réussi à attraper le TGV de 20 h 45. Tout s'était déroulé dans des conditions optimales et elle aurait pu se prendre pour une tueuse professionnelle pleine d'avenir. Mais à bord, ses nerfs avaient lâché. Voilà qu'elle pleurait maintenant comme la fontaine de Pétrarque alors que son train filait à plus de trois cents kilomètres-heure dans la nuit helvétique.

Sur quoi au juste ? Certainement pas sur les trois salopards qu'elle avait occis dans une transe furieuse. Ni sur le Padre qu'elle avait voulu venger pour une inexplicable raison. Elle pleurait plutôt sur elle. La haine qu'elle éprouvait pour son père l'avait tenue debout jusqu'ici. Une fois le Vieux disparu, elle s'était empressée de honnir ceux qui l'avaient tué. *Who's next ?* Il ne restait plus qu'elle-même dans sa ligne de mire.

Elle s'était pelotonnée contre la vitre. Bonnet enfoncé jusqu'aux sourcils, le reste du visage plongé dans son écharpe, le laissant ruisseler ad lib. Soudain, elle prit conscience qu'elle était l'attraction de la voiture – ses occupants disséminés lui lançaient de brefs coups d'œil gênés ou passaient devant elle l'air apitoyé.

Se dégourdir les jambes. Un café au wagon-bar, ou simplement s'asperger de flotte dans les toilettes. Elle se leva et, pour se donner une contenance, prit son portable. Dans le sas situé à l'extrémité de la voiture, elle se décida à l'allumer. Ce qu'elle découvrit la sortit directement de son jus : douze appels, dont trois de Loïc en moins d'une heure. *Merde.* Elle avait oublié son rôle de coach auprès de son frère.

À tous les coups, il avait replongé – ou était au bord de la chute.

Elle passa aux SMS et obtint une tout autre réponse : Maggie avait eu une attaque à l'Institut médico-légal, aux environs de 19 heures, alors qu'ils étaient en train de se recueillir au chevet du Commandeur. Elle avait été transférée en soins intensifs à l'hôpital Georges-Pompidou. Loïc parlait de réanimation, de fibrillation auriculaire, de thyroïde…

Ses larmes s'arrêtèrent net. Elle composa le numéro du frangin et s'éclaircit la gorge. En quelques secondes, elle était redevenue la demoiselle de fer. Seul avantage du clan Morvan : impossible de se relâcher ne serait-ce qu'une heure ou deux.

Une malédiction, c'est un boulot à plein temps.

104

– VOTRE MÈRE a fait une crise thyrotoxique.

– C'est quoi ? demanda Loïc.

Erwan aurait pu lui répondre. C'était déjà arrivé deux fois à Maggie. Le hasard avait fait que le cadet n'était pas présent à ce moment-là. Lui, en revanche, était aux premières loges : arythmie cardiaque, convulsions, fièvre… Après la deuxième crise, au début des années 2000, les médecins avaient préconisé une ablation partielle de la glande thyroïdienne. Il faut croire qu'ils n'en avaient pas retiré assez.

– Un afflux d'hormones T3 et T4 a provoqué une violente fibrillation auriculaire, expliqua le toubib. Visiblement, elle souffrait déjà du cœur… On a évité de justesse l'arrêt cardiocirculatoire.

Dès que Riboise l'avait averti, Erwan avait appelé Loïc. Maggie avait été hospitalisée à Pompidou. Il n'avait pas engueulé son frère – il ne perdait rien pour attendre – et avait foncé directement là-bas. Il ne savait plus où il en était – ne savait même pas s'il était quelque part. Son père assassiné. Audrey sacrifiée. Un nouveau tueur – ou toujours le même – en liberté. Et maintenant Maggie…

– Concrètement, coupa-t-il, quelle est la situation ?

– Nous l'avons intubée et cardioversée.

– Parlez français s'il vous plaît.

Il ne faisait aucun effort d'amabilité et le médecin ne s'en offusquait pas. Au seuil de la mort, la courtoisie n'a plus cours.

– Nous avons stabilisé le cœur et fait baisser la fièvre. Nous réduisons progressivement l'excès d'hormones thyroïdiennes et lui administrons aussi des antibiotiques à large spectre pour stopper tout risque d'infection.

– Mais comment est-elle ?

Erwan avait encore élevé la voix. Sa nervosité éclatait à chaque mot. Cette fois, le médecin tiqua. Drapé dans sa blouse, il le toisa d'un œil non pas choqué, mais professionnel. Tremblements, rougeur, transpiration : Erwan aurait fait aussi un bon client pour les urgences.

– Nous avons dû la plonger dans le coma.

– Dans le coma ? répéta Loïc en écho.

– C'est un état réversible, les rassura-t-il. Pas d'autre possibilité pour la stabiliser. Il n'y a pas que le cœur… Tout son métabolisme est en vrac. Il faudra au moins une semaine pour que ses hormones thyroïdiennes reviennent à la normale et que son corps s'apaise. Elle doit absolument rester ici, en soins intensifs.

Erwan s'appuya contre le mur. Son frère et lui portaient également des blouses de papier, des bonnets froncés, des surchaussures. Ils se tenaient tous les trois dans un couloir typique d'hôpital. Blanc, mais qui vous filait des idées noires. Chaud, mais jusqu'à la suffocation. Aseptisé, mais où tout semblait contaminé par la mort. Seule bonne nouvelle : Erwan n'avait plus froid.

– Nous attendons son dossier médical, reprit l'endocrinologue. Elle a déjà subi une thyroïdectomie, non ?

– Partielle. En 2002.

– Je crains qu'on doive recommencer dès qu'elle ira mieux. On ne peut plus prendre le moindre risque…

Erwan acquiesça mais son attention flanchait déjà. Un autre fait le minait : en arrivant dans le service, il avait surpris Loïc dans les bras de Sofia, pelotonnés sur leur siège comme deux animaux craintifs. Il n'aurait pas misé un euro sur leur réconciliation mais une chose était sûre : ils allaient bien ensemble. Des enfants gâtés qui n'avaient jamais eu que les problèmes qu'ils s'étaient créés. Ce tableau l'avait touché : depuis toujours, il veillait sur eux, il était leur garde du corps, leur ange gardien. Et ce n'était pas près de s'arrêter.

L'Italienne ne lui avait même pas accordé un regard. Pas un drame. Au fond de lui, il avait déjà archivé la *canzonetta*. Mais pourquoi Loïc ne l'avait-il pas appelé ? Pourquoi avoir contacté plutôt cette pimbêche dont il divorçait ? Erwan se sentait blessé dans son statut de chef de famille.

Par association, il songea à Gaëlle. Loïc avait cherché à la joindre, sans résultat. Où avait-elle disparu ? Qu'avait-elle encore inventé ? Était-elle menacée par le tueur de Louveciennes ?

La voix du médecin lui revint aux oreilles :

– Nous cherchons la cause de cette crise. Nous avons vérifié son taux de glycémie. Aucune trace de diabète – cela aurait pu être un facteur déclenchant. Par ailleurs, le traitement qu'elle prend régulièrement paraît adapté. Je me demandais... (Son regard alla d'un frère à l'autre.) Elle n'a pas subi récemment un traumatisme ?

Loïc n'avait pas eu le temps de lui expliquer les circonstances du malaise.

– Son mari, asséna Erwan, notre père, est mort avant-hier. Elle était en train de lui faire ses adieux à l'Institut médico-légal de Paris.

– Je vois. (Le toubib ôta sa charlotte de papier puis ébouriffa ses cheveux gris.) Je voulais aussi vous parler d'autre chose... Mes collègues m'ont signalé sur le corps de votre mère de nombreuses cicatrices. (Il paraissait gêné d'évoquer ce point.) J'ai moi-même remarqué ces traces. Elles traduisent une violence anormale subie durant des années. Quelque chose comme des signes d'automutilation...

Les deux Morvan observaient le médecin sans un mot. Leur silence était presque hostile.

Enfin, Erwan creva l'abcès :

– Son mari n'a jamais cessé de lui taper dessus. Il la brûlait, la torturait, l'insultait. Maintenant qu'il a enfin claqué, ça serait pas mal qu'elle puisse lui survivre. Ne serait-ce que pour profiter un peu de la vie et…

Loïc le poussa de l'épaule pour stopper sa tirade cynique :

– On peut la voir ?

105

À 23 HEURES, les deux frères étaient toujours au chevet de leur mère.

Enfouie sous les tubes et les câbles, cernée par des machines complexes aux écrans luminescents, elle paraissait avoir réduit de moitié. On ne discernait que son front jaunâtre et ses orbites horriblement creusées, le bas du visage étant mangé par un masque qui semblait respirer à sa place.

Loïc et Erwan ne parlaient pas. Ils avaient chaud, ils avaient faim, ils en avaient marre. Mais ils attendaient : Gaëlle avait enfin rappelé et promis d'arriver vers minuit. D'où venait-elle ? Aucune précision.

Tous les quarts d'heure, Erwan sortait dans le couloir pour écouter ses messages en douce – l'usage des mobiles étant interdit dans l'enceinte. La chasse à l'homme n'avançait pas. Le porte-à-porte avait donné des informations contradictoires. L'appel à témoins n'avait produit, pour l'instant, que des manifestations bidon ou farfelues. Les barrages routiers n'avaient servi qu'à créer des embouteillages. Erwan savait que ce dispositif diminuerait dès le lendemain matin : on n'allait pas monopoliser indéfiniment des forces de police pour poursuivre un assassin dont personne ne possédait le signalement.

La pêche de son groupe ne donnait rien non plus. Les malades soignés par Isabelle Barraire au temps de ses missions en HP étaient toujours à demeure, ou contrôlés par un traitement chimique. Ceux des Feuillantines – dont il était impossible d'avoir les noms – dormaient tranquilles, et d'ailleurs Erwan doutait qu'aucun d'eux ait le profil d'un assassin. Quant à ceux du cabinet de Katz, ils n'avaient rien à voir non plus avec la moindre violence. De la névrose chic et standard.

Restait l'Homme-Clou, l'assassin incinéré, le fantôme de Charcot.

Celui-là, Erwan allait s'en occuper dès le lendemain matin en retournant interroger Lassay. Avant le départ, il espérait aussi cuisiner José Fernandez, alias Plug, mais Tonfa ne l'avait toujours pas logé.

Par ailleurs, ses gars étaient passés rue Nicolo et rue de la Tour. Aucune trace d'un squatteur ni du moindre passage suspect dans les environs. Erwan se trompait : le tueur n'avait sans doute pas les clés d'Isabelle, ni même ses autres coordonnées. Mais comment avait-il pu s'évaporer ?

Au fil de cette moisson décevante, il avait reçu un autre appel inquiétant : Gérard Combe, du club de tir d'Épinay-sur-Seine, l'avait prévenu que Loïc avait proposé de lui acheter un Beretta 92, customisé par ses soins. Arpentant le couloir, Erwan apercevait, par la porte entrouverte, son frère qui somnolait au chevet de Maggie.

– T'as refusé, j'espère ?

– C'est-à-dire…

– Quoi ?

– Il m'en a offert une fortune.

– Il n'a pas de permis.

– C'est pourtant un des meilleurs tireurs que j'aie jamais rencontrés.

– Loïc ?

– Il a fait mouche à chaque fois, et des deux mains encore.

Son frère était ambidextre mais d'où sortait son expertise en matière de tir ? Qu'avait-il en tête ? Qu'allait-il faire d'un calibre, lui qui voyageait exclusivement entre l'avenue Matignon et le Trocadéro ?

– Je vais récupérer le flingue, avait conclu Erwan. Si j'y parviens pas, je t'inculpe pour trafic illégal d'armes.

– Morvan, je...

De retour dans la chambre, il avait cuisiné son frère, sans succès. Loïc demeurait évasif sur ses motivations et refusait de rendre le pistolet. Ils s'étaient engueulés, à voix basse, près du lit de leur mère – vraiment pas le bon endroit pour un bras de fer.

Une heure plus tard, nouvel appel, nouveau sujet d'angoisse. Fitoussi lui avait balancé une avant-première : Trésor Mumbanza, en goguette à Lausanne, s'était fait buter aux environs de 18 heures dans sa chambre d'hôtel par ses deux gardes du corps, eux-mêmes abattus dans l'affrontement par le Boss de Lubumbashi. Fitoussi n'était pas malin mais il possédait assez d'éléments – Coltano, le Katanga, les meurtres de Nseko et Montefiori – pour relier ce carnage à l'assassinat de Morvan. Avant de s'entretenir avec le Quai d'Orsay, il voulait l'avis d'Erwan, qui était resté sur ses gardes : pas un mot sur la responsabilité de Mumbanza dans l'assassinat de son père ni sur les combines autour de Coltano et des nouveaux filons.

En vérité, Erwan ne savait rien mais cette mort tombait à pic. Un peu trop à vrai dire. La suite du coup de balai effectué par Balaghino ? Des représailles après la mort de Pontoizau ? Un nouveau tour dans le jeu de chaises musicales au sein de Coltano ? Une « affaire de nègres », comme disait Morvan ?

Il venait de raccrocher quand il entendit claquer des talons dans le hall de l'étage. À travers les hublots des portes battantes, Gaëlle apparut, joues roses et bonnet noir.

– Où t'étais ? demanda-t-il en marchant vers elle.

– En Suisse.

– Bordel de dieu…, siffla-t-il entre ses lèvres.
– Comment va maman ?
Il l'attrapa par le bras et la poussa vers l'escalier de service.
– Ça va pas non ? cria-t-elle.
– Avance.
Il lui fit dévaler les marches et en quelques secondes, ils se retrouvèrent dehors, loin de la touffeur, des odeurs antiseptiques, de la peinture écaillée.
– Me dis pas que Mumbanza, c'est toi.
– Et alors ?
– T'es complètement cinglée ou quoi ?
– C'est bien lui qu'a fait tuer papa, non ?
Erwan se passa les mains sur le visage, consterné.
– T'as décidé de buter un homme, avec tes petites mains, sans même savoir s'il était coupable ni qui il était ?
– C'est toi qui m'as dit…
– Je t'ai livré l'hypothèse la plus probable. Ça ne suffit pas pour le juger et encore moins l'exécuter. Pour qui tu te prends ? Le glaive de la justice ?
Elle fit une moue boudeuse en guise de réponse.
– Tu te rends compte des risques ? T'es complètement tarée !
Elle ouvrit son sac posément et en sortit une cigarette.
– C'était une ordure, de toute façon, souffla-t-elle après l'avoir allumée.
– Qu'est-ce que t'en sais ?
– Avec les femmes, en tout cas.
Erwan se demanda si le sang circulait normalement dans son propre cerveau – il venait de ressentir un vertige comme lorsqu'on se lève trop rapidement. À l'idée que ce salopard ait pu poser les mains sur sa sœur, il regrettait maintenant de ne pouvoir le ressusciter pour le tuer de ses propres mains.
– Comment t'as goupillé ton truc ? demanda-t-il finalement.
Gaëlle lui raconta son plan – histoire hallucinante où se mêlaient le passeport d'une copine, un bouchon de champagne, une lame de rasoir, un tour de passe-passe avec des calibres. Il

eut une pensée fataliste de flic : ses collègues et lui passaient leur vie à écumer le pavé pour arrêter des meurtriers et voilà ce qu'on leur proposait – des loufoqueries oscillant entre bandes dessinées et chaudron du diable.

Le plus dingue était que Gaëlle avait réussi son coup. « Plus c'est gros, mieux ça passe », prétendait Morvan. L'enquête devait déjà être pliée. Les trajectoires des balles confirmeraient l'hypothèse d'un règlement de comptes. Les flics suisses n'iraient pas chercher plus loin. D'autant plus qu'en 2001, Laurent-Désiré Kabila, président de la RDC, avait déjà été abattu par ses propres gardes du corps. Erwan était certain que Gaëlle le savait.

Avant d'en finir, il appliqua la check-list du crime parfait :

– Les caméras de sécurité ?

– Y en avait pas dans ce coin du couloir. La chambre jouxtait l'escalier de service.

– Sûre ?

– Certaine. Personne ne m'a vue. Personne ne savait qu'il attendait une fille, hormis ses gardes du corps.

– Pour le rancard, par qui t'es passée ?

– Payol.

Bien sûr. Aucun risque que le maquereau de luxe parle. Il devait même avoir pris ses dispositions pour qu'on ne puisse pas remonter jusqu'à lui.

– La gare, les douanes ?

– J'ai pris mon billet sous l'identité de ma copine.

Le seul détail qui aurait pu mettre la puce à l'oreille des flics helvétiques était le nom de Morvan, assassiné deux jours auparavant dans le fief de Mumbanza. Mais avec son passeport d'emprunt, Gaëlle avait précisément évité cet écueil. Plus Erwan creusait, plus tout ça lui paraissait joliment ficelé.

Il conclut, mâchoires serrées :

– J'ai du mal à croire que tu sois sortie indemne d'une histoire pareille.

– La chance du débutant.

– Ça te fait rire ?

Gaëlle avait rallumé une cigarette : son visage était redevenu très pâle.

– C'est toi qui me fais pas rire, rétorqua-t-elle en pinçant les lèvres sur sa clope. Après tout, j'ai fait ton boulot.

– Me cherche pas.

– Tu reviens du Congo avec le cadavre de notre père et tu bouges pas le petit doigt pour lui faire justice ?

– J'ai tué son meurtrier, j'te rappelle.

– J'ai tué celui qui avait ordonné son exécution.

Erwan eut un geste de lassitude. Aucune envie de se justifier ni même de poursuivre cette conversation.

Pourtant, emporté par l'habitude, il en remit une couche :

– Toi non plus, j'te reconnais pas. T'as toujours haï papa et voilà que tu prends des risques insensés pour le venger ? T'aurais dû plutôt remercier Mumbanza, non ?

– Erwan, répliqua-t-elle dans un nuage de fumée, te fais pas plus con que tu n'es.

Il battit en retraite. Loïc, Gaëlle et lui étaient censés détester leur père mais depuis sa mort, aucun d'eux ne s'était réjoui ni n'avait éprouvé le moindre soulagement. Au contraire, une tristesse immense, puissante et insondable se levait au fil des heures, à la manière d'un tsunami sur l'horizon. S'étaient-ils toujours trompés sur leurs sentiments ?

Le seul à pouvoir légitimement réviser son jugement était Erwan, avec ce qu'il avait appris dans les marécages de Lontano. Mais les autres ? Devinaient-ils aussi les « circonstances atténuantes » du Vieux ? Avaient-ils toujours pressenti, au fond de leur chair, que Grégoire valait mieux que les coups qu'il donnait à son épouse ?

Et lui, devait-il révéler ce qu'il avait découvert au Congo ? Jusqu'ici, l'idée ne l'avait même pas effleuré. *Affaire personnelle.* Mais en vérité, Gaëlle et Loïc eux aussi avaient le droit de connaître les origines du Padre ainsi que la vérité sur le meurtre de Cathy Fontana. Il s'arrêta net : pas question de noircir Maggie pour blanchir Morvan. Pas question non plus d'assumer son statut de « pièce rapportée ».

Il allait prononcer une phrase creuse pour se défausser quand Gaëlle balança sa cigarette et pénétra dans le bâtiment.

– J'vais voir maman, annonça-t-elle, plus froide qu'une sculpture de glace.

106

ERWAN lui emboîta le pas. À peine dans le hall, son téléphone vibra à nouveau : Favini.

– Je te rejoins, marmonna-t-il à sa sœur en faisant demi-tour.

– J'ai retrouvé Plug, annonça le flic.

– Où il est ?

– Au cimetière du Sud, boulevard Dieu-Lumière, à Reims.

L'adresse avait l'air d'un canular. Il retrouva le froid du dehors avec soulagement – un vieil ennemi qui vous redonne l'envie de lutter.

– Explique-toi.

– Il s'est fait éviscérer en octobre dernier, à la maison centrale de Condé-sur-Sarthe. Une embrouille entre détenus.

– Il faisait sa préventive en centrale ?

– C'est bizarre, ouais. Faut que je vérifie pourquoi. Son corps a été transféré dans sa ville natale, où ses parents vivent encore.

– On a le coupable ?

– Un dénommé Patrick Benabdallah. Un casier long comme ma bite. Un pur psychopathe d'après son dossier. D'ailleurs, il a été placé depuis en UMD.

Ce n'était plus une enquête mais la nef des fous.

– Me dis pas qu'il a été envoyé à Charcot.

– C'est le contraire : il en venait. J'te l'ai dit, Benabdallah avait déjà une lourde ardoise. Meurtres. Viols. Actes de torture. Inceste. Comme d'hab, les experts se sont contredits et il a passé un bout de temps à Charcot avant d'être finalement écroué à Condé-sur-Sarthe.

– Quelles années, son passage à Charcot ?

– 2005-2007.

– Il connaissait donc Plug ?

– Sans doute. On peut imaginer un règlement de comptes, en souvenir du bon vieux temps.

– Où il est maintenant ?

– Attends vouère…

Favini imitait souvent les accents et cette fantaisie n'était pas toujours du meilleur goût. Mais cette nuit, tout était bon pour faire baisser la pression. La mort d'Audrey n'était pas une tragédie à laquelle on s'habituait.

– Henri-Colin à Villejuif. Secteur 94D00, pôle soins intensifs. Tu vois l'genre…

Erwan connaissait. La plus ancienne UMD de France, une sorte de référence dans le domaine. Il était plus de minuit, il pouvait rentrer chez lui dormir quelques heures et foncer là-bas pour le petit déjeuner.

– Préviens-les que je déboulerai à la première heure. Louveciennes, toujours rien ?

– Levantin et ses gars passent toujours la baraque au peigne fin.

– Je pensais au porte-à-porte, aux barrages.

– Que dalle. Le gars est déjà loin. Autant siffler dans le cul d'un mort.

Il allait raccrocher quand la Sardine ajouta :

– J'ai autre chose pour toi. Philippe Hussenot. Tu m'avais demandé de laisser traîner une oreille à propos d'une éventuelle affaire réservée…

Un délire de Gaëlle qui avait enflé au point de devenir une information à vérifier.

– Alors ?

– Un de mes potes des Stups connaît le nom. En 2006, alors qu'il était à la BRB, on lui a demandé de contacter notre officier de liaison en Grèce au sujet d'un accident de bagnole… C'était l'histoire de Hussenot.

– Qui lui a demandé ça ?

– Son supérieur de l'époque, Pascal Viard.

Mauvaise nouvelle. Viard était un flic brillant et ambitieux, un ancien de la BC qui avait fait carrière en écrasant ses collègues comme des mégots sur le trottoir. Profil ambigu : il cultivait le genre bohème, écolo et sympathique, alors même que son cerveau n'était qu'une lame de silice, trempée à froid.

– Ensuite ?

– C'est tout. Mon pote ne sait rien de plus. Mais si quelqu'un a mis l'étouffoir sur l'état-civil de Hussenot, c'est Viard.

Depuis plusieurs années, le bobo avait quitté le Quai des Orfèvres pour Beauvau. Erwan ignorait quel poste il occupait mais il se profilait comme le meilleur successeur de Morvan pour diriger le département « coups fourrés, chantages et manipulations ».

– Trouve-moi son adresse personnelle, je vais lui apporter les croissants.

Il raccrocha, respira encore l'air froid de la cour bitumée où les fourgons du SMUR continuaient d'arriver. Le manque de sommeil commençait à se faire sentir. Il était mûr pour se choper un violent chaud et froid. Après la touffeur africaine, le Paris qui goutte et qui givre…

Coup d'œil à son portable avant d'aller dire adieu à la smala. Un appel manqué : Cyril Levantin. *Merde.* Le coordinateur de l'IJ qu'il avait aperçu faire son marché dans la villa de Louveciennes.

– Ses empreintes sont partout, asséna le technicien d'un ton presque joyeux.

– De qui ?

– À ton avis ? Thierry Pharabot, ressuscité comme Lazare !

Un élancement douloureux à hauteur du plexus solaire. Au moins, Levantin connaissait l'affaire de bout en bout.

– Déconne pas.

– Je déconne pas. En septembre, j'avais récupéré ses paluches. Les comparaisons avec celles de ce soir ne laissent aucun doute. Et si jamais t'en as encore, j'ai pas mal d'échantillons ADN qui vont nous confirmer tout ça. Je peux te dire que ton sorcier est bien vivant, qu'il a lu des dizaines de bouquins dans la bibliothèque de Louveciennes et qu'il bouffe son camembert avec les doigts.

La nouvelle qu'il appréhendait était donc officielle : le tueur du Congo était vivant. Ils étaient passés totalement à côté de l'enquête. Ni Kripo ni aucun des quatre greffés n'avait assassiné les victimes de septembre.

Erwan lui demanda de rédiger au plus vite un rapport détaillé.

– Sinon, reprit l'expert, pour la langue…

– Quoi ?

– La plaie d'Audrey.

Une fois n'est pas coutume, Levantin avait pris un ton respectueux. L'image de l'organe pointant sous le menton d'Audrey éclata sous les paupières d'Erwan.

– Tu savais que c'était une mutilation classique en Colombie ? On appelle ça le *corte de corbata*, la « coupe cravate ».

Erwan le savait mais il n'avait pas fait le rapprochement. La mutilation n'avait rien à voir avec la Colombie : c'était plutôt une variante des atrocités africaines qu'il avait croisées ou une nouvelle aberration de l'Homme-Clou. Pharabot n'avait pas eu le temps de pratiquer un rite complet. Il avait simplement cherché à créer une ressemblance entre sa victime et les minkondis du Bas-Congo. Grands yeux sombres, petite langue sortie d'une bouche ricanante…

Il balbutia quelques mots et raccrocha en oubliant de dire au revoir. S'adossant à un fourgon, il tenta d'envisager les premières vérités à déduire de ce scoop. Substitution de cadavre à Charcot dans la nuit du 23 novembre 2009. Mise en isolement de Pharabot jusqu'en 2012. Fuite du prédateur le vendredi 7 septembre 2012 dans la lande et meurtre de Wissa Sawiris. Le dément avait poursuivi sa cavale et s'était planqué chez Isabelle Barraire.

Sa douleur au plexus lui remonta dans la gorge. Comment avaient-ils pu se gourer à ce point ? Une magistrale erreur judiciaire. Celle que tout flic digne de ce nom redoute au long de sa carrière. On avait traqué, soupçonné, descendu, pas vraiment des innocents, mais jamais le vrai coupable.

L'image de Lassay, le directeur de Charcot, revint lui cingler l'esprit. D'une manière ou d'une autre, tout venait de lui. Il avait fermé les yeux sur le faux décès de Pharabot ou l'avait organisé. Il avait planqué le nganga durant toutes ces années. Quel était l'intérêt de la manœuvre ? Pourquoi l'avoir relâché trois ans après ? Pharabot s'était-il simplement enfui ? Lassay et Barraire n'avaient-ils pas gardé le contact ?

Sauter dans un avion demain matin. Coincer le psychiatre. L'interroger façon Gestapo et lui faire cracher la vérité. Cette fois, Erwan emmènerait son propre fétiche : le corps de son père. *D'une pierre deux coups.* Il arracherait l'histoire au play-boy sexagénaire et inhumerait Grégoire face à la mer.

Il mit plusieurs secondes à réaliser que son portable sonnait dans sa main. Le tintement spécifique des SMS de son équipe. L'adresse personnelle de Pascal Viard dans le 12e arrondissement. Le champion des bobos vivait auprès de ses semblables, du côté du marché d'Aligre.

Il renonça à remonter dans la chambre de Maggie et rejoignit sa bagnole au pas de course. Plus question d'attendre le lever du jour pour rendre visite à l'autre salopard. Ni croissants ni heure légale. Il allait se le faire à la Morvan, avec une poignée de graviers en guise de vaseline.

– Erwan ?

Il se retourna et découvrit Sofia enveloppée dans un manteau noir qui semblait être la quintessence de plusieurs siècles d'élégance. Visiblement, la comtesse revenait d'un dîner et avait décidé de repasser voir Maggie. Ses yeux effilés brillaient anormalement sous les réverbères. Soit elle avait trop bu, soit elle avait pleuré, soit elle était furieuse.

Sans doute les trois.

– Faut combien de morts pour que tu te décides à m'appeler ? demanda-t-elle en relevant son col.

III
PHARMAKON

107

ERWAN roulait sur la voie express en direction de l'Est parisien. Il avait encore perdu plusieurs heures en compagnie de Sofia mais « perdre » n'était pas le mot juste. Il avait plutôt gagné quelque chose, même s'il ne savait pas encore quoi. Réconfort était trop fort, complicité trop faible.

Ils s'étaient décidés à contourner le bâtiment de l'hôpital Pompidou afin d'accéder au parc André-Citroën. Le long des pelouses et des serres qui miroitaient sous la lune, ils avaient parlé, et parlé encore. Non pas comme des amants, ni même des amis. Comme les membres d'une famille qui s'effondre, se serrant les coudes pour empêcher le désastre final. Nul n'avait la solution et impossible de remonter le temps, d'effacer les morts violentes. Mais la disparition des pères pouvait avoir valeur de brûlis : la fertilité reviendrait, plus saine, plus pure.

Erwan n'avait pas osé évoquer les dangers qui couvaient encore : à chaque mot qu'il prononçait, chaque phrase qu'elle murmurait, il percevait une interférence, un crachotis qui brouillait l'échange : « L'Homme-Clou n'est pas mort… » Pas la peine de l'affoler davantage : elle avait décidé de changer d'attitude à l'égard de Loïc et d'enterrer ses haines envers leurs familles. Ils avaient fini sur un banc mais ne s'étaient pas touchés. On verrait ce qu'on ferait de son corps et de son cœur une fois le cauchemar réglé.

Maintenant, à fond sur les quais, les lampes au sodium des tunnels alternaient avec les micas noirs de la Seine. Encaissant ces contrastes violents, temps blancs, temps sourds, Erwan écoutait le message de Levantin : les échantillons ADN de Louveciennes appartenaient *tous* à Pharabot. *Essayons ça* : un cinquième tueur aurait pu se faire greffer, comme les suspects de septembre, la moelle osseuse de l'Homme-Clou et posséder désormais la signature génétique du tueur – mais Erwan n'y croyait pas. D'abord, le toubib suisse qui avait pratiqué l'opération n'avait jamais évoqué un autre candidat à la transmutation. Ensuite, les caractéristiques mêmes du meurtre d'Audrey – clochard, sauvagerie, planque – ne cadraient pas avec le profil d'un fétichiste fortuné.

On revenait donc à ce bon vieil Homme-Clou. Le meurtre barbare de Wissa Sawiris sur la lande : Pharabot. Anne Simoni et Ludovic Pernaud : lui encore, aidé par Isabelle Barraire. L'agresseur de Gaëlle à Sainte-Anne matchait moins : *a priori*, l'athlète en combinaison zentai ne pouvait pas être un aliéné sexagénaire en rupture d'asile. Tout comme le sprinter qu'il avait lui-même affronté dans les ballasts du porte-conteneurs dans le port de Marseille.

Pas grave. Il trouverait une explication. Irrationnelle si possible. Car, pour l'instant, la raison ne lui avait fourni que des fausses pistes. *Mets-toi au diapason, accorde tes violons avec ce fantôme.* Il pressentait derrière tout ça une embrouille impliquant Jean-Louis Lassay, Isabelle Barraire, Philippe Hussenot – et maintenant Pascal Viard, c'est-à-dire l'administration française elle-même. Pourquoi le bobo de Beauvau avait-il mis le couvercle sur l'affaire Hussenot ? Pourquoi avoir effacé tout lien entre le psychiatre et son ex-épouse ?

Réponse dans quelques minutes. À la hauteur de la gare de Lyon, Erwan quitta les quais et dégagea sur la gauche vers le boulevard Diderot. Histoire de se soulager la cervelle – il n'en pouvait plus de tourner ses questions sans réponse –, il s'accorda une trêve et se concentra sur le salopard qu'il allait réveiller.

L'ennemi historique de Grégoire Morvan. Appartenant à la génération suivante, celle qui avait biberonné aux illusions du mitterrandisme, Pascal Viard représentait aux yeux du Padre tout ce que le socialisme avait apporté d'hybride et de détestable dans la cause gauchiste – un mélange de bonne conscience hypocrite et de logique bourgeoise roublarde. Pour Morvan, mieux valait encore se tromper avec sincérité, comme les maoïstes ou les trotskistes, que profiter du système avec duplicité. Pascal Viard était la caricature du faux artiste intello, socialo, écolo, altermondialiste… Monsieur Vœux-Pieux en personne. À la maison Poulaga, où le principe de réalité prédomine, son cas constituait une vraie curiosité : un flic en veste de velours, savamment décoiffé et mal rasé, portant foulard et mocassins élimés, mangeant bio et circulant à vélo, débitant des discours ronflants en tirant sur sa cigarette électronique, vraiment, ça valait le détour.

Au 36, on était d'autant plus dérouté que le bonhomme, dans le boulot, était un pur salopard. Flic à poigne, adepte de la trique et du coup fourré, il avait gravi les échelons en laissant pas mal de cadavres derrière lui, au sens propre comme au figuré. Jadis un des meilleurs tireurs de la PJ, devenu commandant à moins de quarante ans, l'homme s'appuyait autant sur ses résultats que sur ses réseaux. Il avait poussé sous Mitterrand, fait son trou sous Chirac, le dos rond sous Sarkozy et explosé avec l'arrivée de Hollande. Dans la boîte, il ne cherchait pas à être sympathique : il l'était déjà dans sa vie personnelle.

Erwan parvint au pied de la colonne de Juillet – trois heures du matin et le quartier brillait de ses derniers feux. Il braqua à droite, juste après l'opéra Bastille, dans la rue de Charenton. Pas besoin de GPS : il avait eu une « sex friend » (il détestait ce mot) au croisement de cette rue et de l'avenue Ledru-Rollin. Il n'en gardait aucun souvenir, ni sur le plan sexuel ni sur celui de l'amitié. En revanche, il aurait pu naviguer dans ce quartier les yeux fermés tant il avait galéré pour s'y garer.

Il prit à droite la rue Traversière, dépassa le square Trousseau, atteignit la place du marché d'Aligre. Le quartier endormi alignait brasseries à l'ancienne, réverbères à la Prévert, boucheries et boulangeries dont les devantures promettaient du « bio » et de l'« artisan » en veux-tu en voilà. Tout ça lui paraissait aussi authentique qu'un décor de foire. Il trouva enfin la minuscule impasse où créchait Pascal Viard. Ateliers d'artiste, manufactures rénovées, petits jardins au garde-à-vous.

Erwan sortait de sa bagnole quand il réalisa une évidence : si le tueur de Louveciennes était bien Pharabot, il possédait son signalement. Il contacta Sandoval, le commissaire de Versailles chargé de la chasse à l'homme, et essaya de s'expliquer. Difficile : on parlait d'un tueur africain, interné depuis plus de trente ans, mort et incinéré depuis trois, revenu à la vie et battant la banlieue à la recherche de nouvelles proies. Erwan promit une photo, remise au goût du jour, de ce suspect impossible dans les prochaines heures. Sandoval raccrocha sans avoir rien compris.

Erwan contacta aussitôt après Tonfa en lui demandant de passer chez lui (une convention : une clé cachée dans son parking avec le code d'entrée). Il lui expliqua précisément où se trouvait son dossier d'enquête contenant le portrait de Pharabot âgé d'une vingtaine d'années, résumant au passage la nouvelle orientation de l'enquête.

– Qu'est-ce que je fais de la photo ? demanda le flic plutôt perdu.

– Appelle la BPM et l'IRCGN, ils ont des logiciels de vieillissement.

– Tu crois à ces trucs-là, toi ?

– Je te demande ni ton avis ni le mien. Fais-le en urgence et balance le résultat au numéro que je vais t'envoyer par SMS.

Il raccrocha avec humeur. Durant quelques secondes, il essaya de se remémorer le visage de l'Homme-Clou – un seul portrait anthropométrique, une gueule d'ange, l'air timide, le regard absent, trop dilué… Il n'avait jamais cherché à l'imaginer à plus de soixante ans, arquant en survêtement à Charcot.

Plutôt que de frapper comme un sourd et de réveiller toute l'impasse, Erwan appela Viard sur son portable. Trois sonneries avant qu'on décroche – pas mal compte tenu de l'horaire.

– Allô ?

– Viard, c'est Erwan Morvan. Faut que j'te voie en urgence.

– Ça va pas non ?

– Philippe Hussenot. Isabelle Barraire. Jean-Louis Lassay. Surtout, ne me dis pas que tu ne connais pas ces noms.

– Je comprends rien. T'as vu l'heure ?

– Je suis devant ta porte.

Une minute plus tard, le flicard ouvrait, main droite planquée dans son dos. Toute la confiance dont il était capable : un calibre en guise de poignée de main.

– Qu'est-ce que tu fous là ? T'es défoncé ou quoi ?

– Laisse-moi entrer.

Viard recula après avoir risqué un coup d'œil dans l'impasse. Le bobo au lever avait exactement la même gueule qu'à midi au bureau : hirsute, mal rasé, négligé en diable.

– Mes mômes dorment, avertit-il. Si tu m'en réveilles un, on finira ça à la batte.

Erwan pénétra dans l'atelier en souriant. Le loft offrait la même absence de surprise : du brut, de l'industriel, du recyclé. Une soixantaine de mètres carrés d'un seul tenant. À gauche, la cuisine ouverte. Au fond, l'escalier métallique pour accéder à la mezzanine compartimentée en chambres. Au centre, la longue table familiale, dans le style des années 30. Au plafond, les inévitables lampes new-yorkaises en métal brossé. Une check-list pour *Elle Déco*.

Erwan s'orienta naturellement vers le comptoir – la seule partie allumée, et encore, à bas régime.

– J'te donne cinq minutes, lâcha son hôte derrière lui. J'ai assez de mes propres emmerdes pour pas voir débouler chez moi un enfoiré de Morvan et…

Il ne put achever sa phrase : sur une impulsion, Erwan avait attrapé la bouilloire vintage sur la gazinière et pivoté en déployant son bras de toutes ses forces. Le choc surprit Viard et l'envoya rouler au centre de la pièce, alors que son arme valdinguait sous le canapé. La seconde suivante, Erwan était assis à califourchon sur son torse et lui maintenait les épaules au sol.

– Viard, fit-il en lui fourrant son propre calibre dans le pif, mon père s'est fait buter en Afrique et ma meilleure flic vient d'être tuée dans des conditions atroces. C'est pas l'moment de me la faire à l'envers.

L'autre agita les bras, en mode « Je me rends ». Sa joue prenait déjà une teinte bleuâtre.

– Qu'est-ce que tu veux savoir ? souffla-t-il en se relevant.

108

– PHILIPPE HUSSENOT était psychiatre, commença Viard en préparant du café. Il est mort en 2006 dans un accident de voiture en Grèce.

– Avec ses deux mômes. Dis-moi quelque chose que je ne sais pas.

– Il travaillait pour nous.

Erwan s'approcha du comptoir. Le flic n'utilisait pas sa machine Nespresso – trop de bruit, il avait récupéré sa bouilloire – avec un peu d'imagination, on y voyait encore l'empreinte de sa mâchoire.

– « Pour nous » ? Tu te prends pour la CIA ?

En attendant que l'eau chauffe, Viard se massait la joue.

– Tu vois très bien ce que je veux dire : il était expert pénal.

– En tant que psychiatre ?

– Non. En tant que danseur étoile.

– Il y en a des dizaines, des experts.

– Pas de ce genre-là. Il faisait où on lui disait de faire. Ça nous permettait de piloter en sous-main les cas… qui nous préoccupaient.

Des expertises complaisantes : l'éléphant accouchait d'une souris. Le préfet manipulait sa cafetière avec des gestes de chef étoilé. Son hématome s'étendait maintenant sur sa joue comme un encrier renversé.

– Viard, toi et moi on sait qu'ça se passe pas comme ça. Le bullshit d'un psychiatre ne sert à rien. Une contre-expertise permet de l'annuler. Et ainsi de suite.

– Tu connais pas ton dossier, camarade : Hussenot était un des plus grands de sa corporation. Pas facile à contredire.

Tout ça ne cadrait pas avec le profil décrit par Lassay : un psy qui avait fait un beau mariage et transformé sa clinique en officine pour riches dépressifs.

– Dans quel genre de cas vous servait-il la soupe ?

Viard sortit sa cigarette électronique. Pas d'heure pour vapoter.

– Tu sais sans doute que les articles 122-1 et 122-2 concernent le discernement de l'inculpé au moment des faits ?

– Accouche.

– Hussenot nous a permis de contrecarrer la stratégie de certains avocats qui voulaient « irresponsabiliser » leurs clients. Mais plus souvent encore, il a joué le rôle inverse.

– Comprends pas.

– Plus ça va, plus le Parquet se couvre en demandant une expertice d'urgence durant la garde à vue ou la comparution immédiate…

Viard disait vrai : on ne pouvait plus arrêter un tueur ou un violeur sans qu'un psy ramène sa fraise. Avant même de commencer les festivités, on devait s'assurer que le suspect était sain d'esprit ou déterminer s'il avait besoin d'être soigné – s'il était bon pour le trou ou l'asile.

– À l'époque, je dirigeais l'antiterrorisme. Dès qu'on serrait un barbu, on appelait Hussenot qui nous rédigeait un rapport permettant de le traiter. Ces enfoirés d'extrémistes résistent à tout, aux coups et aux menaces, mais pas aux substances chimiques.

Tout en tirant sur sa vapoteuse comme sur une paille à maté, Viard leur concoctait un petit café de connaisseur – le bijou des pros du nectar.

– Tu veux dire que Hussenot les déclarait irresponsables et qu'ils étaient transférés dans un institut où vous les défonciez ?

– Exactement. Hussenot signait, et en voiture, Simone. On leur injectait toutes sortes de merdes pour les faire parler. On a récolté pas mal de renseignements de cette façon.

– De telles infos ne sont pas recevables devant un tribunal.

– Qui te parle de procédure ? On ne cherchait pas à charger ces connards, simplement à connaître le nom de leurs complices.

Une version soft des fameux sites noirs, ces prisons hors de toute juridiction où les djihadistes sont torturés ou soumis à des traitements chimiques.

– Laisse-moi deviner, c'est Hussenot qui s'occupait de la prescription ?

– Les barbus étaient même pris en charge dans une annexe de sa propre clinique.

– Les Feuillantines ?

– Je vois que t'as potassé. L'institut est habilité à « soigner » des détenus dans une unité fermée. La plupart du temps, on ne disposait que de quelques jours avant la contre-expertise, mais ça nous laissait le temps de ramollir les neurones du bicot et de lui faire cracher ce qu'il savait. En toute impunité.

L'explication commençait à sonner curieusement juste et à entrer en résonance avec les rumeurs circulant sur Viard : derrière ses grands airs d'humaniste, un flic sûr de sa croisade, dépourvu de tout scrupule.

Recadre le débat.

– Je ne suis pas ici pour découvrir tes sombres magouilles, trancha Erwan. Je veux savoir pourquoi tu as effacé toute trace administrative d'Isabelle Barraire, son ex-femme, et de ses enfants.

– Elle faisait désordre. Sucre ?

Erwan refusa d'un signe de tête – le flic lui foutait les nerfs en pelote avec ses manières de salon.

– Qu'est-ce que t'entends par là ?

– En 2005, des journalistes ont commencé à s'intéresser à notre petit système. Des avocats ont aussi fait bloc. Pas question qu'on s'aperçoive que notre psychiatre en chef avait épousé la folle de Chaillot.

– Ce n'était pas si grave et de toute façon, Hussenot a eu son accident en 2006.

– T'es bouché au foin ou quoi ? Les bavards auraient été foutus de faire rouvrir des dossiers fondés sur les rapports de Hussenot ou d'annuler des condamnations basées sur les aveux de nos barbus, avec Mimi Foldingo comme élément nouveau. La force majeure du bonhomme, c'était sa réputation. Tu ferais confiance à un sniper qui se tire une balle dans le pied ?

Erwan n'était pas convaincu : le rôle du psy auprès de Viard lui paraissait fumeux, tout comme l'importance de sa vie privée du point de vue d'un tribunal. *Attendre pour se faire une conviction.*

– Tu m'as toujours pas dit le principal, reprit Viard en crapotant comme un chef sioux. Pourquoi cet intérêt soudain pour les Hussenot ?

Aucune raison de lui cacher ce versant du dossier :

– Isabelle Barraire est morte renversée par une bagnole la semaine dernière, à Paris.

– Tu fais la circulation maintenant ?

– À la fin de sa vie, elle exerçait en tant que psychiatre, sous un faux nom, déguisée en homme.

– Quel rapport avec ton business ?

Erwan hésita puis lâcha l'info – l'important était de lui tirer les vers du nez :

– On a de bonnes raisons de penser qu'elle était liée à l'Homme-Clou. Le tueur en série de septembre.

– Quelles raisons ?

– L'assassinat de ma cinquième de groupe, c'était dans une de ses baraques, à Louveciennes.

– Je suis au courant.

– Le coupable pourrait bien être notre client de septembre.

– Je croyais que tu l'avais buté.

– Il faut croire que c'était pas le bon.

– Toujours aussi cons dans la police.

Soudain, il comprit ce qu'il était venu chercher ici :

– Tu as un dossier sur Isabelle Barraire. Les Renseignements ont dû sérieusement se pencher sur son cas.

– Possible, mais je ne l'ai jamais vu.

Le préfet posa sa tasse et se dirigea vers la porte. *Consultation terminée.* Viard avait cet air d'oiseau nocturne que finissent par avoir tous les flics. Une espèce de décalage horaire avec les autres hommes et leur monde ordinaire.

– Je t'en ai déjà trop dit. Tout ça, c'est du passé. Hussenot est mort. Tu m'apprends que l'autre bourrique a claqué aussi. Au suivant ! Ça fait longtemps qu'on est passés à d'autres méthodes avec les barbus. Ils ne sont pas assis au ballon qu'ils appellent déjà leurs avocats.

Debout près du comptoir, Erwan ne bougeait pas. Il n'avait pas touché à son café.

– Tu savais que Barraire avait momifié Hussenot et ses deux gamins, dans leur caveau des Lilas ?

Viard s'immobilisa sous ses suspensions new-yorkaises, la main sur la poignée.

– Non.

– Qu'elle avait été soignée dans l'UMD où Thierry Pharabot, le premier Homme-Clou, végétait depuis des années ?

– Non.

– Qu'elle était devenue ensuite une des psys de l'institut ?

– Je comprends rien à tes foutaises. À la mort de Hussenot, on a fait le ménage, c'est tout. Tout ce qu'a pu foutre sa bonne femme après, c'est pas mes oignons.

Erwan se mit enfin en mouvement – pour l'instant, il accordait à Viard le bénéfice du doute.

– Trouve-moi le dossier, le menaça-t-il. Sinon, je te traînerai par les couilles jusqu'au 36.

L'autre sourit et partit pour une nouvelle série de signaux vapeur. S'il avait les jetons, il méritait l'oscar de la dissimulation.

– Calme-toi, fit-il enfin. Tu m'parais un peu léger pour me menacer. C'est pas parce que ton père est mort que tu peux tout te permettre.

– Plus j'avance, plus je pense qu'Isabelle était mouillée jusqu'au cou dans les meurtres de septembre.

– Qu'est-ce que ça peut me foutre ?

Erwan décida de bluffer – il priait en même temps pour avoir raison :

– Je peux t'impliquer pour obstruction à la justice et dissimulation de preuves. Vos combines nous ont empêchés d'arrêter le vrai coupable.

Viard ouvrit la porte sans répondre, soufflant toujours dans sa flûte à eau.

– J'attends de tes nouvelles, asséna encore Erwan sur le seuil. Sinon, j'te jure que je monte une perquise place Beauvau.

Il s'arracha sous l'éclat de rire du bobo mais ce rire sonna cette fois de travers. Le flicard de gauche fouettait dans son froc – au moins autant qu'Erwan lui-même.

109

ERWAN avait reçu un message de Pompidou : les médecins avaient progressivement sorti Maggie du coma artificiel et son corps avait retrouvé un apaisement naturel. Pour l'instant, elle ne parlait pas mais le retour à la lucidité n'était qu'une question d'heures. En revanche, l'endocrinologue souhaitait l'opérer au plus vite. Erwan se demanda s'il devait passer la voir avant de se rendre chez lui pour se changer. *Pas le temps.*

Rue Saint-Antoine. Châtelet. À six heures du matin, les ténèbres régnaient toujours sur Paris mais quelque chose de diurne s'y insinuait déjà : rumeur des éboueurs, lumières des boulangeries, premiers travailleurs arquant jusqu'à la station de métro… Erwan avait déjà pris sa décision : réunir son équipe au 36 pour faire le point avant de s'envoler pour Brest. Lassay avait encore pas mal de choses à lui dire…

Il prenait la direction de l'Opéra quand il réalisa qu'il avait totalement zappé une autre urgence : Patrick Benabdallah, le meurtrier de José Fernandez, qui l'attendait bien au chaud à l'Unité pour malades difficiles Henri-Colin à Villejuif. Cuisiner le fêlé qui avait séjourné à Charcot pouvait lui fournir de nouvelles munitions face à Lassay – Benabdallah avait sans doute tué Plug pour se venger de mauvais traitements infligés à l'UMD.

Toujours bon à prendre. Il braqua brutalement sur l'avenue de l'Opéra et s'engagea à fond sur le parvis du Louvre. Direction rive gauche, plein sud.

Il traversait le 13e arrondissement quand la faim se fit sentir. Il pouvait s'accorder une pause avant d'attaquer Villejuif. Il repéra un café près de la station de métro Maison-Blanche. Ce nom ironique lui paraissait accentuer encore la laideur du quartier. Au-dessus des platanes, on ne distinguait que des contructions mochardes, une zone qui aurait été dessinée sur du papier froissé et construite en reliquats de décharge. Il s'installa au fond de la salle et commanda café et croissants. Quand ils arrivèrent, pas moyen d'avaler la moindre bouchée. Nausée de la nuit blanche. Nœud dans la gorge. Anxiété à l'idée de rencontrer un fou, encore un. Tout juste réussit-il à se brûler la langue avec son café boueux. Il se sentait épuisé et en même temps bourdonnant d'une énergie électrique.

Il comptait passer ici ses coups de fil mais le rade était si silencieux qu'il y renonça. Il balança ses euros sur la table et sortit. Premier appel : Verny pour s'assurer que Lassay n'avait pas bougé de sa cellule.

– Il n'est plus là, répondit le gendarme.

– Quoi ?

– Il avait droit à un avocat et à un coup de fil. Du reste, vous ne m'avez pas vraiment donné de motifs de…

– Qui a-t-il appelé ?

– Je ne sais pas mais dans la demi-heure, le procureur m'a ordonné de le libérer. Tout ce que j'ai gagné dans cette histoire, c'est un savon de mes supérieurs.

Erwan aurait dû s'excuser mais il n'en avait ni l'envie ni le temps.

– Vous avez identifié le numéro ?

– Il est protégé.

– Balancez-le-moi par SMS.

– Tout de suite. Quand arrivez-vous ? Vu le contexte, je ne sais pas si…

Verny paraissait avoir jeté l'éponge. Erwan n'avait rien fait pour le motiver et ne lui avait fourni aucun indice sur les dernières révélations – l'ombre grandissante de Pharabot vivant.

– Je vous rappelle pour vous donner les horaires.

– Vous êtes sûr ? Lassay ne vous…

– Je vous l'ai déjà dit : j'ai une autre raison de venir. Je dois enterrer mon père.

À peine eut-il raccroché qu'il recevait le numéro contacté par le psy de Charcot durant sa garde à vue. Pas besoin de l'identifier. Il venait de le composer deux heures auparavant : le portable de Pascal Viard. Contrairement à ce que Mister Bobo lui avait raconté, l'histoire ne semblait pas si lointaine et au nom de Hussenot, il fallait maintenant ajouter celui de Lassay. Le sac de nœuds devenait un nœud de vipères.

Il remisa tout ça dans un coin de son cerveau et prit la direction de la porte d'Italie. Se concentrer sur Patrick Benabdallah. Les motifs de sa vengeance. Ses souvenirs du Finistère. On pourrait peut-être caser cette nouvelle moisson dans le tableau général.

Kremlin-Bicêtre. Villejuif. Erwan flottait dans la nuit comme un pilote à bord de son vaisseau spatial. Plus aucune pensée ni la moindre énergie. Enfin, sur l'avenue de la République, le groupe hospitalier Paul-Guiraud apparut. Grande enceinte en fer à cheval, murs beiges et toits rouges, la sempiternelle architecture du milieu du XIXe siècle, celle de toutes les écoles laïques qui s'appellent aujourd'hui Jules-Ferry ou Jean-Macé.

Vitre ouverte, il écouta, après avoir montré sa carte, les explications du gardien dans sa cahute qui n'avait pas l'air plus réveillé que lui. Il n'en retint pas un mot mais fit confiance à son instinct de vieux flicard. D'ailleurs, il était déjà venu ici dans le cadre d'affaires criminelles. Il longea une série de petits bâtiments en meulière. La nuit frissonnait encore, il pouvait le sentir à travers son pare-brise. Enfin, une rangée de fenêtres éclairées – un réfectoire – et des manutentionnaires en blouse blanche qui poussaient des chariots de fer. *Le petit déjeuner*. Il se gara sur le parking – impossible d'aller plus loin. Grilles, serrures, caméras : il était arrivé.

Il coupait le contact quand une déchirure se produisit dans son cerveau. Les yeux massacrés d'Audrey. Sa langue sortant de la plaie de sa gorge. Cette gueule de cauchemar sculptée à même la chair imitait les objets à pouvoirs du Mayombé. Ces mutilations possédaient une signification. Pharabot, si c'était bien lui, avait laissé un message à coups d'arme blanche. Erwan ne voyait qu'un seul homme pour l'aider à déchiffrer un tel langage : le père Félix Krauss, psychiatre et ethnologue en Belgique, le premier à lui avoir parlé de Nono – Arno Loyens, alias Philippe Kriesler…

Aucun risque de réveiller le Père blanc à cette heure. La voix était claire et alerte. En quelques mots, Erwan se resitua et enchaîna directement sur la raison de son appel :

– Un meurtre est survenu hier en banlieue parisienne. Quelque chose d'atroce qui pourrait avoir un lien avec la magie africaine. En tout cas avec sa statuaire.

– Le tueur n'a donc pas été arrêté ?

– Mon père, écoutez-moi. J'ai la conviction que les mutilations effectuées par l'assassin ont un sens caché.

– Vous voulez me soumettre les photos du cadavre ?

Le père Krauss marchait vers ses quatre-vingts ans mais sa cervelle n'avait pas pris un pli.

– La question est de savoir si vous pourrez supporter ces images. Elles sont particulièrement… insoutenables.

– Il n'y a pas si longtemps, je sillonnais le Congo en pleine guerre. Vous pouvez imaginer ce que j'y ai vu, et ce n'était pas des photos.

Erwan faillit lui dire qu'il en revenait lui-même mais pas de digressions.

– Je vous maile les clichés. Dites-moi ce que vous en pensez. Nous avons trouvé aussi sur la scène de crime une statuette.

– Un minkondi ?

– Elle est un peu différente de celles que vous m'avez montrées ou de celles du tueur de septembre. Je vous en envoie aussi quelques photos.

– Je vous rappelle au plus vite.

– Merci. Excusez-moi de vous avoir dérangé.

– Vous ne m'avez pas dérangé : je voulais de toute façon vous appeler.

– Pourquoi ?

– La guerre a repris dans le Nord-Katanga. Notre mission a été évacuée d'urgence. Elle était installée depuis près d'un siècle au diocèse de Kalemie-Kirungu…

Erwan revit un autre missionnaire, le père Albert, avec sa cape de pluie et ses bottes en caoutchouc – lui aussi était attaché à ce diocèse. Toujours vivant ? Il se retint de poser la question. Le porche de l'UMD lui tendait les bras. *Raccroche.*

– On a rapatrié nos pères, pousuivait Krauss, avec leur matériel et leurs archives. Par curiosité, je me suis plongé dans ces documents et j'y ai trouvé un paquet de vieilles photos provenant de Lontano. J'ai pensé qu'elles pourraient vous intéresser…

Erwan faillit lui répondre qu'il ne voulait plus entendre parler de cette satanée ville. Que ce qui l'intéressait aujourd'hui, c'était ici et maintenant. Mais le père expliquait déjà qu'il avait fait des copies à son attention et préparé un colis.

– Très aimable à vous, dit le commandant du bout des lèvres. Vous pouvez me l'envoyer chez moi.

Après avoir dicté son adresse (il n'ouvrirait jamais l'enveloppe), il en remit une couche sur le seul sujet qui le préoccupait :

– Regardez mes clichés, mon père, et rappelez-moi.

En quelques secondes, il était dehors, au garde-à-vous devant l'interphone. En appuyant sur la touche, il se demanda soudain si les logiciels de vieillissement avaient déjà produit un nouveau portrait de Pharabot, près de soixante-dix ans, revenu du royaume des morts. À quoi pouvait-il ressembler ?

110

– VOUS N'EN TIREREZ RIEN.

– Je vous remercie en tout cas de me recevoir.

Le psychiatre de garde, un grand gaillard à tignasse grise, nuque raide et regard sourcilleux, l'avait accueilli avec le sourire et n'avait montré aucune réticence à l'idée d'une interview matinale, sans explication ni commission rogatoire. L'homme lui avait donné son nom mais Erwan ne l'avait pas retenu : un patronyme à consonance slave qui cadrait avec son accent au hachoir.

Ils marchaient dans les couloirs du secteur 94D00 et Erwan comparait mentalement cette UMD à Charcot. Rien à voir. Un hôpital ordinaire : couloirs déserts, plafonniers blafards, murs jaunis comme de la cire. On avait sans doute transpiré ici des légions de cauchemars et de psychoses mais on était loin de l'univers carcéral de Bretagne où, malgré les efforts d'ergonomie, chaque détail vous rappelait que vous étiez enfermé *à jamais.*

Le toubib déverrouilla une porte – pas avec un badge mais une bonne vieille clé dont le lourd cliquetis vous descendait dans les chaussettes. Nouveau couloir. Cette fois, les fenêtres étaient closes par des barreaux. Le jour naissant se fondait avec la lumière électrique en un mélange écœurant. La chaleur était étouffante.

Le médecin ne cessait de s'excuser de la vétusté des lieux et évoquait des travaux à venir. Son accent slave lui rappelait les heures sinistres de l'oppression communiste où les infirmiers des asiles psychiatriques dissimulaient sous une blouse blanche leur uniforme de milicien.

Erwan le coupa brutalement :

– Parlez-moi de Patrick Benabdallah.

Le psychiatre tiqua face à ce ton autoritaire puis retrouva son sourire.

– Il a atterri chez nous après l'épisode de Condé-sur-Sarthe.

– Vous avez eu les détails du meurtre ?

– Patrick a égorgé sa victime puis lui a ouvert la cage thoracique pour en retourner la chair, les muscles, les entrailles. Il purgeait déjà une peine de dix-sept années de sûreté pour un homicide du même genre.

– Quelle arme a-t-il utilisée ?

– Un surin de sa fabrication. Soi-disant des os de poulet récupérés au fil des repas et affûtés. Un classique dans les prisons. Mais nulle part dans le dossier je n'ai lu une ligne confirmant ce fait.

– Où ça s'est passé ? Dans la cour ?

– Non. Dans leur cellule.

– Ils partageaient la même ?

– Faut croire.

Aucune chance que cela soit un hasard. Dans le contexte qu'il découvrait, avec des schmitts impliqués à tous les étages et un Viard en tireur de ficelles, on pouvait imaginer qu'on avait placé intentionnellement Benabdallah au plus près de la couchette de Plug. Un contrat d'un genre spécial, rempli par un malade mental ivre de vengeance. D'ailleurs, Fernandez, en préventive pour une profanation de cadavre, n'avait rien à foutre dans une maison d'arrêt où les condamnés purgeaient des peines de sûreté. *Tout était prémédité.*

– Quel est le profil psychiatrique de Benabdallah ?

– Il nous faudrait la journée. Son dossier est plus épais que le *Vidal* !

– Faites-moi un résumé

– Depuis son adolescence, il n'a cessé d'être hospitalisé puis libéré avant d'être interné à nouveau. À chaque fois, les médicaments aidant, il s'est tenu à carreau quelque temps puis a rechuté. On ne compte plus ses épisodes psychotiques, ses bouffées délirantes. Patrick souffre de schizophrénie paranoïde. Parfois, il parvient à donner le change. D'autres fois, il subit une décompensation aiguë.

– Excusez-moi, je ne comprends pas ce terme de « décompensation ».

– C'est un mot piqué au monde de la médecine organique. Quand vous souffrez d'une maladie, durant un temps, votre corps compense ses dysfonctionnements jusqu'à ce que l'équilibre s'effondre et que des symptômes spectaculaires surgissent. En psychiatrie, c'est la même chose : le malade parvient à contenir son délire, réprimer les voix qu'il entend puis, d'un coup, le système craque et c'est le passage à l'acte, d'autant plus violent qu'il a été réfréné.

– Vous m'avez dit qu'il était déjà incarcéré pour un meurtre...

– En 2007, une gamine de douze ans près d'Auxerre. Toujours la même méthode : égorgée, dépecée, éviscérée, le tout avec un soin particulier. J'ai vu les photos. Il parvient à fabriquer, en retournant la peau, les muscles, les viscères, une sorte de... fleur horrifique. Il avait déjà infligé ce charcutage à des animaux. Il appelle ça « révéler la beauté intérieure ».

Nouveau couloir. Nouveaux cliquetis. L'atmosphère de folie lancinante pesait de plus en plus. Les murs aveugles semblaient se rapprocher. Les portes métalliques des cellules renvoyaient une résonance d'armure.

– Comment, avec un tel pedigree, a-t-il pu être écroué dans une maison d'arrêt traditionnelle ?

– Les expertises, comme d'habitude, se sont contredites. Le réflexe sécuritaire a finalement primé. Tout le monde au trou !

On préfère envoyer un malade mental dans une prison standard plutôt que prendre le risque de l'interner dans un institut où les règles de sécurité sont moins rigoureuses.

Le médecin s'arrêta puis frappa à une porte. Nouveaux déclics de clé mais cette fois de l'intérieur.

– Il est dangereux ?

– Ne craignez rien. Il est sous Solian. C'est un anxiolytique qui…

– Je connais.

– Vous voulez dire…

– J'ai eu mes périodes, acquiesça Erwan.

Un infirmier apparut sur le seuil. Le genre mastard : bras croisés et mine patibulaire. Erwan eut un recul involontaire.

– Patrick est entravé, sourit le psy. Depuis qu'il est arrivé, il prétend qu'il a le sida et essaie de mordre tout le monde. Mais à cette heure, il est toujours calme : il vient de prendre son petit déjeuner.

En pénétrant dans la salle, Erwan se demanda ce que pouvait être le breakfast d'un tel monstre : carpaccio humain ou œufs brouillés aux somnifères.

111

D'ABORD, il fut saisi par l'odeur. Les sempiternels relents médicamenteux bien sûr, mais aussi la crasse des jours solitaires, l'ennui des heures à vide, une poussière morale que rien ni personne ne pourrait jamais nettoyer. La trame même des murs, du sol, du plafond semblait imprégnée par cette désespérance.

Puis il vit le personnage qui occupait le centre de la pièce, assis dans un fauteuil roulant. En réalité, il y était ligoté par un système complexe de sangles et de boucles. Le buste était emprisonné par une ceinture abdominale et deux bretelles solidarisées au dossier du siège, les bras contenus dans des gouttières d'immobilisation en lieu et place des accoudoirs, les jambes fixées aux structures par des bandes de toile. Comme si tout ça ne suffisait pas, la tête elle-même était encastrée dans une minerve qui remontait jusqu'au sommet du crâne.

Malgré tout, le prisonnier en pyjama ne cessait de gigoter, travaillant à user ses liens avec chaque millimètre de son corps.

– Bonjour, Patrick, dit le psy avec bonne humeur, tu as un visiteur ce matin. Je te présente Erwan. Il est de la police et voudrait te poser quelques questions.

L'homme s'immobilisa. En un coup d'œil, Erwan le mémorisa pour toujours. En apparence, c'était un petit Maghrébin noueux qui perdait ses cheveux. Pas d'âge : seulement des marques d'usure sur le visage. Il se tenait de travers, poings serrés, hanches asymétriques. À cette posture répondait le regard torve – des yeux noirs affligés d'un strabisme effrayant, celui qu'on prête aux possédés, aux suppôts du diable.

– Je vous laisse, murmura le Slave. Les infirmiers vont rester avec vous.

Erwan se conditionna pour instaurer la conversation la plus décontractée possible. Les murs étaient totalement aveugles : ni jour ni nuit.

– Comment ça va ? demanda-t-il un peu absurdement.

Pas de réponse. Seulement ces yeux aux axes incertains qui le scrutaient comme des mèches de perceuse.

– Ils m'ont mis ça à cause de toi, dit enfin l'aliéné en bougeant les poignets.

– Je suis désolé.

– D'habitude, y m'ligotent avec des draps humides et m'regardent m'étrangler avec.

– Patrick, calme-toi.

L'injonction venait d'un des infirmiers dans son dos.

– D'aut' fois, continuait le Beur, y m'envoient des électrochocs dans le cul. Y z'appellent ça les « lavements de Magneto ».

– Patrick !

Benabdallah se tassa à l'intérieur de sa minerve comme un crustacé au fond de sa coquille. Une fine pellicule de sueur, glacis de pure folie, luisait à la surface de son visage. Erwan ne pourrait rien tirer d'un gugusse pareil. *Encore une fois, le mauvais choix.*

Il se demanda comme le Vieux aurait mené la danse et ordonna brutalement :

– Dis-moi pourquoi tu as tué José Fernandez.

– Il a eu c'qu'y méritait.

– Tu voulais le punir ?

– J'voulais montrer c'qu'il avait dans l'ventre…

– Sa beauté intérieure ?

Benabdallah ricana – sa bouche ressemblait à une biffure.

– Lui, c'tait plutôt de la laideur infernale…

Plug était une armoire de muscles de plus d'un mètre quatre-vingts. Comment ce nabot avait-il réussi à l'égorger ?

– Qu'est-ce que José t'avait fait au juste ? Il venait d'arriver à Condé…

– C't'ait pas à Condé. J'le connaissais d'avant.

– D'où ?

– De Charcot. J'y ai passé du temps.

– Plug était un des matons ?

Benabdallah se figea. Son expression changea, soudain méfiante.

– Comment tu connais son surnom ?

– Je connais Charcot.

– Pourquoi ?

– Je suis flic, Patrick. J'y ai amené des prisonniers.

– Ça veut dire que t'as pas d'cœur.

– Au moins on vous y soigne.

– Tu sais rien…, susurra-t-il. Tu sais pas c'qu'on nous fait là-bas.

– Explique-moi.

Benabdallah cracha aux pieds d'Erwan.

– Plug, y s'occupait de la mare aux canards.

– C'est quoi ?

L'aliéné se renfrogna. Un filet de salive s'écoulait sous son menton, le long de l'encolure de sa minerve.

– À Charcot, murmura-t-il enfin, y a deux bâtiments… L'un en face de l'autre : la taule et l'hosto.

Erwan revoyait les deux édifices modernes séparés par de larges pelouses.

– Tout au fond, y a un étang… Quand on nous sort de nos cellules pour rejoindre le centre de soin, on doit traverser une passerelle au-dessus du plan d'eau. Y a des cygnes, des hérons, des canards…

Il n'avait pas remarqué ce détail lors de ses visites mais l'idée cadrait bien avec le décorum. Il imaginait le docteur Lassay nourrissant ses oiseaux, un genou au sol parmi les roseaux et les bambous plantés à la japonaise.

– Plug vous faisait prendre ce chemin ?

– C'était le bourreau. Il nous menait à la mort.

Erwan fixait les membres rachitiques du fou, ses épaules chétives, son cou de poulet qui flottait dans la minerve. La démence lui avait rongé toute la chair comme un ogre aurait sucé les os d'une carcasse.

– Qu'est-ce qu'on vous faisait au juste dans cette unité ?

Benabdallah agita la tête contre les parois de son étau. Ses lèvres tremblaient. Erwan s'avança et lui prit la main. Tout de suite, un des infirmiers essaya de s'interposer :

– Vous ne devez pas le toucher.

– Patrick… Qu'est-ce qu'on vous faisait ?

Les pupilles de Benabdallah roulaient sous ses paupières et semblaient ne pouvoir se fixer sur rien.

– Patrick…

Le cinglé parut se réveiller de ses pensées et son regard se bloqua sur le flic.

– Tu peux rien m'faire…, vomit-il avec dégoût.

– Patrick… (Erwan se penchait sur lui, les infirmiers n'osaient pas intervenir.) Je suis ici pour t'aider. Si tu veux me dire ce que tu as sur le cœur…

– Moi j'ai rien sur le cœur, ricana-t-il tout à coup… C'était l'autre, Plug, qu'en avait gros sur l'organe… T'avais qu'à voir son cadavre…

– Qu'est-ce qu'on vous faisait dans l'hosto ?

Le fêlé baissa la tête, l'air obstiné.

– Tu peux rien m'faire. J'suis déjà mort. C'est là-bas qu'on m'a tué…

– Bon sang, Patrick : dis-moi ce qu'ils t'ont fait !

Cette fois, un des aides-soignants lui saisit la main pour le forcer à lâcher le poignet du dément : Erwan réalisa qu'il le lui serrait à se blanchir les jointures. L'infirmier lui écarta chaque doigt comme on fait avec la dernière étreinte d'un cadavre. Le flic recula et se passa la manche sur le front.

– Il a tué notre Maître, souffla l'autre.

Benabdallah s'exprimait comme Renfield, le maniaque homicide du roman *Dracula*, le mangeur de mouches hanté par l'esprit du comte vampire.

– Plug n'a tué personne.

– Tu sais rien…

Quand Erwan avait arrêté José Fernandez, il était persuadé que l'infirmier avait étouffé Thierry Pharabot afin de lui voler des cellules souches pour les vendre aux quatre fanatiques qui voulaient devenir l'Homme-Clou. Aujourd'hui, il savait qu'il s'était trompé : Plug avait simplement extrait des fibroblastes sur le corps et avait mis en scène la soi-disant incinération.

Il allait revenir à la charge quand la porte s'ouvrit derrière lui.

– Je dois arrêter là l'entrevue, annonça le psychiatre. Vous êtes en train de l'exciter.

Erwan acquiesça tout en essayant de se calmer lui-même. *Encore du temps perdu*. Il salua d'un geste le prisonnier qui paraissait avoir déjà sombré dans la neurasthénie et suivit le médecin dans le couloir.

– Pourquoi avoir accepté cet interrogatoire ? demanda Erwan au bout de quelques pas. Vous ne m'avez même pas demandé de quoi il s'agissait. Dans le monde normal, j'aurais dû me taper quinze jours de paperasse pour approcher Patrick et encore, sans la moindre certitude de résultats.

– J'ai mes raisons.

– Lesquelles ?

– Je lis les journaux. Je sais que vous avez enquêté sur l'Homme-Clou et l'UMD Charcot.

– Et alors ?

– Vous n'avez pas écouté Patrick ? La mare aux canards… La psychiatrie peut basculer dans tous les excès et j'ai la conviction qu'il se passe de drôles de choses en Bretagne.

Erwan se méfiait des critiques au sein d'un même univers professionnel : jalousie, rivalités, mauvaise foi… Mais la parole de ce psy pouvait étayer le témoignage de l'homme-minerve.

– Que savez-vous au juste ?

– Rien. Mais l'obsession de Benabdallah à propos de Charcot me paraît trahir un fond de vérité.

– Il dit aussi des horreurs sur vos infirmiers.

Ils étaient parvenus dehors. Il faisait jour et les bâtiments du site n'y gagnaient pas.

– Vous avez raison. À force de les fréquenter, je deviens parano moi aussi.

– Jean-Louis Lassay, vous le connaissez ?

– De nom seulement. Très bonne réputation.

– Donc ?

Le psychiatre consulta sa montre puis serra vivement la main d'Erwan :

– Il faut que j'y retourne. J'espère que cette entrevue vous servira, dans tous les cas.

Erwan regagna sa voiture, faisant craquer des feuilles mortes sous ses pieds. Il vérifia ses messages et découvrit que Favini l'avait contacté deux fois. Rappel.

– Peut-être que tu t'en fous, fit le gominé, mais j'ai retrouvé le père d'Audrey.

112

SUR UN COUP DE TÊTE, il avait décidé de filer à Noisy-le-Sec afin d'annoncer au vieil homme la « mort en service » de sa fille. Il tenait à lui dire quelle flic exceptionnelle elle avait été. À quel point elle allait leur manquer, à ses collègues et lui, au moins sur le plan professionnel – pour le reste, personne ne connaissait réellement cette OPJ aux manières secrètes. Oui, Brest pouvait bien attendre.

Il roulait en ruminant les coups de fil qu'il venait de recevoir. Aucune nouvelle du fugitif. Rien non plus du côté des fouilles. Le mystère Barraire se refermait comme un caveau. En parlant de caveau, il avait aussi appelé son frère qui avait organisé le départ du cercueil pour le lendemain. La cérémonie funéraire aurait lieu dans la foulée, à 16 heures, au cimetière de Bréhat.

Depuis un bon quart d'heure, il traversait un paysage de banlieue standard, alternant cités décrépites et quartiers de pavillons en meulière. Enfin, la rue de Romainville. Il s'attendait au pire mais il tomba sur une petite maison entourée par un jardin bien entretenu. Visiblement, le vieux Wienawski n'était pas le clochard qu'Audrey avait toujours laissé entendre.

Erwan allait sortir de sa bagnole quand il reçut un SMS de Tonfa. Une photo d'un inconnu avec ce seul commentaire : « Lady Frankenstein a fait une FIV. On balance à Sandoval ? »

Un bref instant, il ne vit pas de qui il s'agissait puis il comprit : Thierry Pharabot en sexagénaire. On reconnaissait les traits harmonieux de l'ingénieur, mais tailladés et affaissés par le temps. Cheveux rares, yeux voilés. Que valait un tel portrait ? Quel genre d'années le logiciel avait-il pris en compte ? Quelques touches sur son clavier : « Balance. »

Il s'achemina vers la grille pleine puis sonna. Pas d'aboiement de chien, pas de télé criarde : personne ? Le père d'Audrey devait avoir dépassé les soixante-dix ans. Un peu tard pour pointer encore à l'usine. Un peu tôt pour se faire enterrer au pays.

Soudain, le portail s'ouvrit, révélant un grand gaillard à la chevelure blanche nouée en catogan. Erwan avait misé sur un vieillard hébété par des décennies d'alcool, son hôte ressemblait plutôt à un Viking dans la force de la sagesse.

Pris au dépourvu, il montra sa carte dans un geste réflexe. *Première erreur.*

– C'est pour quoi ?

L'homme avait la voix d'une basse entonnant une aria de Jean-Sébastien Bach au fond d'une cathédrale. Il portait un pull jacquard sombre, un boléro en daim, un pantalon de velours à grosses côtes. Un baba cool pour qui la vie s'était arrêtée à Woodstock.

– Je suis venu vous parler d'Audrey.

– Connais pas.

– Audrey, votre fille.

Le colosse l'observa quelques secondes. Il cillait si rapidement que ses yeux paraissaient frémir.

– Elle s'appelle Edeltruda, soupira-t-il enfin. C'est polonais.

113

ERWAN n'avait même pas pris le temps de consulter le dossier d'état-civil de sa collègue. *Deuxième erreur.*

– Je m'appelle Piotr. (Sa poignée de main trahissait une force toujours d'actualité, importée des mines de sel de haute Silésie ou des chantiers navals de Gdansk.) Entrez.

Il s'effaça pour laisser passer son visiteur puis referma la grille derrière lui : pas le moindre grincement de ferraille. Au sol, pas de cailloux mais une résine pigmentée comme sur les courts de tennis. Papaski aimait le silence. Et la propreté : une fois dans le salon, Erwan hésita à s'asseoir tant les sièges et le canapé paraissaient impeccables. La décoration était slave : tons, tissus, meubles, tout rappelait l'intérieur d'un appartement d'une cité ouvrière aux grandes heures de Solidarnosc.

– Café ?

Erwan le remercia et opta pour un fauteuil de cuir. Le Polonais disparut quelques secondes. Sur les murs, des crucifix, des portraits de Lech Walesa, du pape Jean-Paul II. Pas la moindre image d'Audrey. La lumière d'un abat-jour s'associait à la clarté parcimonieuse du dehors pour baigner l'ensemble d'une tonalité mordorée d'icône religieuse.

Erwan se sentait de plus en plus mal à l'aise : il ne savait comment annoncer la nouvelle à ce père qu'il avait imaginé complètement différent.

– Elle est morte, n'est-ce pas ?

L'homme se tenait debout sur le seuil du salon, son plateau d'argent entre les mains – tasses, cafetière et sucrier en porcelaine se détachaient comme des sculptures de mie de pain.

De surprise, Erwan s'était remis debout.

– Je... (Il prit son souffle et capitula.) Hier soir, dans l'exercice de ses fonctions.

– Quelles fonctions au juste ?

– Elle travaillait dans mon groupe d'enquête, à la Brigade criminelle de Paris. C'était mon meilleur élément.

Le géant posa son plateau sur la table basse sans le moindre bruit. Un rayon de soleil frappait sa chevelure et lui dessinait une auréole argentée. Une expression vint à l'esprit d'Erwan : l'homme était un veuf blanc comme on disait jadis un « Russe blanc ». Un exilé qui avait tout perdu mais conservé sa noblesse.

– Vous prendrez tout de même le café ? (Maintenant assis en face de lui, le Polonais remplit les tasses sans attendre la réponse.) Je vous remercie d'être venu en personne m'annoncer la nouvelle mais ne vous croyez pas obligé de me tenir le mouchoir.

– Pas du tout, je...

– Où est le corps ?

– À l'IML. Je veux dire : à l'Institut médico-légal. C'est sur le quai de la Rapée, près de la station de métro du même nom.

– Je connais. Ma fille, comment est-elle ?

Erwan finit par se rasseoir et saisit sa tasse pour occuper ses mains.

– Audrey a été victime de... d'un homme particulièrement violent. Je...

Il sentit sa phrase mourir dans sa bouche. Son interlocuteur le fixait posément. Sa peau paraissait très blanche et sèche, prête à vous laisser de la poussière de plâtre sur les doigts. Ses rides présentaient des circonvolutions complexes, se nouant en des dessins qui semblaient bizarrement provisoires, comme des sillons laissés sur le sable.

– J'ai besoin d'aller l'identifier ?

– Non. Nous l'avons déjà fait. Nous… Enfin, nous ne savions pas qu'Audrey avait encore de la famille à Paris.

Il y eut un silence. Un point d'interrogation semblait résonner dans toute la pièce.

Piotr perça l'abcès :

– À la naissance d'Edeltruda, je suis parti en France. Non pas pour fuir mes responsabilités. Au contraire. Je voulais préparer le terrain pour que sa mère et elle me rejoignent. Pendant dix ans, j'ai travaillé comme un bœuf, sur des chantiers, sans jamais remettre les pieds en Pologne, faute de papiers. Quand j'ai enfin réussi à obtenir une carte de séjour, je suis rentré à Cracovie. Ma femme était mourante. Cancer généralisé. Cette conne ne m'avait rien dit, de peur que je prenne le risque de revenir sans document, ruinant ainsi des années d'efforts. Bref, je me suis retrouvé avec une gamine que je ne connaissais pas, qui ne parlait pas un mot de français et qui de toute façon refusait de m'adresser la parole. Je l'ai ramenée ici. J'ai obtenu sa naturalisation. En quelques années, elle a appris la langue, obtenu son bac, mais elle ne cessait de fuguer… Finalement, une fois majeure, elle a disparu pour de bon. Je n'ai pas cherché à la retrouver. Du moins à la contacter. Je savais qu'elle vivait avec des jeunes clochards, ce que vous appelez des « punks à chien », près de la gare Montparnasse. Plus tard, elle s'est encore évaporée. Je ne m'inquiétais pas : Edeltruda avait du ressort. Je suis resté seul, avec ma douleur, et un immense sentiment de vacuité. Tout ce que j'avais fait, c'était pour atteindre un objectif qui n'existait plus, qui n'avait jamais existé. Maintenant, vous m'annoncez qu'elle est morte. Je n'ai le souvenir que d'un être mutique à qui la haine servait de colonne vertébrale. Je suis catholique : je ne sais pas pourquoi le Seigneur m'a infligé cette épreuve mais je pressens que ma petite fille est aujourd'hui libérée.

Erwan songeait au cadavre de Louveciennes aux yeux crevés, à la langue distendue. Le vieux Polonais avait raison de choisir la voie céleste mais lui la vengerait sur le mode terrestre. Une balle entre les deux yeux ou la taule à perpétuité pour le coupable.

Il ne trouvait pas le moindre mot à ajouter mais ressentait une profonde empathie. Il songeait à lui-même, à Loïc, à Gaëlle surtout. Chez les Morvan aussi, chaque enfant avait grandi sous le signe de la haine.

– Une fois, continua le Polaque, elle est venue me voir. Elle travaillait déjà avec vous, je crois. Elle voulait me remercier pour tout ce que je lui avais donné. Je lui ai répondu que je ne lui avais rien donné, que je n'en avais pas eu l'occasion. Justement, m'a-t-elle dit, son héritage n'était qu'un trou noir. Un trou qu'elle essayait de combler chaque jour. C'était le sens de sa vie.

Erwan acquiesça, toujours muet. Ce puits aux illusions, ce gouffre aux chimères, il le connaissait aussi. Il l'avait rempli avec sa colère, sa rancœur, son dégoût pour comprendre aujourd'hui que tous ses efforts avaient été vains : l'abîme n'avait pas de fond.

– Appelez-moi pour me donner le jour et le lieu des obsèques, dit-il enfin en se levant. Nous serons tous là.

– C'est gentil mais je ne préfère pas.

– Vous…

– Qu'on me laisse au moins ce dernier moment d'intimité. (Piotr sourit et ses rides dessinèrent de nouvelles arabesques.) D'une certaine façon, ce sera aussi le premier.

Erwan fonça vers sa voiture. 11 heures passées. La journée ressemblait à un courant qui ne cessait de l'éloigner du rivage qu'il voulait atteindre – Brest. La clé du bordel était pourtant là-bas et…

Son portable sonna alors qu'il déverrouillait sa portière. Cyril Levantin. Le coordinateur de l'IJ. Le seigneur des labos.

– Je t'appelle à propos des médocs.

– Quels médocs ?

– Ceux qu'on a ramassés à Louveciennes, dans un sac en…

– Ok, j'y suis. C'est quoi ?

– On n'en sait rien. Mes chimistes ne reconnaissent pas les molécules. Ce ne sont pas des produits qu'on trouve sur le marché. Sans doute plutôt des trucs à l'essai.

La mare aux canards. On se rapprochait d'une hypothèse qu'Erwan sentait se profiler depuis un moment : des expérimentations cliniques au sein d'un hôpital protégé. L'UMD pourvoyeuse de cobayes…

– Vous ne savez même pas dans quel domaine ces gélules agissent ?

– *A priori*, ce sont des analogues.

– Parle français.

– Des produits de substitution aux neuromédiateurs qui permettent de bloquer ou de stimuler les récepteurs neuronaux.

Erwan n'y connaissait rien et il n'avait pas le temps pour un cours approfondi.

– Quel effet sur le cerveau ?

– C'est variable. Dans certains cas, l'ordre est bloqué. Dans d'autres, il est décuplé.

– Tu dirais que ce type de médocs appartient au champ de la psychiatrie ?

– De la neurologie plutôt. Mais leurs effets se rapprochent de ceux des psychotropes qui soignent les troubles mentaux. En fait, c'est une voie nouvelle pour réguler les humeurs et…

Sa théorie se précisait : des tests occultes pratiqués sur des criminels givrés sous prétexte de traitements. Qui s'en apercevrait ? Qui s'en soucierait ?

– Tes gars sont toujours dessus ? coupa Erwan.

– Bien sûr.

– Y a espoir qu'ils trouvent quelque chose de plus spécifique ?

– Peu de chances. Pour en savoir plus, il faudrait avoir le nom des labos qui les produisent. Tout ce qu'on peut supposer, c'est que soit notre client a agi sous l'effet de ces pilules – dans ce cas, ces merdes décuplent la violence –, soit, et ça ce serait pire encore, il les prenait pour se calmer, et j'ose pas imaginer ce qu'il va faire à sa prochaine victime sans médocs…

L'urgence absolue était toujours la même : retrouver le dément. Peu importait son identité : il fallait, coûte que coûte, le stopper. Une idée lui traversa l'esprit : renforcer la surveillance de l'UMD Charcot, le cinglé pouvait être tenté d'y revenir en quête de soins.

– Rappelle-moi quand t'as du nouveau. Fais le maximum du côté des médocs.

Quand Erwan reprit l'autoroute, c'était avec la claire intention de filer directement à Orly et d'attraper le premier vol qui le rapprocherait de Brest, de Lassay et de ses expériences foireuses. Mais à cet instant, il réalisa que toute cette embrouille n'aurait jamais été possible sans l'assentiment de l'État lui-même.

Allez, Pascal Viard méritait bien une nouvelle visite.

La dérive du courant continuait.

114

– JE PEUX TE DIRE qu'à l'époque, il avait pas sa bite dans sa poche…

Les deux filles gloussaient à côté d'elle, toutes cuisses dehors, trônant sur leurs chaises pliantes comme si elles étaient installées dans un sas de propulsion pour la gloire. *Croyez-le, les morues.*

Afin de n'éveiller aucun soupçon, Gaëlle s'efforçait de mener son existence habituelle – ce qui impliquait d'aller à tous les castings qu'on lui proposait. Voilà pourquoi elle se retrouvait à midi, dans cette salle étouffante de la Plaine-Saint-Denis, entourée de radasses dans son genre. L'opération de camouflage était aussi censée la convaincre elle-même : la vie continuait.

Auparavant, elle avait pris le risque de donner rendez-vous à Payol. Avec une obstination absurde, elle avait insisté pour toucher la deuxième partie de son salaire.

– T'es malade ou quoi ? s'était étranglé le maquereau de luxe, tout en jetant des regards affolés autour de lui.

Ils étaient Chez Francis, place de l'Alma. Gaëlle s'était mise en terrasse, malgré le froid. Mieux valait geler que de renoncer à fumer.

– Je veux mon fric.

– Jamais j'aurais dû te mettre sur ce coup.

– Mon fric.

Derrière ses grosses lunettes d'écaille, il la considérait avec une sorte de stupeur consternée.

– Je ne peux pas croire que tu sois pour quelque chose dans ce massacre.

– Oublie tout ça et paye-moi !

C'était elle qui avait choisi cette brasserie en hommage à un passage de *La Chamade* de Françoise Sagan qu'elle adorait. Encaisser le pognon d'une passe qui s'était achevée en carnage sur un lieu à connotation littéraire, voilà ce qu'elle appelait « mélanger les genres ».

Payol lui avait fourré ses mille cinq cents euros dans la paume.

– Vous êtes tous cinglés dans cette famille. Je veux plus jamais voir ta gueule.

– Plaisir partagé.

Le proxo s'était engouffré dans la bouche de métro Alma-Marceau, avalé comme une grande arête de poisson par une baleine. L'instant d'après, Gaëlle avait sorti de son vieux sac l'autre partie de son salaire et s'était demandé que faire de ce cash. Un dernier hommage à son père. Elle avait marché jusqu'à l'avenue Montaigne et s'était payé une super tenue *Black is black* en vue des funérailles.

Passé ce bref moment d'excitation, elle avait déposé ses sacs chez elle avant de filer sans conviction à son casting. Elle n'avait plus goût à rien et se sentait complètement vidée. Le pire : elle n'avait rien mangé depuis Lausanne. Pour d'autres, le manque d'appétit est un symptôme d'angoisse ou de tristesse, voire de dépression. Pour elle, c'était un signe de rechute. Son corps avait repris le dessus, renouant avec le métabolisme qu'il connaissait le mieux : un formidable processus de destruction.

Combien de temps avait-elle tenu ? Dix ans au moins. Elle avait vaincu l'anorexie comme on subit une amputation. Elle s'était débarrassée d'une part d'elle-même gangrénée, dangereuse, mais aujourd'hui, tous les marqueurs étaient là. Elle allait recommencer à jouir de dépérir, à frémir quand la faim la torturerait jusqu'à la perte de conscience.

Elle allait devenir osseuse, fragile, acérée. Ce corps immonde révélerait ce qu'elle était à l'intérieur d'elle-même : un être déchiqueté, aux angles coupants. Un sanctuaire rempli de petits os friables qui ne demandaient qu'à être écrasés.

– Tu connais le directeur de casting ?

Gaëlle sursauta : une bimbo au look asiatique l'observait sous ses faux cils.

– Non, parvint-elle à répondre.

– Moi, j'ai couché avec lui y a un bail. Ça va peut-être me servir, ou pas du tout. (Elle eut un ricanement proche du renvoi gastrique.) Toute façon, j'm'en fous. J'ai d'autres projets.

Gaëlle se concentra sur son interlocutrice. Dotée d'une épaisse chevelure noire et brillante, sans doute teinte, qu'elle exhibait comme un nouveau riche sort ses liasses de biftons dans un restaurant, elle arborait aussi un bronzage outrancier qui évoquait irrésistiblement la Côte d'Azur et son oisiveté dorée sur tranches. Quant à ses origines asiatiques, elles se limitaient à un trait d'eye-liner appuyé vers les tempes.

– Qu'est-ce que tu fais, sinon ?

Gaëlle avait posé la question pour ne pas avoir à parler d'elle – elle n'avait même pas la force de rembarrer sa voisine, ce qui chez elle était un signe d'extrême faiblesse.

– De l'artistique...

Elle ne prit pas la peine d'écouter la suite. L'autre avait prononcé ce mot comme elle aurait dit : « De la saucisse. » Sans doute pensait-elle que Le Corbusier était un cognac, que la musique commençait avec les Beatles et finissait avec Shakira, que la peinture était un placement financier et que Pasolini était un nom de pâtes italiennes. « De l'artistique... »

Gaëlle se sentait complètement perdue. Sa propre carrière allait dans le mur – en réalité, elle y était encastrée depuis un bon moment. Elle n'avait aucun autre horizon et même plus la force de se trouver des clients d'une heure pour son argent de poche. Et avec ça, pas l'ombre d'un compagnon ni la moindre amie.

Elle était seule. Seule avec ses os. Sa faim. Ses souvenirs.

– Et toi ?

– Quoi moi ?

– Qu'est-ce que tu fais d'autre à côté ?

La cervelle des Congolais éclaboussant le plafond. Les derniers mots d'Éric Katz dans le tunnel. Le sang de Kripo lui coulant le long de la manche alors qu'elle lui enfonçait la lame dans la gorge. Les feuillages des platanes alors qu'elle venait de se jeter du troisième étage…

– Rien de spécial.

115

QUAND PASCAL VIARD ouvrit la porte de son bureau, Erwan l'attendait sur le seuil, calibre au poing.

– T'es venu m'inviter à déjeuner ?

– Recule.

– T'en as donc jamais assez ? Tu…

Erwan le gifla avec son canon puis ferma la porte du pied. Viard s'affaissa contre son bureau. Le temps qu'il se relève, il était déjà désarmé. Son nez saignait. Avec le bleu de la bouilloire sur sa joue, l'altermondialiste était maquillé pour l'hiver.

– Tu cries, tu bouges, tu tentes quoi que ce soit, j'te fume.

– Mais t'es malade ? Tu réalises où on est au moins ?

– Dans la gueule du loup, ricana Erwan en l'empoignant par les revers de sa veste et en le poussant dans un fauteuil (il en rajoutait dans le genre incontrôlable pour convaincre l'autre salopard de se mettre à table). Tu t'es bien foutu de ma gueule avec tes histoires de terroristes. Tu vas maintenant me dire tout ce que tu sais sur Jean-Louis Lassay, l'UMD Charcot, Isabelle Barraire, Philippe Hussenot. Et surtout pas de conneries : j'ai eu ma dose ce matin.

Ta carrière est finie, enculé, siffla Viard en attrapant une feuille de papier pour stopper l'hémorragie.

– Quelle carrière ? Essayons déjà de faire notre boulot. J't'écoute.

– Je vois pas de quoi tu parles.

Erwan le tenait toujours en joue, les deux poings serrés sur son calibre :

– Je t'ai dit qu'on arrêtait les conneries. Lassay. Hussenot. Barraire. Tu me donnes les connexions et je me casse en fermant ma gueule.

– T'as vraiment rien capté.

– C'est pour ça que je suis ici.

– Tu t'es trompé de côté, mon gars. La justice est avec moi.

– Pour l'instant, je ne vois qu'un salopard qui multiplie les coups fourrés.

– Ça te connaît, non ?

Erwan ne voulait surtout pas se laisser entraîner sur le terrain personnel : la haine légendaire entre Viard et Morvan, les combines accumulées dans les deux camps. D'ailleurs, il n'était ni pour l'un ni pour l'autre.

Il choisit un hameçon, histoire de ferrer le brochet :

– Hier soir, Jean-Louis Lassay t'a téléphoné pendant sa garde à vue. Une heure après, le parquet de Quimper signait son ordre de libération. Explique-moi ce prodige.

Viard soupira. La feuille roulée dans sa narine lui barrait la moitié du visage. Parfaitement ridicule. Il finit par se lever et se diriger vers son bureau.

– Pas par là. Le canapé.

La pièce, relativement spacieuse, disposait d'un coin réunion meublé d'une table ronde, de plusieurs chaises et d'un sofa. Viard se laissa tomber parmi les coussins, la tête renversée en arrière. Sa chemise et son pull étaient maculés de sang.

Silence. Erwan, sans cesser de braquer son hôte, finit par attraper une chaise et s'installer de l'autre côté de la table. Cet affrontement entre flics au sein même du ministère de l'Intérieur battait des records d'incongruité. Au fond, se dit-il, il en avait toujours rêvé. *Tuer le père. Braver le dernier interdit. Foutre le souk dans le saint des saints.* Mais sa colère se crispait déjà en un noyau de tristesse. *On ne tire pas sur un mort.*

– Lassay travaille pour nous, cracha enfin Viard en scellant son regard à celui d'Erwan.

– Tu m'as déjà fait le coup ce matin avec Hussenot.

– C'est une longue histoire.

– On a tout notre temps.

L'autre se fendit d'un sourire.

– Dans les années 90, Lassay et Hussenot ont ouvert une clinique à Chatou.

– On en a déjà parlé.

– À cette époque, ils travaillaient en collaboration avec des labos pharmaceutiques et dirigeaient des protocoles de test sur des patients volontaires.

– Volontaires ? Dans un asile de fous ?

– Tu vois ce que je veux dire. En réalité, ils menaient leurs propres recherches. J'y connais rien mais à l'époque, la grande tendance, c'était les neuromédiateurs.

– Ce matin, t'as essayé de me faire gober que les Feuillantines étaient un site noir où on interrogeait des barbus. Maintenant, tu voudrais me faire avaler que c'était un labo de pointe ? Ce n'est qu'un refuge pour people dépressifs.

– C'était tout cela à la fois. Mais ça n'a pas duré. Au milieu des années 2000, Hussenot a décroché. Il avait été secoué par son divorce et ne pensait plus qu'au pognon. Il faisait fructifier son business. Finalement, il s'est tué en Grèce avec ses mômes.

– Et Lassay ?

– Lui ne voulait pas lâcher. Il a rejoint des unités d'État comme Charcot mais les labos ne lui faisaient pas confiance : le neurologue, c'était Hussenot.

Viard finit par retirer l'espèce de cornet de frites qu'il avait dans la narine et se leva. Erwan arma la chambre de son calibre. Un déclic qui produit toujours son effet, même sur des Viard.

– Un café, je peux ?

Encore le même numéro : le bobo amateur de saveurs raffinées. Qu'est-ce qui est plus dangereux qu'un facho en uniforme ? Un facho avec des pinces à vélo.

– T'en veux un ? proposa-t-il près de sa machine.
– Je veux la suite.
– Ristretto Intenso, s'il vous plaît…
– Envoie-toi du jus de lama si ça te chante mais termine ton histoire. Sur quoi travaillaient Lassay et Hussenot ?
Viard saisit sa tasse puis se réinstalla sur le canapé : il réintégrait son personnage. De son côté, Ewan se décida à rengainer. Il avait donné le ton, pas la peine de jouer indéfiniment au cow-boy.
– J'ai pas les détails. Un régulateur de violence, je crois. Ce qu'on appelle un « inhibiteur ». Ils projetaient d'initier une sorte de vaccin contre l'agressivité. Le programme s'appelait Pharmakon.
– Qu'est-ce que ça veut dire ?
– Aucune idée. Techniquement, j'ai jamais su au juste comment ça fonctionnait. Tout ce que je sais, c'est qu'au final, ça ne marchait pas vraiment. Le programme s'est arrêté définitivement à la mort de Hussenot. On m'a simplement demandé de faire le ménage derrière lui.
– Comment l'État était-il intervenu ?
– En donnant des fonds et en soutenant les deux Nimbus. Leurs travaux, s'ils avaient abouti, auraient eu des applications prodigieuses. Comme calmer les criminels en taule ou tempérer les récidivistes, une fois dehors.
– Et les labos privés, quel était leur intérêt ?
– Ce qui aurait marché pour des violeurs aurait pu servir, à d'autres doses, pour des individus agressifs ou ayant des problèmes de réglage de leurs pulsions.
Jusque-là, Erwan suivait le fil et il pouvait deviner les chapitres suivants :
– En réalité, Lassay n'a pas stoppé ses travaux en 2006. Il a continué ses recherches et a testé ses produits sur les pensionnaires de Charcot.
– S'il l'a fait, c'est sans l'autorisation de l'État. Personne n'aurait couvert ses élucubrations. Encore une fois, c'était Hussenot

qui menait la danse. Sans lui, Lassay n'était qu'un cinglé parmi d'autres.

Viard jouait au con – il en savait beaucoup plus sur les recherches solitaires de Charcot. Pas grave : Erwan demanderait des comptes au savant en personne.

– Que s'est-il passé avec Pharabot ?

– Mais j'en sais rien, moi ! C'était sans doute un des cobayes du Pharmakon. Il a claqué en 2009. Lassay avait sans doute forcé les doses... On a étouffé l'affaire : Pharabot n'avait aucune famille, il vivait à la charge de l'État depuis des décennies. Bon vent.

– Pharabot n'est pas mort. C'est lui le meurtrier de septembre. C'est lui qui a tué ma cinquième de groupe.

– T'es en plein délire.

Déroulant mentalement l'histoire, Erwan se confortait au contraire dans ses certitudes :

– Lassay a embrouillé tout le monde. Il a fait mourir officiellement Pharabot pour continuer ses expériences sur lui. Seul problème : le cobaye s'est fait la malle en septembre dernier et a tué aussitôt. Avec l'aide d'Isabelle Barraire, qui avait aussi été soignée à Charcot, il s'est planqué et a pu assassiner les proches de mon père. Pharabot n'a jamais renoncé à son désir de vengeance. Il voulait détruire celui qui l'avait arrêté quarante ans auparavant. Sa planque, c'était la baraque de Louveciennes. Audrey Wienawski l'a surpris et il l'a butée.

Viard émit un sifflement ironique devant ce bel effort de construction. Mister Bobo était flic depuis assez longtemps pour savoir que la réalité est souvent plus banale et moins cohérente qu'un scénario de film.

– T'auras du mal à prouver tout ça, conclut-il en se levant pour se concocter un nouveau café.

– Je ne veux rien prouver, seulement empêcher ce taré de continuer. Pharabot a fui en laissant les médocs qui devaient le calmer. Maintenant, c'est un forcené assoiffé de sang qu'on doit retrouver.

– Tu m'ôtes les mots de la bouche. Laisse tomber tes contes à dormir debout et retourne sur le terrain. Dans tous les cas, ce n'est pas Pharabot. Il est mort et incinéré, crois-moi. C'était déjà un boulot de chien d'étouffer l'origine de sa mort et de boucler le dossier avec les administrations hospitalière et pénitentiaire sur le dos. Retourne avec les flics qui broutent le gazon. Vous choperez ce mec grâce aux appels à témoins, aux barrages et aux…

Erwan allait lui couper la parole quand son portable vibra dans sa poche. Loïc. *Décroche.*

– Maman vient d'avoir une attaque.

116

IL N'AVAIT JAMAIS VU ÇA. Allongée sur le lit, Maggie était enveloppée de plaques carrelées qui évoquaient de grandes tablettes de chocolat blanc. Le torse, l'abdomen et les jambes étaient roulés dans ces étranges bandes. Seuls le visage et les bras étaient nus.

– Des pads de refroidissement, expliqua le médecin. Ils permettent de faire baisser la température du patient de plusieurs degrés. Nous avons placé votre mère en hypothermie thérapeutique. Sa température centrale est à trente-quatre degrés.

– Pour quoi faire ? demanda Loïc.

Erwan et lui étaient arrivés en même temps et avaient trouvé Gaëlle, assise à l'extrémité du lit, en larmes.

– Cela ralentit les processus biochimiques de l'organisme, répondit le toubib, notamment la consommation d'oxygène. Par ailleurs, le froid protège le cerveau d'éventuelles agressions internes qui pourraient laisser des séquelles ou empêcher votre mère de se réveiller. Si je devais risquer une comparaison, je dirais que nous l'avons placée en hibernation…

Erwan réalisa avec un temps de retard qu'il ne s'agissait pas du médecin de la veille. Sans doute un spécialiste en réanimation.

– Je ne comprends rien, intervint encore Loïc. Vous l'aviez plongée dans le coma, vous l'avez réveillée et maintenant, c'est elle qui a perdu conscience, c'est ça ?

– Venez avec moi. Nous serons mieux dehors pour parler.

Ils suivirent le médecin, laissant Gaëlle prostrée sur son siège. Erwan se souvint du terme utilisé par le psychiatre de Villejuif, « décompensation ». Depuis plusieurs semaines, sa sœur compensait sec face aux traumatismes qu'elle avait endurés. Maintenant elle retombait dans sa pathologie profonde : anorexie et mal-être chronique.

Ils s'arrêtèrent dans le couloir, emmaillotés comme des papillotes dans leurs blouses de papier.

– Je vous l'ai dit au téléphone : l'état général de votre mère s'était stabilisé et nous avons jugé que nous pouvions la réanimer. Malheureusement, peu après, elle a fait un arrêt cardio-circulatoire, dû à un infarctus du myocarde, ce qui a privé son cerveau d'oxygène durant quelques secondes, la plongeant dans un coma post-anoxique.

– C'est irrémédiable ?

La question, plutôt niaise, avait échappé cette fois à Erwan.

– Les premiers tests ne sont pas encourageants. Son score de Glasgow est très bas. Ses pupilles ne réagissent pas aux stimuli. Demain, l'électroencéphalogramme nous renseignera sur ses chances d'évolution.

– Elle peut s'en sortir ou non ?

– On ne va pas se raconter d'histoire : son cas est cliniquement critique…

Loïc la ramena encore, de plus en plus agressif :

– Comment elle a pu faire une crise cardiaque sous votre surveillance ?

Il avait dit ça comme un homme qui a déjà la main sur son portable pour appeler son avocat. Le médecin eut un geste fataliste.

– À la longue, ses problèmes de thyroïde ont usé son organisme. Sa crise thyrotoxique n'a rien arrangé non plus… Malgré tout, rien ne laissait prévoir cette complication…

Erwan fut tenté de lui dire la vérité : Maggie ne voulait pas revenir, un monde sans Morvan ne l'intéressait pas.

Tout à coup, il réalisa que son frère n'était plus là. Il salua le médecin, prit l'escalier de secours, dévalant les marches quatre à quatre, et traversa le hall en trombe.

– Loïc ! (Il venait de l'apercevoir parmi les voitures miroitantes sous le soleil.) Où tu vas ? Attends-moi.

Il le rejoignit et fut frappé, une nouvelle fois, par son allure. Quelque chose en lui se densifiait. À mesure que Gaëlle s'effondrait – kilos par les fenêtres, nervosité de transfo –, Loïc gagnait force et assurance. Mécanique des fluides chez les Morvan. Gaëlle avait joué les criminelles, que lui réservait son frère ?

– Les obsèques, comment ça se passe ?

Loïc sourit amèrement en hochant la tête, l'air de dire : « Voilà donc tout ce qui t'intéresse. »

– On a un vol demain matin. Le cercueil voyagera avec nous jusqu'à Lannion. Ensuite, un fourgon l'emmènera jusqu'à la pointe de l'Arcouest.

– Qui s'occupe du transfert ?

– La boîte dont tu m'as donné les coordonnées.

– Et une fois arrivé ?

– Une vedette acheminera le cercueil à Bréhat.

Son père ballotté de l'avion au corbillard, puis de la voiture au bateau, et enfin à dos d'hommes jusqu'à l'église. Erwan le revoyait entre ses quatre planches, sapé à l'africaine, pieds nus, à l'aéroport de Lubumbashi. *Tout ça pour ça.*

– On l'a habillé ?

– Je leur ai apporté un de ses costards et une chemise Charvet.

Grégoire Morvan, depuis plusieurs décennies, portait toujours la même tenue : costume sur mesure Ermenegildo Zegna, chemise bleu ciel à col blanc, bretelles en Y. Il fallait qu'il soit inhumé ainsi vêtu : un général dans son uniforme.

– Je vous retrouverai à l'Arcouest.

– Tu ne voyages pas avec nous ?

– Non. Je pars tout à l'heure. J'ai rendez-vous là-bas. Raisons personnelles.

Loïc considéra son frère avec méfiance : ce dernier ne connaissait personne dans cette région et depuis vingt ans, il se rendait toujours à Bréhat à reculons.

– Je t'expliquerai, murmura Erwan pour donner le change. Retourne dans la chambre et va chercher Gaëlle. On peut pas la laisser comme ça.

– Et toi ?

– Je suis désolé : une autre urgence.

Comme pour lui donner raison, son portable vibra dans sa poche. Coup d'œil à l'écran. Krauss, le père psychiatre de Louvain-la-Neuve.

– Vas-y, ordonna-t-il avant de décrocher. Je vous appelle plus tard. Prends soin d'elle.

117

– IL N'Y A AUCUN DOUTE sur la nature des mutilations, attaqua le père Krauss sans circonlocutions, ce dont Erwan lui fut reconnaissant. Du point de vue de la magie yombé, elles ont une signification forte. Les yeux d'abord. Admettons que le tueur considère sa victime comme une statuette votive. Dans ce cas, il lui a « ouvert » les yeux pour voir l'au-delà à travers elle. Ce geste est décisif car ce passage ne peut survenir qu'une fois… Par les yeux du nkondi, le tueur a accédé au monde des esprits.

Erwan faisait le maximum pour s'adapter. En une pression numérique, il avait basculé dans le deuxième monde des sorciers et des ngangas.

– Et la langue ?

– Un autre symbole caractéristique. Dans l'univers des esprits, elle représente les mots, le langage magique. Ainsi, très souvent, les statuettes tirent la langue afin d'exhiber leur force. Rappelez-vous, le nganga suce les clous et les tessons avant de les enfoncer dans le fétiche. La salive renforce la demande du guérisseur et…

Krauss semblait oublier qu'il s'agissait avant tout de comprendre le rituel d'un assassin.

– Concrètement, coupa Erwan, pourquoi tirer la langue à travers la plaie de la gorge ?

– Je ne peux vous le dire précisément mais il est évident que le tueur a partagé avec sa victime un moment de magie… intense. Il comptait sur elle pour lui souffler ce qu'il devait faire. C'est le fétiche qui, symboliquement, va « sucer » chacun de ses actes, soutenir ses tentatives pour fuir et vous échapper. Cette blessure est une forme d'incantation amplifiée. Ces mutilations l'ont rendu plus fort. Il bénéficie désormais de la vision et du discours, des yeux et des mots. Deux superpouvoirs des esprits.

Tout cela était parfaitement cinglé mais son sixième sens de flic lui murmurait que le tueur, que ce soit Pharabot ou un autre, obéissait à cette logique. Il lui fallait le traquer au fond de ses croyances, comme l'avait fait son père quand il s'était mis à l'unisson de la folie de l'Homme-Clou.

– L'antisorcier est de retour ! s'exclama le missionnaire.

Il paraissait exalté par la nouvelle mais Erwan n'était pas d'humeur à partager son enthousiasme. Pas question de danser sur la dépouille d'Audrey.

– N'oubliez pas non plus, reprit l'ethnologue plus calmement, que c'est la violence des blessures qui détermine la colère du nkondi. Plus la plaie est profonde, plus la réaction du fétiche est terrible. Le tueur a cherché ici à provoquer une colère redoutable. Cette mutilation des yeux, notamment, est rarissime dans la statuaire yombé : c'est provoquer l'esprit dans son intimité la plus sacrée.

Erwan se souvenait de la démarche singulière des ngangas : en offensant leur statuette, en lui crachant dessus ou en lui plantant des clous dans les flancs, ils réveillaient l'esprit à l'intérieur. Ils appelaient ça « enfoncer la vengeance ». Aucun doute sur les intentions du tueur…

– Le tueur se livre avec vous à un duel à mort, conclut Krauss. Il n'y aura pas d'autre affrontement.

Sans blague… Tout ça collait furieusement avec Pharabot et sa vengeance ruminée depuis quarante ans.

– Merci, mon père, je…

– Attendez. Vous m'avez envoyé d'autres photos : celles du minkondi sculpté dans de la boue.

– C'est vrai. Je vous écoute.

– Je n'ai rien à dire de particulier sur la sculpture en elle-même sinon que son auteur connaît bien la tradition yombé. Je suppose que vous avez fait analyser cette terre…

Erwan n'y avait pas pensé, obnubilé par les échantillons ADN et les mystérieux médocs.

– C'est en cours, hasarda-t-il. Pourquoi ?

– Selon vous, où votre suspect a-t-il trouvé cette terre ?

– Dans le parc qui entourait sa planque.

– Y a-t-il un point d'eau ?

Erwan revoyait l'étang qui jouxtait la baraque de Louveciennes. Il sentait encore la succion de la boue sous ses chaussures alors qu'il briefait ses troupes.

– Un étang, oui.

– Il y a fort à parier que le nganga a puisé son matériau dans cette eau.

– Pourquoi ?

– C'est le séjour des esprits des morts. Là où ils résident. Sculpter un nkondi dans cette terre lui confère un pouvoir redoublé. Votre suspect utilise désormais des… armes de destruction massive.

– Je vous remercie, mon père.

– Dernière chose, je vous ai envoyé mes documents en pli simple et…

– Quels documents ?

– Les photos de notre mission de Lontano dans les années 70.

Krauss commençait vraiment à lui prendre la tête avec ces archives. Erwan le remercia encore une fois et raccrocha.

Des pas derrière lui : Loïc.

– Qu'est-ce que tu fous là ? Je t'ai dit de…

– Gaëlle m'a envoyé chier. Elle veut rester auprès de Maggie.

Erwan soupira. Dans sa main, nouvelle vibration. Tonfa cette fois.

– J'ai quelque chose, fit le flic d'une voix oppressée. Du chaud bouillant. Je me suis demandé si Barraire n'avait pas d'autres apparts à Paris où l'enfoiré aurait pu se planquer.

– Et alors ?

– Y en a pas mais j'ai pensé aux pressings. Isabelle devait posséder les adresses des teintureries du groupe. Autant de planques possibles.

Pas con, Tonfa. D'instinct, Erwan sentit que son idée était la bonne.

– J'ai listé celles d'Île-de-France, des sites industriels aux franchises. Au bout de deux numéros, j'ai obtenu un truc. À Gennevilliers, un centre énorme qui nettoie des vêtements hospitaliers. Depuis deux jours, les techniciens ont remarqué des détails bizarres, comme si un rôdeur squattait les lieux.

– Pas de serrures forcées ?

– Non.

– Ils ont prévenu les flics ?

Tonfa eut un rire bref :

– La moitié des gars doivent être illégaux. Y a l'air d'y avoir que des Chinois. Bravo la société Domanges !

– Pourquoi ils ont accepté de te parler ?

– J'leur ai dit que j'en avais rien à foutre de leurs problèmes de carte de séjour, que j'bossais à la Crime, ça les a impressionnés. Mais du coup, ça les a fait encore plus flipper. Ils sont mûrs. Ils nous laisseront fouiller l'unité. On y va ?

Erwan réfléchit. C'était quitte ou double. Soit une banale histoire de SDF en quête de chaleur, soit le monstre localisé. Les heures filaient et il n'avait toujours aucune nouvelle du dispositif censé serrer le fugitif. *Rien à perdre.*

– On monte, trancha-t-il. Toi et moi seulement.

– T'es sûr ?

– Je peux y être dans une demi-heure. Envoie-moi l'adresse précise. Surtout, que les gars là-bas continuent à bosser comme si de rien n'était.

Il allait courir vers sa voiture quand il réalisa que Loïc n'avait pas bougé.

– On l'a retrouvé, c'est ça ? demanda le cadet.

– Je vais juste jeter un œil.

– Je viens avec toi.

– Ça va pas, non ? Jamais je t'emmènerai sur le terrain, tu...

– T'as pas compris, Erwan. Cette histoire, c'est une affaire de famille.

– Si c'est encore un délire de coke, je...

– Je suis clean depuis un mois.

Erwan hésita une seconde puis d'un geste déverrouilla ses portières.

– Si tu sors de la bagnole, c'est toi que je fume.

118

LA ZONE D'ACTIVITÉ des Marais à Gennevilliers, située entre l'autoroute A86 et la Seine, n'avait rien à voir avec un site industriel à l'ancienne : toitures en dents de scie et cheminées en briques. C'était un parc moderne, impeccable, enfoui parmi les arbres et surveillé par des vigiles. Tonfa, debout près de sa voiture, attendait à l'entrée, visiblement nerveux – après la bavure de Louveciennes, l'idée d'un saute-dessus sans renfort ni saisine ne l'enthousiasmait pas.

Quand il aperçut la bagnole d'Erwan, il vint à sa rencontre.

– Tu m'suis ? demanda-t-il, penché à sa fenêtre. On tape par l'arrière.

– Pourquoi ?

– Le patron du site dit que ça sera plus discret.

Tout en parlant, l'OPJ fixait Loïc installé côté passager. Un autre sujet d'inquiétude mais il retourna à sa voiture sans oser poser de question. À la barrière d'entrée, l'agent de sécurité se fit tirer l'oreille. Alors que Tonfa négociait avec lui, Erwan sortit et marcha vers la cahute avec humeur : discret d'accord, pantalon baissé pas question.

Il plaqua sa carte contre la vitre et obligea le vigile à lire à haute voix les lignes inscrites dessus : « Les autorités civiles et militaires sont invitées à LAISSER PASSER ET CIRCULER LIBREMENT le titulaire de la présente... »

Ils s'engagèrent dans l'allée principale après s'être fait indiquer la direction. Roulant au pas, Erwan observait l'enfilade de cubes colorés qui abritaient les unités de production. Que pouvait-on fabriquer dans ce jeu de Lego géant ?

Le bâtiment 2F – la blanchisserie Domanges – était le plus imposant. Ici, en revanche, tout évoquait une activité industrielle : cheminées crachant des bouillons de fumée blanche, citernes chromées à l'arrière, aire de livraison où stationnaient plusieurs camions aux couleurs de la marque. Ils contournèrent l'édifice et se garèrent près des véhicules.

Des ouvriers en blouse fumaient devant la porte. Que des Chinois. Avec leurs traits tendus et leur regard méfiant, ils puaient le sans-papiers à plein nez. Erwan ne s'attendait pas un tel laxisme de la part des Barraire. Surtout après sa conversation avec le frère qui avait joué au fier capitaine d'industrie.

– Tu bouges pas d'ici, ordonna-t-il à Loïc en sortant de la bagnole.

Le frangin, droit comme un I sur son siège, scrutait les niakoués mâchoires serrées. Bref hochement de tête. Il paraissait aussi digne de confiance qu'une hyène lorgnant une jambe gangrenée. *Pourquoi l'as-tu amené, nom de dieu ?*

En s'approchant du groupe avec Tonfa, il surprit dans les yeux des ouvriers une nuance différente de la trouille ordinaire des illégaux. Ils avaient peur d'autre chose. Il espérait que ces cons n'avaient pas tous déserté leur poste de travail en attendant leur arrivée. Si Pharabot était dans les murs, il devait ne se douter de rien.

Un grand gaillard s'avança : costaud, sans âge, portant sa blouse ouverte sur un jean et un sweat à l'effigie de Psy, l'inventeur du Gangnam Style. *A priori* le chef des troupes.

– Je vous avais dit de continuer à bosser, grogna Tonfa.

– C'est qu'une partie de l'équipe, sourit l'homme. Les autres sont à leurs postes.

– Vous êtes combien en tout ? demanda Erwan.

– Une centaine.

Les flics échangèrent un coup d'œil : côté risque, le curseur était au plus haut. Erwan songeait au Sig Sauer d'Audrey. S'il se planquait bien ici, l'Homme-Clou disposait de quinze cartouches plus une dans la chambre pour riposter.

– Suivez-moi, ordonna le Chinois en balançant sa clope d'une chiquenaude.

– Attendez, fit Erwan, y a combien d'issues ?

– Cette porte et celle à l'avant, plus les cinq sorties de secours.

– Vous pouvez les condamner ?

– C'est pas fait pour.

– Le temps qu'on ratisse les lieux. Vous les bloquez de l'extérieur. On ne doit plus pouvoir sortir.

– Et mes hommes dedans ?

Enfermer les blanchisseurs avec le tueur n'était pas non plus l'idée de l'année : Erwan eut une autre inspiration.

– N'ayez crainte, fit-il en imaginant Pharabot tirer dans le tas, on a l'habitude. On va les évacuer progressivement par la porte principale : faites-leur passer le mot. Qu'ils sortent un par un, sans précipitation, le plus naturellement possible.

L'homme éclata de rire : il semblait être le seul à ne pas flipper. En mandarin, il donna des ordres avec des accents de scie sauteuse.

– Tu fais le tour et tu surveilles l'entrée, glissa Erwan à son adjoint. Tu t'assures que tout le monde dégage sans grabuge. On garde nos portables connectés. Le premier qui voit le client appelle l'autre. Pas d'action en solo. En aucun cas tu te sers de ton calibre, pigé ? S'il nous allume, on appelle du renfort.

Le colosse acquiesça et partit au pas de course.

Erwan considéra encore le bâtiment qui devait couvrir plus de mille mètres carrés – les ouvriers poussaient déjà des citernes devant chaque issue de secours. La souricière était vaste mais si le cinglé était là, il serait bel et bien prisonnier.

– Ces bruits dont vous avez parlé à mon collègue, demanda le commandant au Chinois, c'est quoi exactement ?

– Moi, je les ai pas entendus. Ça vient des sous-sols paraît-il, là où on stocke les solvants.

– Ça peut pas être un de vos ouvriers ?

– Personne s'attarde jamais dans les stocks de perchlo. Entre nous, on appelle cette zone la « salle des morts ».

Le perchloréthylène. Le poison du nettoyage à sec, bien placé parmi les agents cancérigènes. La société Domanges utilisait donc encore le produit honni qui tuait à petit feu. Ça commençait par des irritations des voies respiratoires et des yeux, et ça finissait au service chimio. Il y avait même la version radicale : en 1997, après une fuite dans une blanchisserie de Chatou, le gérant s'était précipité pour éponger la flaque avec une serpillière, il était mort en dix minutes.

– Vous êtes allés voir ?

– On a rien trouvé mais le gars est peut-être plus malin. Y a plusieurs escaliers et d'autres planques. Il peut passer de l'une à l'autre.

– Depuis combien de temps ça dure ?

– Ça a débuté dans la nuit de mardi à mercredi.

Le timing collait : si Pharabot avait fui directement à Gennevilliers après la mort d'Audrey, il serait arrivé dans ces eaux-là.

– Les vigiles du parc n'ont rien vu ?

– Ils sont nuls.

– À part ces bruits, d'autres détails pourraient trahir une présence étrangère ?

– Y a eu des vols de gamelles dans les vestiaires.

Sans savoir pourquoi, Erwan imagina un canard laqué prenant la fuite. Il eut un rire nerveux, absurde, qu'il maquilla en toux forcée. *Tu perds la boule.*

– Vous fermez à quelle heure le soir ?

– On ferme pas. Les équipes se relaient. On traite le linge de la moitié des hostos et des cantines des Hauts-de-Seine.

– Emmenez-moi jusqu'à la salle des stocks.

Ils pénétrèrent dans un premier cube de béton ciré, de plus de trois mètres sous plafond. Le sol et les murs brillaient comme des plaques d'argent poli. En hauteur, des tuyaux quadrillaient l'espace, évoquant un labyrinthe d'air et d'eau. Tout était net et neutre – on aurait pu dire « froid » si une tiédeur vague ne s'était renforcée à chaque pas. La salle était peuplée de vêtements suspendus : blouses, vestes, combinaisons qui circulaient le long d'un rail fixé au plafond.

– L'unité d'ensachage, commenta le manager en désignant les femmes devant un tapis roulant qui glissaient chaque pièce dans une housse plastifiée avant qu'elle ne s'envole dans les airs.

Il leur donna des consignes en version originale. L'une après l'autre, les ouvrières quittèrent leur poste et s'esquivèrent.

– Je m'approche de la planque, fit Erwan dans son mobile. Rien à signaler. À toi.

– Pareil. Les gars commencent à sortir.

La salle suivante était celle du repassage. Sifflements, soupirs et chuintements déchiraient l'espace saturé de vapeur. Des hommes et des femmes masqués comme des chirurgiens s'activaient, armés chacun d'un fer relié à un câble dessinant une anse derrière eux. D'autres s'affairaient sur des presses qui expiraient des jets blanchâtres. Erwan songea à des dim sun prêts à être consommés. Encore de l'humour culinaire complètement décalé. *Putain, ressaisis-toi !*

Nouveaux ordres. Les ouvriers ne se firent pas prier pour prendre le chemin de la sortie en file indienne.

– Je m'approche toujours, fit Erwan à l'attention de Tonfa. Tout va bien ?

– Ça sort de mon côté. Tout baigne.

Sous leur charlotte et leur masque de papier, les ouvriers observaient le commandant avec méfiance. Leurs yeux bridés accentuaient leur hostilité.

– Fais-leur baisser leur masque, ordonna-t-il à son adjoint.

– Tu dis ça comment en chinois ?

– Laisse tomber et mate chaque gueule.

Tout en marchant, son guide expliquait le système des horaires permettant à la blanchisserie de ne jamais refroidir. La perquise tournait à la visite guidée. Erwan était en sueur. La vapeur se condensait et traversait les fibres de sa chemise. Au moins il n'avait plus froid.

– Où est la cave ? coupa-t-il.

– Plus loin.

Une porte coupe-feu. Les tambours de gigantesques machines tournaient ici à plein régime. Les hublots révélaient des tempêtes de plis et de mousse. Des chariots verticaux, remplis ras la gueule de linge, attendaient leur tour. *Le lavage…*

– Toujours en approche, dit-il à Tonfa. Rien à signaler ?

– Les niakoués paniquent. Je vais voir à l'intérieur.

La voix de l'OPJ n'était plus la même : tendue, essoufflée.

– Putain, hurla Erwan, reste dehors ! Où sont les stocks, bordel ? demanda-t-il au Chinois.

Le géant tendit son index :

– Encore une salle, on…

À ce moment, un coup de feu retentit.

119

ERWAN dégaina et courut vers la détonation tandis que les ouvriers s'enfuyaient dans la direction opposée, se prenant les pieds dans les draps et faisant tomber des chariots. Plus besoin de chercher la cave : l'intrus était remonté à la surface. Parvenu à un nouveau seuil, le flic se plaqua dos au mur et se rendit compte qu'il tenait toujours son portable dans sa main gauche.

– Tonfa ? murmura-t-il.

Pas de réponse.

– Tonfa ?

Rien. Erwan empocha son mobile et tira la culasse du calibre vers l'arrière. À cette seconde, il crut sentir, dans sa chair, la cartouche comprimée par les autres balles qui montait dans la chambre. *Processus de mort engagé.*

Il se coula dans une nouvelle salle, le long du mur de gauche, avançant les genoux fléchis. Un espace de séchage – des moissonneuses-batteuses crachaient des draps immaculés par un manchon oblique. Quelques ouvriers battaient en retraite, à quatre pattes ou rampant à plat ventre. Il en attrapa un par la blouse. Le Chinois, effaré, tendit l'index vers une porte de métal sur la droite.

La poussant violemment, Erwan découvrit un couloir plongé dans la pénombre : murs nus, des canalisations partout. Il plissa les yeux pour s'orienter – seules les lumières rouges de secours flottaient dans l'obscurité. Le bourdonnement de la soufflerie était assourdissant.

Le visage liquéfié par la condensation, il avança prudemment, refusant encore d'envisager le pire : une opération illicite de plus qui vire au désastre. Nouvelle porte. Quelques mètres plus loin, son troisième de groupe à terre, recroquevillé sur le flanc, calibre hors de portée.

Erwan se précipita, oubliant toute prudence. Il s'attendait à découvrir une mare de sang : rien. Tonfa se retourna et révéla le gilet balistique qu'il portait sous sa veste. Pour une fois, le moins finaud avait été le plus malin.

– J'en ai une dans le buffet mais je crois qu'ça va.

Même pour ce colosse, l'énergie cinétique d'une balle de 9 mm restait dure à encaisser. Ce qu'on appelle pudiquement les « effets arrière ». Pas de pénétration mais des lésions comme après une bonne raclée, pouvant aller de quelques côtes cassées à l'hémorragie pulmonaire.

– Fonce ! haleta-t-il en désignant la porte derrière lui. Il a rebroussé chemin. Il est fait comme un rat.

Erwan sortit son mobile pour composer le numéro des secours.

– Fonce j'te dis ! répéta l'OPJ. Je me démerde.

– J'm'en occupe, fit une voix.

Le boss chinois, tremblant, avait suivi le commandant. Ses traits semblaient coulés dans une cire brûlante mais il avait toujours l'air déterminé. À cette seconde, deux nouvelles détonations résonnèrent.

– Putain de dieu !

Erwan partit au pas de course, longeant des machines fumantes aussi grandes que des saunas. Il pénétra à temps dans la salle suivante pour voir son ennemi qui tentait de refermer une porte à l'autre bout. Le fuyard s'y reprit à plusieurs fois avant de se rendre compte que c'était la tête de l'ouvrier qu'il venait d'abattre qui coinçait le battant. Il fit feu à l'aveugle et disparut.

En empreinte sur la rétine d'Erwan, une silhouette en veste de survêtement noir, capuche relevée façon racaille, plutôt costaud et en pleine forme physique. Rien à voir avec un vieillard desséché par les médocs et les décennies d'asile. Tout à voir avec le salopard cagoulé de la rade de Fos. Cette fois, la peur éclata à l'intérieur de son corps à la manière d'une bouteille de verre, projetant ses tessons coupants à travers veines et nerfs. Qui était ce mec ?

Erwan longea des repasseuses aux allures de métiers à tisser puis ralentit à quelques mètres de la porte entrouverte. Le tueur l'attendait peut-être derrière. Il s'agenouilla près de l'ouvrier à terre. La poitrine était percée de deux trous larges comme des tomates écrasées. Encore chaud, mais mort. Erwan se releva, poussa doucement la porte et enjamba le cadavre. Coup d'œil à gauche, à droite : personne, hormis quelques têtes à charlotte planquées derrière un tapis roulant qui tournait à vide.

Il attrapa un chariot rempli de linge et repartit, protégé par son bouclier. Pas de coup de feu, pas le moindre bruit à part quelques chuintements humides. Ses semelles poissaient, sa veste lui collait à la peau, la trouille dilatait ses pores, lui donnant la sensation d'absorber la buée environnante. Une seule idée palpitait dans sa cervelle : arrêter le carnage, de n'importe quelle façon.

Nouvelle porte. Nouvel espace. Suspendus, de gros sacs de toile numérotés défilaient et s'ouvraient avant un dernier virage, déversant leur contenu dans des bacs qui repartaient sur d'autres rails. L'absence d'ouvriers dans ce ballet mécanique renforçait son côté surréaliste.

Au bout, pas d'issue mais une cage d'escalier qui s'enfonçait vers le sous-sol. Erwan s'en approcha, progressant cette fois au rythme des bacs. La trémie ressemblait à une putain de fenêtre de tir. L'autre était sans doute embusqué sur les marches à le viser comme un pigeon d'argile.

Plus que quelques mètres… Il bloqua sa respiration et, les deux poings serrés sur son arme, s'encadra face à l'escalier. Une ombre bondit vers lui. Erwan, le doigt sur la détente, s'arrêta à temps : un simple gars paniqué, déblatérant dans son dialecte.

Pourtant, il put isoler un mot qui revenait dans sa logorrhée :

– Perchlo ! Perchlo !

Erwan prit conscience de l'odeur. Le gars puait l'éther à plein nez. Il risqua un nouveau regard vers la fosse. En bas des marches, une flaque brillait dans le clair-obscur. Après avoir tenté de fuir par les issues de secours, le tueur s'était claquemuré dans son trou et avait ouvert des bidons pour repousser l'ennemi. Un pur suicide. Coincé en bas, il serait le premier à y passer.

Se protégeant le nez et la bouche avec sa manche, Erwan descendit, flingue toujours braqué. En bas, nouvelle porte. Se postant bien en face du battant, il le poussa d'un violent coup de pied puis se plaqua dos au mur de droite, s'attendant à une giclée de balles en guise d'accueil. Rien. Rapide coup d'œil : dans les ténèbres, on distinguait seulement des bidons entreposés.

Il se glissa à l'intérieur, s'abritant derrière les conteneurs. Ses yeux s'habituaient à l'obscurité mais il commençait à voir double. Un mal de tête lui étreignait déjà le crâne et chaque fois qu'il respirait – par la bouche, petites bouffées –, il toussait et crachait.

– Pharabot ! hurla-t-il d'une voix rauque. Sors de là si tu ne veux pas crever !

Pas de réponse. Il avança encore, se demandant s'il ne devait pas tout simplement ressortir et verrouiller le piège sur le tueur. Mais était-il *vraiment* là ?

– Pharabot ! La fête est finie. Jette ton calibre et montre-toi.

Pas le moindre frémissement. Les lieux ne semblaient abriter que des murailles de bidons. Ses semelles adhéraient au sol, tandis que les vapeurs toxiques lui montaient au cerveau. Quelques mètres encore. Erwan ne songeait qu'à une chose : son père qui avait traqué Pharabot jusqu'au fond de la brousse. Il devait être aussi fort que lui. Il devait coincer le meurtrier. Il le devait au Vieux, à Audrey, à...

Un bruit sur sa droite. Il pivota et serra par réflexe ses deux mains sur son flingue, exposant son visage aux émanations meurtrières. Il ne vit rien. Au contraire, tous ses sens déraillaient. Ses yeux pleuraient. Sa gorge brûlait. La migraine lui fendait le crâne à la hache au point que sa conscience s'effilochait. Et aucun signe d'une présence.

Il se trouvait maintenant au centre de la salle, cerné par des jerricans. Il s'était éloigné de la porte comme le baigneur s'éloigne du bord. Pharabot ou pas, il n'avait plus pied. Chaque respiration l'empoisonnait un peu plus...

Il lui revint en tête que le perchlo, toxique aussi pour les reins et le système nerveux, provoquait des troubles mentaux et était reconnu comme facteur schizophrénique... Comme si Pharabot avait besoin de ça. Il...

Erwan fit volte-face : l'homme à capuche se détachait dans le rectangle éclairé de la porte, le tenant en joue. Pensées et réflexes coincèrent. Il aurait dû se jeter au sol mais cela signifiait boire une tasse mortelle. Il aurait dû viser l'ennemi mais son bras demeurait engourdi. Il aurait dû tirer mais pas moyen de se rappeler si le perchlo était inflammable. En réalité, il ne voyait plus rien et pensait trouble. Tout se disloquait devant ses yeux et dans sa tête.

Enfin, il arma son bras mais trop tard : le fantôme fit feu tout en reculant vers les escaliers. Erwan se vit mourir alors que la balle se perdait dans l'obscurité. Déjà, une autre image se superposait. Bousculade sur le seuil de lumière. Un homme venait de se jeter sur l'ennemi. Les lutteurs perdirent l'équilibre et s'étalèrent dans le solvant.

Impossible de viser avec ses yeux cramés – surtout au milieu de ce corps-à-corps. Chancelant, il essaya de s'approcher. Une ultime quinte de toux le mit à genoux. Son reflet dans le perchlo vint à lui comme une invitation à plonger pour de bon.

Deux coups de feu. Il plissa les paupières pour tenter de comprendre ce qui se passait mais tout bascula. *In extremis*, il se protégea les yeux avant de chuter. À ce moment, une main l'empoigna et l'entraîna vers la sortie. Il se débattit, aveugle et hurlant, cherchant dans son agonie quelques particules d'air. La lumière de l'escalier. Les marches qui lui labourent les vertèbres puis le béton ciré qui glisse sous son dos.

Soudain, des résonances différentes vinrent lui froisser les tympans : des chiottes. À peine ces bruits identifiés, une autre sensation. L'eau glacée. Il voulut crier mais il avait de la flotte plein la bouche. Il essaya de se redresser mais la main le tenait ferme dans la cuvette.

Enfin, on lui releva la tête. D'un geste réflexe, il se libéra de l'emprise et s'essuya les paupières. Pas vraiment une vision d'aigle mais suffisante pour reconnaître le visage de son sauveur.

– Qu'est-ce qu'on dit à son p'tit frère ?

120

IL AVAIT VAINCU LA MORT. Il l'avait serrée dans ses bras et avait (presque) eu le dessus. Cette idée ne quittait pas Loïc depuis l'affrontement de la blanchisserie. Inversion prodigieuse du rapport de force qu'il avait toujours connu. En vingt ans de défonce, c'était lui qui avait toujours été bercé par la Grande Faucheuse – elle venait lui sucer le sang et lui murmurer des mots doux à chaque nouveau sniff ou shoot. Aujourd'hui, il avait remis les compteurs à zéro.

Et au passage, il avait sauvé la vie de son frère.

Rien n'avait pu altérer son sentiment de triomphe. Ni la fuite du tueur – il s'était finalement libéré, avait pris les escaliers puis trouvé la sortie en tirant plusieurs fois, sans faire, *alleluia*, de nouvelles victimes. Ni le perchlo qui s'était insinué dans le moindre interstice de leurs sinus, à son frère et lui. Ni leur transfert à l'hôpital Lariboisière dans une atmosphère d'urgence qui laissait penser qu'ils étaient déjà condamnés. Ni le traitement de choc qu'ils avaient dû subir le reste de l'après-midi : lavage à grande eau, check-up complet (sang, bronches, rétine et tutti quanti), médocs en rafales…

Durant ces heures noires, Loïc n'avait pas lâché son humeur victorieuse. Il avait franchi le Rubicon : lui, le trouillard de la famille, le défoncé, la pédale, s'était jeté dans la bataille et avait vaincu. Non pas Pharabot mais lui-même. Et c'était déjà beaucoup.

Le diagnostic de la fin d'après-midi avait confirmé sa victoire : examens négatifs. Il n'était ni intoxiqué ni affecté par le solvant. Les plaques de titane qu'il s'était jadis fait greffer sur les parois nasales – merci la coke – lui avaient offert une protection inattendue. Son frère en revanche devait subir encore des analyses – il avait carrément bu la tasse dans la salle des stocks.

À 18 heures, Loïc était de retour avenue du Président-Wilson. Récuré, fripé, vidé, et heureux. Le nettoyage à sec, c'était lui qui l'avait subi et il en sortait ressuscité de ses mornes cendres, tel le Phénix.

Même son regard sur la réalité avait changé. Son appartement lui apparaissait comme un fabuleux écrin de parquets vernis et de toiles magnifiques. La vue sur la Seine et la tour Eiffel le ravissait. Tout était à la même place mais son regard possédait un pouvoir de transmutation – ou simplement de restitution : ce décor superbe, il ne l'avait jamais vu, aveuglé par la drogue puis obsédé par son absence.

Il prit une nouvelle douche, pour se débarrasser des effluves de l'hosto. Sous le jet crépitant lui revenaient ses faits d'armes. Un pressentiment l'avait saisi dans la voiture sur le parking de Gennevilliers, petites foulées à travers la vapeur, plongeon dans les escaliers au moment même où le salopard visait le frangin. Sans réfléchir, il avait bondi sur lui. Un moment de vérité, quelques secondes avaient suffi pour couper définitivement les ponts avec l'ancien Loïc.

Hors de la cabine, il s'observa, nu, dans le miroir au-dessus des vasques. Physiquement aussi la mutation lui paraissait palpable. La couche de graisse dont ses heures de bureau l'avaient enrobé avait brûlé. Ses muscles affaissés s'étaient raffermis. Ses épaules redressées. Il était de nouveau sec, dur, abrasé. Sa force, son énergie – ce métabolisme qui lui avait permis, quinze ans auparavant, de remporter plusieurs régates prestigieuses et d'être un des skipers les plus renommés de sa génération – étaient de retour.

Il enfila un caleçon et un tee-shirt puis se prépara un café bien serré, à la va-vite, oubliant d'un coup le cérémonial qui lui tenait tant à cœur. Il se prenait désormais pour un dur… *Allez, cul sec.*

Soudain, une autre sensation. Il aurait voulu crier sa joie, partager cette épiphanie. Mais avec qui ? Son frère était encore à l'hosto ou dans son bureau à se dépêtrer de cette nouvelle bavure (ils étaient convenus de rayer, purement et simplement, sa propre présence sur les lieux). Sa sœur n'avait pas besoin d'émotions supplémentaires. Quant à Sofia, pas question de gratter à sa porte : elle penserait qu'il venait chercher quelque réconfort après le viol de Fiesole.

Restaient les amis mais lesquels au juste ? La moitié d'entre eux ne vivaient que pour la défonce, l'autre pour le pognon, les deux se croisant souvent. Comment aurait-il pu leur expliquer à quel point il avait bandé pour cette tension, cette fièvre qui s'était emparée de lui à l'exact moment où il risquait ses couilles ?

Il regarda sa montre – plus de 21 heures – et une idée lui vint. Gérard Combe organisait des cartons chaque soir dans son club à Épinay. Quand l'instructeur reconnut sa voix au téléphone, il éclata de rire – mais le rire était jaune. Loïc devina : Erwan lui avait parlé.

– Je croyais qu'une séance t'avait suffi, plaisanta l'armurier.

– Ça ne fait que commencer.

121

– OÙ EST LOÏC ?

– Je pensais que tu appelais pour avoir de mes nouvelles

– Priorité aux plus faibles.

– Aujourd'hui, il ne m'a pas paru si faible…

– Qu'est-ce qui s'est passé ? demanda Sofia en montant le ton. Gaëlle m'a dit que vous aviez disparu tout l'après-midi.

– On a eu… enfin, disons, un problème.

– Entre vous ?

Erwan soupira dans le combiné. Un pacte l'avait toujours uni à Sofia : protéger le cadet contre le monde extérieur et ses propres démons. En l'emmenant sur le terrain, il avait trahi sa parole.

– Non, dans le cadre du boulot.

– Tu l'as pris avec toi ?

– Il était là et…

– Vous êtes tous tarés dans cette famille. Combien de fois…

Laisse courir. Sur le fond, elle avait raison. Sur la forme, elle aurait pu y aller plus fort encore. Erwan était assommé. En sortant de Lariboisière, il avait essayé de reprendre la main sur l'enquête. Peine perdue. Non seulement il était sur la touche mais sa place était désormais sur le banc des accusés.

Le premier coup de fil reçu à l'hosto émanait de Fitoussi. Les foudres avaient été à la hauteur de la bavure. Une opération absurde, menée en dépit du bon sens, sans la moindre légitimité. Un ouvrier tué, un policier blessé (quelques ecchymoses mais rien de cassé), une centaine de civils mis en péril. Et, bien sûr, le tueur toujours dans la nature.

Le taulier ne lui avait épargné aucun détail des emmerdements provoqués par sa petite fantaisie. Toutes les huiles de l'Intérieur l'avaient appelé, sans parler des médias qui allaient s'en donner à cœur joie. Tout ça pour un petit con qui n'en faisait qu'à sa tête !

Erwan avait bu le calice jusqu'à la lie mais un élément de taille le protégeait : le deuil de son père. On ne tire pas sur un corbillard. Humblement, il avait admis ses fautes, s'était déclaré prêt à en assumer les conséquences mais avait demandé à pouvoir d'abord enterrer son père. Fitoussi avait toussé puis grogné. Erwan avait rappelé que sa famille et lui préféraient renoncer aux grandes pompes parisiennes et inhumer le Commandeur, en toute intimité, sur l'île de Bréhat. Fitoussi n'avait pu que l'autoriser à reprendre l'avion le lendemain matin (il n'y avait plus de vol ce soir : Erwan voyagerait finalement avec son frère et sa sœur). À son retour, on aurait tout le temps de s'occuper d'un autre enterrement – celui de sa carrière.

Il avait ensuite appelé le commissaire Sandoval, chargé de la nouvelle chasse à l'homme. Tout naturellement, les troupes de la banlieue ouest s'étaient déportées en vague vers le nord pour passer au crible Gennevilliers et ses environs. Tout ce qui respirait et portait un uniforme là-bas avait été briefé, motivé et lâché dans la nature, un fusil chargé dans les mains. Un seul mot d'ordre : pas de quartier. Pour l'instant, aucun résultat. Ni trace ni indice. Pas l'ombre d'un témoin. Le tueur avait le don de se dissoudre dans la nature.

D'ailleurs, le scénario d'un Thierry Pharabot toujours vivant et en fuite, jadis caché dans les sous-sols de Charcot puis accueilli par Isabelle Barraire, avait fait long feu. Maintenant qu'il venait d'affronter le véritable meurtrier de Louveciennes, celui qui mangeait du camembert avec les doigts et avait volé l'arme de service d'Audrey – à 18 heures, le service balistique avait rendu son verdict : les balles et les douilles de Gennevilliers provenaient bien du Sig Sauer SP 2022 de Mlle Wienawski –, il devait admettre que le combattant n'avait rien à voir avec un vieillard nourri aux psychotropes depuis quarante ans. « Je te conseille de te trouver une autre piste qu'un schizo grabataire incinéré en 2009 », avait dit Fitoussi. L'adversaire du pressing rappelait plutôt l'agresseur cagoulé du port de Fos ou le tueur zentai de Sainte-Anne.

Alors qu'Erwan passait encore des radios et subissait des prises de sang, Sandoval s'était déplacé en personne à Lariboisière.

– Tu as vu son visage ?

– Non. Il portait un masque à cause du perchlo.

– Le portrait-robot que tu m'as filé, il est toujours d'actualité ?

– Pas sûr.

– J'en tiens compte ou non ?

– Non.

– C'est donc pas Pharabot ?

– Je ne sais pas.

– Je comprends rien à ton affaire.

– Bienvenue au club.

Sandoval était un flic posé, expérimenté, méthodique. Pour traquer un forcené sur les routes d'Île-de-France, il était parfait. Pour imaginer une intrigue maléfique qui prenait racine quarante ans auparavant au Zaïre et visait aujourd'hui le clan des Morvan, avec comme suspect principal un fantôme féticheur, mieux valait revoir le casting.

Erwan s'était concentré sur les éléments objectifs :

– Le mec porte un sweat à capuche noir.

– Le pantalon ?

– De survêtement, avec des rayures sur le côté.

– Combien de rayures ?

– Tu déconnes ou quoi ?

– Trois bandes, c'est Adidas. Une seule, c'est Puma. Deux, c'est...

– J'ai pas bien vu, avait soufflé Erwan. Le mec est aux abois, vous êtes *obligés* de lui mettre la main dessus.

Le flic avait eu un rire lugubre et avait promis de le tenir au jus.

À 19 heures, les spécialistes du service avaient annoncé à Erwan la bonne nouvelle : pas de dermite en vue ni aucun signe d'intoxication. Néanmoins, par précaution, il devait suivre durant plusieurs jours un traitement à base de charbon de Belloc, d'antitussifs et de collyre. Aussitôt rentré chez lui, il avait rédigé son rapport sur la débâcle de Gennevilliers en essayant de trouver des justifications valables, sinon des excuses à ses agissements. Il avait balancé par mail le document « à qui de droit » et attendait maintenant une deuxième salve d'engueulades. Pour l'instant, pas de retour.

Mis à pied ou mis en examen, la seule chose qu'il pouvait encore faire, c'était s'esquiver le lendemain pour interroger Lassay. Ce serait son baroud d'honneur : s'il n'obtenait rien de ce côté-là, il ne pourrait plus lutter contre son éviction. Les forces de police régulières, espérait-il, choperaient le fugitif et d'autres pros prendraient le relais pour boucler la procédure.

La voix de Sofia résonnait toujours dans le combiné. Dix bonnes minutes qu'il n'écoutait plus. Il connaissait son discours par cœur : elle se moquait bien que Loïc passe sous un train ou que lui-même soit bouffé par des miliciens du Haut-Katanga, seuls lui importaient ses enfants. Or, les deux petits étaient aussi des Morvan et leurs aînés étaient priés de se calmer, ne serait-ce que pour que Milla et Lorenzo aient un père et un oncle présentables.

Erwan argumenta pour la forme. L'échange n'avait valeur que de défouloir – pour elle. Sofia avait beau être née comtesse et faire preuve en toutes circonstances d'un détachement qui confinait au mépris, quand elle s'énervait, elle virait à la Napolitaine hystérique. Elle parut tout à coup se rendre compte qu'elle monopolisait inutilement le crachoir.

– Raconte-moi ce qui s'est passé.
– Pas maintenant. Pas au téléphone.
– Ce soir, claqua-t-elle. Chez moi. Je t'attends.

Elle raccrocha avant qu'il ait pu répondre. Il attrapa une bière dans son frigo en souriant : la comtesse pouvait toujours l'attendre. Il ne disposait que de quelques heures pour retrouver des forces avant de décoller – pas question de dilapider cette mi-temps.

Il allait se coucher quand il éprouva la dernière sensation à laquelle il s'attendait : la faim. Cela lui parut pathétique. On pouvait perdre son père, voir sa mère s'éteindre – il avait appelé l'hôpital Georges-Pompidou : pas de nouvelles, mauvaises nouvelles… –, provoquer des morts innocentes et foirer l'enquête de sa vie, l'estomac, à heures fixes, vous rappelait votre misérable condition organique. En même temps, la dernière fois qu'il avait songé à manger, c'était quatorze heures auparavant et il y avait finalement renoncé.

En temps normal, il serait allé au McDo ou chez le traiteur chinois d'en bas mais il n'avait pas la force de ressortir. La mort dans l'âme, il ouvrit son réfrigérateur et y découvrit – miracle – des œufs, du lait et quelques autres denrées de base que sa femme de ménage lui avait sans doute achetées depuis son retour. Sans enthousiasme, il se lança dans la préparation d'une tortilla à l'espagnole.

Il éplucha et découpa de vieilles patates qui traînaient au fond d'un placard puis un oignon à peine plus récent. Rondelles pour les premières, petits cubes pour le second, le tout dans une poêle crépitante qu'il couvrit. En battant les œufs, il vit dans cette mixture l'image exacte de sa faillite : il aurait voulu participer à la traque du tueur ou découvrir, en relisant encore ses notes, un détail qui permette de le confondre, mais il était parvenu au bout du quai. Plus rien à creuser ni à ruminer. Hormis les visages de morts, dans le désordre : Morvan, Audrey, Salvo, Bisingye, l'ouvrier chinois, la tête coincée dans la porte coupe-feu…

Laissant les patates et l'oignon frémir sous leur couvercle, il fila au salon pour passer encore quelques coups de fil. Tonfa d'abord : le flic était rentré chez lui. Bourré d'analgésiques, il avait déjà commencé sa nuit. Sandoval ensuite : toujours rien. Comment le tueur pouvait-il passer chaque fois à travers les mailles du dispositif ? Bénéficiait-il encore d'une aide ? Histoire de tout verrouiller, Erwan appela Verny pour lui demander de placer discrètement des hommes aux abords de Charcot : après tout, la bête pouvait aussi rentrer au bercail.

Une odeur de brûlé lui coupa la parole. *Les patates !* Il raccrocha et bondit dans la cuisine pour s'apercevoir que tout avait cramé. Il allait saisir la poêle quand on sonna à l'interphone.

122

SOFIA se tenait sur le seuil, en manteau et bottes de daim noir, rehaussés d'une grosse écharpe rouge : des éléments si sobres qu'il fallait un deuxième coup d'œil pour comprendre leur sophistication extrême. Un détail : elle qui ne se maquillait jamais avait ce soir la bouche garance, comme si son écharpe y avait déposé sa propre touche. Sofia ressemblait à une fête mais Erwan n'était pas sûr d'y être invité.

– C'était pas la peine de te déranger.

– Sinon, qui l'aurait fait ?

– Je dois me lever tôt pour partir demain matin et...

– Justement, c'est un truc dont on doit parler. Tu ne me fais pas entrer ?

Il s'effaça sans sourire. Le temps qu'elle monte, il avait ouvert les fenêtres pour dissiper l'odeur de brûlé et avait enfilé un jean. Il s'était tout de même inspecté dans le miroir de la salle de bains : yeux d'albinos, gueule gonflée et rouge, peau ravagée par les différentes cuissons de la journée. Horrible.

Mais en la voyant si belle, si inaccessible, il se dit que ce n'était pas grave. Leur relation était de toute façon impossible et chacun devait s'en tenir à son rôle. La belle et la bête. La reine et le primate.

– Quel truc ? répéta-t-il en refermant la porte. De quoi doit-on parler encore ?

– T'as essayé de cuisiner ? éluda-t-elle en désignant les vestiges de sa tentative.

Sans répondre, il gagna le lieu du carnage et alluma la hotte. D'office, il sortit deux Coca Zéro. Sofia partageait sa passion pour les canettes saturées d'édulcorants. Les opercules claquèrent comme deux déclics de culasse.

– Tu veux que je vienne à Bréhat ? demanda-t-elle enfin, une fois assise.

– Quoi ? fit-il, dérouté. Non. Pas du tout. On va... Enfin, Maggie voulait qu'on soit les seuls à...

– Maggie aurait voulu que je sois là.

Il but une gorgée et s'installa sur un tabouret face à elle. *Reprends tes esprits.*

– Qu'est-ce que tu cherches au juste ? riposta-t-il. Tu détestais mon père. Tu te bats depuis deux ans contre Loïc et je ne sais toujours pas sur quel pied tu veux me faire danser. Qu'est-ce que t'en as à foutre de Bréhat ? Y a encore une semaine, tu voulais détruire nos deux vieux et...

– Y a encore une semaine, ils étaient vivants. En ce moment, tout va très vite. J'essaie de m'adapter.

Elle se releva et ôta son manteau. Elle portait une robe étrange, droite et sombre, dans un genre de tissu éponge. Vraiment bizarre, et en même temps d'une élégance inexplicable. Il changea d'humeur. La présence de cette créature dans son appartement était un signe. Quoi qu'il arrive, il devait poursuivre l'enquête. Passer la nuit sur ses notes. Persévérer jusqu'à ce que l'épuisement l'emporte. Et peut-être même faire l'amour à cette fée en chemise de nuit avant qu'elle ne reparte.

– Sofia, fit-il sur un ton plus conciliant, on en est tous là mais reste à l'écart du merdier, ça vaudra mieux. Pour l'instant, rien n'est réglé.

Elle s'approcha de lui et posa un genou au sol afin d'être à sa hauteur. Elle accomplissait toujours le dernier geste auquel on pouvait s'attendre et cela avait l'air plus naturel que le lever du soleil.

– Y a quelque chose qui te brûle et qui va te consumer entièrement, murmura-t-elle en lui appuyant l'index sur la poitrine.

– Les patates, tu veux dire ?

Sans répondre à la plaisanterie, elle l'embrassa en lui passant la main derrière la nuque. Erwan faillit en tomber de son tabouret. Il ne lui vint qu'une phrase alors qu'il cherchait à tâtons son Coca sur la table basse :

– Je pense que Loïc t'aime encore.

Toujours très inspiré.

Elle se remit debout en riant :

– T'as vraiment rien compris.

– Pourquoi pas ? demanda-t-il en buvant une gorgée avec précipitation.

– Il ne peut plus m'aimer. Il ne veut plus être celui qu'il était quand il m'aimait. Tu comprends ?

Nouvelle lampée. Les bulles, le froid, le sucre, ou du moins son ersatz. Il hocha la tête sans conviction.

– Loïc a changé ces derniers jours. Je ne sais pas si c'est la mort du Vieux mais...

Elle s'assit sur un coin de la table basse, de manière à être de nouveau à sa hauteur.

– Y a quelque chose que je dois te dire à propos de Loïc.

Il comprit enfin pourquoi elle était venue. Elle lui saisit les deux mains – pas un geste d'amour, juste le retour de leur coalition de jadis pour protéger le petiot – et prit son souffle :

– Ça s'est passé à Florence.

123

L'AVION pour Lannion était un petit appareil de quarante places, un ATR 42-300, qui donnait au voyage un air d'expédition intime. Rien à voir avec un convoi solennel, encore moins un charter de masse.

À huit heures du matin, Gaëlle était mal réveillée – elle n'était même pas sûre d'avoir dormi. Ses compagnons de voyage en revanche étaient au taquet. Erwan au téléphone attendait l'embarquement en faisant les cent pas dans la salle, l'air d'avoir avalé une alarme. Loïc réglait avec le chef d'escale les derniers détails à propos de la dépouille. Il semblait s'être souvenu à la dernière minute qu'il fallait s'habiller en noir, attrapant un costard cintré de dandy italien, ficelé avec une cravate qui évoquait un nœud de pendu. Les deux frangins avaient des allures de bodyguards un lendemain de cuite.

Le vol se déroula à l'image du reste, mi-funèbre, mi-chaleureux. Gaëlle se sentait bien auprès de ses frères : cela lui rappelait son enfance où, bon an mal an, ils l'avaient toujours protégée.

Quand les roues de l'avion touchèrent le tarmac, elle sursauta et réalisa qu'elle s'était endormie. Comme une gamine, elle glissa son bras sous celui d'Erwan et ébouriffa les cheveux de Loïc, assis devant. C'est au bord du précipice qu'on savoure le mieux les points d'appui.

Ils avaient conservé leurs sacs en cabine pour ne pas attendre la livraison des bagages. Peine perdue : avec leur chargement particulier, ils furent les derniers à quitter la salle.

Pendant qu'Erwan et Loïc supervisaient le transport du cercueil sur le parking, Gaëlle sortit fumer. L'aéroport était si petit qu'il ressemblait à une gare ferroviaire perdue dans la plaine. Debout au pied de la tour de contrôle, elle se roula une cigarette – elle avait acheté du tabac et des feuilles pour faire plus breton. Malheureusement, ce détail lui rappelait Audrey. Elle dut s'y reprendre à plusieurs fois tant ses mains tremblaient.

Au moment de l'allumer, elle comprit pourquoi elle appréciait ce trip sinistre. Ses frères l'avaient arrachée à sa dangereuse solitude. Mieux valait encore enterrer son père sur un bout de rocher que de rester seule chez soi à ne pas bouffer. Ils ne pouvaient pas la forcer à se nourrir mais au moins, ils seraient là pour la ramasser en cas d'évanouissement. Auprès d'eux, elle acceptait de s'abandonner comme lors de ses hospitalisations. Ne plus penser, ne plus décider, ne plus lutter. Pour un anorexique, tout est surpoids, à commencer par la vie elle-même.

Le corbillard démarrait, les deux Dupont n'allaient pas tarder à apparaître. Bizarrement, ils surgirent dans son dos. Un seul coup d'œil et elle devina qu'ils s'étaient encore engueulés. Erwan était aussi expressif qu'un CRS, Loïc si blafard qu'il semblait rétroéclairé. Ils faisaient vraiment la paire.

– Prenez un taxi. J'ai un truc à faire, asséna l'aîné.

– Quoi ?

– Ce con nous lâche, cracha le cadet. Monsieur a rendez-vous.

Gaëlle les regarda l'un après l'autre :

– Vous déconnez ?

– J'ai loué une bagnole, fit Erwan en montrant sa clé. Je vous rejoins à 14 heures.

Elle frissonna avec une telle violence que sa clope lui échappa des mains. Elle ne possédait déjà plus assez de force pour lutter contre le froid.

– Ce rendez-vous, ça a un lien avec papa ?

– Laisse tomber.

À son tour de se foutre en rogne :

– Prends pas tes grands airs avec nous. Où tu vas ?

– Je dois interroger un psychiatre pour mon enquête.

– Tu penses pas qu'on a plus important à faire aujourd'hui ?

– Un cinglé court toujours dans la nature.

– J'en connais un autre.

Erwan s'approcha d'elle et elle fut effrayée par sa ressemblance avec leur père. C'était comme si le vent avait balayé tout ce qui lui appartenait en propre. Il ne restait plus que l'os à nu, la présence calcifiée du Vieux. D'une manière étrange, cette similitude finit par la rassurer.

– T'as intérêt à être à l'heure, enfoiré.

124

– ATTENDEZ-MOI. J'ARRIVE.

La voix de Jean-Louis Lassay émanait d'un interphone installé au premier check-point de l'UMD. Erwan n'avait pas imaginé les choses de cette manière. Après le coup de la garde à vue, les interrogatoires successifs, il le trouvait bien bon de prendre en considération sa énième visite.

Il patienta sur le parking, ruminant la nouvelle qui avait mis le feu à sa nuit : l'histoire du viol par fellation de son frère, sur les coteaux de Fiesole. Les Ritals ne perdaient rien pour attendre. Il fallait surtout surveiller Loïc. Sa brusque tocade pour les armes à feu ne lui disait rien de bon. Après Gaëlle qui avait joué à la justicière en chambre à Lausanne, Loïc s'apprêtait sans doute à faire la même chose chez les mafieux de Florence. Ce n'était plus le jeu des sept familles mais celui des sept samouraïs. Quand tout ça s'arrêterait-il ?

Sofia n'était pas restée : l'évocation du cauchemar italien avait tué toute idée de désir entre eux. Erwan refusait d'imaginer la scène, avec ses neveux aux premières loges. Il ne pouvait pas non plus se laisser déborder par cette nouvelle douleur – il tentait de l'évacuer en se disant qu'après tout, Loïc était bisexuel, qu'il avait souvent joué avec le feu auprès d'amants infectés, sida ou hépatite C. Qu'abruti de calmants, il n'avait peut-être pas réalisé ce qui lui arrivait. *Des conneries.*

Il avait passé sa nuit à se laver les yeux et à bouffer du charbon actif. Malgré une torpeur lancinante (les médecins l'avaient prévenu : le perchlo provoquait aussi un syndrome narcotique), il n'avait pas réussi à dormir. À trois heures du matin, il avait réuni les cahiers d'écolier dans lesquels il avait consigné ses deux enquêtes, celle de septembre et celle du Congo, y avait ajouté photos, rapports, PV annexés à la procédure, avait emballé le tout dans des sachets de congélation puis planqué le butin dans son parking, à côté de son immeuble. Il s'attendait à une perquise en fanfare de Viard (ou une fouille en loucedé, au choix) afin de ratisser tout ce qui pouvait concerner leur mystérieux programme et l'implication du gouvernement dans le merdier.

– Qu'est-ce que vous voulez encore ?

Jean-Louis Lassay se tenait derrière les grilles de l'UMD, mains dans les poches de son duffle-coat. Dessous, on distinguait le blazer bleu marine et la fine cravate à rayures : le beau JL, dans toute sa splendeur oxfordienne.

– J'ai encore quelques questions.

– Vous m'en avez déjà posé pas mal.

– J'ai parlé avec Pascal Viard.

Aucun signe d'étonnement : avec son front haut, ses sourcils en coups de fouet et ses lèvres sensuelles, on devait souvent lui dire qu'il ressemblait à Dominique de Villepin ou Richard Gere. Chaque fois, il devait accueillir le compliment d'un air entendu, presque désolé.

– Tout ça n'existe plus pour moi.

Erwan se planta devant lui alors que les gardes du check-point se rapprochaient : il fallait protéger le maître. Le crachin donnait à l'atmosphère un air de papier mâché.

– Écoutez-moi bien, Lassay, je me répéterai pas. Y a trois jours, un cinglé a sauvagement assassiné une lieutenant de mon groupe. Hier soir, il a blessé un autre de mes gars et tué un ouvrier qui se trouvait sur son chemin.

Lassay accusa le coup : à l'évidence, pas au courant.

– J'enterre mon père dans quelques heures, continua-t-il, son épouse est en bonne voie pour le rejoindre (il ne pouvait plus dire « ma mère ») et j'ai sans doute déjà perdu mon boulot. Croyez-moi, si vous ne montrez pas maintenant, ici même, un minimum de coopération, je vous emporterai dans ma chute et ça fera très mal.

Le vieux preppy piétina légèrement le sol détrempé – on aurait presque dit un pas de danse. Enfin, il remonta le col de son duffle-coat et désigna, d'un coup de menton, le parking.

– Prenons ma voiture.

Pas un mot durant le trajet. Le paysage fondait en coulées torsadées derrière les essuie-glaces. Erwan se demandait si Lassay n'allait pas le précipiter du haut d'une falaise, le livrer à une de ses créatures, un fou furieux bourré jusqu'à la gueule de molécules inconnues – ou, plus simplement, le déposer à la gendarmerie.

Ils ne roulèrent qu'un kilomètre ou deux à travers une lande plate comme un terrain de football. Enfin, la mer apparut, morne et grise. Pas question de falaises ici : la terre s'avançait dans l'eau avec précaution, un caillou après l'autre. Des pins parasols se dressaient au loin, ressemblant à cette distance à une colonie de brocolis plantés dans le sable.

Ils sortirent de voiture et se dirigèrent vers les rochers. Erwan avait déjà compris que Lassay allait tout lui balancer, à la fois par vanité de chercheur et sentiment d'invincibilité – mais certainement pas par remords.

– J'organise parfois des randonnées ici avec mes pensionnaires, dit enfin le psy.

– C'est comme ça que Pharabot s'est fait la malle ?

Le toubib eut cette fois un bref sourire, toujours aussi artificiel. La pluie ne pénétrait pas sa chevelure. Modèle waterproof. En toutes circonstances, le professeur conservait l'esprit au sec.

– Vous êtes loin du compte. Suivez-moi. Y a par là un chemin qui longe la grève. J'espère que vous n'avez pas des chaussures glissantes.

125

– DEPUIS DES ANNÉES, commença Lassay, il existe un programme national de recherche centré sur la violence. Il y a une partie officielle, comportant des statistiques, des observations policières, des spéculations politiques, des décrets de justice, toutes ces choses qui ne mènent à rien, et une partie secrète fondée sur l'étude scientifique de spécimens particuliers : les criminels.

– Ceux qui sont au trou ?

– Les autres sont difficilement observables. Notre corpus comprend les meurtriers et violeurs, disons classiques, des prisons françaises et aussi les psychotiques aux instincts dangereux, comme ceux que nous soignons à Charcot. Nous pratiquons sur eux des tests, des prélèvements, des examens poussés pour mieux comprendre leurs mécanismes d'agressivité.

– Vous avez été plus loin : vous avez créé le Pharmakon.

Il hocha la tête, faisant mine d'apprécier les connaissances d'Erwan :

– Je vois que vous n'êtes pas venu les mains vides.

– Parlez-moi de vos travaux, à vous et Hussenot.

Lassay prit son souffle. Sous la fine bruine, avec ses cheveux serrés et son profil victorieux, il avait des allures de tribun moderne.

– Philippe possédait des connaissances neurologiques que je ne maîtrisais pas. C'est lui qui m'a mis sur cette piste totalement neuve : le circuit neuronal de la violence. Progressivement, nous sommes parvenus à localiser les zones cérébrales impliquées dans l'agressivité puis le cheminement de ces neurones au sein du corps humain. Hussenot a alors été plus loin. Il a eu l'intuition du Pharmakon.

– Expliquez-moi.

Ils marchaient le long de la mer, en direction des pins parasols. Malgré le rideau de pluie, le site évoquait la Côte d'Azur et une douceur méditerranéenne. Ne manquait que le chant des cigales. À la place, les cris des mouettes vous donnaient l'impression de racler un couteau sur vos propres os.

– C'est assez compliqué.

– Je ne suis pas si con. Déjà, le nom : qu'est-ce que ça veut dire ?

– Cela vient du grec ancien. C'est ainsi qu'on appelait la victime expiatoire qu'on sacrifiait aux abords de la cité pour en expurger, symboliquement, toute menace de violence. Peu à peu, le terme a revêtu à la fois le sens de « remède » et de « poison ». Une ambivalence qu'on retrouve dans notre programme.

– C'est-à-dire ?

– Vous savez comment fonctionnent les neurones ?

– Plus ou moins.

– Pour chaque émotion, chaque décision, chaque mouvement, une impulsion naît dans le cerveau, déclenchant une réaction en chaîne dans tout le corps, selon un circuit donné. À partir du premier stimulus, chaque neurone, par influx électrique, libère un neuromédiateur qui atteint les récepteurs du neurone suivant, qui à son tour joue le même rôle et ainsi de suite jusqu'à la réalisation physique de l'ordre. Notre idée était de bloquer, le long du circuit de la violence, les récepteurs d'un ou plusieurs neurones.

– Concrètement, quel effet cela aurait-il ?

– L'ordre donné par le cerveau ne peut plus aboutir. Le message meurt en chemin.

– Comment bloquer ces récepteurs ?

– En les saturant avec un produit de substitution, qu'on appelle dans notre jargon un « analogue » et qui empêche le vrai neuromédiateur de porter son message.

Les «analogues », c'était le mot utilisé par Levantin. Les substances contenues dans les médocs anonymes du monstre de Louveciennes.

– Imaginez des cavités microscopiques à colmater, continuait Lassay. Avec ce produit, les récepteurs neuronaux seraient obstrués et la violence du sujet serait bridée, ne pouvant jamais dépasser un certain seuil.

– Ces produits de substitution, quels sont-ils ?

– Des molécules chimiques, produites par de grands laboratoires.

– Ils collaboraient avec vous ?

– Bien sûr. Ce qui marche pour des criminels avérés peut se révéler utile, à des doses moindres, pour des patients ayant des comportements agressifs ou éprouvant des difficultés à gérer leurs pulsions. Les labos nous fournissaient les analogues et nous mettions en place les protocoles pour en régler les dosages, ce qui est le plus important.

Tout cela sonnait curieusement d'actualité. À l'heure où la psyché humaine est régulée, soignée, stimulée par tout un tas de pilules et de spécialistes, on pouvait imaginer que la justice y trouve son compte – une société où il n'y aurait plus d'assassins, du moins plus de récidivistes – et les laboratoires une manne : de l'utilisation sporadique pour les « grands nerveux » à l'assujettissement général d'un peuple pour une dictature. Fini la guerre chimique, bienvenue à l'oppression moléculaire.

– Ce vaccin, il existe ou non ?

– Il existe : nous l'avons mis au point. Hussenot depuis sa clinique de Chatou traitait directement avec les labos. Moi, je testais les analogues sur mes patients… volontaires.

La mare aux canards. L'institut Charcot avait bien été un centre d'expériences obscures et les soi-disant volontaires ne devaient pas être plus chauds pour traverser le campus que les soldats de 14 les lignes ennemies.

– Les tests étaient douloureux ?

– Le problème de ce type de traitement est qu'il faut d'abord injecter pas mal de produits pour saturer les récepteurs des neurones concernés. Ce qui signifie, dans un premier temps, un redoublement de violence chez le sujet avant que tout se calme pour de bon.

Erwan vit passer une image terrible : des fous violents rendus plus violents encore, des malades dont on aggravait la maladie pour mieux l'étouffer ensuite. Camisoles, cellules d'isolement, calmants : les mesures de répression et de contention avaient dû aller bon train dans les sous-sols de la « fabrique de monstres » qui n'avait jamais si bien porté son nom.

– Donnez-moi des dates.

– Nos travaux ont pris un tournant décisif dans les années 2000. Des résultats significatifs démontraient que nous étions sur la bonne voie. Malheureusement, Hussenot n'était plus fiable.

– C'est-à-dire ?

– Il avait changé d'humeur. Son divorce l'accaparait, l'obsédait même. Il ne pensait plus qu'à ses gamins, à sa clinique et au moyen de la faire fructifier. D'un coup, nos recherches fondamentales avaient perdu tout intérêt à ses yeux. Puis le destin s'en est mêlé : il est mort avec ses mômes dans un accident de voiture.

– Vous avez continué seul ?

Lassay inspira une grande bouffée d'air détrempé puis ouvrit les bras vers la mer. Un geste ridicule mais Erwan n'avait pas envie de rire. Ce pantin emphatique portait la responsabilité des meurtres qui se multipliaient depuis septembre.

– Pas le choix. Nos recherches pouvaient changer la face du monde !

– Vous vous rendez compte du sang que vous avez sur les mains ?

Le psy eut une moue sceptique :

– L'histoire des progrès scientifiques...

– Les faits, putain de dieu, coupa Erwan avec impatience.

– L'État m'a lâché : il faisait surtout confiance à Hussenot.

Il avait dit ces derniers mots avec dégoût, comme si un relent acide lui était remonté dans la gorge. Erwan était plutôt étonné : l'histoire du Pharmakon correspondait, mot pour mot, à celle que Viard lui avait racontée. Pour une fois, le faux jeton du marché d'Aligre avait joué franc jeu. Sans doute était-il convaincu de son impunité, comme le psychiatre lui-même.

– J'avais les analogues. J'avais les protocoles. Mais je manquais d'argent et j'ai vu le moment où tout allait capoter pour une histoire de pognon...

– Vous pouviez financer vos expériences avec les fonds de l'UMD...

– Impossible. On croule sous les audits et les ministères publics ne cessent de nous rogner les budgets.

Erwan comprit soudain ce qui était arrivé :

– C'est alors que les adorateurs de l'Homme-Clou ont sonné à votre porte.

– Exactement. C'était en 2009. Lartigues et ses complices m'ont proposé une fortune pour la moelle osseuse de Thierry Pharabot. C'était inespéré. J'ai tout de suite accepté.

– Combien vous ont-ils offert ?

Le psy ne répondit pas tout de suite. Lui qui avait manipulé le matériau le plus dangereux – le cerveau humain – et qui était à l'origine d'une dizaine de meurtres était pris d'un coup d'une pudeur absurde au sujet de l'argent.

– Combien, Lassay ?

– Cinq millions d'euros.

– Et nets d'impôts, avec ça.

– Je vous en prie. Tout ce que j'ai fait, je...

– Vous l'avez fait pour la science, on a compris. Que s'est-il passé ensuite ?

– J'ai pu réamorcer le protocole. Il m'a fallu deux ans encore pour affiner les réglages, les techniques d'ingestion, les analyses des effets secondaires, mais l'année dernière le Pharmakon était prêt.

De nouveau, Erwan capta la logique souterraine de l'histoire :

– Alors, vous avez choisi celui par qui le fric était arrivé : Pharabot lui-même.

– C'est sans doute la pire idée que j'aie jamais eue.

126

LA PLUIE avait cessé. Ils marchaient maintenant à l'intérieur d'une crique dont le sable était jonché de coquillages brisés et de déchets délavés : fragments de filets, morceaux de polystyrène, tessons de verre… Les poubelles de la mer.

Ces détritus ne parvenaient pas à altérer la beauté du décor : l'anse formée par les rochers, ronds comme des bulles, prenait des reflets roses et mauves alors que les pins et les fougères en arrière-plan dessinaient une frise d'un vert profond.

– J'avais besoin d'un tueur chimiquement pur, reprit Lassay d'une voix forte pour couvrir le brouhaha de la mer toute proche, sans autre mobile que le goût du sang.

– Ce n'est pas le profil de Pharabot.

– Non. Sa violence était nourrie de peur et de croyances. Il n'éprouvait aucun plaisir à tuer ni à mutiler.

– Dans ces conditions, pourquoi l'avoir choisi ?

– Parce que je l'avais sous la main et que je l'avais officiellement fait mourir en 2009. Par ailleurs, il demeurait un meurtrier de… première catégorie, si je peux m'exprimer ainsi. Ses pulsions agressives étaient intactes. Sa violence ne connaissait aucun frein. Ni morale ni pitié. Les effets du Pharmakon sur un tel individu constituaient un test décisif

Tu m'étonnes : qui peut le plus peut le moins.

– Juste une précision : en 2009, qui a signé le permis d'incinérer Pharabot ?

– Un vieux médecin du coin. Il a à peine regardé le corps. Il avait l'habitude des morts à Charcot.

– Mais qui a grillé au crématorium du Vern ?

– Personne. Plug a verrouillé lui-même le cercueil. Un billet aux ordonnateurs et en avant les flammes.

– Où avez-vous planqué Pharabot ?

– Dans un institut en Wallonie que je connaissais bien. Je payais sa pension : aucun problème. Quand le Pharmakon a été prêt, en février 2012, je l'ai fait revenir. Je l'ai placé en cellule d'isolement et j'ai renouvelé le personnel dans cette partie de l'unité. Un seul homme était habilité à s'occuper de lui.

– Plug.

– Exactement. Au printemps, j'ai commencé le traitement. Pharabot a plutôt bien réagi. Le problème était les effets secondaires. Je devrais plutôt parler, dans ce cas, d'effets premiers. Son agressivité est devenue… ingérable.

– Vous l'avez rendu plus fou encore.

Lassay prit sa mine désolée – celle qu'il avait dû travailler devant sa glace pour annoncer un décès aux familles ou son absence de résultats à ses bailleurs de fonds. Derrière lui, les nuages étaient de retour. Le ciel ressemblait à un immense paysage de montagnes grises inversées, pointant leurs sommets vers la ligne courbe et noire de la mer.

– Combien de temps a duré ce… préambule ?

– Je ne sais pas.

– Comment ça ?

– Pharabot s'est enfui avant la fin du traitement.

Maintenant, c'était limpide : ce con avait chimiquement excité la bête et l'avait laissée s'échapper, la rage aux lèvres. Comme disait Morvan : « On n'est jamais à l'abri du pire. »

– Pharabot s'était radouci. Ses accès de fureur s'espaçaient. J'ai pensé, à tort, que nous entrions dans la deuxième phase : celle du bridage. Bref, en septembre, il est parvenu à se sauver et à voler un Zodiac de l'hôpital.

Encore une faute. On n'avait jamais vérifié si Charcot possédait la moindre embarcation alors que le site avait un accès à la mer.

– Bordel de dieu, pourquoi ne me l'avoir jamais dit ?

– Je... j'ai eu peur d'être arrêté. Par ailleurs, je voulais poursuivre mes recherches.

La trouille du coupable et la folie du chercheur inextricablement liées dans ce cerveau malade. Les articles 122-1 et 122-2 et leurs alinéas allaient jouer à plein pour ce pompier pyromane. En dépit de ses responsabilités, il serait sans doute déclaré... irresponsable.

– Pharabot a navigué en direction de Kaerverec, continua le toubib. Il a accosté aux alentours de la lande et est tombé sur Wissa Sawiris. Il a transformé le premier venu en nkondi.

La boucle était bouclée : on revenait au premier meurtre. Le corps déchiqueté du pauvre étudiant qui avait ouvert la sombre sarabande.

– Ça ne tient pas debout. Où aurait-il pris les clous, les miroirs ? Comment aurait-il pu extraire les organes ?

– Vous n'avez pas compris : le nganga était de retour. Les analogues n'avaient pas seulement aggravé son penchant pour la violence, ils avaient aussi excité son esprit. L'Homme-Clou renouait avec ses frayeurs anciennes et ses méthodes radicales pour se protéger. Il a volé tout ce dont il avait besoin à la maintenance : outils, pointes, morceaux de ferraille.

Erwan se souvenait du bizutage, des apprentis pilotes – surnommés les Rats – lâchés dans la lande, des Renards qui les pourchassaient avec des amplificateurs de lumière. Comment Pharabot avait-il pu passer inaperçu ? Où avait-il commis son crime ?

Lassay devina ses pensées :

– Je pense qu'il a opéré dans une épave de cuirassé qui se trouve sur une plage...

– Le *Narval* ?

– Je ne connais pas le nom.

– Admettons qu'il soit tombé sur Wissa et qu'il ait réussi à le traîner dans l'épave, ou qu'il l'ait surpris *déjà* sur place. Pourquoi ensuite prendre le risque d'embarquer le corps sur l'île de Sirling alors qu'il était lui-même en cavale ?

– Ce n'est pas lui qui l'a transporté mais Plug et moi. Quand on s'est aperçus qu'il avait disparu, nous sommes partis à sa recherche. Nous n'avons trouvé que le cadavre et j'ai aussitôt décidé de le planquer. J'espérais qu'on le découvrirait le plus tard possible. Entre-temps, je comptais remettre la main sur Pharabot.

– Ensuite, que s'est-il passé ?

– On l'a cherché dans toute la zone. On a finalement laissé tomber. J'avais l'espoir qu'il reviendrait de lui-même.

– Pourquoi ?

– À cause des neuromédiateurs. J'ignorais les conséquences exactes d'un arrêt brutal du traitement mais Pharabot allait souffrir du manque.

La météo avait définitivement sombré comme une lourde épave. La mer roulait ses rancœurs. Les blocs d'eau sombre éclataient sur la roche et retombaient en fouets d'écume entre les dents de pierre.

– Les gendarmes sont venus demander si un de nos patients s'était enfui. J'ai répondu par la négative et je n'ai plus jamais vu un uniforme. N'oubliez pas que Pharabot était mort depuis 2009. Il a fallu que vous reveniez fouiner plus tard pour que je panique à nouveau…

– Comment Pharabot a-t-il pu disparaître ainsi des radars ?

– Grâce à Isabelle Barraire-Hussenot. Il n'aurait jamais pu organiser son évasion sans une complicité extérieure. Je n'ai pas les détails mais elle a dû le récupérer quelque part. Peut-être même a-t-elle participé au crime : elle était vraiment…

Katz-Barraire préparant le terrain, récupérant Pharabot dans la lande, organisant les meurtres d'Anne Simoni, Ludovic

Pernaud, celui de Gaëlle – dont elle avait réchappé mais qui avait fait d'autres victimes... Les rouages du scénario se grippèrent encore : pourquoi Pharabot s'était-il arrêté en si bon chemin ? Après l'agression de Sainte-Anne, les assassinats avaient cessé. Cette période de paix avait confirmé la culpabilité de Kripo.

Erwan interrogea Lassay sur ce point précis.

– La réponse est simple : c'est le moment où Pharabot a repris son traitement. Les récepteurs neuronaux se sont enfin bloqués. Son agressivité s'est régulée.

– Comment a-t-il pu se procurer ses médocs ?

– Fin septembre, Isabelle Barraire est venue me voir. Pharabot était incontrôlable. Pour moi, le choc a été double. J'étais sidéré de la voir débarquer dans cette histoire. Par ailleurs, la personne que j'ai vue arriver n'était plus celle que j'avais connue mais un homme. Isabelle avait compris toute l'histoire : mes expériences, le Pharmakon, ses effets désastreux. Elle voulait des sédatifs et les analogues du traitement.

– Vous n'avez pas demandé à le voir ?

– Isabelle n'a rien voulu entendre.

– Vous lui avez donné les médocs ?

– Pas le choix. Il fallait maîtriser Pharabot et elle menaçait de tout balancer aux flics ainsi qu'aux médias. Elle a disparu avec la posologie et n'est plus jamais réapparue.

Ils atteignirent enfin la pinède. Aiguilles vertes, écorce grise, sable rouge : tout prenait un caractère abstrait, indéchiffrable, comme lorsqu'on s'approche trop près d'un tableau.

– Quand Audrey a surpris Pharabot dans la baraque de Louveciennes, reprit Erwan, il n'avait pas l'air vraiment calme. Vos pilules n'ont jamais apaisé qui que ce soit.

Lassay eut un geste exaspéré.

– Isabelle était morte depuis deux jours. Pharabot ne savait pas exactement quoi prendre ni dans quel ordre. Sans moi ni Isabelle, il ne pouvait être soigné.

Admettons. Changement de braquet :

– Ces dernières semaines, Isabelle Barraire-Hussenot, sous l'identité d'Éric Katz, a renoué avec ma sœur Gaëlle. Pour l'attirer dans un piège ?

– Peut-être. Pharabot n'a pas achevé sa vengeance, il devait exiger une autre proie.

Erwan imagina Isabelle dans la peau d'une disciple prête à tout pour satisfaire son maître et lui servir des victimes sur un plateau.

– Où est-il à votre avis ?

– Aucune idée.

– S'il revient au bercail, vous…

– N'ayez crainte, je vous préviendrai. Je ferai tout pour arrêter le massacre. Je suis épuisé par ces morts, cette violence, cette fuite en avant… Et prêt à assumer mes responsabilités, comme vous dites. Si vous n'avez pas confiance en moi, vous pouvez placer aussi des hommes autour de l'UMD.

– C'est déjà fait. (Un détail coinçait encore.) J'ai affronté plusieurs fois Pharabot ces dernières semaines : il possède une forme physique inouïe pour son âge. Plutôt celle d'un ancien athlète que celle d'un pensionnaire d'asile shooté aux médocs.

– Un autre effet du traitement. Du moins dans sa première phase. Encore une fois, les récepteurs neuronaux sont hypersollicités. Pharabot tourne en surrégime, si je peux dire.

– Vous, vous n'avez pas peur de lui ?

– Non. Il me doit tout. Jamais il ne lèverait la main sur moi.

Le docteur Frankenstein devait penser la même chose avant que son monstre ne tue sa fiancée. Mais c'est un élément qu'Erwan avait déjà remarqué lors de leur altercation au sujet de Plug : le beau JL était doté d'un sérieux courage physique. Il avait peut-être la trouille de la prison et de l'échec mais pas de se colleter avec un dément survitaminé.

– Vous allez m'arrêter ? demanda-t-il comme s'il suivait les pensées du commandant.

– Pas pour l'instant : vous pouvez encore m'être utile. Mais je ne vous oublierai pas à l'heure des comptes. Malgré vos contacts, vous plongerez. Je vous conseille même de les prévenir : je remonterai aussi jusqu'à eux.

– Je vois.

– Ça fait un bon moment que vous ne voyez plus rien. Vous finirez avec vos patients, derrière les barreaux.

– Vous n'avez pas compris les enjeux qui...

Le psychiatre n'acheva pas sa phrase : Erwan l'avait empoigné par les revers de son duffle-coat et plaqué contre le tronc d'un pin.

– Fermez-la avant que je perde vraiment mon calme ! hurla-t-il soudain. Le seul truc surprenant dans cette histoire, c'est que je ne vous éclate pas le crâne, là, tout de suite, comme une carapace de crabe sur un rocher.

Lassay trouva le jus pour sourire.

– Vous ne le ferez pas, murmura-t-il. C'est toute la différence entre un homme comme vous et Pharabot. Le bridage que je cherche à imposer par...

Erwan le lâcha avec dégoût et fit quelques pas pour ne plus l'entendre.

– Dans ses moments de lucidité, le poursuivit Lassay, Pharabot parlait souvent de votre père. Il disait qu'il aurait fait un nganga d'exception.

Erwan s'arrêta net : sous la pluie et les cimes des pins, il n'attendait pas ce coup bas.

– Il me parlait de la Cité Radieuse, poursuivit le psy, et d'une nuit d'avril où Grégoire Morvan l'avait rejoint dans le deuxième monde. Il évoquait une jeune femme, une croix gammée que votre père lui avait gravée sur...

– Fermez votre putain de gueule !

Il avait levé le poing, s'arrêtant juste au moment où le tonnerre craquait dans le ciel, semblant résonner partout à la fois.

– Je serais vous, conclut Lassay, imperturbable, je ne m'inquiéterais pas trop au sujet de Pharabot.

– Pourquoi ?

– Vous croyez le chercher mais c'est lui qui est à vos trousses. Il vous tombera dessus d'ici quelques heures.

127

APRÈS AVOIR DÉPASSÉ Paimpol et pris la direction de la pointe de l'Arcouest, Erwan roulait à fond le long du littoral en se demandant où la mer avait pu se planquer. Sur la Côte d'Azur, impossible d'ignorer la proximité de la Méditerranée. Ici, pas moyen d'apercevoir la Manche avant d'avoir le nez dessus. La campagne verdoyante qu'il traversait aurait pu se trouver dans le Limousin ou en Alsace.

Il ne voulait plus réfléchir à l'enquête – trop d'infos, trop de folie. Pour l'instant, une seule préoccupation : il allait être en retard à l'enterrement. Déjà 14 heures et il ne connaissait même pas les horaires des vedettes pour Bréhat.

Comme prévu, la mer jaillit à quelques mètres seulement de l'Arcouest. Un virage et d'un coup, le grand jeu : à gauche les flots d'ardoise à perte de vue, à droite une falaise de granit raide comme une lime. Ciel couvert, pluie fine : rien à signaler, mon capitaine. Pourtant, un détail clochait : l'appontement, encadré par un bar-tabac, un hôtel et une boutique de souvenirs, était pris d'assaut par plusieurs fourgons de gendarmerie ainsi que des bagnoles sérigraphiées de flics. Les Cruchot semblaient attendre la prochaine vedette ou plutôt un ennemi public numéro un à son bord.

Erwan laissa sa voiture sur le parking surélevé puis descendit à pied vers la grève, sac à l'épaule, à petite foulée. Que s'était-il passé encore ? Pourquoi tant de bleus à l'horizon ? En s'approchant, son étonnement redoubla : tout ce petit monde était dirigé par Pascal Viard *himself*. Pas la peine de chercher plus loin : cette haie d'honneur était pour sa pomme. Le préfet parisien devait penser que l'enterrement était terminé et qu'Erwan n'allait pas tarder à rentrer sur le continent.

– C'est pour moi que t'es là ? hurla-t-il à l'attention de Viard.

À son regard, il comprit que son hypothèse était la bonne.

– J'avais peur de t'avoir manqué, répondit le flicard en ravalant sa surprise.

– Qu'est-ce que tu fous là ?

– En vertu des pouvoirs qui me sont conférés, je te notifie ton placement en garde à vue à... (il jeta un coup d'œil à sa montre) 14 h 40. Tu peux prévenir un proche conformément à l'article 63-2. Tu peux aussi contacter un avocat...

Avec sa veste matelassée chinoise, son bonnet tibétain et son pantalon de treillis à poches latérales, Viard avait l'air d'un prof de fac devisant sur les marches d'une université. Erwan comprenait qu'il ait amené du monde : c'était pour donner un peu d'autorité à sa grande scène d'arrestation.

– Pour quel motif ?

– Alors là, fit l'autre en s'avançant, j'ai des capotes pour l'hiver. Par quoi j'commence ? Ta p'tite visite chez moi ? Au bureau ? Tes coups et blessures à un officier de police ? Ta mission commando à la blanchisserie Domanges ? Ton interrogatoire illégal de Patrick Benabdallah ? Depuis ton retour d'Afrique, on peut dire que t'as pas chômé.

Une seule bonne nouvelle : pas un mot sur sa visite matinale à Jean-Louis Lassay.

– Tout ce que j'ai fait, rétorqua Erwan le plus sérieusement possible, je l'ai fait dans le cadre de l'enquête sur le meurtre de ma cinquième de groupe et...

– Garde ta salive pour le PV. Pour l'instant, file-moi ton badge et ton feu. Tu s'ras gentil de pas résister ni de nous la jouer « héros entravé dans sa croisade solitaire ».

Il détacha le holster de sa ceinture, attrapa sa carte et remit le tout aux gendarmes. Inutile d'alléguer la compétence territoriale : Viard sortait toujours couvert.

– T'as fait le voyage juste pour moi ?

– Un Morvan avec les pinces, ça vaut le détour.

Sur son ordre, deux keufs en civil s'avancèrent. Au loin, la vedette approchait, bleu et blanc – exactement les couleurs du drapeau québécois.

– Attends. Tu te demandes pas ce que je fous ici ?

– Je le sais : tu viens d'inhumer ton vieux.

– Non : j'y vais justement. Les obsèques sont à 16 heures.

Viard fronça un sourcil. Le ronronnement du moteur du ferry emplissait le ciel.

– C'est pas déjà fait ? demanda-t-il en attrapant son mobile dans sa poche et en scrutant son écran. La bière est arrivée sur l'île y a trois heures.

– T'es bien renseigné, sourit Erwan, mais je devais passer voir un notaire avant. On m'attend pour la cérémonie.

Viard mit une main sur le cœur et s'inclina :

– Toutes mes excuses. On va t'accompagner.

– Tu es la dernière gueule que le Vieux aurait voulu voir à son enterrement.

Le flic sortit sa cigarette électronique et se mit à vapoter.

– J'aurais pas aimé non plus que Morvan vienne pisser sur ma tombe.

– Voilà c'que je te propose : tu me laisses filer sur l'île, j'enterre mon père et je dors chez lui. Je prends la première vedette demain matin et je te suis au poste.

– Et le cul de la crémière, il est dans le menu ?

– Je déconne pas. Une fois là-bas, comment veux-tu que je m'échappe ?

– Et les bateaux ?

– Cette nuit, c'est marée basse. C'est le dernier ferry, y en aura plus avant demain matin. Je serai prisonnier de l'île.

En réalité, Erwan n'avait pas la moindre idée de l'heure des marées et d'ailleurs, Bréhat n'était jamais totalement à sec. L'argument parut pourtant faire mouche.

– D'accord, cracha Viard dans un panache de buée. On te fout la paix jusqu'à demain matin. T'as ma parole.

La vedette accostait.

Soudain amical, Erwan prit son ennemi par l'épaule et lui murmura à l'oreille :

– Ta parole ? Comment faire confiance à un mec qui fume de l'eau ?

128

BRÉHAT l'avait toujours angoissé : il y étouffait. Tous ces riverains, en dépit de leur air cool, lui paraissaient s'entasser sur ce morceau de terre comme les victimes d'un naufrage, en attente de secours. Seule consolation aujourd'hui : en plein mois de novembre, l'île serait déserte.

À bord, son portable sonna : Gaëlle. Son cinquième message depuis midi. Il lui semblait que la vibration était de plus en plus nerveuse, plus agressive, traduisant la colère de la frangine. Il ne décrocha pas mais l'avertit par SMS : « Je suis sur le ferry. »

La vedette ne mettait qu'un quart d'heure pour traverser le chenal du Ferlas. Il arriverait à temps pour la cérémonie. Loïc était assez grand pour se démerder avec le prêtre et les fossoyeurs. Vaille que vaille, tout allait se dérouler selon les souhaits du Vieux. *Dommage qu'on soit pas dimanche...*

La pluie redoublait mais Erwan préféra quitter le pont couvert pour s'installer à la proue. Accoudé à la rambarde, il avait déjà chassé le souvenir de Viard et sa tête de cul mal torché. On envisagerait le problème demain matin, une fois le Padre enterré.

Il vérifia tout de même ses mails et ses SMS. Aucun signe de Sandoval, donc : Pharabot courait toujours. Il songea à la prédiction de Lassay : « C'est lui qui est à vos trousses. » *Que le diable t'entende...* Si le tueur se pointait, il l'abattrait sans autre forme de procès. Et s'il était arrêté ailleurs, Erwan le rejoindrait pour l'éliminer – quelle que soit sa version, personne ne le poursuivrait pénalement. Un chien qui a la rage, il faut le piquer.

Il leva la tête et offrit son visage à la pluie. Pas un passager à bord. Ce lourd ferry vous ramenait à l'essentiel : l'air, la mer, le fer. Les gouttes crépitaient sur le toit derrière lui. Les vagues sous ses pieds craquaient comme s'il était à bord d'un brise-glace. La rambarde de métal peint lui offrait froideur et dureté, en accord avec le vent chargé d'embruns.

Dire que Morvan avait épargné Pharabot à l'époque… Erwan n'aurait pas cette indulgence. Pharabot était peut-être victime des expériences de Lassay mais il fallait en finir. Au nom d'Audrey Wienawski, de Jacques Sergent, de Wissa Sawiris, d'Anne Simoni, de Ludovic Pernaud et des autres…

Ensuite, il s'occuperait de Lassay. À son sujet, il hésitait encore. Le traîner en justice, malgré le tir de barrage que lui opposeraient Viard et consorts. Ou simplement lui balancer trois balles dans le buffet sur fond de granit rose. On pouvait… Erwan s'arrêta dans ses résolutions. En réalité, après avoir inhumé son père, tout ce qu'il pourrait faire serait de revenir sur le continent, tendre les poignets pour qu'on lui passe les pinces et écouter les chefs d'accusation qui s'accumulaient contre lui.

Son portable, encore. L'hôpital Georges-Pompidou. Il retourna s'abriter sous le pont couvert et décrocha. Le médecin qu'ils avaient vu la veille.

– Alors ? demanda Erwan avec brutalité.

– Je n'ai pas de bonnes nouvelles. Nous avons pratiqué d'autres tests ce matin et fait un électroencéphalogramme. L'activité est quasiment plate…

Incapable de dire ce qu'il ressentait. Ni pour qui exactement. La femme qui l'avait élevé ? La meurtrière de Cathy Fontana ? La victime expiatoire de Morvan ?

– Par ailleurs, continuait le médecin, le tracé est caractéristique d'un burst suppression… En général, ces signes annoncent le pire : un coma irréversible.

– Il y en a pour combien de temps ?

– Qu'est-ce que vous voulez dire ?

La pluie, portée par le vent, l'avait poursuivi jusque dans son refuge : Erwan sentait ses piqûres acérées sur sa nuque. Au-delà de ce rideau gris, Bréhat se rapprochait.

– Combien de temps peut-elle survivre ainsi ?

– Impossible à dire. (Le médecin prit une voix encourageante.) Mais on ne doit pas perdre espoir. Un réveil est toujours possible.

– Dans ce cas, dans quel état sera-t-elle ?

Le toubib hésita mais Erwan sentait qu'il ne craignait pas de dire la vérité. Quand on lutte toute la journée contre la mort, les vivants ne vous font plus peur.

– Le problème serait les séquelles neurologiques. Il y aurait un risque important de dysfonction cérébrale majeure…

Erwan se voyait mal s'occuper de Maggie réduite à l'état de légume – et il imaginait encore moins Gaëlle ou Loïc s'y coller.

– Mais selon vous, reprit-il comme pour balayer cette éventualité, l'évolution la plus probable est la mort cérébrale ?

– Oui.

– Dans ce cas, on aura le droit de la débrancher ?

Erwan posait la question pour la forme : il avait plusieurs fois mené des enquêtes sur fond d'euthanasie. Il savait que dans cette situation précise, la loi donne son feu vert.

– On pourra envisager cette solution, oui.

Erwan conclut rapidement – on allait accoster – en expliquant qu'il enterrait son père en Bretagne et qu'il serait de retour le lendemain. D'ici là, il fit promettre au médecin de l'appeler s'il y avait du nouveau. Des formules rabâchées, des mots à peu près aussi mécaniques que les machines qui maintenaient Maggie à la surface de la terre.

Il raccrocha et ressortit à l'avant du ferry. Le Port-Clos, la cale principale de Bréhat, n'était plus qu'à quelques centaines de mètres. Derrière l'averse, on devinait le bouillonnement des pins, les premiers toits gris, le petit hôtel Bellevue avec sa verrière et ses deux étoiles bleues. D'un coup, Erwan changea d'état d'esprit et ressentit un élan de tendresse pour ce décor qui l'avait vu vieillir. Après tout, Bréhat n'était pas le cauchemar qu'il se plaisait à imaginer. Il arrivait chaque fois ici d'humeur noire et repartait d'humeur grise – l'île devait avoir ses bienfaits.

À ce moment, il reconnut la silhouette de Gaëlle sur la jetée. Plus frêle, plus mince que d'habitude. Malgré la flotte et le ciel d'éponge, elle lui semblait brûlée par un soleil incandescent. Le soleil qui hypnotisait le héros des *Chants de Maldoror* quand il éventrait ses victimes ou celui qui aveuglait Meursault, dans *L'Étranger*, quand il appuyait sur la détente. Le grand soleil blanc de la mort. Elle avait connu ce feu quand elle avait buté Mumbanza et ses hommes. Il la consumait maintenant de l'intérieur.

La vision disparut et Erwan distingua son sourire. Il comprit avec surprise qu'elle ne lui en voulait pas. Sous ses pieds, les roches rouges de l'île coagulaient et elle avait la grâce d'une vierge sculptée – comme si elle était la sainte patronne de l'île.

Il s'était préparé, comme d'habitude, à balancer quelques vacheries pour se défendre contre d'éventuels reproches mais d'un coup, il fut nu – il allait simplement serrer dans ses bras sa petite sœur et se diriger vers l'église.

129

OBSERVEZ les lis des champs, comme ils croissent : « ils ne peinent ni ne filent. Or je vous dis que Salomon lui-même, dans toute sa gloire, n'a pas été vêtu comme l'un d'eux. »

Loïc ignorait de quel évangile sortaient ces paroles mais elles auraient pu figurer dans un sutra bouddhiste. Même éloge de la simplicité, même détachement pour les apparences. Le prêtre, par une sinistre ironie, était d'origine africaine. Loïc lui avait raconté en quelques mots le destin de Morvan mais lui avait interdit d'évoquer son passé congolais. Le religieux demeurait donc dans l'allusif, l'universel, à coups de citations d'apôtres.

Maintenant, il expliquait que la rigueur de Grégoire, sa foi dans des valeurs morales l'avaient « vêtu » plus richement que n'importe quelle course au fric ou au pouvoir. C'était à crever de rire – et l'officiant ne se doutait pas à quel point. Pourtant, par un suprême renversement, il disait vrai : Morvan, mort en essayant encore de transformer de la boue en or, avait aussi vécu sa vie dans la pureté « qui ne peine ni ne file » – pour l'amour de ses enfants.

Loïc éprouvait un étrange bien-être. Le cimetière de Bréhat se trouvait non loin de l'église Notre-Dame, cerné par un muret au-dessus duquel une crique s'ouvrait, dense et grise comme un lac. La pluie leur accordait un répit mais le vent avait pris la relève.

Des trois enfants Morvan, il était le seul Breton dans l'âme. Il avait conquis cette identité à force de régates, d'expéditions en mer, de beuveries dans les bars. À lui le claquement des voiles dans les yeux, la morsure du sel sur les lèvres : c'était ce qu'il avait eu de meilleur. Aujourd'hui encore, en fin de journée, quand il voyait rentrer des familles d'une randonnée en bateau ou d'un pique-nique au large, il surprenait sur les visages cette lumière particulière que donne la mer aux êtres humains.

Lui aussi avait connu ces retours voluptueux, ces crépuscules d'argent rose. Le problème était qu'il était déjà pas mal bourré et qu'il ne savait plus trop à quoi il devait ces émotions. Il avait admiré tout ça à travers le cul d'une bouteille. À l'époque, il croyait s'élancer vers la vie mais il était déjà en rade.

Un raclement lugubre le secoua dans ses rêveries : on descendait le cercueil. Il s'approcha. Le couvercle verni plongeait dans l'ombre : Loïc ne réalisait toujours pas. Il s'était occupé du moindre détail des obsèques et cela l'avait tenu, paradoxalement, à l'écart de l'essentiel. Sans compter l'aide précieuse de sa famille : coma de la mère, missions commando du frère…

Pour l'heure, cette boîte de bois n'était synonyme que de problèmes logistiques. Même aujourd'hui, il avait fallu chercher des volontaires pour la conduire jusqu'au cimetière – Mahé, le vieux Bréhatin de l'île nord qui s'occupait de leur maison, quelques autres bonnes pommes. Ils l'avaient portée ainsi, à l'épaule, à travers les ruelles étroites du bourg – et sous la pluie, bien sûr. *Vraiment la mort du petit cheval.*

– Vous voulez dire quelques mots ?

Le prêtre s'était adressé à Erwan – Loïc et Gaëlle avaient déjà prévenu qu'ils ne s'exprimeraient pas. L'aîné fit non de la tête avec son air des mauvais jours. Tout le monde s'écarta de la sépulture, sans le moindre geste d'adieu. Loïc avait prévu que chacun lance une agapanthe sur la bière – il en avait dégoté dans une pépinière – mais Erwan s'y était opposé : « Pas de pathos. » S'était ensuivie une engueulade. Comme d'habitude, le cadet avait capitulé. Après tout, Morvan aurait-il voulu des fleurs sur sa tombe ? *Certainement pas.*

Les ouvriers apparurent. On scella la fosse. À quoi pensaient les autres ? Ils étaient sans doute comme lui : dans un état second, n'éprouvant que le minimum syndical : le vent, l'ennui, le vide. Les grandes eaux viendraient plus tard. *Ou pas.*

Loïc observait surtout sa sœur. Elle avait perdu aujourd'hui sa luminescence. Elle affichait un teint gris qui rappelait la tristesse de draps sales, et ses yeux, jadis clairs comme de la glace, s'étaient assombris. Ses pupilles surtout, d'ordinaire taillées comme des diamants, s'étaient fluidifiées. Pas de larmes, non, une sorte de résignation liquide. Mais persistait toujours la grâce des traits : des lignes d'autant plus poignantes qu'elles s'étaient émaciées. Impossible de deviner ce qu'elle pensait ni ce qu'elle éprouvait et il ne voulait pas s'y risquer. Un piège à loup enfoui sous la neige.

Pour Erwan, c'était beaucoup plus simple. Il ne portait pas l'uniforme mais l'esprit y était. Manteau noir, costard de croque-mort. Sa tenue pour les scènes de crime. Il n'avait pas l'esprit militaire mais quand les circonstances le poussaient hors de son champ de compétence – exprimer ses sentiments par exemple –, alors il se caparaçonnait dans son armure et n'en bougeait plus. Son attitude, son expression auraient pu convenir à n'importe quelle cérémonie officielle. Une sorte de monument aux morts, standard et impersonnel. Pourtant, il vint à Loïc une autre image : droit sous la pluie, son frère ressemblait aussi à un paratonnerre qui absorbait les déchirements du clan et les renvoyait sous la terre.

– On y va ?

Loïc s'ébroua : Gaëlle se tenait à ses côtés, son bonnet et sa capuche superposés formant un double diadème sur son front. Il regarda autour de lui : les ouvriers étaient partis, la stèle était en place, pas un péquin ne traînait dans le cimetière. Ils avaient tout de même réussi cette prouesse : personne aux obsèques du célèbre Grégoire Morvan, à l'exception des trois membres valides du clan. « Qu'ils aillent tous se faire foutre ! » aurait dit le Vieux.

Ils auraient dû graver cette épitaphe sur sa tombe.

130

LES DEUX FRÈRES et leur sœur traversant à vélo l'archipel de Bréhat, ça valait le coup d'œil. Ils sillonnèrent le bourg jusqu'au pont Ar Prat pour rejoindre l'île Nord puis longèrent la baie de la Corderie jusqu'à l'amer du Rosédo, à l'ouest. Ils pédalaient sans dire un mot, alors que le grincement de leurs roues sciait la nuit qui s'avançait. Au loin, on entendait le ressac qui roulait sa mauvaise humeur.

Après l'île Sud, sa végétation méditerranéenne et ses maisons au coude à coude, ils retrouvèrent la lande pure, blocs de granit au garde-à-vous, plaines fluorescentes, où seules les fougères sont décoiffées. C'était la partie que Gaëlle préférait, sauvage et déserte, où le large crache ses vents âcres et un froid à se bouffer les dents.

La balade – trois kilomètres dont pas mal de côtes – les avait réchauffés. Quand ils parvinrent à la maison familiale, le vieux Mahé, Breton typique qui semblait sortir d'un écomusée, les accueillit avec un air désolé. Même lui, le gardien historique de la baraque, n'avait pas osé rester au cimetière.

Il leur avait préparé un feu qui donnait un air rustique à un intérieur qui ne l'était pas du tout. Grégoire haïssait la campagne et il avait équipé sa demeure comme un loft parisien, avec cuisine américaine et électroménager dernier cri. Chacun lui savait gré de cette initiative : pas d'odeur de moisi ni de salpêtre dans les coins, pas de courants d'air glacés ni de draps humides. Le cahier des charges du citadin était strictement respecté : au chaud et au sec.

Côté déco, Morvan avait en revanche cédé à la facilité bretonne : cloisons en bois peint, images anciennes et photos aériennes de l'île aux murs, fatras de bibelots rappelant le large et les corsaires. Gaëlle n'y prêtait plus aucune attention – cette imagerie naïve avait bercé son enfance. Ce qu'elle y décelait était plutôt touchant : la sempiternelle volonté de son père de faire croire à ses racines de navigateur – comme lorsqu'il pilotait son hors-bord Boston Whaler en se donnant des airs de loup de mer.

Après une douche brûlante, elle s'installa dans un fauteuil du salon, face aux bûches qui craquaient comme des os dans la cheminée. L'idée était d'être au calme mais les frères s'engueulaient à nouveau dans la cuisine. Le motif cette fois : la vente de la maison. Erwan, qui n'en était pas à une brutalité près, affirmait qu'il fallait se débarrasser au plus vite de cette « merde à volets bleus » alors que Loïc expliquait que Milla et Lorenzo aimaient y passer leurs vacances.

– Tu veux qu'ils apprennent le breton aussi ?

Gaëlle se leva et enfila un ciré : elle en avait marre d'entendre ces deux coqs jouer des ergots pour surtout ne pas assumer leur chagrin. Elle partit sans même les prévenir et retrouva la nuit marine, aux odeurs de javel.

La pleine lune se levait et on pouvait discerner les profils ciselés des pins noirs sur le ciel indigo. Bréhat sous cet angle avait des airs de paysage japonais. Elle ne la voyait pas encore mais elle sentait la marée basse. La crique derrière la maison exhalait déjà des relents d'iode et de varech. Les vagues refluaient avec des petits rires.

Elle traversa le jardin, se prit les pieds dans les dragues à praires et les casiers à crabes (le Vieux se piquait aussi de pêche), monta sur le coteau puis engloba d'un regard le grand cirque de sable humide et de flaques éparses qui miroitaient sous la lune. Seuls les enfants aiment la marée basse – le grand moment de la pêche à pied. Mais elle, elle l'appréciait toujours : le paysage avec ses laminaires échouées, ses vasières béantes avait un côté écorché vif qui lui plaisait. Elle adorait ces heures où la mer tire sa révérence, ne laissant que des effluves de bois mouillé, des relents de sexe triste…

Elle s'assit au sommet du coteau et se roula une cigarette, ce qui lui rappela de nouveau Audrey et sa mort horrible. La seconde suivante, elle se vit abattant les trois ogres dans la chambre suisse. Tout ça lui paraissait parfaitement irréel – et vain. Tant de sang au bord du précipice et que restait-il sinon le vide ? Elle n'était même pas accro de voir Pharabot arrêté ou abattu, comme l'étaient ses deux frères.

Elle fuma sa clope et s'ennuya rapidement. Elle se la jouait toujours misanthrope, limite sociopathe, mais elle s'ennuyait dès qu'elle était seule – et particulièrement dans la nature. Elle se releva et fit le tour de la crique, pour la forme, puis longea les pins qui ondulaient dans le vent. Le plus bizarre était le silence : la mer s'éloignait, il ne restait plus que les pierres. Elle balança son mégot et décida de rentrer – non seulement elle s'emmerdait mais elle avait les jetons.

Quand elle pénétra dans la maison, les deux frères mettaient la table tandis que Mahé s'affairait dans la cuisine. Elle s'y glissa pour boire du thé chaud – toujours prêt dans un thermos. Le vieux Breton se livrait à un vrai carnage dans l'évier : praires, couteaux, coques déjà ouverts s'accumulaient au fond alors qu'il cassait des carapaces de crabes.

– Si vous avez pas envie de fruits de mer, commenta-t-il en envoyant des giclées un peu partout, j'ai aussi pris du boudin.

Gaëlle renonça à son thé et alla vomir dans la salle de bains du rez-de-chaussée, jouxtant sa chambre. Elle se rinça la bouche. La bile lui brûlait encore la gorge et ses parois intestinales semblaient avoir été nettoyées à l'acétone mais elle se sentait légère, vidée, sereine. Elle s'observa dans le miroir : ses traits étaient détendus, épanouis. L'anorexique n'aspire à rien d'autre : se dématérialiser, s'envoler sur une goutte de pluie, comme les fées minuscules des livres d'enfant.

Dîner lugubre. Les deux frangins se faisaient toujours la gueule et elle n'avait pas envie de jouer les médiateurs. Les rares paroles tournèrent autour d'histoires de bateau : Mahé avait sorti le Boston, on se demandait pourquoi, Loïc évoquait des problèmes mécaniques qui survenaient l'hiver, Erwan répondait par monosyllabes, Gaëlle n'y comprenait rien.

Elle pensait qu'on allait se coucher là-dessus mais au moment de se lever de table, Erwan prit un ton d'imprécateur pour ordonner :

– Allons dans le salon, il faut que je vous parle.

Gaëlle se mordit les lèvres, Loïc grogna. Erwan allait sans doute aborder la question de l'héritage : cash planqué en Suisse, actions dans des sociétés obscures, parts dans des mines creusées dans des roches dures – le plus dur étant de prononcer le nom des régions où elles se trouvaient –, le tout sur fond de combincs et d'illégalité. Sans compter que Morvan laissait autant de pognon que d'ennemis – il faudrait se battre pour récupérer ce patrimoine.

Or, ils avaient toujours été d'accord : pas question de toucher à cette manne. Aucun d'eux ne souhaitait vivre sur la bête – une bête crevée et honnie. Mais Gaëlle ce soir ne se sentait déjà plus aussi résolue. Elle se glissa dans le fauteuil qu'elle occupait avant le dîner. Pour l'heure, tout ce qu'elle pouvait faire, c'était ronronner près du feu et écouter.

Soudain, une autre crainte : on allait évoquer le coma de Maggie. Débrancher ? Pas débrancher ? Un tel dilemme supposait de mettre ses tripes sur la table et là, ce serait au-dessus de ses forces. On avait évité le mélo au cimetière. Allait-on y avoir droit ce soir ?

Bien sûr, Erwan leur avait préparé encore un autre dessert :

– Vous n'avez jamais su pourquoi j'étais parti en Afrique.

Gaëlle comprit d'un coup que l'inhumation n'avait été qu'une formalité – les vrais bouleversements étaient pour maintenant. Debout près de la cheminée, son frère se mit à parler d'un ton monocorde, presque absent, tout en fourrant des bûches dans l'âtre comme s'il nourrissait la grande chaudière de la vérité.

Durant deux heures, dans un silence scandé par les gouttes de l'averse et le claquement des braises, il leur raconta une histoire insensée sur les origines de leur père. Tout le monde s'était toujours douté que le Padre n'était ni breton ni l'héritier d'une dynastie de chouans, mais personne ne s'attendait à une femme tondue à la Libération, à un petit garçon séquestré, à une mère vicieuse au front gravé d'une croix gammée, se livrant à des sévices sexuels sur son propre fils avant de mourir et de pourrir auprès de son Kleiner Bastard.

Gaëlle était abasourdie, déchirée entre le désespoir de n'avoir jamais compris son père – de n'avoir même jamais soupçonné la vérité – et la honte de s'être toujours plainte, elle, la petite fille à papa. En même temps, elle en voulait au Vieux qui ne lui avait rien dit et à son frère qui aurait dû leur balancer la vérité dès son retour – elle aurait au moins enterré son père en connaissance de cause.

Loïc ne mouftait pas. Il était coutumier du fait – lors des réunions familiales, il cultivait le retrait au point de s'endormir dans son coin. Pourtant ce soir, Gaëlle était certaine d'une chose : il ne dormait pas. Elle sentait sa tension comme un orage qui menacerait de cracher un éclair à travers la pièce.

Erwan enquilla sur l'acte deux. Lontano, 1969. Si cela était possible, l'histoire était plus extravagante encore. L'Homme-Clou, Gaëlle connaissait. Les horreurs qu'il avait commises dans la ville minière du Katanga aussi. La vérité était plus complexe. La septième victime, Cathy Fontana, maîtresse de leur père, n'avait pas été tuée par l'Homme-Clou mais par Morvan lui-même. Du moins avait-il commencé le boulot, achevé ensuite par Maggie et un obscur psychiatre du nom de De Perneke. À cet instant, Gaëlle voulut se lever mais Erwan, toujours debout, eut un geste : « Ne bouge pas. »

Du pur cauchemar – la remise à bateaux où leur propre mère avait torturé une infirmière innocente –, il passa au mélodrame. Cathy Fontana avait un enfant – ce que tout le monde ignorait. Cet enfant était de Morvan. Cet enfant était Erwan.

Cette fois, Gaëlle bondit de son fauteuil.

– Reste assise !

– Non. J'ai ma dose.

– Tu ne veux pas connaître la suite ?

– La suite, on l'a tous vécue, connard.

Elle fila dans sa chambre et se jeta sur son lit sans allumer. Non seulement l'avenir n'existait plus mais le passé non plus. Tout avait toujours été faux, tronqué, manipulé. Elle n'était pas la fille d'une barbouze pour rien. Leur destin n'avait été qu'une longue intox.

Elle plongea son visage dans son oreiller comme pour s'étouffer. Recroquevillée sur la couverture, elle réalisa qu'elle était en mode crise de larmes qui annonçait l'étape suivante : sommeil de mort. Mais non : pas la queue d'un sanglot ni la moindre trace de fatigue. Elle n'était qu'un voltage de souffrance, éprouvant une nausée atroce, comme lorsqu'on se couche complètement bourré et que tout chavire autour de soi. Là ce n'était pas le sol qui tanguait : c'était sa vie. Tous ses repères, déjà fragiles, s'étaient inversés. Son frère n'était plus vraiment son frère. Son père se transformait en victime. Sa mère en meurtrière…

Elle ferma les yeux de toutes ses forces pour chasser le vertige qui la menaçait. Au fond de son âme, elle ne voyait qu'un grand gouffre, d'une sécheresse de sable. Pas de fond, jamais d'eau. Seulement une chute aride qui n'en finirait jamais. La tête enfoncée dans le tissu, elle hurla à se brûler les cordes vocales.

Elle avait pris perpète et il n'y aurait pas de remise de peine.

131

LE CLAQUEMENT le réveilla en sursaut.

Un bref instant, Erwan ne sut plus où il était – ni même *qui* il était. Puis tout lui revint : l'enterrement, la maison de Bréhat, le conciliabule autour du feu. Mais les éléments restaient flous, fragmentaires, mal ordonnés.

Coup d'œil à sa montre : 6 h 40. Il avait dormi d'une traite, sans rêve ni réflexion. Maintenant, le froid le saisissait et le vent sifflait doucement le long des chambranles des fenêtres.

Nouveau claquement.

Un volet au rez-de-chaussée. Il se décida à se lever – plutôt pour se faire un café que pour refermer le battant récalcitrant. De toute façon, il ne se rendormirait pas. Il s'assit sur son lit et se frotta le visage. Il avait encore l'odeur du feu dans les narines et la gorge irritée d'avoir trop parlé. Avait-il bien fait de tout balancer aux autres ?

Il attrapa son portable sur la table de chevet et le mit en position torche. Il chercha ses Timberland qu'il enfila sans les lacer, le mobile entre les dents Dans le couloir, il prit conscience du calme du dehors. Ni bourrasque ni pluie, une sorte d'absence qui ne ressemblait pas à la Bretagne, comme si les côtes rouges elles-mêmes s'étaient assoupies pour laisser un répit aux humains.

Pourtant, le volet battait toujours. Inexplicablement, la peur jaillit, montant à la fois dans son cerveau et nouant ses tripes. Il descendit l'escalier. Dans l'obscurité, les murs de bois cérusé exhibaient leurs marines et leurs photographies fantomatiques.

Le bruit de nouveau. Aussi sec qu'une détonation. Salon ou cuisine ? Non : tout était fermé de ce côté. Il remarqua sur sa gauche la porte d'entrée entrebâillée. La peur, de nouveau. Il l'avait lui-même verrouillée avant d'aller se coucher. Loïc ? Il songea à ses insomnies et ses problèmes de sevrage.

Il s'avança sur le seuil : rien à signaler. Il prit le temps d'admirer le paysage. La nuit était plus claire que l'intérieur de la maison. Sous la lune, aussi jaune qu'un citron coupé, la lande offrait un tableau phosphorescent. Les heures nocturnes avaient fait le ménage, balayant pluie et nuages, révélant un ciel de faïence indigo éclaboussé par des millions d'étoiles. Plus loin, au-delà des rochers qui dans cette lumière évoquaient des blocs de marbre blanc, se déployait une mer lisse, vernie, et comme fissurée à l'infini.

Erwan verrouilla la porte, déjà frigorifié, et retourna à la cuisine. Il n'eut pas le temps d'allumer que le claquement retentit à nouveau. *Fuck.* Il revint sur ses pas et réalisa que la chambre de sa sœur était ouverte. La fugueuse de l'aube ?

– Gaëlle ? appela-t-il à mi-voix.

Il tenait toujours son portable en position torche, mais dirigé vers le sol.

– Gaëlle ?

En pénétrant dans la pièce, il aperçut le carré bleu de la fenêtre ouverte. Lentement, il releva sa lampe : Gaëlle n'était pas dans son lit. Machinalement, il passa son faisceau autour du sommier puis…

Son geste se bloqua. Cœur à l'arrêt. Sang pétrifié. Même son cerveau se refusait à produire la moindre pensée. La dernière qu'il avait conçue avait enrayé la machine.

Gaëlle était morte.

Un seul coup d'œil sur son corps au pied du lit lui suffit. Vingt ans à bitumer et à tutoyer les cadavres, aucun doute de ce côté. Il s'obligea à braquer le rayon sur le corps. Gaëlle se tenait à l'oblique du sommier, la tête tournée vers la porte de la salle de bains. Sa position rappelait celle d'Audrey à Louveciennes – paumes relevées, bras en angle droit – mais une cambrure traversait tout son corps comme un éclair de mort.

Elle avait été égorgée. Un coup net d'Opinel dans la gorge, une ou plusieurs carotides sectionnées et le cœur avait déversé toute la vie de sa sœur sur le carrelage. La flaque dans laquelle elle baignait évoquait une auréole macabre, luisante comme de l'encre de Chine.

Avec un temps de retard, Erwan réalisa qu'il était en train de mordre sa main libre pour ne pas crier – il ne voulait pas réveiller Loïc. Pas maintenant. Pas tout de suite. *Regarde encore.*

Le tueur avait travaillé vite, avec la dextérité d'un chasseur. Après avoir dénudé l'abdomen, il avait pratiqué, d'un geste sûr, une incision verticale d'une trentaine de centimètres au milieu du ventre et écarté les bords de la blessure. À l'évidence, il avait fourragé dans le sang et les viscères – pour quoi faire ? Y glisser quelque chose ? Pratiquer des ablutions d'épouvante ? Prélever des organes ?

– Qu'est-ce qui se passe ?

Loïc derrière lui. Erwan baissa d'un coup sa torche et revint vers le seuil.

– N'avance pas !

Loïc bouscula son frère. Le clair de lune suffisait pour distinguer le corps mais il arracha le téléphone des mains d'Erwan et le braqua vers la dépouille. Le faisceau tressauta quelques instants puis disparut : Loïc venait de tomber à genoux.

Maintenant. Erwan savait qu'il devait le faire, précisément à cet instant. Il était flic. Il était enquêteur. Il tira sur sa manche afin de ne pas laisser de nouvelles empreintes puis chercha le commutateur. Le cadavre jaillit dans la lumière. Loïc hurla, la tête entre les mains, pour ne pas voir *ça*.

L'inscription que le tueur avait tracée sur le mur blanc avec le sang de Gaëlle.

PLUS QUE DEUX

Ces lettres rouges leur étaient adressées : aux frères, aux damnés, à ceux qui venaient de perdre toute raison de vivre. *À l'exception de la vengeance.*

« Vous croyez le chercher mais c'est lui qui est à vos trousses… », avait dit Lassay. Erwan n'avait pas assez pris en compte l'avertissement. Il avait considéré Pharabot comme une bête traquée qui serait abattue à la première occasion. Encore une fois, il s'était trompé.

La bête traquée, c'était lui. Lui et ce qui restait de sa famille.

Il revint à l'instant présent, son métier fit le reste. Les lettres brillaient encore sur l'enduit, le sang par terre n'était pas sec : le salopard n'avait que quelques minutes d'avance.

– T'as emporté ton calibre ? demanda-t-il à Loïc toujours à genoux.

– Qu… quoi ?

– Je te demande si t'as pris le 9 mm que tu viens d'acheter.

Erwan ne quittait pas des yeux l'inscription immonde. Le tueur était bien renseigné – il devait considérer que Maggie était déjà passée de l'autre côté.

– Il est dans ma chambre.

– Monte le chercher et retrouve-moi dehors. On va se le faire.

Quand Loïc le rejoignit, il était en train d'observer le sol sous la fenêtre de la chambre de Gaëlle (il avait pris une grosse torche dans le tiroir de la cuisine). *Pas la moindre putain de trace.* Le sol était gelé, aussi dur que du permafrost.

– Écoute ! haleta Loïc.

Erwan tendit l'oreille et perçut, comme enserré par le givre, le bourdonnement d'un moteur. Le fumier quittait l'île à bord de son bateau. Sans un mot, les deux frères s'élancèrent vers l'amer du Rosédo. Ils coururent durant quelques secondes et parvinrent au pied du phare sur la côte sud-ouest.

Juste à temps pour voir s'éloigner un Zodiac, dessinant un liseré d'écume sous le ciel fourmillant d'étoiles.

– C'est foutu…, murmura Loïc.

Erwan songea au Boston Whaler de Grégoire mais le bateau mouillait à au moins dix minutes à pied, autant dire une éternité, surtout si le tueur avait décidé de rejoindre le continent à la pointe de l'Arcouest.

À cette pensée, il releva les yeux et ne vit plus rien : le Zodiac avait disparu sous la pleine lune – ce qui signifiait qu'il avait filé plein ouest et non vers l'île Sud.

– L'enfoiré…, murmura-t-il. Il retourne au bercail, à Charcot.

Cette conviction appela une autre idée. Il saisit son portable au fond de sa poche. Avant d'abandonner la partie, il voulait tenter un baroud d'honneur.

132

SEPT HEURES DU MATIN : l'heure du petit déjeuner chez les troufions. Erwan avait composé le numéro de l'école aéronavale de Kaerverec, la K76. Il s'expliqua brièvement auprès du caporal qui venait de décrocher et prononça le nom magique : Bruno Gorce.

Enfin, on lui passa le lieutenant « Progresser ou mourir », le troisième année le plus prometteur de sa promotion.

– C'est Erwan Morvan.

Bref silence, puis un long sifflement, entre admiration et ironie.

– Eh ben, mon canard…

Malgré lui, du fond de sa détresse absolue, Erwan sourit : il retrouvait le salopard qui avait tenté de le tuer à coups de sabots dans les thermes de Kaerverec. Un pur militaire qui voyait la vie en kaki et la mort en tricolore. Une arme de destruction chirurgicale, agrémentée de quelques galons d'or aux épaules – pour sourire au soleil.

– T'appelles pour le match retour ?

– Je t'offre le meurtrier de Wissa Sawiris sur un plateau.

– Qu'est-ce que ça peut me foutre ?

– Le gars qui a poussé di Greco au suicide.

Nouveau silence, qui s'éternisait. Erwan fut pris d'un doute. Un œil à l'écran : toujours en ligne.

– Qui c'est ? demanda enfin le militaire.

– Trop long à t'expliquer. Un cinglé qui compte une vingtaine de morts à son actif, dont la moitié depuis septembre.

– Pourquoi tu t'en charges pas ?

– Ma hiérarchie m'a lâché.

Gorce éclata de rire :

– Tu veux dire qu'elle cherche à t'arrêter par tous les moyens !

– Exactement.

– Et pourquoi je t'aiderais ?

– Parce que le gibier est à quelques kilomètres de ta base.

– Où exactement ?

– Tu viens d'abord nous chercher. On est au pied du phare du Rosédo, à Bréhat.

– C'est qui, « on » ?

– Mon frère et moi.

Nouveau ricanement. S'il avait eu Gorce en face de lui, il lui en aurait sans doute collé une, mais la distance permettait d'éviter le pire et – peut-être – de trouver un terrain d'entente.

– J'ai passé l'âge de torcher des bleusailles.

Erwan se mordit la lèvre pour réprimer une injure. Sous le clair de lune, le décor ressemblait à un négatif argentique. La terre miroitait, la mer frémissait. Le vent lui passait dans la chair. Tout son organisme brûlait d'une amertume acide.

– Gorce, il vient de tuer ma sœur. Dans notre baraque familiale, à Bréhat. Il nous a échappé de peu en Zodiac. Je pense qu'il est en route pour Locquirec. Il va tenter de rejoindre l'UMD Charcot.

– La fabrique des monstres ? demanda le lieutenant sur un ton sinistre.

– C'est de là qu'il vient. C'est là où il a été… créé.

Gorce retrouva une voix claire et sèche – celle de l'appel du matin, au pied du drapeau :

– J'ose pas dire que t'as du bol mais on a un Super Puma en ce moment pour des manœuvres d'entraînement. Tu m'en devras une, ducon. Les bons comptes font les bons ennemis.

133

LES CLAQUEMENTS des pales lui tailladaient les nerfs. La cabine, parois nues, sol de métal, banc central équipé de ceintures, avait plus à voir avec le Cessna où son père avait été tué qu'avec un habitacle tout cuir pour VIP. L'espace pouvait accueillir une douzaine de soldats mais ils n'étaient que huit (en comptant les deux pilotes à l'avant), assis dos à dos, harnachés, prêts à combattre.

Erwan ignorait comment Gorce avait pu faire décoller cet engin monstrueux – un AS332 Super Puma – au nez et à la barbe de ses officiers supérieurs mais il aurait pu remercier Dieu pour ça. Et aussi pour l'efficacité des lascars – entre son appel et l'apparition de l'hélico au-dessus du Boston, il ne s'était pas écoulé vingt minutes.

Si leurs prévisions étaient justes, il était encore possible de choper Pharabot soit sur mer, soit sur terre, avant qu'il ait regagné l'UMD.

Loïc n'était pas sûr du modèle exact du Zodiac ni de la puissance de son moteur mais le fugitif avait une cinquantaine de kilomètres à parcourir, ce qui lui prendrait au moins une heure. Il leur restait donc moins de trente minutes pour le repérer et l'abattre – sur l'objectif final de la mission, tout le monde était d'accord. Pas question de capturer Pharabot ni de lui laisser finir ses jours au chaud dans l'institut, sur fond de bouillons tièdes et de programmes TV.

Gorce, qui scrutait la côte derrière le hublot, abandonna ses jumelles et vint s'asseoir près d'Erwan. Il écarta une oreille de son casque émetteur et cria :

– Les gars que tu vois là sont les meilleurs pilotes de leur promotion. Sur terre, ce sont les combattants les plus fiables sur qui je puisse m'appuyer. Ils se feraient couper un bras pour ma pomme.

– C'est prévu, non ?

La phrase de provocation – allusion au programme no limit et aux automutilations que Gorce exigeait de ses hommes – lui avait échappé.

– Recommence pas avec tes conneries ! cracha le lieutenant en retournant à son poste d'observation.

Erwan acquiesça d'un signe silencieux. Pas le moment de jouer au malin, en effet. Avec Loïc, ils étaient maintenant vêtus comme leurs hôtes : veste et pantalon de treillis de type guérilla, en toile hydrofuge et ignifugée, gilet tactique d'assaut, équipement radio de tête… Il ne leur manquait que le principal : le fusil FAMAS F1 5.56 x 45 mm avec aide à la visée et le calibre de poing HK USP semi-automatique 9 x 19 mm Para. Gorce n'avait rien voulu entendre : les Morvan pouvaient participer à la battue mais ils devaient rester en retrait. S'ils tombaient sur la bête, ils ne pourraient qu'aboyer, c'est-à-dire prévenir les autres par radio. Tout ça n'était déjà pas si mal – et pour dire la vérité miraculeux.

Ils avaient déjà couvert les deux tiers de la distance séparant Bréhat de Locquirec et venaient de dépasser la réserve naturelle des Sept Îles sans apercevoir une embarcation susceptible d'être celle de Pharabot. Le doute : le tueur avait peut-être filé vers la baie de Saint-Brieuc, à l'est ? Dans ce cas, ils lui tournaient carrément le dos.

– On arrive dans la baie de Lannion ! hurla Gorce pour couvrir le fracas des rotors. On va se rapprocher des côtes et descendre. C'est marée basse : ton gars ne peut plus aller très loin. Dès qu'on le repère, on lui chie quelques rafales et on se pose.

Erwan éprouvait une profonde reconnaissance envers le lieutenant – et aussi une forme d'admiration : ce soldat qui avait essayé de le tuer deux mois auparavant avait, sur un coup de fil, balayé tout grief. Il n'aurait pu trouver meilleur partenaire : ses qualités de chef militaire et sa capacité à réagir dans l'urgence, hiérarchie ou pas, étaient exceptionnelles.

– Et si on le repère pas ? demanda-t-il en écho à ses propres incertitudes.

– Ça signifiera que même pour un flic, t'es vraiment plus con que nature.

– C'est tout ?

– Non. Ça peut aussi vouloir dire qu'il est allé plus vite que prévu et qu'il a réussi à accoster aux alentours de Locquirec. On survolera alors la zone et on se le fera dans la lande.

– Et s'il atteint l'UMD ?

– On ira le chercher là-bas.

– Même en cas d'otages ?

Gorce éclata de rire :

– T'es sûr que tu veux le choper, ton salaud ? Sinon, on peut rentrer tout de suite.

Erwan se rencogna sur son banc. Il ne devait pas flancher ni se torturer les méninges. Prendre modèle sur ces guerriers qui se lançaient dans l'aventure sans la moindre question.

Il se leva et observa le littoral par un des hublots. Le jour qui se levait prenait le long des côtes des reflets kaki tout à fait appropriés. Les rochers noirs baignant dans des flaques de vase évoquaient des grumeaux de mazout. Laminaires, varech et autres algues jonchaient le sable humide.

Erwan se prit à imaginer Pharabot, avec sa capuche noire et son calibre, courant dans ce paysage désolé. Parfaite sépulture. Mais combien de balles lui restait-il ? Pas moyen de se souvenir du nombre de coups de feu tirés à la blanchisserie et à bord de son Zodiac.

La voix du capitaine le rappela à la réalité :

– On va dépasser la pointe de Locquirec. Y a que dalle…

– Charcot est plus loin.

– Si on n'aperçoit pas le pneumatique maintenant… Putain !

Chacun tourna la tête dans la direction que Gorce désignait, les yeux vissés dans ses optiques :

– Il a abandonné son canot…

Erwan lui arracha les jumelles et fixa le point à trente degrés au sud-ouest. Un Zodiac de moyenne envergure reposait dans une flaque près d'une grosse bouée jaune – le GPS indiquait : « Plage du Moulin de la Rive ». La surface noire et brillante du pneumatique évoquait le corps huilé d'un phoque.

Au-delà d'une ligne brisée de rochers, des coteaux verdoyants protégeaient une route puis des champs de culture. De nombreuses maisons blanches aux toits gris étincelaient aussi parmi les massifs d'arbres, tous volets clos. Aucune trace de Pharabot.

Gorce reprit ses jumelles et s'adressa à sa troupe – il tenait aussi dans sa main un écran GPS, affichant leur position et celle de l'UMD :

– Y a que trois ou quatre possibilités pour remonter jusqu'à l'asile. (De l'index, il désignait plusieurs chemins qui se découpaient, très nets, parmi les surfaces vertes et grises.) On va se poser sur la plage et se déployer par groupes de deux. Inutile de survoler les terres : il peut se planquer dans les jardins des baraques, dans les bois, sous les arbres qui bordent les sentiers. Maintenant, c'est à pied et c'est la chasse au tigre.

Erwan imaginait la tête des locaux quand le Super Puma atterrirait entre les bouées jaunes et les drapeaux de baignade.

– On sait où il va et il n'a pas beaucoup d'avance. Six à sept minutes à tout casser.

– Comment tu peux en être sûr ? demanda Erwan.

– À cause de la marée, intervint Loïc.

– Ton frère est plus doué que toi, persifla Gorce en tendant son écran. Là-dessus, le reflux est calculé à la seconde près. Si on prend comme repère la position du Zodiac, on peut estimer le moment où il a été contraint de l'abandonner.

Erwan la ferma : il était entouré par des guerriers plus efficaces et plus malins que lui, Loïc compris.

– On n'a plus qu'à courir et à le trouver, reprit Gorce. On avance deux par deux, à l'enculette. Les premiers qui aperçoivent l'objectif préviennent les autres. Facile, non ?

– Et nous ?

– Tu comprends le français ? Avec ton frère, vous formez un binôme : on vous largue sur le chemin le plus éloigné, histoire de réduire vos chances de tomber sur le salopard. Si vous voyez la bite à Paulo frémir, radio, et on débarque.

– Il est armé. On doit être équipés…

– Un GPS et une radio, Morvan : c'est tout ce que t'auras. Pas question de te filer un fusil de l'armée pour que t'allumes ton suspect.

Insiste encore – Loïc l'avait prévenu que les pilotes lui avaient pris son calibre. Erwan se pencha et scella son regard dans les yeux du lieutenant, blindés comme des cartouches de M16.

– Gorce, tu sais qui est ce mec, il a…

L'autre fit claquer la culasse du semi-automatique en guise de point final.

– Tu m'as appelé, je suis venu. Maintenant, c'est de notre ressort. Je laisserai jamais un connard de flic intervenir dans une opération militaire. Laisse faire les pros.

L'hélicoptère perdait de l'altitude. Le paysage se précisait. Les forêts de la côte. La route bitumée. Les cultures et les maisons de villégiature. Un véritable labyrinthe.

– On arrive, annonça Gorce. On va descendre voir plus près si j'y suis.

Il fit un geste énigmatique qui déclencha un frémissement sur les bancs. Les gueules des soldats se fermèrent comme on chambre une arme. Erwan regarda son frère qui semblait avoir gagné lui aussi quelques degrés sur sa propre échelle de Richter.

La guerre commençait. À condition que l'ennemi soit là.

134

QUELQUES MINUTES plus tard, Loïc et Erwan crapahutaient à flanc de coteau, se cassant les chevilles sur les cailloux pour atteindre la route du littoral. Ils franchirent la bande de bitume – pas une voiture – puis s'engagèrent sur le sentier qui s'enfonçait dans un sous-bois. Par réflexe, Erwan jeta un dernier regard à la plage où le Super Puma vrombissait encore, soulevant des colonnes de brume d'eau autour de lui. Les soldats avaient déjà disparu.

Après quelques mètres à couvert, les frères retrouvèrent la lande qui ressemblait ici à une autre mer. L'herbe verglacée brillait par endroits à la manière d'une houle huileuse. Des crêtes de granit surgissaient du sol comme des récifs.

Parvenus au sommet d'un nouveau tertre, ils englobèrent le point de vue à cent quatre-vingts degrés : des bois, des champs, des maisons fermées. Pas le moindre humain. Aucune trace des soldats et encore moins de Pharabot. Ils se regardèrent, haletants : ils n'avaient pas froid – merci les treillis hydrofuges – mais ils étaient déjà épuisés.

Ils repartirent sans un mot. Surtout ne pas s'arrêter ni réfléchir. L'écran GPS d'Erwan n'offrait pas plus d'informations qu'une simple carte touristique. Aucune localisation pour Gorce et ses hommes. Aucune indication sur la route à suivre. Seul le point lumineux indiquant l'institut Charcot les guidait – ils se trouvaient à environ un kilomètre de l'UMD, au sud-est de l'objectif.

Erwan prit une décision : en quittant le sentier et en filant à travers champs, ils pouvaient gagner du temps et rattraper la vraie traque. Pharabot ne devait plus être qu'à quelques centaines de mètres de l'unité. Sans un mot, il montra l'écran à Loïc et eut un geste explicite. Ils coururent, faisant craquer l'herbe rêche sous leurs pas.

Une pinède. Leurs pas étaient maintenant étouffés par les aiguilles mortes. Les arbres se tenaient à une distance raisonnable les uns des autres mais leurs branches tissaient un réseau serré qui effilait la lumière comme une toile d'araignée. À cet instant, Erwan se souvint des pauvres bizutés lâchés à moitié nus et couverts de merde dans la lande, poursuivis par Gorce et ses chasseurs. Ils étaient aujourd'hui à peine mieux lotis et s'ils croisaient Pharabot, l'affaire ne se réglerait pas à coups de paintballs.

Soudain, il saisit la vérité : Gorce n'avait jamais eu l'intention de les aider. Il n'avait pas oublié ses idées de vengeance. Il les avait balancés sans arme ni soutien, devinant qu'Erwan serait incapable de renoncer à l'affrontement et se démerderait pour rattraper Pharabot avant qu'il ne gagne l'institut. Un Pharabot armé qui les abattrait sans hésitation. Stratège militaire, Gorce avait abandonné les Morvan à leur sort – c'est-à-dire à leur tueur. *Plus que deux…*

Au bout de la forêt, le paysage changea radicalement. Face à eux s'ouvrait une prairie aux hautes herbes cernée de bois sur ses quatre côtés, où broutaient de grosses vaches paisibles. Cette quiétude lui parut de mauvais augure : une nouvelle invitation à s'endormir sur ses lauriers. Il passa sous les fils barbelés et stoppa Loïc d'un geste, façon service d'ordre.

– Toi, tu restes ici.

– Mais…

Erwan lui donna la VHF par-dessus la clôture.

– Pharabot est peut-être planqué dans le coin. Si tu le vois sortir, tu utilises la radio. Moi, je continue d'avancer.

– Pourquoi tout seul ?

– Parce qu'on ne sait pas où est le salopard. Il peut jaillir de n'importe où, à n'importe quel moment. Pas la peine de jouer à deux aux pigeons d'argile. Quand j'ai atteint la clôture d'en face, je te fais signe et tu me rejoins.

Loïc acquiesça, la mine crispée.

– Reste à couvert sous les pins et surveille la lisière pendant que je traverse.

Sans attendre de réponse, il s'élança, laissant son frère derrière la clôture. En quelques pas, il avait déjà oublié la mer, la plage, les rochers. Il aurait pu être dans n'importe quel pâturage du centre de la France. Tout danger aussi semblait avoir disparu. Sous le ciel bleu qui moutonnait, entouré de bonnes vaches laitières, difficile de se convaincre qu'on était la cible d'un tueur psychopathe. Pour l'instant, le risque principal était de mettre le pied dans une bouse.

Pourtant, une fois au milieu du champ, il ralentit, se sentant à nouveau surexposé – et même épié. En même temps, il était encore à près de deux cents mètres des bois. Impossible d'être atteint à cette distance.

Il repartit vers la clôture d'en face, se rapprochant par voie logique d'un possible danger. Mais au fond, quelles chances avait-il de tomber sur Pharabot ? Aucune, à moins que le tueur ait décidé de faire un pique-nique sur leur route.

Parvenu aux barbelés, il avait perdu toute détermination. Il se baissait pour passer la clôture quand une balle le frappa en pleine poitrine.

135

ERWAN fit un tour sur lui-même, bizarrement sans chuter. Il voulut se mettre à couvert mais ne parvint qu'à chanceler. Qui avait tiré au juste ? D'où ? Il songea à Gorce et ses talents de sniper. Non, pas Gorce : son code d'honneur lui aurait interdit de le tirer comme un lapin.

Il prit appui sur le fil barbelé alors qu'une douleur suffocante lui déchirait le torse.

Deuxième balle.

Il fut projeté en arrière et tomba sur le dos. La détonation résonnait dans le soleil. Loïc avait dû l'entendre. Et alors ? Tout ce qu'il pouvait faire, c'était prévenir Gorce par VHF et rester planqué. Combien de minutes pour rappliquer ? Deux ? Trois ? Cinq ? Dix ? Largement le temps de mourir.

Erwan groupa son corps et progressa à quatre pattes vers la clôture. Se cramponnant à un poteau, il sondait l'orée de la forêt – Pharabot se planquait à quelques mètres, il en était certain. La douleur irradiait dans sa poitrine. Il n'avait toujours pas regardé sa blessure. Il cherchait plutôt à se souvenir si son gilet tactique possédait des propriétés antiballes. Il porta enfin sa main à son torse. Les plis du tissu, visqueux et chaud : trempés de sang.

Des bruissements de feuilles lui firent lever les yeux. Thierry Pharabot venait de surgir, à une dizaine de mètres sur sa droite. Il tenait encore son bras plié, coude en retrait, façon cow-boy. Il avait tiré à couvert des bois et sa précision révélait une vraie expérience des armes à feu – les beaux restes de son passé de chasseur au Zaïre.

Par réflexe, Erwan rentra la tête dans les épaules et vit Pharabot se glisser sous les fils barbelés. Durant une fraction de seconde, il songea à un catcheur montant sur le ring. *Le match du siècle.*

Il se laissa retomber sur le flanc droit, bras serré sur son ventre, et regarda son adversaire s'avancer lentement. Sa gueule n'avait rien à voir avec le portrait qu'avaient donné les spéculations du logiciel de vieillissement. Il portait de grosses lunettes, modèle Sécu. L'œil droit, démesurément agrandi, paraissait près de sauter de l'orbite. L'autre au contraire, à demi fermé, semblait avoir été enfoncé à coups de poing. Toute chair avait quitté ce faciès, offrant un relief acéré – pommettes aiguës, joues creuses, mâchoires proéminentes. Le pire était la grimace qui retroussait ses lèvres et découvrait ses dents jaunâtres.

Une autre balle.

Cette fois, le sorcier avait tiré le bras tendu.

Erwan tressauta, sa tête pantelante retomba en arrière parmi les herbes humides. *La mort est dans le pré*... Épaules au sol, le décompte pouvait commencer. Un, deux, trois... Se noyer dans l'infini des cieux avant de s'éteindre. Quatre, cinq, six... Combien de balles restait-il au salopard ? Sept, huit, neuf... Il apparut dans son champ de vision et occulta le soleil, pointant son calibre juste au-dessus du visage d'Erwan.

Combien de balles te reste-t-il, enfoiré ?

Pharabot appuya une nouvelle fois sur la détente. Un clic en réponse – arme enrayée ou chargeur vide. Il regarda fixement son arme, hébété, puis la balança au loin, attrapant Erwan par le col et le traînant vers la clôture. Il le poussa contre les barbelés, l'enjamba alors que, dans un grognement, il arrachait du poteau le plus proche le fil supérieur de la clôture. Hagard, Erwan nota sa force : le Babadook ressemblait à un clochard délabré mais les vitamines du bon docteur Lassay lui avaient conféré une puissance surnaturelle.

D'un seul geste, Pharabot enroula autour de la gorge d'Erwan son garrot hérissé d'épis métalliques et, appuyant son genou sur son torse blessé, tira de toutes ses forces. Erwan ne percevait plus rien à l'exception d'une douleur noire qui le traversait de haut en bas.

Pharabot tira encore, les deux poings serrés sur le fil. Erwan haletait comme un poisson à l'agonie : son sang ne montait plus jusqu'à son cerveau mais se déversait à hauteur de sa gorge. Il n'allait même pas revoir sa vie en accéléré. Il devrait se contenter de cette sale gueule bavant au-dessus de lui.

Les barbelures s'enfonçaient toujours. Plus moyen de remuer les membres. Le froid de la mort gagnait ses os. Son rythme cardiaque ralentissait. Des formules émergeaient à la surface de sa conscience comme des bulles volcaniques : « La lame a coupé le larynx au niveau de la glotte », « La pointe a percé l'œsophage et les jugulaires externes », « La blessure est située entre les muscles sterno-cléido-mastoïdiens »... Son propre rapport d'autopsie...

Et puis soudain la moitié du visage de Pharabot qui part en débris sur fond de ciel bleu. Chair, os et yeux se dispersent dans la clarté matinale. La pression du câble se relâcha d'un coup. La tête d'Erwan retomba, menton sur la poitrine. Dans un ultime effort, il leva les yeux et aperçut, très net sur le mur des pins au loin, Loïc courant vers lui. Plus net encore : le calibre dans sa main. Celui que les soldats n'avaient en réalité pas trouvé et que Loïc avait conservé en douce pour buter l'assassin de sa sœur.

Erwan s'efforça de ne plus respirer pour économiser ses dernières gouttes de sang. *Pas facile.* Encore une fois, des mots absurdes envahissaient sa cervelle : « portée de tir », « tenue sur trajectoire », « énergie dissipée », « puissance du vent », et aussi pas mal d'autres termes de balistique dont il avait oublié le sens. Tout un tas de paramètres qui rendaient aléatoire le sort d'une balle tirée à cette distance.

Pas pour Loïc.

Par un prodige de virtuose, il avait réussi à toucher sa cible à plus de deux cents mètres – et pas qu'un peu : le fait qu'il lui ait tout simplement éclaté le crâne signifiait qu'il avait conservé l'énergie maximale de la balle et maintenu sa trajectoire dans toute sa pureté. Loïc avait conclu un pacte avec le plomb et le feu.

Juste avant de s'évanouir, Erwan perçut un bourdonnement au-dessus de sa tête. Il essaya de bouger, le collier de barbelés lui interdisait tout mouvement et ses paupières devenaient trop lourdes. Pourtant, malgré le glas de son cœur, de plus en plus lent, de plus en plus sourd, il identifia le Super Puma.

Ils étaient repérés. Ils avaient gagné. Il allait être sauvé. En un bref sursaut, Erwan ouvrit les yeux et cilla face au soleil. Dans un éclair blanc, il mit une seconde à saisir ce qu'il voyait : parmi les herbes couchées par le souffle des pales, Loïc à genoux sur Pharabot lui arrachait ce qui lui restait de visage en hurlant le nom de Gaëlle.

136

LOÏC était seul aux funérailles de Gaëlle. Et Gaëlle était seule dans le caveau de Montparnasse.

Il n'avait prévenu personne, à l'exception de Sofia qui avait voulu l'accompagner. Il avait refusé. Ces obsèques achevaient un chemin de croix qu'il avait mené en solitaire durant quatre jours, d'abord à Brest, à la morgue de la Cavale blanche, puis dans la salle frigorifique d'une entreprise parisienne de pompes funèbres : la même qui avait mis leur père en bière. Après l'autopsie, il avait fait venir de Paris le meilleur thanatopracteur pour qu'il refasse une beauté à Gaëlle (il s'était battu avec Clemente, le médecin légiste brestois, pour qu'on ne lui rase pas la tête). Il l'avait ensuite habillée lui-même dans une pièce aussi froide qu'une chapelle, l'odeur d'encens en moins, puis avait supervisé son transfert en avion. Le trajet inverse, à quelques détails près, de celui qu'il avait organisé pour le cercueil de son père.

Depuis l'affrontement avec Pharabot, Loïc était un somnambule prisonnier de son cauchemar. Fixant son objectif – offrir des obsèques discrètes et irréprochables à sa sœur –, il n'avait jamais regardé ailleurs, repoussant toute pensée qui n'aurait pas concerné ces procédures. Lâcher la bride à son esprit, c'était le faire exploser. Il avait navigué ainsi, de jour comme de nuit, toutes voiles baissées, moteur en bas régime, redoutant le grand vent du désespoir et de la folie qui guettait.

Par miracle, Erwan avait survécu. L'hélicoptère l'avait directement transféré à la Cavale blanche – à ce moment, il avait sombré dans le coma. « Tant mieux », avaient dit les toubibs. Pour subir les interventions que son état nécessitait, mieux valait ne plus avoir conscience de rien. Erwan avait reçu trois balles. La première l'avait atteint sous la clavicule gauche, traversant les tissus puis ricochant sur l'omoplate avant de ressortir. Cette blessure, pourtant la plus proche du cœur, était la moins grave. La deuxième balle avait pénétré l'abdomen, dévié son trajet après avoir frappé la douzième côte puis s'était enfouie dans l'estomac. Son extraction avait demandé plus de deux heures de travail. Le troisième projectile s'était logé dans l'aine droite, détruisant muscles et tissus mais sans toucher le moindre organe.

Le plus critique avait été de stopper l'hémorragie interne et de réparer la gorge. Les barbelés avaient déchiré la trachée, le larynx et touché l'œsophage. Après avoir suturé les plaies, les médecins s'étaient attaqués aux cordes vocales, aux muscles thyro-aryténoïdiens et aux bandes ventriculaires. Plusieurs heures supplémentaires avaient été nécessaires et les chirurgiens – dont deux venus du Val-de-Grâce – n'étaient pas optimistes.

Vingt-quatre heures d'attente encore pour être sûr que le pronostic vital n'était plus engagé mais la question des séquelles demeurait entière : le foie avait morflé et il était peu probable qu'Erwan retrouve l'usage de la parole. Loïc avait accueilli cette dernière nouvelle avec fatalisme : ce qui comptait, c'était que l'aîné reste à bord. De toute façon, s'était-il consolé dans son hébétude, Erwan n'avait jamais été très bavard.

Loïc avait pris une chambre à Brest mais n'y avait pas mis les pieds. Il campait à l'hôpital et, quand il n'était pas au chevet de son frère, il se tenait, deux étages plus bas, auprès de la dépouille de sa sœur. Il demeurait là, les yeux exorbités, à l'observer.

Parfois, il lui parlait à voix basse ou chantonnait les paroles du vieux tube de Cat Stevens :

My lady D'Arbanville
You look so cold tonight
Your lips feel like winter
Your skin has turned to white...

Loïc s'ébroua. L'hommage du prêtre touchait à sa fin. Pourquoi un prêtre ? Il n'avait pas eu la force de refuser l'option classique. En revanche, quand l'homme d'Église lui avait demandé de décrire la personnalité de sa sœur, il avait répondu : « Elle n'avait rien de spécial. Surtout, faites court. »

Qu'aurait-il pu dire ? Que toute son adolescence elle n'avait eu de cesse de se détruire en s'affamant ? Qu'elle avait ensuite cherché à exister à rebours, en faisant la pute ? Que son seul rêve, le cinéma, n'avait pas voulu d'elle ?

– Par ici, s'il vous plaît.

Le prêtre l'invitait à pénétrer dans le caveau et à se placer près de la fosse, afin d'y lancer la rose qu'on lui avait donnée. *Du déjà-vu*. Erwan avait eu raison de refuser le coup de la fleur pour leur père. Loïc aurait dû faire pareil aujourd'hui.

– Si vous voulez, vous pouvez vous recueillir un instant.

– Non, fit-il en balançant sa rose par terre.

L'officiant prit un air compatissant qui l'exaspéra encore plus. Quoi qu'il fasse, l'homme ressemblait à un produit de série. Rien d'original ni de sincère ne pouvait émaner de lui.

– Refermez tout, ordonna Loïc aux ouvriers qui attendaient sur le seuil. Je vous remercie, mon père.

Sur ces mots, il tourna les talons et partit en direction du boulevard Edgar-Quinet, à travers les allées désertes, se tenant bien droit pour ne pas céder au vertige du vide. Maintenant que Gaëlle était inhumée, il n'avait plus rien à faire ni à penser. Ou plutôt, au contraire, plus rien pour se protéger contre le déferlement de désespoir qui le menaçait depuis Locquirec.

Une fois sur le boulevard, il décida de rentrer à pied. Il n'utilisait plus son Aston Martin. La voiture était abandonnée dans son parking tel un jouet qui avait cessé de plaire. Il n'avait pas foutu non plus les pieds à Firefly Company, sa propre société, depuis près d'un mois. Ses partenaires n'étaient pas des lumières mais ils éclairaient assez pour pouvoir se passer de lui pendant quelques semaines.

Boulevard du Montparnasse. En s'orientant vers les Invalides puis en suivant les quais jusqu'au Trocadéro, il pourrait être chez lui en moins d'une heure. Il verrouilla toute pensée concernant Gaëlle et se décida à remonter le fil des évènements des derniers jours.

Après l'élimination de l'Homme-Clou, il avait fallu mettre au point un scénario présentable. Un mort, c'est toujours un problème. Mais quand il est déjà officiellement froid depuis trois ans, cela devient un putain de casse-tête. Pascal Viard, qui était visiblement impliqué dans ce merdier, s'était chargé d'enterrer une deuxième fois Thierry Pharabot en inventant un nouveau tueur, soi-disant échappé de l'institut Charcot. Après tout, le cadavre avait le visage en bouillie.

Version officielle : Erwan Morvan poursuivait depuis plusieurs jours le fuyard qui avait abattu un de ses hommes – en l'occurrence une femme, Audrey Wienawski. Le fugitif lui avait échappé une première fois dans le parc d'activité des Marais de Gennevilliers mais le flic l'avait traqué jusqu'en Bretagne et l'avait abattu en état de légitime défense. Quant à l'intervention (totalement illégale) des pilotes de l'école aéronavale de Kaerverec, Viard avait pris le « cocu par les cornes », comme disait Morvan, et clamé avoir lui-même appelé en urgence les soldats les plus proches du lieu de l'affrontement.

Les journalistes avaient gobé ce tissu de conneries lors d'une conférence de presse menée par Viard *himself* à Brest, le samedi 24 novembre, en présence du procureur du parquet de Quimper, du lieutenant-colonel Verny, chef de la section de recherches des gendarmes saisie de l'enquête, du colonel Vincq, responsable de l'école aéronavale de Kaerverec, ainsi que d'une grande asperge poivre et sel nommée Jean-Louis Lassay, le patron de l'institut Charcot, qui n'avait pas dit un mot, affichant un air contrit.

Loïc, qui assistait discrètement au spectacle, n'en croyait pas ses oreilles. Du reste, il ne tenait pas non plus à ce que la vérité éclate – c'était lui qui avait abattu Pharabot avec un semi-automatique non homologué, sans le moindre permis de port d'arme.

On s'était rapidement focalisé sur l'UMD Charcot et les règles de sécurité de ce type de sites de soins. La sempiternelle question de la dangerosité des malades mentaux était revenue sur le tapis, comme après le « drame de Pau », en 2004. On s'était aussi interrogé sur un lien possible entre l'affrontement de Locquirec et le Fort Chabrol qui avait défrayé la chronique deux mois auparavant, dans la même zone. Réponse catégorique du procureur : aucun.

Sans réellement connaître les coulisses de l'affaire, Loïc avait pourtant deux convictions. La première : Viard et Lassay étaient mouillés jusqu'à l'os dans l'étrange renaissance de Pharabot. La seconde : Erwan avait découvert leurs sinistres combines et était devenu un témoin gênant. Si bien que Loïc avait surveillé de près les perfusions et les injections administrées à son frère à la Cavale blanche et s'était battu pour qu'on le rapatrie dès le dimanche à Paris, dont l'air lui paraissait plus « sain ».

Quand il avait débarqué dans l'appartement d'Erwan, il avait eu confirmation de ses soupçons. Tout avait été fouillé, les meubles désossés, les murs sondés, les lattes du parquet retournées. Rien n'avait été négligé. Les gars de Viard avaient-ils trouvé ce qu'ils cherchaient ?

Oui et non. Oui, parce que Erwan leur avait laissé un os à ronger : son ordinateur portable et son disque dur qui contenaient les grandes lignes de l'enquête et des fragments de pièces à conviction et de témoignages. Non, parce que les véritables documents, ainsi que les cahiers où Erwan avait rédigé le détail de ses investigations, étaient ailleurs.

Tout était planqué dans le boîtier de commande du système de climatisation du parking jouxtant son immeuble. Loïc avait scrupuleusement respecté les instructions de son frère, semant au passage les deux flics qui lui filaient le train. Visiblement, Viard et ses sbires étaient anxieux de savoir ce qu'Erwan avait réellement découvert.

Loïc avait ouvert la boîte à l'aide d'un tournevis, emporté les cahiers et les documents – PV d'audition et photos annexés à la procédure soigneusement classés dans des pochettes plastique ou séparés par des intercalaires, un matériel d'écolier qui lui avait serré le cœur – puis s'était enfermé chez lui. Sa lecture lui avait pris la nuit du dimanche au lundi. Erwan avait tout consigné, d'une écriture minuscule qui trahissait son obsession. Deux fois quatre-vingt-seize pages. Loïc avait suivi chaque étape de ses enquêtes, la française et l'africaine. S'y ajoutaient les témoignages, les photos, les indices auxquels renvoyaient les différents passages des notes à l'aide d'alinéas et de numéros. Il fallait aussi compter sa dernière entrevue avec Jean-Louis Lassay, quelques heures avant les funérailles du Vieux, qu'Erwan avait retranscrite dans un troisième cahier que Loïc avait trouvé à Bréhat. Sur le coup, il n'avait rien compris à ce texte isolé mais à présent, la pièce s'accordait parfaitement à l'ensemble du puzzle.

Maintenant, il était de retour chez lui, prêt à rembobiner le film des enquêtes successives. Trempé de pluie, il se réchauffa sous une douche et se replongea aussitôt dans les cahiers de l'aîné, constatant au passage que depuis Bréhat, il n'avait pas pensé une seule fois à la drogue ni ressenti la moindre souffrance du manque : le poison qui lui tenait lieu jusqu'ici à la fois d'air, d'eau et de nourriture avait été remplacé par une extrême tension nerveuse. Plus précisément, c'était le désir de vengeance qui l'animait.

L'exécution de Pharabot était loin d'avoir apaisé Loïc. Le dossier d'Erwan lui paraissait receler encore un coupable caché. Du moins l'espérait-il. Ce n'était pas l'enquête qui était inachevée mais lui-même. Il voulait encore faire couler le sang. Détruire pour apaiser sa colère. Jean-Louis Lassay ? Pascal Viard ? D'autres noms encore, situés plus haut sur l'échelle des responsabilités ? Pas question. Ces enfoirés étaient coupables mais pas au sens organique du mot : ils n'avaient assassiné personne directement – du moins dans cette affaire.

Patience… Il trouverait bien un autre ennemi pour assouvir sa soif. Alors seulement, il pourrait remettre les compteurs à zéro et rejoindre le monde des hommes ordinaires.

137

ERWAN avait demandé à Loïc d'acheter deux portables bon marché fonctionnant avec des cartes prépayées. Ainsi, ils pourraient, espérait-il, s'envoyer des textos, l'un en face de l'autre, et se donner l'illusion d'une communication spontanée. Il s'était vite avéré qu'il était incapable de taper quoi que ce soit sur un clavier de mobile – avec trois blessures par balle et la gorge en charpie, impossible de se lancer dans un concerto en touches mineures.

On en était revenu à la bonne vieille ardoise Velleda, comme à l'école – et encore, Erwan maniait avec difficulté son feutre : l'échange ne pouvait excéder quelques phrases.

– COMMENT ÇA S'EST PASSÉ ?

En soins intensifs, troué de perfusions et de capteurs, cerné de machines qui le surveillaient, le nourrissaient, le sondaient, Erwan s'envisageait comme un guerrier en sursis. Rien à envier à Maggie. *Comment allait-elle celle-là* ? Il s'en préoccuperait plus tard. D'abord les obsèques de Gaëlle.

– Triste, répondit simplement Loïc.

Erwan ne pouvant plus parler, il espérait que son frère développerait. Mais non, c'était encore lui, avec son marqueur, sa main tremblante et son cerveau plâtré par la morphine, qui devait relancer la conversation.

– SOFIA ÉTAIT LÀ ?

– Elle voulait venir. J'ai refusé. Je voulais être seul avec Gaëlle.

Par-dessus son masque à oxygène, il considéra son frère. En quelques heures, Loïc lui avait sauvé deux fois la vie. Il avait éliminé l'Homme-Clou grâce un tir digne du *Guinness Book* et cédé à la pire des sauvageries en arrachant à mains nues le visage du monstre. Cette violence allait de pair avec sa bravoure spectaculaire. Exit le Loïc couard et drogué. Bienvenue au tueur à sang de serpent. Cette métamorphose se lisait sur son visage. Traits creusés, durcis, comme les stries d'un fossile qu'on découvre en brisant sa guangue de pierre.

Quand Erwan était revenu à lui, le frangin était à son chevet, vêtu comme un cosmonaute. Tableau réconfortant et inversion complète. Le tox de la famille en était devenu le pilier et lui, l'homme fort du clan, un camé, aux veines saturées de drogues.

Il ne souffrait pas. En réalité, il n'éprouvait rien, réduit désormais à un cerveau, tout petit, flottant dans un corps rafistolé. Pas question non plus de céder au chagrin. Pour envisager la mort de Gaëlle, il fallait être en pleine forme. Quant à reprendre les éléments de l'enquête, il comptait bizarrement sur Loïc pour assembler tous les morceaux. Lui avait fait son temps. Il avait voulu comprendre les origines du clan et le résultat était qu'il n'y avait plus de Morvan, ou presque.

Son désir de vengeance s'était dilué lui aussi dans la morphine. Pharabot était mort. À quoi bon châtier Jean-Louis Lassay ? Le toubib finirait par remiser ses flacons et ses neuromédiateurs. Tout ça passerait au rayon pertes et profits de la recherche scientifique occulte, financée par l'État. Tous ces morts auraient au moins valeur de révélateur : les recherches du beau JL étaient calamiteuses.

Ne subsistait dans ce carnage qu'un sujet ouvert : lui-même. Il allait s'en sortir, il le sentait au fond de son corps, mais pas question de récupérer sa voix. On lui avait déjà parlé de prothèse, de larynx artificiel, tout un tas de trucs peu ragoûtants et incompatibles avec son boulot de flic.

– MAGGIE ? se força-t-il à écrire sur son ardoise.

– Je vais la voir après. État stationnaire. D'après les toubibs, il ne peut plus y avoir d'amélioration.

Erwan suffoquait sous ses bandages. D'un coup, il se prit à rêver qu'on lui inflige le même traitement qu'à sa mère, empaquetée dans des glaçons.

Une dernière pour la route :

– LES CAHIERS ?

– Faut que je les relise.

Loïc demeurait immobile, debout face au lit, raide comme un garde suisse. Depuis la veille, pas un mot sur ce qu'il avait lu, pas un commentaire sur les détails qu'il avait découverts. Erwan avait voulu qu'il sache. Cette vérité était son seul testament – en tout cas sa meilleure enquête – et son frère, dernier Morvan debout, devait la protéger.

Finalement, Erwan craqua. Ardoise. Coups de feutre :

– QU'EST-CE QUE T'EN PENSES ?

– Trop tôt pour te répondre, j'te dis. Je vais tout relire, tout mûrir.

S'il n'avait pas été dans les vapes ni bandé des épaules jusqu'aux oreilles, Erwan aurait éclaté de rire. Loïc avait maintenant des postures de flic mutique et c'était lui qui quémandait des commentaires.

Pour l'heure, il laissait filer, comme le reste. Il n'avait plus aucune conscience du temps : il vivait dans une chronologie dilatée, où six heures du matin équivalait à midi, où quelques minutes étaient aussi pénibles (ou légères, selon la dose de morphine qu'on lui administrait) à supporter que plusieurs heures. Sans compter le sommeil qui plongeait, sans prévenir, sa maigre conscience dans de longs tunnels ouatés.

Il se rendit compte que le frangin se penchait vers lui. Premier sourire de la visite.

– J'y vais, mumura Loïc en l'embrassant (chez les Morvan, on apprenait les bonnes manières sur le tard). J'ai des trucs à faire.

Erwan attrapa son ardoise :

– QUELS TRUCS ?

– Le ménage, sourit encore une fois Loïc. Chez toi.

138

– M'SIEUR MORVAN ! J'ai du courrier pour vot'frère !

La concierge l'arrêta alors qu'il déverrouillait la porte vitrée du hall. Loïc prit les enveloppes en la gratifiant d'un sourire. La femme sans âge lui demanda aussitôt des nouvelles d'Erwan mais il s'enfuit par les escaliers en marmonnant quelques mots.

Dans l'appartement saccagé, il n'avait touché à rien. Il s'était contenté d'interroger la gardienne, qui n'avait rien entendu, était allé directement au parking récupérer les cahiers et les documents puis était rentré chez lui avec son butin.

Maintenant, il allait remettre la place en état – c'est-à-dire lui redonner l'air de frigo aseptisé qu'affectionnait Erwan. Sacs-poubelle de deux cents litres, modèle chantier, gants Mapa, masque antipoussière, boîte à outils : il se déshabilla et se mit au boulot.

Première tournée : ramasser tout ce qui était irrécupérable. Il remplit ainsi cinq sacs, dont deux de gravats. Erwan était bon pour se racheter une cuisine et une salle de bains. Deuxième tournée : regrouper les vêtements, le linge à peu près intact et les empiler dans un coin. Les fouineurs avaient éventré la literie, détruit le sommier, bousillé les meubles, fracassé la télévision : il entassa l'ensemble dans l'entrée et sortit le matelas sur le palier.

Pour éliminer la poussière de plâtre, il avait loué un aspirateur de chantier. Une fois l'appartement déblayé, il y vit plus clair. Maintenant, attaquer le dur – le bricolage. Une étape redoutable car il n'avait jamais planté un clou de sa vie.

Il essaya d'ajuster les lattes de parquet sur les solives. En vain. De replacer les portes sur leurs gonds. Pas moyen. Il tenta, symboliquement, de fixer à nouveau les tringles démantibulées afin de suspendre les rideaux qui avaient été arrachés. Rien à faire.

Au bout de deux heures d'efforts inutiles, il renonça. Il appellerait des pros. Pour l'effort physique, il avait plutôt intérêt à reprendre sa gymnastique et la course à pied.

Au moins aujourd'hui, il avait largué quelques litres de sueur et, durant trois heures, n'avait pensé à rien d'autre qu'à des galères d'huisseries, d'enduits ou de numéros de vis. La nuit était tombée. Il voulut allumer, plus une seule lampe ne fonctionnait hormis celle de la salle de bains : en ouvrant large la porte, le halo éclairait le salon jusqu'à la cuisine.

Loïc retourna dans l'entrée, fouilla dans un des sacs-poubelle, dégota une casserole sans manche et quelques pincées du thé épicé qu'il offrait à tous les membres de la famille. Dans ce curieux clair-obscur, il se fit chauffer de l'eau et dénicha un mug intact ainsi qu'une minuscule passoire. En s'aidant d'un torchon, il attrapa sa casserole brûlante, fit couler un filet d'eau dans le filtre rempli de thé posé sur le mug.

Soudain, cette cérémonie solitaire lui entailla l'estomac : il n'aurait plus grand monde à qui offrir ses thés de Shangri-la et ses chaussons fourrés en poil de yack. Plus personne avec qui s'engueuler ni se réconcilier. Par association d'idées, il réalisa qu'il avait oublié d'aller voir Maggie. Mais à quoi bon, au fond ?

Distraitement, il se pencha sur le courrier d'Erwan qu'il avait laissé sur le comptoir de la cuisine. Une enveloppe kraft, format A4, attira son regard : un des coins était bardé de timbres colorés provenant de Belgique. Loïc s'en empara et sa bouche s'assécha d'un coup – un sigle indiquait : « Université catholique de Louvain-la-Neuve ». Il avait les notes d'Erwan bien en tête :

sa première enquête s'était achevée là-bas. Le témoignage d'un Père blanc, psychiatre et ethnologue, avait permis d'identifier Nono, l'assistant de l'Homme-Clou, l'enfant traumatisé qui était devenu Philippe Kriesler, alias Kripo.

Erwan avait-il recontacté le religieux ? Loïc déchira l'enveloppe et découvrit des tirages noir et blanc accompagnés d'une lettre écrite en pattes de mouche. Il se dirigea vers la salle de bains en quête de lumière.

La lettre rappelait qu'à la suite de la fermeture d'un des dispensaires des Pères blancs au Katanga, le père Krauss (l'auteur de la lettre) avait récupéré certaines archives dont ces photos qui pourraient peut-être aider Erwan dans son enquête. Le psychiatre arrivait après la bataille mais Loïc passa tout de même en revue les clichés format carte postale.

La plupart concernaient les sites hospitaliers de Lontano à la grande époque. Il y avait notamment des portraits de groupe du personnel de la clinique Stanley et de celui du dispensaire du kilomètre 5. La petite brune qui se tenait entre médecins et infirmiers ne pouvait être que Catherine Fontana, la véritable mère d'Erwan. Loïc tremblait. Sa gorge lui paraissait brûler. Il dut boire de l'eau froide au robinet du lavabo avant de s'asseoir sur le rebord de la baignoire pour examiner de nouveau les tirages.

Jusqu'à présent, cet obscur roman de la naissance d'Erwan se réduisait à des noms, des dates, des lieux qu'il ne connaissait pas. Cette simple photo, avec cette jeune fille au visage en amande, donnait un coup de réalité quasi insoutenable au récit de son frère.

Il passa aux autres images – les médecins de la clinique Stanley, l'« hôpital des Blancs », qui comptait aussi des praticiens noirs. Il remarqua un grand gaillard qui dominait toute l'équipe – par sa taille mais aussi son regard prétentieux –, dont le visage lui disait quelque chose.

Oui, il connaissait cette gueule. Plus près de la lumière. Aucun doute : c'était bien le play-boy, en beaucoup plus jeune, qu'il avait croisé quelques jours auparavant à Brest. Jamais Erwan n'avait mentionné sa présence à Lontano… Le verso de la photo comportait une légende détaillée, égrenant les noms des personnages. Quand Loïc découvrit celui du médecin, il sentit vaciller toutes les fondations de l'histoire. Les tirages lui échappèrent et produisirent un bruit de flaque en atterrissant sur le carrelage. *Bon dieu. L'affaire possède encore un autre tiroir…*

139

MÊME S'IL ÉTAIT TARD, il se résolut finalement à rendre visite à Maggie. Les horaires ne signifiaient plus rien ni pour elle ni pour lui. Chaque fois, il avait l'impression que c'était la dernière et qu'elle lui murmurait des adieux dans son langage muet. Ce soir, c'était lui qui venait lui dire adieu : il n'était pas certain de survivre aux prochains jours.

Enfouie sous un réseau de câbles, entourée d'écrans et de sacs translucides (perfusions mais aussi poches de recueil pour l'urine et les selles), sa mère semblait avoir été démontée à la manière d'un robot. Visage creusé pris en étau entre l'oreiller et le masque à oxygène. Ses quatre membres et son torse saillaient sous le drap comme un squelette sous le sable. Tout cela n'allait pas tarder à disparaître. Loïc, en blouse, charlotte et surchaussures, s'installa dans l'unique fauteuil. Il étouffait déjà dans cette antichambre de la mort.

Quels étaient ses sentiments véritables face à cette moribonde ? Tristesse ? Pitié ? Indifférence ? Soulagement ? Pas de réponse mais depuis deux jours, le tissu qui la couvrait, presque un linceul, était devenu un écran de cinéma. Il voyait s'y projeter les concerts des Salamandres. Maggie et de Perneke venant chercher Morvan en transe à la Cité Radieuse. Cathy Fontana agonisante. Maggie maquillant son corps en victime de l'Homme-Clou et l'achevant au passage. Les amants faisant l'amour dans la remise encore ensanglantée pendant que Grégoire cuvait son somnifère…

– Je connais la vérité, maman, murmura-t-il en lui prenant la main (elle avait la sécheresse d'un serpent), mais je ne te juge pas. Je serais mal placé pour le faire. Et cela n'aurait plus aucun sens aujourd'hui. Papa est mort. Gaëlle est morte. Même l'Homme-Clou n'est plus là. Il reste pourtant quelque chose à faire… (Il se leva sans quitter sa mère des yeux.) Je dois régler nos derniers comptes. Parce que je sais ce qui s'est *réellement* passé.

Il lui parut voir un frémissement sur le visage de sa mère. Non. Un simple effet de lumière du monitoring ou des plafonniers, réglés au minimum.

– Fais-moi confiance, ajouta-t-il avant de sortir. Chacun paiera.

Dans le parking de l'hôpital, il se demanda s'il devait aller prévenir Erwan. Pas la peine. Il pouvait bien rester un jour ou deux sans visite. Soit Loïc lui raconterait en personne la fin de l'histoire, soit son frère l'apprendrait par les journaux.

140

R*ETOUR À COCOLAND.*

Seul avantage de la drogue : c'est un monde immuable. Les quartiers, les sales gueules des dealers, les tarifs, les simulacres de planque et de clandestinité, rien ne change jamais. Loïc frissonna à l'idée d'y replonger. *C'est pour la bonne cause.* Son plan ne marcherait qu'à partir d'un certain nombre de grammes.

Il n'utilisa pas son portable – il le laissa même chez lui – et prit un taxi. Faire ses courses à la sauvage. Loïc avait gardé ce goût pour les quartiers glauques, les conciliabules louches au fond des parkings. Il se fit déposer au croisement de la rue d'Aubervilliers et de la rue de Crimée. Un tunnel sous les voies ferrées jouait le rôle de supérette.

Il fit le tour des dealers et expliqua son cas. Il ne reçut en retour que des insultes ou des avertissements.

– T'as pris la mauvaise route, mec.

Loïc éclata de rire. Seul, à pied, dans son complet à cinq mille euros, il constituait un parfait spécimen de pigeon à plumer. Pourtant, il n'éprouvait aucune peur. Plutôt même une excitation. Une envie sourde que tout vire au massacre – il avait emporté son calibre.

– Quand j'aurai besoin d'un conseil, répliqua-t-il en dernier, j'te sonnerai. Où j'peux trouver Mickey ?

Le dealer haussa les épaules : il portait un costard d'été crasseux et un panama d'où sortaient des mèches filasse. Il ressemblait à un de ces démons noirs du Guatemala : squelettes à foulard et chapeau, cigare entre les dents. Pas très discret comme accoutrement. Surtout en novembre.

– Après les voies ferrées, marmonna-t-il. Une des baraques de chantier…

Loïc repartit sans le remercier : sans doute lui-même bossait-il pour Mickey. Il remonta la rue d'Aubervilliers, et, après avoir longé un mur aveugle sur plusieurs centaines de mètres, tomba sur un portail entrouvert. Il se glissa à l'intérieur, quittant le halo à peine réconfortant des réverbères pour les ténèbres. Traversant un parking où s'alignaient des poids lourds, il trouva une brèche et accéda aux voies ferrées. Des rails, du ballast, des wagons abandonnés.

Sous l'urgence de son plan, Loïc sentait palpiter le frémissement des retrouvailles. Un tox reste un tox. Ses premiers émois se comptent en grammes. Ses souvenirs se soignent à l'aiguille. Sensualité de l'esclave qui se livre tout entier au poison qui l'asservit. Sinistre et jouissif abandon de l'addict qui n'attend plus que la mort sous forme d'un grand flash.

Il repéra les baraques de chantier. La puanteur de la glaise humide, mêlée de goudron et de rouille, piquait ses narines. Quelques ombres décharnées, sourire aux lèvres, dose en poche, filaient vers leur trou pour s'en mettre plein les veines. Des gravats, des flaques, des détritus : tout ici avait une densité particulière, une masse incorruptible, les produits non biodégradables d'une société qui ne pouvait tout recycler. Loïc ne s'était jamais senti aussi bien.

La caravane de Mickey était reconnaissable – dans un (relatif) meilleur état que les autres, la lumière y brillait alors que les baraquements des ouvriers dormaient déjà et que les roulottes des putes bringuebalaient mollement.

Il entra sans frapper. On aurait pu s'attendre à une décoration de gitan ou à un désordre de taudis mais la cabine était rangée comme celle d'un petit comptable à cheval sur les chiffres. Le dealer sirotait un café en regardant un match de foot sur son ordinateur.

Levant un œil, il ne sursauta même pas et sourit :

– Les grandes histoires d'amour ne finissent jamais vraiment.

– Ta gueule, répliqua Loïc. Je veux un pax de trente grammes. Le plus pur que t'as, ainsi que du bicarb et une pipe à eau.

– Où tu te crois ? Au STEP ?

Mickey – qui devait s'appeler Michel – fit pivoter son fauteuil à roulettes dans sa direction. Le cheveu blond qui se faisait déjà la malle, une tête d'endive blême, des yeux bleus laiteux, une bouche molle. L'ensemble évoquait une marionnette façonnée en pâte à tarte. Les tox le surnommaient le Mal blanc, référence répugnante aux panaris couleur de pus qui poussent autour des ongles.

– T'as ce qu'il faut ou non ?

– Faut voir.

Loïc balança sur la table trois mille euros en billets de cent. Il aimait ce geste. Il aimait ce cash. Une vraie scène de film.

– Houlà, fit l'autre en se redressant, l'air faussement offusqué. T'as perdu les usages dans tes quartiers de bourge. On sort pas son fric comme...

Loïc, mains plaquées sur la table, se pencha vers lui :

– Tu peux me fournir, oui ou non ?

Mickey recula son siège sans répondre. Il avait l'expérience des accros. L'attente contribue à la torture, c'est-à-dire à la négo. Mais il ne savait pas sur quel pied danser avec Loïc. Était-il vraiment en manque ? Ou au contraire en pleine montée de coke ? Ou simplement saturé de ce sentiment de domination que donne le fric ?

Le trafiquant devait aussi redouter qu'il soit armé – lui-même l'était, mais personne n'a envie d'un carnage au cœur d'une douce nuit d'hiver.

– Qu'est-ce que tu fais ? demanda Loïc, à cran.

Le dealer venait d'attraper son mobile.

– Vérification des stocks.

Mickey devait en réalité appeler ses sbires qui tiraient un coup dans une des roulottes à proximité. Tous les signaux étaient au rouge mais Loïc voulait la jouer borderline, en poussant sa chance au maximum.

Quelques secondes passèrent puis il relança :

– Alors, t'as le matos ou non ?

– Il arrive.

Dans un enchaînement parfait, la porte s'ouvrit dans son dos et deux gardes du corps l'empoignèrent. Il eut le temps de capter un détail bizarre : l'un était aussi grand que l'autre petit. Le colosse lui balança son poing dans le ventre. Loïc se plia en deux et eut un renvoi acide. Il n'eut pas le temps de vomir : un genou lui arrivait pleine face dans la mâchoire, de la part du râblé. Un vrai ballet de danse contemporaine.

La douleur se transforma en masse de plomb, le choc en trou noir, l'aveuglant jusqu'à une explosion d'étincelles, très loin, au fond de son cerveau. Pourtant, il banda ses muscles et repoussa les deux nervis. Il avait déjà dégainé, braquant le Mal blanc.

– T'as oublié qui j'étais, enculé ? cracha-t-il en armant son 9 mm.

Tout se pétrifia dans la caravane mais Mickey ne perdit pas son sang-froid. Il se contenta d'un geste apaisant à l'attention de ses cerbères, comme un arbitre sépare des combattants sur le ring.

– Ton père est mort et ton frère est à l'hosto, souffla-t-il sans quitter des yeux Loïc. Qu'est-ce que tu crois ? Que j'ai pas la télé ? Si tu tires, tu prendras vingt ans de taule comme n'importe quel clampin. T'es plus rien, Morvan.

Il ramassa l'argent sur la table – « pour mes frais » – puis ordonna aux deux brutes :

– Virez-moi cette merde.

Loïc effectua un mouvement circulaire avec son calibre : premier qui bouge, premier servi. Tom et Jerry hésitèrent.

– Je parlais pas de ma famille, cracha-t-il, mais de mon fric. T'es plus dans le business ou quoi ? Les trois mille, c'est juste un hors-d'œuvre.

Mickey tendit le cou au-dessus de son bureau, l'air intrigué :

– Qu'est-ce que tu veux au juste ?

– Des papiers d'identité, carte de groupe sanguin comprise. Ton prix sera le mien.

Le dealer frappa dans ses mains et éclata de rire :

– Putain, mais le Père Noël est en avance cette année !

141

PARFOIS, au cœur d'un cauchemar, on ouvre soudain les yeux dans l'espoir de retrouver le jour, la vie, la réalité. Surprise : les murs de la chambre sont de nouvelles paupières closes, impossibles à ouvrir celles-là, et la terreur est partout, enfermée avec vous comme dans une cage.

La morphine, c'est pareil.

Quand il avait l'impression que son esprit s'échappait des limbes chimiques et qu'il allait recouvrer sa lucidité, il se rendait compte que cette idée même était une illusion, un fantasme né de la drogue. Derrière la morphine, il y avait encore la morphine et sa perception cotonneuse, sa logique incertaine.

Où est Loïc ? Dans les ténèbres de sa chambre, Erwan ne cessait de s'interroger. Pas moyen de se souvenir si son frère devait repasser ou non ce soir. Aucune raison de s'inquiéter : le frangin serait là demain, bon pied bon œil, avec sa nouvelle tête de soutien familial. Mais Viard et ses complices rôdaient toujours et il n'était pas non plus certain de l'équilibre mental de Loïc. Après tant d'années de fragilité, cette soudaine transformation en homme de fer pouvait cacher une dépression imminente, ou annoncer une explosion de sa raison. Une « décompensation », comme on disait à Villejuif...

En réalité, ce qui l'inquiétait était plus profond. Au gré de ses rêveries chimiques, Erwan ne cessait de repenser à toute l'histoire – ce labyrinthe où il s'était si souvent perdu. Tout était désormais bouclé mais une ombre planait encore. Il revoyait les lignes de ses cahiers, énumérait les faits, analysait les mobiles et son angoisse ne cessait de s'amplifier. D'abord parce que l'alcaloïde l'empêchait de raisonner avec rigueur. Ensuite parce qu'il était immobilisé dans ce lit. Enfin parce qu'encore une fois, un détail coinçait. Un élément, qu'il ne parvenait pas à identifier, trahissait un défaut.

Il bougea avec difficulté. Il crevait de chaud sous ses pansements. Où était Loïc ? Que s'était-il mis en tête ? Qu'est-ce qui clochait encore dans cette enquête ? Il essaya de se redresser et sentit poindre une douleur fulgurante. Peut-être ses blessures. Peut-être cette conviction : son frère, en lisant les cahiers, avait trouvé le grain de sable.

Et il avait décidé de régler l'affaire lui-même.

Un filet de sueur coula dans son dos. Erwan voyait défiler des images de volcan, de lave incandescente, de fournaise liquide. Il fondait sur son oreiller et sa cervelle lui coulait par les oreilles. *Concentre-toi. Reprends chaque indice, chaque témoignage, chaque acte. Trouve la faille...*

Sa pensée était une boue visqueuse qu'il ne parvenait pas à sculpter. Des ombres, des formes, des soupçons, mais aucun fait précis, aucun détail saillant. Faisant un effort surhumain, il se décida à reprendre par le menu toute l'histoire, mais à rebours, en commençant par la fin. Il se concentra sur l'ultime interrogatoire de Jean-Louis Lassay – la dernière station avant le massacre de Bréhat. Il se repassa les révélations du psychiatre, son histoire de vaccin et d'expériences chimiques sur la cervelle cramée de Pharabot. Il...

Soudain, du fond de l'étuve, il vit briller quelque chose. Au terme de ses aveux, Lassay avait évoqué le meurtre de Cathy Fontana, prétendant que c'était Pharabot qui lui en avait parlé : « Il parlait d'une jeune femme, d'une croix gammée que votre père lui avait gravée sur... » Erwan l'avait interrompu et menacé de le frapper mais il était passé à côté du principal : Thierry Pharabot lui avait peut-être raconté l'histoire de Cathy (du moins ce qu'il en savait) mais en aucun cas il ne pouvait avoir évoqué la croix gammée gravée sur son front.

Pour une raison simple : il ignorait ce détail.

Personne ne connaissait l'existence de cette scarification – Maggie l'avait maquillée sous les mutilations imitées de l'Homme-Clou. Personne, à l'exception de Grégoire Morvan, Maggie de Creeft et... Michel de Perneke.

Malgré la morphine, Erwan se concentra encore. Une seule hypothèse pouvait expliquer cette incohérence : Lassay ne faisait qu'un avec Michel de Perneke. Passé le premier coup de frein – *non, impossible, trop gros, trop dingue* –, Erwan voyait déferler sur lui les points communs et les convergences entre les deux personnages. Âge, physique, métier. Grégoire et Maggie avaient prétendu que de Perneke avait repris sa carrière en Belgique et était décédé dans les années 90, mais qu'en savaient-ils vraiment ?

Un vertige le prit. Ces efforts sous drogue l'avaient complètement vidé. Pas moyen d'envisager les conséquences d'un tel scénario. Une vengeance au long cours. Des recherches qui, sous l'alibi du progrès scientifique, poursuivaient un autre but : la résurrection de Pharabot et l'anéantissement du clan Morvan.

L'idée de régler son compte à Lassay l'avait toujours chatouillé mais aujourd'hui, immobilisé dans ce lit, que pouvait-il faire ? Surtout, que prévoyait l'autre en face ? S'il avait vu juste, si de Perneke et Lassay étaient un seul et même homme, cela supposait-il un dernier acte ? Un autre piège ?

À cette pensée, il se dit qu'une différence, de taille, séparait les deux hommes : de Perneke était un lâche qui n'avait jamais pu passer à l'acte (c'est Maggie qui avait charcuté Cathy), Lassay au contraire était un dur qui ne craignait pas la violence physique. Comment expliquer un tel changement ? S'était-il aguerri avec l'âge ? Prenait-il une drogue ou un quelconque produit de son invention ?

Des fourmillements à travers les membres : le beau JL avait passé plusieurs décennies à travailler sur la violence. Il prétendait vouloir l'endiguer – mais peut-être avait-il exploré d'autres voies, afin par exemple de libérer sa propre agressivité...

Le pire était qu'Erwan n'était sûr de rien et qu'il ne pouvait ni bouger ni même appeler – personne ne l'aurait cru. Dans cette chambre noire, il était pire que mort : enterré vivant.

Il ferma les yeux – paupières sur paupières, ténèbres sur ténèbres – et se mit à prier pour Loïc.

142

EN PARTANT APRÈS MINUIT et en respectant les limitations de vitesse, il parvint à Brest aux environs de 7 heures. Pas question de conduire l'Aston Martin : il s'était rabattu sur l'Audi A3 qu'il utilisait jadis pour aller au boulot.

GPS. Locquirec. Hôtel face à la mer. Une baraque blanche de plusieurs étages, volets bleus, pelouse verte. Hors saison, l'établissement tournait en sous-régime et ne proposait que quelques chambres : Loïc ne fit pas le difficile. Il exigea d'être réveillé impérativement à 9 heures. Tout en parlant, il multipliait les tics nerveux et grimaçait. La jeune femme à la réception le regardait de travers – l'heure d'arrivée, sa mine de déterré, sa fébrilité : Loïc puait le client à problèmes. Elle lui proposa même d'appeler un médecin – il la rembarra méchamment et répéta sa rengaine :

– Réveillez-moi à 9 heures ! C'est très important !

Aussitôt dans sa chambre, il se mit au boulot : deux heures pour se défoncer à mort. Il arracha la couverture du lit et déploya son matos sur le drap : cuillère à soupe, coke, bicarbonate, briquet, flacons de sérum physiologique, papier d'alu et pipe à eau. *Allez, chef.*

Au creux de la cuillère : trois parts de coke, une de bicarb, un peu de sérum. On chauffe. Quand ça frise sur les côtés, on arrête – surtout pas d'ébullition. On remet ça. Bientôt, une goutte huileuse apparaît à la surface : la cocaïne basée. On chauffe encore puis, avec un coin de drap, on éponge le fond. Un peu d'eau pour refroidir l'huile qui durcit. On évacue à nouveau la flotte, on nettoie le caillou : le free base est prêt. De quoi se faire une première pipe.

Avec ce qu'il avait en tête, il devait se préparer au moins vingt fragments. Quand il les aurait fumés, son cerveau ne serait plus qu'une crevasse, son cœur un corps mort et ses veines des tuyaux de plomb. Si tout se passait bien, c'est exactement à cet instant que la réceptionniste, inquiète de ne pas le voir répondre à ses appels téléphoniques, le découvrirait dans sa chambre.

Au dixième caillou, la puanteur du bicarb grillé saturait la chambre, son pouce brûlait à force de tenir le briquet allumé et il ressentait des fourmillements partout dans le corps. L'appel de la drogue. Son plan était risqué mais il comportait une part jouissive : une overdose en guise d'arme fatale, qui dit mieux ?

Il manipulait toujours ses ingrédients : coke, bicarb, sérum, feu… Tous les shootés connaissent le free base : quand vos veines ressemblent à des lianes desséchées et que votre peau est tellement percée que vous avez peur de pisser par les bras, alors vous passez à la fumette. Jamais Loïc n'avait acheté du crack dans la rue : il préférait faire sa cuisine lui-même. On devient alors un petit chimiste et on prétend fumer un produit purifié. En réalité, exactement la même merde qu'on vous vend dehors mais le drogué se berce d'illusions, c'est bien connu.

Au quinzième caillou, il se dit qu'il pouvait commencer à fumer tout en continuant sa tambouille. Non. À la troisième taffe, il ne pourrait plus penser à autre chose qu'à la suivante, et ainsi de suite. En quelques bouffées, le crack vous rend accro et transforme votre vie en réaction en chaîne infernale.

Seize, dix-sept, dix-huit, dix-neuf… Enfin, il rinça la dernière concrétion et contempla son butin sur le drap. Vingt pierres pour un aller sans retour, façon Petit Poucet. Ses fourmis étaient devenues des tremblements. Le produit basé l'appelait avec force, les vapeurs d'alcaloïde lui chatouillaient les narines comme un membre fantôme démange un mutilé.

Pipe à eau. Papier d'alu. Il brisa les premiers fragments et fit feu. En moins de quelques secondes, la fumée atteignit son sang *via* la muqueuse pulmonaire puis le sang lui monta au cerveau jusqu'à l'explosion. BAM ! La jouissance l'enveloppa comme le papier d'argent moulait sa pipe. Du bon, du brûlant, du scintillant. Il se laissa tomber en arrière et se cogna la tête contre la fenêtre. Sans rien sentir.

Aucune idée du temps qui s'écoula mais ce fut trop court : il retombait déjà. Vite, un nouveau caillou. *Je casse, je place, j'allume.* C'était comme jouir de nouveau juste après avoir éjaculé, plaisir et perte de soi s'entraînant l'un l'autre. Chaque respiration devenait une bénédiction, chaque battement cardiaque une giclée de bonheur. Son être s'était dilaté dans l'espace : il pouvait tout, il savait tout. Des éclairs dorés crépitaient dans son cerveau en accéléré. Des intuitions géniales jaillissaient dans son esprit. Martingales boursières hallucinantes – *je dois les noter* –, révélations intenses sur le Vajrayana – *je dois prier* –, solutions imparables pour la garde de ses enfants – *je dois appeler Sofia*... Tout était résolu. Tout était fixé.

Nouveau caillou. Loïc était maintenant un ange sous la haute voûte d'une église. Les fresques aux murs lui parlaient, l'interrogeaient sur Dieu et il répondait avec calme, assurance. Encore une pipe. Un autre étage. Celui des souvenirs, délicieux, délectables, enveloppés de velours, diapreries et hermine. *Ferme les yeux et plonge.* Il tendait les bras et soutenait le ciel. Il sniffait les nuages et tutoyait l'univers. *Tout va bien.*

Il se cassa la gueule contre un coin de meuble. Pas grave. Au contraire : son crâne s'était ouvert, libérant un serpent cosmique. Il lui accorda une danse – la valse des morts des Tarahumaras, « ceux qui ont les pieds légers » et qui vivent dans les « ravins du cuivre » de l'État du Chihuahua au Mexique. *Délire, délire, délire...*

Maintenant, il était trempé de sang – la nuque, le visage, les mains. Où était la blessure ? Au lieu de vérifier dans la salle de bains, il s'alluma encore un caillou. Guérison immédiate. Après une nouvelle descente, il se rendit compte qu'il ne pouvait plus bouger et n'arrêtait pas de tousser. La fumée, le sang étaient partout. Combien lui restait-il de cailloux ?

Pas moyen de se relever ni d'attraper le matos. Il se cramponna au sommier et se hissa au niveau du drap. La toux, de plus en plus violente. Il avait la gorge en feu mais n'avait pas soif – le crack annule tout besoin. Avec terreur, il se rendit compte qu'un signe diabolique avait été tracé sur le tissu blanc avec son propre sang.

In extremis, il parvint à attraper un dernier caillou. Une taffe encore mais le miracle n'eut pas lieu. Juste une toux à lui sortir les yeux des orbites. Des battements cardiaques si rapides qu'ils ne formaient plus qu'un seul son. Il allait crever, il allait... Soudain, un éclair de lucidité : c'était l'heure – la nana d'en bas allait appeler et il serait temps de la prévenir. Il regarda sa montre et vit que ses aiguilles avaient fondu, comme dans une toile de Dalí. Il tapa sur le cadran, se frotta les yeux, découvrit la catastrophe : 9 h 20. L'heure du réveil était passée. La fille n'avait pas appelé, aucune chance qu'elle vienne frapper à la lourde.

Ou bien n'avait-il rien entendu ? La sonnerie du téléphone. Les coups à la porte. Peut-être même avait-il répondu, alors qu'il conversait avec Dieu ou tournait dans un mandala comme un hamster dans sa roue... Il était foutu : asphyxie, tachycardie, il n'en avait plus que pour quelques secondes et on retrouverait son cadavre dans une dizaine d'heures.

Il se releva : les murs gondolaient, le sol s'enfonçait, le plafond se gonflait comme une bâche gorgée d'eau. Son briquet : il pouvait encore foutre le feu à la piaule pour provoquer une alerte. Il ne le trouvait pas, n'y voyait rien, impossible de se mettre debout. Il voulut crier mais rien ne sortit de sa bouche en sable. Ou plutôt des gémissements qui le déchiraient de part en part. Sanglots. Plaintes. Râles. *Sors de là.*

Au-delà de ses douleurs, un fait le traversa comme un pieu, une vérité extralucide : sa chambre était au premier étage. Quelques mètres, une pelouse... *Fais un effort, relève-toi, fonce dans la vitre.* Il s'élança en songeant à Gaëlle. Changea d'avis dans les airs : il ne voulait plus être sauvé mais mourir pour la rejoindre.

143

QUAND il rouvrit les yeux, il était dans une chambre inconnue. Des murs pâles, une armoire, une table de lit – des perfusions et des appareils de surveillance. Il savait où il était. Durant son transfert, malgré son cerveau cramé et son corps courbaturé, il avait capté des mots, une destination. On avait dû l'hospitaliser au plus vite, au plus proche. L'institut Charcot, à quelques kilomètres de Locquirec…

Ainsi, son plan avait fonctionné. Une overdose pour forcer les portes de l'UMD. Il savait que Jean-Louis Lassay n'accepterait jamais de le recevoir. Qu'au moindre geste de sa part, le toubib préviendrait Viard et qu'on le jetterait à la mer, lesté dans un sac de toile de jute.

Restait la grande porte : celle des malades. En se faisant une OD à quelques kilomètres de la fabrique des monstres, Loïc était certain qu'on l'hospitaliserait là-bas en urgence, même si l'unité n'était pas un hôpital public. Désormais, il était dans la place, vivant, conscient, pas trop cassé – et sous une fausse identité, celle du passeport acheté à Mickey. Comme disaient ses sbires à Firefly Capital : « Y a plus qu'à. »

D'après les commentaires des urgentistes, il avait fait un accident vasculaire sérieux. Ses veines s'étaient resserrées au point de ne plus rien laisser passer. Ses poumons s'étaient bloqués comme des pneus trop gonflés. On l'avait défibrillé à coups de chocs électriques. On l'avait intubé. On l'avait perfusé. La machine était repartie.

Il ignorait combien de temps il avait dormi. Des heures. Des nuits. Des jours. À son réveil, les choses s'étaient corsées. Il avait chié et vomi à n'en plus finir. L'image qui lui restait : des chiottes trop blanches et trop grandes (le modèle handicapés), lui, recroquevillé sur le siège, se vidant alors même que la migraine lui martelait la nuque. On l'avait ensuite remis au lit et ça avait été au tour des crampes et des convulsions de s'en donner à cœur joie. Arc-bouté sur le lit, il passait parfois en mode tétanie, plus raide qu'un réverbère.

Piqûre. Il sombrait de nouveau, sans la moindre notion du temps : on lui avait pris sa montre. Tout passait par ses veines et il se laissait engraisser à coups de vitamines, de calmants, de solutés. Quand il se réveillait, il variait les plaisirs : crises de manque, attaques de panique, saignements de nez, convulsions qui le laissaient trempé de sueur et perclus de courbatures. La seule chose qui lui paraissait constante était sa dégénérescence cérébrale. Qu'il veille ou qu'il dorme, ses neurones continuaient à se faire la malle.

Maintenant, pour la première fois, il se sentait bien, dans une relative possession de ses moyens. Des sons dans le couloir, des odeurs chimiques dans les ténèbres. Il captait la réalité comme un plongeur sous l'eau saisit le monde de la surface.

Malgré son état précaire, il se réjouissait encore de sa réussite. Il était dans l'antre du diable et l'ennemi ignorait sa véritable identité. Il pouvait donc se reposer en mettant au point la meilleure des stratégies.

Il se répétait ce motif de satisfaction, se prenant pour Machiavel (un retour de flamme de la coke), quand la porte de sa chambre s'ouvrit doucement. Une haute silhouette pénétra dans son aquarium et, dans le rai de lumière du couloir, il aperçut, sidéré, un calibre dans la main du visiteur.

– Il est temps qu'on parle toi et moi, Loïc.

144

MACHIAVEL avait encore des progrès à faire. Michel de Perneke, alias Jean-Louis Lassay, lui ordonna de se lever et de s'habiller. Encore sous sédatif, Loïc dut arracher sa perfusion pour enfiler un sweat-shirt et un pantalon de jogging. Chaque geste lui coûtait un effort de chien et il manqua de se ramasser plusieurs fois. Lassay lui désigna le couloir avec son calibre. *Y a plus qu'à...*

Ils traversèrent le campus en silence afin de rejoindre les bâtiments de l'UMD qui faisaient face à l'hôpital. Lassay emprunta les coulisses : pas un garde ni un infirmier pour les intercepter. Il déverrouillait des grilles, des portes – la nuit était complète et Loïc n'avait toujours pas la moindre idée de l'heure. Il avait la gorge si sèche que son palais lui semblait brûler.

Ascenseur, direction sous-sol. Pas un mot dans la cabine. La situation se passait de commentaire : de Perneke-Lassay, qui nourrissait une haine inextinguible pour les Morvan, connaissait le visage de chaque élément du clan. *Bien sûr.* On lui avait servi le dernier survivant sur un plateau.

Un sas s'ouvrit. Nouvel ordre du canon : « Après toi. » Loïc s'engagea dans un couloir. Murs nus, tuyaux apparents, portes verrouillées : l'étage des camisoles. Il marchait avec difficulté. Ça sentait même la corvée de bois à plein nez. Lassay allait l'abattre au fond d'une cellule d'isolement et dissoudre son corps dans la chaufferie de l'institut. Pourtant, Loïc ne songeait qu'à sa soif.

Un détail le préoccupait aussi depuis qu'ils déambulaient comme deux fantômes dans ce bâtiment. Lassay ne semblait pas craindre les caméras de sécurité – un couvre-feu pour la surveillance ? Impossible. Il eut la réponse devant une nouvelle porte. Le psy tenait dans sa poche une petite télécommande chromée – à l'évidence il stoppait les caméras à volonté. Après tout, il était maître chez lui…

– Arrête-toi.

Loïc s'exécuta. De Perneke joua de son badge et ils pénétrèrent dans une cellule d'une blancheur aveuglante : quatre murs, sol, plafond à l'unisson, et c'était tout. Aucune fenêtre, aucun meuble, un plafonnier inaccessible, protégé par du verre blindé. *Fait comme un rat, mais un rat de laboratoire.*

Il se retourna et considéra l'homme qui avait tout orchestré : un grand gaillard poivre et sel, portant encore beau et inspirant une confiance immédiate. L'archétype du toubib omniscient. Le Vieux disait toujours : « La première impression ne sert qu'à endormir la vigilance. »

– Je vais te raconter une histoire, commença le psy.

Avant d'en finir, son exécuteur allait donc s'offrir l'ultime luxe d'une confession. Ça tombait bien : il était venu pour l'entendre, même si c'était pour l'emporter dans la tombe.

– Je peux m'asseoir ?

– Fais comme chez toi.

Loïc se laissa glisser sur le sol, dos au mur. Jambes groupées, mains autour des genoux, acculé dans ce carré vide, il faisait un fou très acceptable. Ferait-il un bon cadavre ? *La soif, toujours.*

– L'histoire, reprit Lassay, d'un homme saturé de désir mais qui ne pouvait jamais passer à l'acte. Une sorte d'impuissant torturé par ses pulsions. Peu à peu, cet homme a trouvé une solution, ou du moins il a cru la trouver. Il a vécu ses passions par procuration. En guidant, en conseillant ses patients, il les a fait agir et a consommé ses passions à travers eux. C'était frustrant, humiliant, mais ça lui donnait au moins l'impression d'exister. Un détail que je ne t'ai pas dit : les désirs de cet homme ne concernaient que la violence et la mort. Il rêvait de meurtres, de tortures, de souffrances. Il ne bandait que pour cela, ou presque, mais ne parvenait pas à franchir le pas. Pas par morale mais par lâcheté. Simplement par frousse : frousse de sa victime, de la police, des conséquences de ses crimes. Un eunuque de la violence. Il rêvait de brutalité mais n'était pas équipé pour assumer de tels instincts. Un faible, incapable de prendre le moindre risque au nom de son vice. Cette vérité, il l'a découverte il y a quarante ans, dans un pays sans loi ni pitié que des pionniers essayaient de marquer de leur empreinte. Dans cette ville noire et rouge, l'homme a d'abord rencontré une femme. Il a éprouvé pour elle une attirance… irrésistible. Il a aussi croisé la route d'un flic : jeune, traumatisé, dément. Tout de suite, il a compris que cet être possédait ce qu'il lui manquait : la force, le courage, la capacité de tuer. Il l'a alors soigné et découvert un bien plus précieux encore au fond de lui : non seulement le cinglé pouvait tuer mais il avait, sous la main, une victime toute trouvée…

Les murs réfractaient avec violence la lumière électrique. Lassay, dans sa blouse blanche, collait au décor.

– Maggie m'a offert son corps en échange de la peau de Cathy Fontana, reprit-il, mais j'aurais poussé de toute façon Morvan à la tuer.

– Je ne suis pas venu ici pour écouter ces vieilles salades…

– Tu te trompes : je te parle du présent. Des évènements fondateurs qui expliquent tout ce qui est survenu depuis deux mois. Cette nuit-là, j'ai compris qui j'étais vraiment…

Il partit d'un ricanement lugubre, portant discrètement la main à son sexe.

– Quand Maggie charcutait Cathy, je l'observais à travers les planches de la remise. Cela a été pour moi une… révélation. Plus tard, quand on a fait l'amour, sur les lieux mêmes du supplice, son corps ne m'importait plus. Ce qui m'excitait, c'était de coucher avec la meurtrière, dans cette puanteur de sang encore chaud…

– Où vous voulez en venir ? cria Loïc. Tout ce que vous avez réussi à faire alors, c'est fuir le Congo et disparaître. Vous avez changé de nom et mené votre carrière de psychiatre cinglé en Belgique. Quel rapport avec les expériences de ces dernières années ?

Lassay-de Perneke soupira et conserva le silence quelques secondes. La lumière emplissait chaque seconde. Brûlure blanche qui crépitait sous le crâne de Loïc, se transformait en barre noire sous ses paupières.

– À mon retour en Europe, j'ai soigné les névroses des autres et les ai observées. C'est à travers elles que j'ai essayé de mieux me comprendre, d'analyser pourquoi je souffrais tant de ne pouvoir tuer ou faire souffrir.

– Il ne vous est jamais venu à l'idée que cette frousse vous empêchait de faire le mal ?

– Je reconnais là le jugement pesant et borné de la foule…

– J'ai été alcoolique, héroïnomane, cocaïnomane. Je suis bisexuel et bouddhiste. C'est moi qui ai tué Pharabot. Je lui ai arraché le visage de mes propres mains. Je ne crois pas être l'échantillon modèle de la masse laborieuse.

– Tu as tué par vengeance. Tu as tué pour sauver ton frère. Tu as tué avec cette conviction naïve que tu faisais le bien. Tu ne sais rien de l'addiction au mal, de la violence d'un désir funeste qui te submerge et te consume tout entier.

– Je viens de vous dire que j'ai été accro à l'héroïne.

– Change la seringue pour un couteau et tu auras une idée de ce que j'éprouve depuis des années.

Après son OD, Loïc n'avait pas envie de regarder à nouveau le fond du gouffre. Mais il commençait à voir le lien entre le petit salopard qui avait voulu sauter Maggie à Lontano et le grand professeur spécialiste des pathologies dangereuses : Lassay-de Perneke n'avait jamais cherché qu'à se soigner lui-même.

– J'ai dû, durant tout ce temps, m'abrutir de calmants, me castrer chimiquement et vivre mes pulsions par l'intermédiaire de mes patients qui faisaient le mal sans intelligence ni brio.

Loïc devinait ce qu'avait été son existence. Une vie de hyène, de chacal, forcé de se nourrir des restes des crimes des autres. Il l'imagina se délectant des confidences des déments les plus dangereux, se branlant sur les rapports d'autopsie de leurs meurtres, couchant avec des femmes criminelles, leur soutirant en échange de quelques pilules ou d'un rapport favorable leurs confessions, murmurées en pleine baise. Chassé des terres africaines, de Perneke n'avait plus cessé de rôder autour des atrocités des autres comme les charognards visitent la nuit les cimetières.

– La rencontre avec Hussenot a tout changé, c'est ça ?

– Enfin une remarque pertinente. Oui, cet élève m'a apporté un bien inestimable : une approche purement physiologique, une analyse neurologique du mal.

– Vous n'y aviez jamais pensé ?

– Ce n'était pas ma formation. Hussenot était à la fois psychiatre et neurologue. Il étudiait le circuit de la violence. Je me suis mis au diapason. Je suis retourné à la fac. J'ai acquis des connaissances spécialisées. Nous avons pu alors nous associer pour ouvrir une clinique.

– Les Feuillantines.

– Les Feuillantines, oui. Une simple vitrine officielle...

Loïc connaissait l'histoire du Pharmakon : rien à carrer. Ce qui l'intéressait, c'étaient les motivations intimes de Lassay. Jusqu'alors, le psy n'avait eu que deux moyens pour soulager ses pulsions meurtrières : étouffer ses clients à coups de tranquillisants ou les faire passer à l'acte. Les travaux de Hussenot lui permettaient d'envisager une troisième voie. Un bridage intérieur.

Lassay confirma :

– À mesure que nous analysions le cheminement neuronal de la violence chez l'homme, je savais que nous étions en train de décrire, d'un point de vue clinique, ma maladie. J'ai aussi compris qu'un autre réseau, celui de la peur, court-circuitait chez moi mes propres pulsions. Nos travaux m'ouvraient enfin une solution. Il fallait détruire chez moi ces neurones qui bloquaient la libération des neuromédiateurs de l'agressivité…

À cet instant, et à cet instant seulement, Loïc eut une illumination. Il s'était trompé : de Perneke-Lassay ne voulait pas se soigner mais se libérer.

– Vous n'avez jamais cherché un vaccin contre la violence. Ce qui vous importait, c'était la première partie de l'expérience, l'effet premier des analogues : le redoublement de l'agressivité.

Nouveau sourire :

– Disons que l'idée a fait son chemin.

– Vous n'avez jamais voulu que briser la barrière de votre peur… (Tout en prononçant ces mots, Loïc saisit le dernier fait qui coulait de source.) Le seul cobaye, c'était vous.

145

LASSAY S'APPROCHA. Dans cette cellule insonorisée, Loïc avait l'impression de se trouver dans le cerveau même du cinglé. Une folie blanche et verrouillée. Une lumière coupante et surchauffée.

– J'ai pratiqué sur moi les premiers tests, oui. Le Pharmakon m'a libéré. Ma violence, étouffée depuis des années par la peur et la chimie, a reflué avec une sorte de puissance originelle. Plus question de la réfréner. Le Docteur Jekyll avait fait son boulot. Bienvenue à Mister Hyde.

Loïc avait connu le même processus, mais sans l'aide d'aucun médoc. Sa libération, son courage, il les devait à des salopards tels que Lassay.

– En septembre, c'est vous qui avez torturé et mutilé Wissa Sawiris.

– Je prenais depuis plusieurs jours la nouvelle molécule. Il faut du temps pour que les neuromédiateurs saturent les récepteurs. J'ai été saisi par une sorte de transe. J'ai marché jusqu'à l'embarcadère et emprunté le Zodiac. J'avais emporté la boîte à outils qui se trouvait dans le garage à bateaux. Jamais l'idée de l'Homme-Clou ne m'a quitté. J'allais reprendre les choses où elles s'étaient arrêtées pour moi, en 1971, dans une remise à bateaux, justement.

– Pourquoi Wissa ?

– La rencontre d'un soir. Il était poursuivi par les bizuteurs. J'ai accosté et lui ai proposé de le cacher. L'idée lui a paru bonne : il n'avait pas peur des autres, il voulait simplement leur montrer qu'il était le plus malin. Dès qu'il a mis le pied à bord, je l'ai assommé à coups de marteau et l'ai emporté sur l'île de Sirling. Nous nous sommes installés dans le tobrouk et nous avons pu jouer ensemble jusqu'à l'aube. Je n'ai jamais ressenti autant de plaisir de ma vie. Une seconde naissance.

Quand Loïc avait découvert que le psy de Charcot n'était autre que Michel de Perneke, il avait imaginé une vengeance au long cours. Des années de recherches, d'expériences pour simplement ressusciter l'Homme-Clou, le vrai, et le lâcher dans les pattes de son ennemi ancestral, Grégoire Morvan. Il n'avait jamais envisagé que Pharabot puisse être un simple leurre, un épouvantail lancé à la tête de la police en cas de secours.

Lassay continuait – les confessions, c'est comme la toux : quand ça vous démange la gorge, plus moyen de s'arrêter.

– J'ai abandonné le corps, persuadé qu'il faudrait des semaines pour le retrouver. Le missile a changé la donne mais pas mes plans. J'avais déjà décidé d'exercer mon nouveau pouvoir en assassinant des proches de Morvan. Je voulais qu'il comprenne que le passé était de retour – et que ce passé allait le noyer dans le sang.

Loïc revoyait chaque ligne des cahiers d'Erwan. La moindre circonstance marquée au fer rouge sur son esprit.

– En fait, vous aviez prémédité le meurtre de Kaerverec. Les cheveux d'Anne Simoni dans son corps le prouvent.

– Quand j'ai pris les molécules, j'étais prêt pour passer à l'acte, mais dans la direction que j'avais choisie. J'attendais simplement la crise décisive, portant toujours mes fétiches sur moi : la bague de Morvan et les mèches et ongles d'Anne Simoni.

Le tableau était complet : le psychiatre aux manières affables, bienveillant avec ses assassins de patients, n'était que la chrysalide d'un tueur en série en devenir, qui attendait l'éclosion de sa pulsion meurtrière. *Méfiez-vous de l'eau qui dort...*

– L'Homme-Clou : pourquoi ce modèle ?

– Pharabot m'a laissé une empreinte indélébile. Lontano a été ma maïeutique. Je voulais aussi terrifier ton père, lui rappeler l'humiliation qu'il m'avait indirectement fait subir. Tuer pour coucher, moi !

Du point de vue des mobiles, la mosaïque se mettait en place mais quelques pièces traînaient encore. *Reprenons le puzzle.*

– Les autres meurtres, comment ça s'est passé ?

– Mon plan était préparé depuis longtemps.

– Avec l'aide d'Isabelle Barraire.

– Bien sûr. Quand j'ai raconté à ton frère qu'elle idolâtrait Pharabot, il a avalé le bobard sans moufter. Ce qui prouve qu'un bon flic peut totalement manquer de psychologie. Isabelle, fascinée par ce vieux dément décati ? Qui aurait pu croire une connerie pareille ? Non, elle a été à la fois ma patiente, ma maîtresse et ma partenaire. Elle s'est passionnée pour mes recherches, qui étaient le prolongement de celles de son mari.

– Par amour ?

Lassay éclata de rire :

– Ça fait un moment qu'on évolue dans des sphères infiniment plus complexes.

Des amants assassins. Une liaison entièrement vouée à la violence et à la folie. Un vaccin qui exacerbe le mal. *Pas vraiment le courrier du cœur, en effet.*

– Parlez-moi d'Anne Simoni.

– Isabelle la soignait pour ses penchants vicieux. Elle n'a eu aucun mal à l'attirer dans un piège. Nous l'avons embarquée sous le pont d'Arcole. Je suis redevenu l'Homme-Clou. Nouvelles jouissances, nouvelles confirmations. Le Pharmakon avait brisé mes inhibitions.

Loïc avait l'impression d'évoluer dans un désert torride, crânes blanchis, corps oubliés, chaleur à crever. Il revoyait le rapport d'autopsie d'Anne Simoni et les horreurs que Lassay lui avait fait subir. Pas la peine d'épiloguer.

Quant aux détails logistiques – le lieu du sacrifice, l'utilisation du Zodiac, la prouesse de la mise en place du corps –, il laissait ça aux flics, c'est-à-dire à personne. Lassay ne serait jamais arrêté. Soit il mourrait, soit il s'en sortirait blanc comme le cul d'une vierge, mais tout se réglerait ici, cette nuit, entre ces quatre murs.

– Ludovic Pernaud ?

– Très difficile d'approche. Pour l'occasion, Éric Katz est redevenu femme. C'est elle qui lui a injecté l'anesthésiant. Je suis arrivé pour le sacrifice.

– Il n'y avait aucune trace de produits chimiques dans son sang.

– C'est mon métier. Accorde-moi l'avantage de connaître exactement la nature des produits que j'utilise et les résidus qu'ils laissent dans l'organisme.

Les images se bousculaient dans la tête de Loïc. Un psychiatre séduisant assisté d'une femme-homme qui avait embaumé son propre mari et ses enfants. Une force meurtrière libérée par un sérum contre-productif. Des bricolages neuronaux qui se traduisaient dans le réel par un déferlement d'horreur…

– Gaëlle à Sainte-Anne, lâcha-t-il comme un drogué exigeant sa nouvelle dose.

– Je devais me rapprocher de Morvan par cercles concentriques, comme un serpent. L'élimination de ta sœur était une étape décisive mais j'ai sous-estimé cette gamine. Gaëlle était bien la fille de son père. Plus folle et plus combative que n'importe quel guerrier fanatique.

Il tressaillit. Gaëlle. Sa force, sa fragilité, sa présence, perdues à jamais. Les yeux de Loïc brûlaient maintenant – de larmes. *Reviens aux faits. Ne faiblis pas.* L'exercice mental consistait à confronter, en temps réel, les notes d'Erwan et les confessions de Lassay. *Passe à l'Homme-Clou.*

– Quel a été le rôle de Pharabot ? Pourquoi l'avoir rapatrié de Belgique ?

– Quand ton frère est venu m'interroger, j'ai compris qu'il lui faudrait un coupable. J'ai eu l'idée de le lui fournir.

– Quand exactement l'avez-vous fait revenir ?

– Le samedi 15 septembre, après mon détour à Marseille.

– C'était vous à Fos ?

– Chaque sacrifice devait être accompli dans les règles avec des clous africains. Je suis venu cette nuit-là forcer un conteneur et je suis tombé sur ton frère. Un simple contretemps. À mon retour à Charcot, j'ai réalisé que je pouvais continuer à tuer, à la seule condition qu'un autre paie l'addition.

– Selon les notes d'Erwan, l'agresseur du port de Fos était un coureur hors pair.

– J'ai été champion universitaire. Je me suis entraîné toute ma vie. Sans compter le Pharmakon et son pouvoir de boosteur.

Loïc recadra son interrogatoire :

– À quel moment avez-vous livré Pharabot en pâture ?

– Jamais. Je le gardais sous la main à Louveciennes, dans la baraque d'Isabelle. Elle se chargeait de le tenir tranquille en attendant mes instructions. Finalement, je n'ai pas eu besoin de lui. Ton frère s'est d'abord orienté sur les quatre greffés qui ont eu la bonne idée de s'enfermer dans une baraque et de se faire massacrer…

Loïc songea aux multiples coïncidences qui avaient induit Erwan en erreur : la forme olympique du tueur de Sainte-Anne désignant Joseph Irisuanga, coureur médaillé, la combinaison zentai rappelant les soirées fetish de Lartigues… D'autres hasards encore : Sébastien Redlich partenaire de tir de Pernaud, Anne Simoni endoctrinée par Ivo Lartigues… Vraiment de quoi se fourvoyer.

– Un putain de miracle, commenta Lassay de son côté. Et comme si ça ne suffisait pas, un autre aficionado est sorti du chapeau : Philippe Kriesler, le petit assistant de l'ombre. Pharabot avait décidément produit un beau sillage de cinglés.

Loïc observait toujours ce grand homme aux manières souveraines et au sourire enjôleur. En y regardant mieux, tout était faux. Sous son vernis de séducteur, la folie transparaissait à chaque instant.

– Quand l'affaire a été bouclée, pourquoi ne pas avoir abattu Pharabot ?

– Par prudence. Je n'en avais pas fini avec les Morvan. En temps voulu, j'aurais eu besoin d'un coupable désigné. J'ai attendu que les choses se tassent et j'ai lancé Isabelle sur la trace de Gaëlle. Je voulais profiter du départ des hommes forts du clan en Afrique pour reprendre ma vengeance.

– Merci pour moi.

– Ta faiblesse et ta lâcheté ne sont un secret pour personne. Je me demande d'ailleurs ce qui t'a pris de te jeter comme ça dans la gueule du loup…

Pas question de le laisser cogiter là-dessus.

– Mais Isabelle Barraire est morte et Erwan est rentré, enchaîna Loïc.

– J'aurais pu faire face à la situation : c'est la fliquette qui a tout gâché en allant à Louveciennes. L'ADN de Pharabot était partout dans la maison. Dès le lendemain, Erwan a rappliqué à Locquirec. On était reparti pour un tour. Viard, qui craignait qu'on découvre l'implication du gouvernement dans ce bordel, a fait assassiner José Fernandez, un infirmier qui savait trop de choses. Mais le principal problème était Pharabot dans la nature…

Loïc comprit un autre versant du dernier acte :

– Vous l'avez aidé ?

– Il m'a contacté. Il avait besoin de médocs. C'est moi qui lui ai indiqué la blanchisserie de Gennevilliers. Je me suis dit qu'il pouvait finir le boulot. Pourquoi pas après tout ? Le véritable Homme-Clou reprenait le flambeau…

– Vous l'avez fait revenir à Bréhat ?

– Non. Il s'est démerdé seul : il était en manque.

– Quel manque ? Il n'avait pas suivi le traitement.

– C'est vrai mais depuis longtemps il survivait grâce à un cocktail de ma composition.

Les produits qu'on avait retrouvés à Louveciennes n'avaient donc rien à voir avec le vaccin. *Encore une fausse piste...*

– Au même moment, poursuivit le psy, Viard m'a prévenu que vous enterriez le Vieux à Bréhat. Je n'aurais pu rêver plus belle coïncidence. J'ai lâché mon chien sur ce qui restait du clan.

Le corps de Gaëlle reposant dans la chambre. Il ne mourrait pas avant de l'avoir vengée. Machinalement, Loïc se concentra sur le calibre toujours braqué sur lui. Il devait être le plus rapide... mais au moment voulu.

– Vous étiez avec lui ? demanda-t-il en contrôlant sa voix.

– Non. Charcot était surveillé. Je devais tenir mon rôle officiel. J'ai simplement prêté un Zodiac à Pharabot. Il était armé. Il bénéficiait de l'effet de surprise. Tout aurait dû être réglé cette nuit-là. Les derniers Morvan achevés, un coupable sur un plateau pour la justice.

Accroupi, Loïc écoutait toujours mais son cerveau reptilien avait pris le dessus. Il pouvait sentir dans l'air un frémissement, une tension qui marquaient le début du compte à rebours. Lassay allait tirer. Il devait être le plus rapide s'il ne voulait pas finir enterré dans le potager des fous.

– Et maintenant ? fit-il en se préparant mentalement.

– Le Pharmakon va poursuivre son effet : je serai bientôt guéri de ma propre violence. Mes récepteurs seront bloqués. Comme une voiture, mes réglages seront bridés.

Loïc le provoqua :

– Toute votre vie, vous avez été gouverné par la peur, et maintenant vous espérez qu'un produit chimique fera le boulot. Je ne vois pas l'intérêt de l'histoire.

– Tu oublies le principal. J'ai découvert un véritable vaccin contre la violence. Nous allons maîtriser ses premiers effets indésirables et bientôt l'utiliser sur des criminels afin d'éviter toute récidive.

Tu parles. Lassay se foutait bien de faire baisser les statistiques du crime et d'ailleurs, l'État l'avait lâché depuis longtemps. Il était seul avec son vaccin et sa démence.

– Mes recherches ont porté leurs fruits, conclut-il pourtant. Et sur le plan intime, j'ai remporté ma victoire. J'ai voyagé dans les méandres de la violence physique, dans les espaces vierges du mal libéré. À l'arrivée, le clan Morvan est éradiqué. Il ne restait plus que toi…

De Perneke n'eut pas le loisir d'appuyer sur la détente : il avait la gorge tranchée. En admirant la giclée de sang éclabousser le mur blanc, façon Jackson Pollock, Loïc recula, sidéré d'avoir été aussi rapide et surpris de la naïveté du psy lui-même.

Comment un homme de son intelligence avait-il pu penser que sa proie se serait laissé attirer dans un tel piège sans être armée ? Un ancien tox qui avait pris le risque de se faire une OD pour jouer les chevaux de Troie ? Le survivant d'un clan massacré ? Le fils de Grégoire le Terrible ? La mégalomanie du toubib l'avait perdu. Le faux passeport de Loïc n'était qu'un leurre : pas un instant il n'avait espéré tromper Lassay. Il savait que le toubib le reconnaîtrait et l'exécuterait à l'abri de tous les regards.

Lassay tomba à genoux, un rictus incrédule agrippé aux lèvres. Le pauvre con n'y croyait pas. Son calibre reposait devant lui à portée de main mais il était trop occupé, doigts plaqués sur sa plaie, à retenir encore quelques secondes de vie.

Tous les tox ont un plan B, une astuce pour s'en sortir en cas d'agression. Durant des années, l'arme secrète de Loïc avait été une lame de rasoir collée sur sa nuque, sous ses cheveux. Il avait pris l'habitude de s'y raser la surface d'un ticket de métro – ce qu'il appelait « s'épiler le maillot ». Il lui suffisait de coller la lame dans ce rectangle, ni vu ni connu. Sans doute ne l'aurait-il jamais utilisée – trop lâche – mais sa présence le rassurait. Il avait renoué avec la méthode avant de partir pour Locquirec. Les médecins l'avaient transféré, réanimé, soigné sans jamais découvrir son arme. *L'école de la rue, y a que ça de vrai.*

Lassay finit par tomber tête la première aux pieds de Loïc. Un dernier spasme le fit rebondir dans la mare de son propre sang. Loïc s'écarta, considéra la lame de rasoir dans sa main et sourit : après une OD et des nuits de traitement chimique, ses réflexes n'avaient pas pris une ride. Il vit dans ce simple détail un signe encourageant. Il en avait encore sous la pédale. Né de la mort, il avait la vie devant lui.

Il s'agenouilla et glissa dans la main de l'enfoiré l'objet tranchant. Manipulation abjecte dans une boue sanglante, où se confondaient doigts, hémoglobine, métal… Il attrapa le 9 mm et se recula pour contempler le cadavre. Son espoir était qu'on croie à un suicide – après le drame du pensionnaire échappé, le directeur de l'UMD pouvait avoir décidé d'en finir. En réalité, il s'en foutait. Viard et ses commanditaires étoufferaient l'affaire et veilleraient à ce qu'on ne remue pas ces braises mal éteintes.

Il fouilla dans les poches du mort et trouva la télécommande des caméras de sécurité. Couloir, sans un regard pour l'ennemi vaincu. Il était dans un état second, une sorte de transe hallucinatoire, mais légère et diffuse, qui lui donnait l'impression de voler plutôt que de marcher.

Le principal était de sortir de là et de fuir par la lande. Un beau plan pour le générique de fin.

146

L'ODEUR de l'herbe et du sel, l'ombre mauve du grand chêne, au bout du jardin, la marée haute. De retour à Bréhat, des mois plus tard. Le printemps éclatait de partout. Cosses de lumière et parfums en délire. Le frère dans une chilienne, enfin remis de ses blessures – il avait même retrouvé sa voix. 15 heures. Loïc apporta sur un plateau du thé ayurvédique et des tasses en grès. Erwan grimaça. Leur rire se perdit dans le soleil puis ils sirotèrent en silence.

Loïc avait pu quitter l'institut Charcot sans problème. Il était même repassé par sa chambre pour embarquer ses vêtements et son passeport puis avait disparu dans les ténèbres. L'enquête avait conclu au suicide de Jean-Louis Lassay, comme il l'espérait. Viard s'était empressé de remettre le couvercle sur toute l'affaire puis avait rendu une visite au cadet des Morvan. Un deal à demi-mot. La paix en échange du silence des frangins. Mister Bobo était reparti comme il était venu, déjà occupé à prendre la place du Vieux à Beauvau.

Maggie était morte le 21 décembre 2012. Loïc s'était fadé, encore une fois, la préparation des funérailles. En accord avec Erwan, il l'avait inhumée à Bréhat, auprès de Grégoire – chacun était le cauchemar de l'autre, qu'ils continuent à rêver ensemble. Ils avaient laissé Gaëlle, leur lady D'Arbanville, à sa solitude de Montparnasse, en attendant de la rejoindre sous terre.

Loïc n'était jamais retourné à Firefly Capital. Les couillons qui y bossaient avaient fait tourner la boîte sans lui durant des semaines : qu'ils continuent sur leur lancée. Il avait passé les mois suivants à s'occuper de son frère et à se rapprocher, lentement, de ses enfants. Sofia avait apprécié l'effort et les termes du divorce se nuançaient. Jamais pourtant ils n'avaient évoqué la solution de revivre ensemble : Loïc avait arrêté la coke mais il n'en devenait pas pour autant le mari idéal. D'ailleurs, il ne se préoccupait que de Milla et Lorenzo : il voulait les comprendre, partager leur univers et ne plus s'ennuyer auprès d'eux. Pour ça, il devait y consacrer tout son cœur – pas question de se disperser avec une femme. Quand il n'avait pas sa progéniture, il faisait du sport et lisait les enseignements du Véhicule de diamant.

Il avait raconté en détail à Erwan sa dernière expédition : l'aîné avait approuvé. Il était entendu que la force et le pouvoir se partageaient désormais entre les deux frères. Depuis, ils n'avaient plus jamais reparlé de l'affaire. Ils évoquaient parfois, du bout des lèvres, Gaëlle comme on effleure une plaie encore à vif. Ils se remémoraient aussi le Vieux au gré d'un détail, d'une anecdote, mais jamais Maggie, qui avait emporté son mystère dans la tombe. Meurtrière, victime, manipulatrice, soumise, aimante, haineuse : pas moyen de fixer l'image.

– Tu en reprends ?

– Ça ira, merci.

Ce n'était plus la même voix ni le même homme. Peut-être le grain râpeux d'un nouveau départ, des friches à cultiver. Loïc remplit à nouveau sa tasse et savoura le breuvage épicé. Une brûlure dont chaque crépitement lui rappelait les heures apaisées du monastère himalayen.

Assis dans l'herbe, adossé au tronc du chêne, il admirait la mer qui épousait la ligne courbe de la terre et recueillait à sa surface les milliards de paillettes du soleil comme le tamis d'un chercheur d'or.

– Je sais ce qu'on va faire, dit-il soudain en se relevant et en se plaçant derrière la chaise longue d'Erwan. On va partir à Zhongdian, toi et moi.

– Où ça ?

– Zhongdian, à la frontière tibétaine. C'est là-bas que j'ai découvert le bouddhisme Vajrayana. On pourrait se faire une petite cure de spiritualité.

Erwan ne répondit pas – pas vraiment chaud.

Loïc poursuivit ses explications, histoire de meubler le vide :

– Les Chinois ont changé le nom de la ville : ils l'appellent aujourd'hui Shangri-la, en référence à un vieux film de Frank Capra, *Lost Horizon* où des Américains découvrent une ville secrète en Himalaya. Les Chinois se sont donc inspirés des Ricains qui s'étaient eux-mêmes inspirés d'eux et…

Il se tut : le silence de son frère était plus dur que les blocs de granit du rivage.

Il se dit qu'il était inutile de persévérer quand Erwan annonça :

– Je suis d'accord.

Avant d'ajouter, avec une voix qui gagnait déjà en fluidité :

– *Horizons perdus*… Pile poil pour nous.

DU MÊME AUTEUR

Aux Éditions Albin Michel

LE VOL DES CIGOGNES, 1994
LES RIVIÈRES POURPRES, 1998
LE CONCILE DE PIERRE, 2000
L'EMPIRE DES LOUPS, 2003
LA LIGNE NOIRE, 2004
LE SERMENT DES LIMBES, 2007
MISERERE, 2008
LA FORÊT DES MÂNES, 2009
LE PASSAGER, 2011
KAÏKEN, 2012
LONTANO, 2015

Composition : Nord Compo
Impression : CPI Bussière en avril 2016
Éditions Albin Michel
22, rue Huyghens, 75014 Paris
www.albin-michel.fr
ISBN : 978-2-226-32608-9
N° d'édition : 20210/01. N° d'impression : 2020704
Dépôt légal : mai 2016
Imprimé en France